I0581726

DE VERRE ECHO

Van Val McDermid zijn verschenen:

De terechtstelling*
De wraakoefening*
De verre echo*
Zeemansgraf*
Misdaadkoning
Een duister domein

Tony Hill thrillers:

De sirene*
Het profiel*
De laatste verzoeking*
De kwelling*
De wrede hand*
Een spoor van bloed

Kate Brannigan thrillers:

Doodslag
Valstrik
Klopjacht
Kunstgreep
Wildgroei
Schrikbeeld

*Ook in POEMA-POCKET verschenen

VAL McDERMID

DE VERRE ECHO

BIBLIOTHEEK BREDA
Centrale Bibliotheek
Molenstraat 6
4811 GS Breda

Zesde druk
© 2003 Val McDermid
All rights reserved
© 2003, 2010 Nederlandse vertaling
Uitgeverij Luitingh ~ Sijthoff B.V., Amsterdam
Alle rechten voorbehouden
Oorspronkelijke titel: *The Distant Echo*
Vertaling: Sophie Brinkman
Omslagontwerp: Wouter van der Struys/Twizter.nl
Omslagfotografie: Pascal Colson/Trevillion Images

ISBN 978 90 210 1038 0
NUR 313

www.boekenwereld.com
www.poemapocket.com
www.watleesjij.nu

Voor degenen die ontsnapten; en voor de anderen, met name de Thursday Club, die de ontsnapping mogelijk maakten.

Ik vertel nu over mijn land alsof het aan vreemden is
Uit Deacon Blue's 'Orphan's', tekst van Ricky Ross

Proloog

November 2003, St Andrews, Schotland
Hij bezocht het kerkhof het liefst bij het aanbreken van de dag. Niet omdat de dageraad de belofte van een nieuw begin in zich hield, maar omdat er dan nog niemand was. Zelfs midden in de winter, wanneer het bleke licht zo laat kwam, wist hij zeker dat hij alleen zou zijn. Geen glurende ogen die zich afvroegen wie hij was en waarom hij daar was, het hoofd gebogen voor dat ene bepaalde graf. Geen nieuwsgierige toeschouwers die twijfelden of hij het recht had daar te zijn.

Zijn weg hiernaartoe was lang en zwaar geweest. Maar hij was heel goed in het vinden van informatie. Obsessief, zouden sommigen zeggen. Hij noemde het liever vasthoudend. Hij had geleerd zowel officiële als officieuze bronnen uit te kammen, en uiteindelijk, na maanden zoeken, had hij de antwoorden gevonden. Hoe onbevredigend ze ook waren geweest, ze hadden hem in elk geval bij deze steen gebracht. Voor sommige mensen betekende een graf een eindpunt, niet voor hem. Hij zag het als een begin. In zekere zin.

Hij had altijd geweten dat het op zich niet voldoende zou zijn. Dus had hij gewacht, hopend op een teken dat hem verder zou helpen. En het was eindelijk gekomen. Terwijl de lucht zijn kleur veranderde van die van de buitenkant naar die van de binnenkant van een mosselschelp, haalde hij een knipsel uit de plaatselijke krant uit zijn zak en vouwde het open.

POLITIE FIFE HERONDERZOEKT ONOPGELOSTE MOORDZAKEN
Tot dertig jaar oude, onopgeloste moorden in Fife worden aan een nieuw onderzoek onderworpen, zo kondigde de politie deze week aan.
Hoofdcommissaris Sam Haig zei dat nieuwe forensische doorbraken betekenen dat zaken die jarenlang sluimerend zijn geweest nu met enige hoop op succes heropend kunnen worden.

Oud bewijsmateriaal dat tientallen jaren bij de politie opgeslagen heeft gelegen, zal onderworpen worden aan methoden als DNA-analyse om na te gaan of dit nieuwe aanwijzingen oplevert.

Adjunct-hoofdcommissaris (recherche) James Lawson zal het nieuwe onderzoek leiden. Hij vertelde de *Courier*: 'Moorddossiers worden nooit gesloten. We zijn het de slachtoffers en hun familie verschuldigd om aan de zaak te blijven werken. In sommige gevallen hadden we indertijd duidelijke verdachten, maar niet genoeg bewijs om hen met het misdrijf in verband te brengen. Nu, met de moderne forensische technieken, kan één haar, een bloedvlek of een spoortje sperma voldoende zijn om hen in staat van beschuldiging te stellen. We hebben recent in Engeland een aantal voorbeelden gezien van zaken die na twintig jaar of meer met succes zijn afgerond. Een team van ervaren rechercheurs zal deze zaken nu tot hun eerste prioriteit maken.'

Adjunct-hoofdcommissaris Lawson weigerde te onthullen welke zaken precies boven aan de lijst van zijn rechercheurs komen te staan.

Maar daartoe zal toch zeker de tragische moord op de plaatselijke tiener Rosie Duff behoren.

Het negentienjarige meisje uit Strathkinness werd bijna vijfentwintig jaar geleden verkracht, neergestoken en voor dood achtergelaten op Hallow Hill. Voor deze brute moord is nooit iemand gearresteerd.

Haar broer Brian, zesenveertig jaar, die nog steeds in het familiehuis Caberfeidh Cottage woont en in de papierfabriek in Guardbridge werkt, zei gisteravond: 'We zijn altijd blijven hopen dat de moordenaar van Rosie op een dag voor de rechter zou staan. Er waren destijds verdachten, maar de politie heeft nooit genoeg bewijs gevonden om ze te kunnen pakken. Helaas zijn mijn ouders naar hun graf gegaan zonder ooit te weten wie Rosie zoiets verschrikkelijks heeft aangedaan. Maar misschien krijgen we nu het antwoord waar zij recht op hadden.'

Hij kende het artikel uit zijn hoofd, maar keek er toch graag naar.

Het was een talisman; het herinnerde hem eraan dat zijn leven niet meer doelloos was. Al zo lang wilde hij iemand de schuld kunnen geven. Hij had nauwelijks nog op wraak durven hopen. Maar nu, eindelijk, zou vergelding wellicht zijn deel zijn.

DEEL EEN

I

1978, St Andrews, Schotland
Vier uur in de ochtend, midden in december. Vier vage omtrekken waggelden door de sneeuwvlagen die gestuurd werden door de harde noordoostelijke wind die vanuit de Oeral over de Noordzee zwiepte. De acht strompelende voeten van de Laddies fi' Kirkcaldy, zoals ze zichzelf noemden, volgden het vertrouwde pad van hun doorsteek over Hallow Hill naar Fife Park, het modernste van de studentenhuizen van de Universiteit van St Andrews, waar hun eeuwig onopgemaakte bedden uitnodigend geeuwden met hun tongen van lakens en dekens hangend op de vloer.

Het gesprek ging hakkelend en in een net zo vertrouwde trant als hun route. 'Ik zeg je, Bowie is de beste,' brabbelde Sigmund Malkiewicz luid, zijn doorgaans uitdrukkingsloze gezicht losser door de drank. Alex Gilbey, een paar passen achter hem, trok de capuchon van zijn parka dichter om zijn gezicht en giechelde inwendig terwijl hij met zijn lippen het antwoord vormde waarvan hij wist dat het zou komen.

'Gelul,' zei Davey Kerr. 'Bowie is gewoon een mietje. Pink Floyd maakt Bowie helemaal in. *Dark Side of the Moon*, dat is een meesterwerk. Bowie komt niet eens in de buurt.' Zijn lange donkere krullen werden losser onder het gewicht van gesmolten sneeuwvlokken en hij streek ze ongeduldig uit zijn magere gezicht.

En daar gingen ze. Als tovenaars die elkaar strijdlustig bezweringen toewerpen, bestookten Sigmund en Davey elkaar met titels van liedjes, teksten en gitaarriedels in de rituele dans van een meningsverschil dat ze nu al zes of zeven jaar hadden. Het maakte niet uit dat de muziek die de ramen van hun studentenkamers tegenwoordig aan het rinkelen bracht afkomstig was van de Clash, de Jam of de Skids. Zelfs hun bijnamen spraken van hun oude hartstochten. Vanaf de allereerste middag waarop ze na school bij elkaar waren gekomen in Alex' slaapkamer om naar zijn nieuwste aanwinst, *Ziggy Stardust and the Spiders from Mars*, te luisteren, was het onvermijdelijk geweest dat de charismatische Sigmund Ziggy zou zijn, de melaatse messias, voor altijd. En de anderen konden niet anders zijn dan de Spiders. Alex was Gilly geworden, ondanks zijn protest dat het een mietjesachtige bijnaam was voor iemand die streefde naar de potige bouw van een rugbyspeler. Maar gezien zijn achternaam kon hij er niets tegen inbrengen. En aan de geschiktheid van de naam Weird voor het vierde lid van hun kwartet bestond geen enkele twijfel. Want Tom Mackie was raar, vergis je niet. Hij was de langste van hun jaar en zijn slungelige armen en benen zagen er zelfs uit als een mutatie, passend bij een persoonlijkheid die er plezier in had tegendraads te zijn.

Dat liet Davey over, die trouw was aan de zaak van de Floyd en absoluut weigerde om een bijnaam te accepteren uit de canon van Bowie. Hij had enige tijd halfhartig bekendgestaan als Pink, maar vanaf de allereerste keer dat ze 'Shine on, You Crazy Diamond' hadden gehoord, was er geen woord meer aan vuilgemaakt: Davey wás een gekke diamant, en of hij dat was, vuurspuwend in onvoorspelbare richtingen, gespannen en ongemakkelijk buiten de juiste omgeving. Diamond werd al snel Mondo, en Davey Kerr was Mondo gebleven, gedurende de rest van de tijd op de middelbare school en tot op de universiteit.

Alex schudde in stille verbazing zijn hoofd. Zelfs door de waas van te veel bier heen, verwonderde hij zich over het bindmiddel dat hen vieren al die jaren bij elkaar had gehouden. De gedachte alleen al gaf hem een warm gevoel dat de gemene kou op afstand hield. Hij struikelde over een uitstekende wortel die bedekt was door een zachte deken van sneeuw. 'Verdomme,' gromde hij terwijl hij struikelend tegen Weird aan viel, die hem een vriendelijk duwtje gaf waardoor hij vooruit vloog. Zwaaiend met zijn armen om zijn evenwicht te bewaren, liet hij zich door de kracht van de duw naar voren dragen en strompelde tegen de korte helling op, plotseling opgebeurd door het gevoel van de sneeuw tegen zijn warme huid. Toen hij de top bereikte, kwam hij in een onverwachte kuil terecht die zijn benen onder hem vandaan trok. Alex duikelde op de grond.

Zijn val werd gebroken door iets zachts. Alex worstelde om rechtop te gaan zitten en zette zich daarbij af tegen datgene waarop hij terechtgekomen was. Sneeuw sputterend, veegde hij zijn ogen af met zijn tintelende vingers en ademde hard door zijn neus in een poging de gesmolten sneeuw eruit te blazen. Hij keek net om zich heen om te zien wat zijn val had opgevangen, toen de hoofden van zijn drie metgezellen boven de heuvel verschenen om zich te verkneukelen over zijn lachwekkende rampspoed.

Zelfs in het griezelig schemerige sneeuwlicht kon hij zien dat zijn val niet was tegengehouden door iets plantaardigs. Wat hij zag was onmiskenbaar een menselijke gestalte. De zware witte vlokken begonnen te smelten zodra ze neerkwamen, waardoor Alex kon zien dat het een vrouw was met donker haar waarvan de natte slierten in Medusa-achtige lokken verspreid lagen in de sneeuw. Haar rok was omhooggetrokken tot haar middel en haar knielange zwarte laarzen zagen er daardoor nog ongerijmder uit tegen haar bleke benen. Vreemde donkere vlekken besmeurden haar huid en het lichtgekleurde bloesje dat aan haar borst plakte. Even staarde Alex er niet-begrijpend naar, toen keek hij naar zijn handen en zag dezelfde donkere vlekken op zijn eigen huid.

Bloed. Het besef daagde bij hem op het moment dat de sneeuw in zijn oor smolt, waardoor hij het zwakke, moeizame gepiep van haar ademhaling kon horen.

'Godallemachtig,' stotterde Alex, terwijl hij weg probeerde te kruipen van de gruwel waarover hij gestruikeld was. Maar terwijl hij achteruit kronkelde, bleef hij maar tegen iets stoten wat aanvoelde als kleine stenen muren. 'Godallemachtig.' Hij keek wanhopig op, alsof de aanblik van zijn metgezellen de betovering zou verbreken en het allemaal zou laten verdwijnen. Hij wierp een blik achter zich naar de nachtmerrieachtige aanblik in de sneeuw. Het was geen dronken hallucinatie. Het was echt. Hij draaide zich weer om naar zijn vrienden. 'Er ligt een meisje hier,' schreeuwde hij.

Weird Mackies stem zweefde spookachtig naar hem terug. 'Bofkont.'

'Nee, hou op. Ze bloedt.'

Weirds gelach verscheurde de lucht. 'Toch niet zo'n bofkont, Gilly.'

Alex voelde een plotselinge woede in zich opkomen. 'Ik sta hier verdomme geen grappen te maken. Kom hier. Ziggy, kom op, man.'

Ze hoorden nu hoe dringend Alex' stem klonk. Met Ziggy zoals altijd voorop ploeterden ze door de sneeuw naar de kam van de heuvel. Ziggy nam de helling in een schokkerige ren, Weird liet zich voorover vallen naar Alex en Mondo sloot de rij, voorzichtig de ene voet voor de andere zettend.

Weird eindigde boven op Alex en samen vielen ze boven op het lichaam van de vrouw. Ze probeerden zich spartelend los te maken, terwijl Weird onnozel giechelde. 'Hé, Gilly, zo dicht ben je waarschijnlijk nog nooit bij een vrouw geweest.'

'Je hebt te veel stuff gehad,' zei Ziggy kwaad terwijl hij hem opzij trok, naast haar neerhurkte en in haar hals voelde naar een hartslag. Die was er nog, maar angstaanjagend zwak. Toen tot hem doordrong wat hij in het schemerige licht zag, was hij op slag nuchter van bezorgdheid. Hij was niet meer dan een student medicijnen in zijn laatste jaar, maar hij wist wat een levensbedreigende verwonding was wanneer hij die zag.

Weird, op zijn hurken gezeten, leunde achterover en fronste zijn wenkbrauwen. 'Hé, weten jullie waar we zijn?' Niemand luisterde naar hem, maar hij praatte desondanks door. 'Dit is de Pictische begraafplaats. Die bobbels in de sneeuw, als muurtjes? Dat zijn de stenen die ze als doodskisten gebruikten. Jezus, Alex heeft een lijk op de begraafplaats gevonden.' En hij begon te giechelen, een griezelig geluid in de door de sneeuw gedempte lucht.

'Hou je bek, Weird.' Ziggy liet zijn handen over haar bovenlichaam glijden en voelde het verontrustende meegeven van een diepe wond onder zijn zoekende vingers. Hij hield zijn hoofd scheef in een poging haar grondiger te onderzoeken. 'Mondo, heb jij een aansteker?'

Mondo kwam met tegenzin dichterbij en haalde zijn Zippo te voorschijn. Hij draaide aan het wieltje en bewoog het zwakke licht op armlengte over het lichaam van de vrouw omhoog naar haar gezicht. Zijn vrije hand ging naar zijn mond in een vergeefse poging een kreet te smoren. Zijn blauwe ogen werden groot van afschuw en de vlam trilde in zijn greep.

Ziggy haalde scherp adem, de vlakken van zijn gezicht spookachtig in het flakkerende licht. 'Verdomme,' hijgde hij, 'het is Rosie van de Lammas Bar.'

Alex had niet gedacht dat hij zich nog beroerder had kunnen voelen, maar Ziggy's woorden waren als een steek in zijn hart. Met een zachte kreun wendde hij zich af en gaf een smerige combinatie van bier, chips en knoflookbrood over in de sneeuw.

'We moeten haar helpen,' zei Ziggy resoluut. 'Ze leeft nog, maar in deze toestand duurt dat niet lang meer. Weird, Mondo, jassen uit.' Terwijl hij dit zei, trok hij zijn eigen schapenvachtjas al uit en wikkelde hem voorzichtig rond Rosies schouders. 'Gilly, jij bent het snelst. Ga hulp halen. Zorg dat je bij een telefoon komt. Haal iemand uit bed als het moet, maar zorg dat ze hierheen komen, oké? Alex?'

Verdwaasd dwong Alex zichzelf op te staan. Hij klauterde de helling af en hoorde de sneeuw kraken onder zijn laarzen terwijl hij houvast zocht. Hij kwam uit de verspreide groep bomen in het licht van de straatlantaarns, die de laatste doodlopende straat verlichtten van de nieuwe woonwijk die in de afgelopen vijf jaar uit de grond was gestampt. De weg terug die ze gekomen waren, dat was de snelste route.

Alex hield zijn hoofd omlaag en begon aan een glibberige ren over het midden van de straat terwijl hij het beeld van wat hij zojuist had gezien van zich af probeerde te zetten. Het was net zo onmogelijk als een regelmatig tempo te handhaven over de poedersneeuw. Hoe kon dat meelijwekkende ding tussen de Pictische graven Rosie van de Lammas Bar zijn? Ze waren daar die avond geweest, hadden vrolijk en luidruchtig in de warme gelige gloed van het zaaltje glazen Tennent's achterovergeslagen om voor het laatst van hun universitaire vrijheid te genieten voordat ze terug moesten naar de verstikking van de huiselijke kerstvieringen vijftig kilometer verderop.

Hij had zelf met Rosie gepraat, met haar geflirt op de onhandige manier van jongens van eenentwintig die niet weten of ze nog onbezonnen knapen zijn of volwassen mannen van de wereld. Niet voor het eerst had hij haar gevraagd hoe laat ze klaar zou zijn. Hij had haar zelfs verteld naar wiens feestje ze gingen. Hij had het adres op de achterkant van een bierviltje gekrabbeld en het over de vochtige houten bar naar haar toe geschoven. Ze had medelijdend naar hem geglimlacht en het opgepakt. Hij vermoedde dat het recht in de afvalbak was gegaan. Wat moest een vrouw als Rosie tenslotte met een groentje als hij? Met haar uiterlijk en haar figuur had ze ze voor het uitzoeken, kon ze kiezen voor iemand die haar echt mee uit kon nemen in plaats van voor een armoedige student die zijn beurs tot aan zijn vakantiebaantje probeerde te rekken met werk als schappenvuller in de supermarkt.

Dus hoe kon het Rosie zijn die daar bloedend in de sneeuw lag op Hallow Hill? Ziggy moest zich vergist hebben, hield Alex zichzelf voor terwijl hij links afsloeg in de richting van de hoofdweg. Bij het flikkerende licht van Mondo's Zippo kon iedereen zich vergissen. En Ziggy had tenslotte nooit veel aandacht geschonken aan het donkerharige barmeisje. Hij had dat aan Alex zelf en aan Mondo overgelaten. Het moest een arme meid zijn die op Rosie leek. Dat zou het zijn, stelde hij zichzelf gerust. Een vergissing, dat was het.

Alex aarzelde even, terwijl hij op adem probeerde te komen en zich afvroeg welke kant hij op moest. Er waren genoeg huizen in de buurt, maar niet één waar licht brandde. Zelfs als hij iemand uit bed zou weten te krijgen, betwijfelde hij of men open wilde doen voor een bezwete jongeman die midden in een sneeuwstorm en naar drank ruikend voor de deur stond.

Toen herinnerde hij zich iets. Rond deze tijd van de nacht stond er meestal een politieauto geparkeerd bij de hoofdingang van de Botanische Tuinen nog geen halve kilometer verderop. Ze hadden het vaak genoeg gezien wanneer ze in de vroege uurtjes van de ochtend naar huis wankelden, zich bewust van de enige inzittende van de auto die hen even bekeek terwijl zij hun best probeerden te doen om nuchter te lijken. Het was een aanblik die Weird altijd weer aan een van zijn tirades deed beginnen over de corruptie en luiheid van de politie. 'Ze zouden bezig moeten zijn om de echte boeven te vangen, de grijze mannen in pakken die de rest van de mensheid bestelen, in plaats van daar de hele nacht met een thermosfles thee en een zak broodjes rond te hangen in de hoop een of andere dronkenlap te betrappen die in de heg pist of een of andere stommeling die te snel naar huis rijdt. Luie zakken.' Nou, vannacht zou Weird misschien een deel van zijn wens verwezenlijkt zien worden. Want het zag ernaar uit dat de luie zak in de auto deze nacht meer op zijn bordje zou krijgen dan waar hij op gerekend had.

Alex draaide zich naar de Canongate en begon weer te rennen, de verse sneeuw krakend onder zijn laarzen. Hij wenste dat hij zijn rugbytraining had bijgehouden toen hij een steek in zijn zij kreeg, die zijn ritme veranderde in een soort scheef gehuppel en gespring terwijl hij vocht om genoeg lucht in zijn longen te krijgen. Nog maar een paar honderd meter, hield hij zichzelf voor. Hij kon nu niet ophouden, terwijl Rosies leven misschien van zijn snelheid afhing. Hij tuurde in de verte, maar de sneeuw viel nu dichter en hij had niet meer dan een paar meter zicht.

Hij liep bijna tegen de politieauto aan voordat hij hem zag. Hoewel een gevoel van opluchting door zijn zwetende lichaam stroomde, klauwde ongerustheid aan zijn hart. Ontnuchterd door de schok en de inspanning, besefte Alex dat hij niet bepaald leek op het type fatsoenlijke burger dat een misdrijf komt melden. Hij zag er onverzorgd en bezweet uit, besmeurd met bloed en wankelend als een half dichtgeklapt mes. Hij zou de politieman, die al half uit zijn Panda was gekomen, er op de een of andere manier van moeten overtuigen dat hij zich geen dingen inbeeldde en ook geen flauwe grap probeerde uit te halen. Een meter voor de auto bleef hij staan om er niet bedreigend uit te zien en wachtte tot de man uit de auto was.

De politieman zette zijn pet recht op zijn korte donker haar. Hij hield zijn hoofd scheef en keek Alex behoedzaam aan. Zelfs verhuld door de zware uniformjas merkte Alex de spanning in zijn lichaam op. 'Wat is er aan de hand, knul?' vroeg hij. Hoewel hij hem enigszins bevoogdend toesprak, zag hij er zelf niet veel ouder uit dan Alex en straalde hij iets ongemakkelijks uit dat niet bij zijn uniform paste.

Alex probeerde zijn ademhaling onder controle te krijgen, maar dat mislukte. 'Er is een meisje op Hallow Hill,' stootte hij uit. 'Ze is aangevallen. Ze bloedt heel erg. Ze heeft hulp nodig.'

De politieman kneep zijn ogen samen tegen de sneeuw en keek hem gefronst aan. 'Ze is aangevallen, zeg je. Hoe weet je dat?'

'Ze zit onder het bloed. En...' Alex dacht even na. 'Ze is niet gekleed voor het weer. Ze heeft geen jas aan. Luister, kun je een ambulance of een dokter of zo laten komen? Ze is echt gewond, man.'

'En jij hebt haar midden in een sneeuwstorm toevallig gevonden, hè? Heb je gedronken, knul?' De woorden waren bevoogdend, maar de stem verried ongerustheid.

Dit soort dingen, dacht Alex, gebeurden natuurlijk niet vaak in een rustige buitenwijk van St Andrews. Op de een of andere manier zou hij deze dienstklopper ervan moeten overtuigen dat hij het meende. 'Natuurlijk heb ik gedronken,' zei hij gefrustreerd. 'Waarom zou ik anders om deze tijd van de nacht nog op pad zijn? Luister, mijn vrienden ik namen een korte weg naar huis en we waren een beetje aan het dollen en ik rende de heuvel op en ik struikelde en viel boven op haar.' Zijn stem werd hoger en smekend. 'Alsjeblieft. Je moet helpen. Anders gaat ze misschien dood.'

De politieman bestudeerde hem en voor zijn gevoel duurde het minuten. Toen ging hij in de auto zitten en begon aan een onbegrijpelijk gesprek via de radio. Daarna stak hij zijn hoofd uit het raampje. 'Stap in. We rijden naar Trinity Place. Je kunt ons maar beter niet voor de gek houden, knul,' zei hij grimmig.

De auto slingerde over de weg, de banden waren niet geschikt voor de weersomstandigheden. De weinige auto's die eerder over de weg gereden hadden, hadden – bewijs van de zware sneeuwval – sporen achtergelaten die nu slechts vage indrukken waren in het zachte witte oppervlak. De politieman vloekte binnensmonds toen hij net een lantaarnpaal in de bocht wist te ontwijken. Aan het eind van Trinity Place wendde hij zich tot Alex. 'Kom, laat me zien waar ze is.'

Alex vertrok op een drafje en volgde zijn eigen snel verdwijnende sporen in de sneeuw. Hij bleef achteromkijken om te controleren of de politieman hem nog volgde. Op een gegeven moment viel hij bijna voorover toen zijn ogen een paar seconden nodig hadden om zich aan te passen aan de grotere duisternis op de plaats waar het licht van de straatlantaarns afgesneden werd door de boomstammen. De sneeuw leek zijn eigen vreemde licht over het landschap te werpen, waarin de omvang van de struiken overdreven werd en het pad een smaller lint leek dan normaal. 'Deze kant op,' zei Alex terwijl hij naar links zwenkte. Een snelle blik over zijn schouder verzekerde hem dat zijn metgezel vlak achter hem was.

De politieman vertraagde. 'Weet je zeker dat je geen drugs gebruikt?' zei hij wantrouwig.

'Kom op,' schreeuwde Alex dringend toen hij de donkere gedaanten boven zich in het oog kreeg. Zonder te kijken of de politieman hem nog volgde, haastte Alex zich de helling op. Hij was er bijna toen de jonge politieman hem inhaalde en passeerde, en plotseling op een meter van de groep stilstond.

Ziggy zat nog steeds gehurkt naast het lichaam van de vrouw, zijn shirt tegen zijn magere borst geplakt door een mengeling van sneeuw en zweet. Weird en Mondo stonden achter hem, armen voor hun borst geslagen, hoofd gebogen tussen hun opgetrokken schouders. Ze probeerden alleen maar zonder jas aan warm te blijven, maar maakten helaas een arrogante indruk.

'Wat is hier aan de hand, jongens?' vroeg de politieman, en zijn stem was een agressieve poging om gezag uit te stralen in het grotere gezelschap dat hij tegenover zich vond.

Ziggy kwam vermoeid overeind en streek zijn natte haar uit zijn ogen. 'Jullie zijn te laat. Ze is dood.'

2

Niets in Alex' eenentwintigjarige leven had hem voorbereid op een nachtelijk politieverhoor. In politieseries en politiefilms zag het er altijd zo geordend uit. Maar de wanorde van het hele proces was op de een of andere manier zenuwslopender dan militaire precisie zou zijn geweest. Ze waren met zijn vieren in een chaotische toestand bij het politiebureau aangekomen. Ze waren in de blauwe zwaailichten van Panda's en ambulances snel de heuvel afgejaagd en niemand scheen ook maar enig idee te hebben van wat er met ze moest gebeuren.

Ze hadden voor hun gevoel heel lang onder een straatlantaarn gestaan, bibberend onder de gefronste blik van de politieman die Alex erbij had gehaald, en van diens collega, een grijsharige man in uniform met een norse blik en een ronde rug. Geen van beide agenten sprak tegen de vier jongemannen, hoewel ze hen voortdurend in het oog hielden.

Ten slotte kwam een gekweld uitziende man, ineengedoken in een overjas die hem twee maten te groot leek, in hun richting glibberen op schoenen met dunne zolen die niet opgewassen waren tegen het terrein. 'Lawson, Mackenzie, neem deze jongens mee naar het bureau en zet ze apart wanneer jullie daar zijn. We komen zo om met ze te praten.' Toen draaide hij zich om en strompelde terug in de richting van hun afschuwelijke vondst, nu verborgen achter canvas schermen waar een griezelig groen licht doorheen viel dat de sneeuw bevlekte.

De jongere politieman keek zijn collega bezorgd aan. 'Hoe krijgen we ze daar?'

De ander haalde zijn schouders op. 'Je zult ze in je Panda moeten persen. Ik ben in de Sherpa-bus gekomen.'

'Kunnen we ze daar niet in vervoeren? Dan zou jij een oogje op ze kunnen houden terwijl ik rijd.'

De oudere man schudde zijn hoofd en perste zijn lippen op elkaar. 'Wat je wilt, Lawson.' Hij gebaarde naar de Laddies fi' Kirkcaldy. 'Kom op, jullie. In de bus. En geen gedonder, begrepen?' Hij liep met hen naar een politiebus en riep over zijn schouder naar Lawson: 'Je kunt maar beter de sleutels bij Tam Watt halen.'

Lawson begon te helling op te lopen en liet hen achter bij Mackenzie. 'Ik zou niet graag in jullie schoenen staan als de recherche van die heuvel afkomt,' zei hij op gesprekstoon terwijl hij achter hen aan naar binnen klom. Alex rilde, maar niet van de kou. Langzaam begon het tot hem door te dringen dat de politie hem en zijn vrienden eerder als mogelijke verdachten dan getuigen beschouwde. Ze hadden niet de gelegenheid gekregen om te overleggen, hun verhalen op elkaar af te stemmen. Ze wisselden ongemakkelijke blikken. Zelfs Weird was nuchter genoeg geworden om te beseffen dat dit niet een of ander dom spelletje was.

Toen Mackenzie hen het busje in dreef, waren ze een paar seconden alleen geweest. Net genoeg tijd voor Ziggy om luid genoeg voor hun oren te mompelen: 'Zeg in godsnaam niks over de Land Rover.' In hun ogen was onmiddellijk begrip te lezen geweest.

'Jezus, ja,' zei Weird terwijl hij zijn hoofd achterover wierp in een geschrokken besef. Mondo kauwde op de huid rond zijn duimnagel en zei niets. Alex knikte alleen.

Het politiebureau had nauwelijks ordelijker geleken dan de plaats van de misdaad. De dienstdoende brigadier klaagde bitter toen de twee agenten arriveerden met vier mensen die zo opgeborgen moesten worden dat ze niet met elkaar konden praten. Er bleken te weinig verhoorkamers te zijn om hen allemaal gescheiden te houden. Weird en Mondo werden naar niet-afgesloten cellen gebracht, terwijl Alex en Ziggy aan hun lot werden overgelaten in de twee verhoorkamers van het bureau.

De kamer waarin Alex zich bevond, was claustrofobisch klein. Hij was nauwelijks drie passen in het vierkant, zoals hij binnen een paar minuten nadat hij er was opgesloten vaststelde om iets te doen te hebben. Er waren geen ramen, en het lage plafond met zijn grauw geworden polystyreen tegels maakte het allemaal nog benauwender. Er stonden een afgesplinterde houten tafel en vier niet bij elkaar passende houten stoelen, die net zo ongemakkelijk zaten als ze eruitzagen. Alex probeerde ze allemaal uit en koos ten slotte voor de stoel die zich niet zo erg in zijn dijbenen groef als de andere.

Hij vroeg zich af of hij zou mogen roken. Te oordelen naar de bedompte lucht die er hing, zou hij niet de eerste zijn. Maar hij was een goed opgevoede jongen en het ontbreken van een asbak bracht hem aan het twijfelen. Hij zocht in zijn zakken en vond het verfrommelde zilverpapiertje van een rolletje pepermunt. Hij spreidde het zorgvuldig uit, en vouwde de randen omhoog om een ruwe asbak te vormen. Toen haalde hij zijn pakje Bensons te voorschijn en duwde de bovenkant open. Nog negen. Daarmee zou hij het wel redden, dacht hij.

Alex stak zijn sigaret op en stond zichzelf voor het eerst sinds hun komst naar het politiebureau toe om over zijn situatie na te denken. Het lag voor de hand, nu hij erover nadacht. Ze hadden een lijk gevonden. Ze moesten wel verdacht zijn. Iedereen wist dat de eerste kandidaten voor een arrestatie in een moordonderzoek ofwel degenen waren die het slachtoffer voor het laatst levend hadden gezien of degenen die het lijk hadden gevonden. Nou, voor hen gold allebei.

Hij schudde zijn hoofd. Het lijk. Hij begon net als zij te denken. Dit was niet zomaar een lijk, dit was Rosie. Iemand die hij kende, ook al was het maar een beetje. Hij veronderstelde dat het daardoor alleen maar verdachter werd. Maar hij wilde daar nu niet over nadenken. Hij wilde de afschuwelijke gebeurtenis uit zijn hoofd zetten. Telkens als hij zijn ogen sloot, zag hij beelden van de heuvel voor zich. Mooie, sexy Rosie gewond en bloedend in de sneeuw. 'Denk aan iets anders,' zei hij hardop.

Hij vroeg zich af hoe de anderen op een ondervraging zouden reageren. Weird had zijn hoofd er niet bij, dat was duidelijk. Hij had niet alleen drank gehad vanavond. Alex had hem met een joint in zijn hand gezien, maar met Weird wist je niet wat hij nog meer kon hebben gebruikt. Er waren acid-pillen rondgegaan. Alex had zelf een paar keer geweigerd. Met dope had hij geen moeite, maar hij wilde zijn hersenen liever niet roosteren. Maar Weird was absoluut in de markt voor alles wat zijn bewustzijn zogenaamd zou verruimen. Alex hoopte vurig dat wat hij ook geslikt, geïnhaleerd of gesnoven had, uitgewerkt zou zijn voordat het zijn beurt was om ondervraagd te worden. Anders kon Weird de politie weleens heel erg kwaad maken. En elke idioot wist dat dat een slecht idee was bij een moordonderzoek.

Mondo zou een heel ander verhaal zijn. Die zou hier op een heel andere manier op reageren. Mondo was, daar kwam het uiteindelijk op neer, te gevoelig voor zijn eigen bestwil. Hij was altijd degene geweest die gepest werd op school en was een mietje genoemd, gedeeltelijk vanwege zijn uiterlijk en gedeeltelijk omdat hij nooit terugvocht. Zijn haar hing in stijve krullen rond zijn ondeugende gezicht, zijn grote hemelsblauwe ogen stonden altijd wijd open, als een muis die onder een zode vandaan gluurt. De meisjes vonden hem leuk, dat was wel duidelijk. Alex had een paar meisjes een keer giechelend horen zeggen dat Davey Kerr op Marc Bolan leek. Maar op een school als Kirkcaldy High kon iets wat je in de gunst bracht bij de meisjes je ook een schop in de kleedkamer opleveren. Als Mondo de andere drie niet had gehad om hem te beschermen, zou het een moeilijke tijd voor hem zijn geweest. Maar hij wist dat, en het sierde hem dat hij hun diensten met rente terugbetaalde. Alex wist dat hij nooit door de lessen Frans heen zou zijn gekomen zonder Mondo's hulp.

Maar bij de politie zou Mondo het alleen moeten doen. Hij zou niemand hebben om zich achter te verschuilen. Alex zag hem al voor zich: hoofd gebogen, nu en dan een blik van onder zijn wenkbrauwen, plukkend aan de huid rond zijn duimnagel of het deksel van zijn Zippo open en dicht knippend. Ze zouden gefrustreerd raken, denken dat hij iets te verbergen had. Wat ze nooit zouden begrijpen, in geen duizend jaar, was dat er bij Mondo negenennegentig van de honderd keer helemaal geen geheim was. Geen mysterie verpakt in een raadsel. Er was alleen maar een jongen die van Pink Floyd hield, van visschotels bereid met azijn, van Tennent's bier en een wip. En die, bizar genoeg, Frans sprak alsof hij het met de paplepel ingegoten had gekregen.

Alleen was er nu wel een geheim. En als iemand het zou verknallen, dan was dat Mondo. *God, alstublieft, laat hem niet over de Land Rover beginnen*, dacht Alex. Op zijn minst zouden ze allemaal de beschuldiging aan hun broek krijgen dat ze hem zonder toestemming van de eigenaar hadden meegenomen en erin hadden gereden. In het ergste geval zou de politie beseffen dat een van hen of zij allemaal een uitstekend middel hadden gehad om het lichaam van een stervend meisje naar een stille heuvel te vervoeren.

Weird zou het niet vertellen; hij had het meest te verliezen. Hij was degene geweest die met een grijns van oor tot oor in de Lammas was opgedoken met de sleutelring van Henry Cavendish aan zijn vinger bungelend alsof hij de winnaar was van een partnerruilfeestje.

Alex zou het niet vertellen, dat wist hij. Iets geheimhouden was een van de dingen waar hij het best in was. Als hij zijn mond moest houden om verdenking te voorkomen, dan kon hij dat, daar twijfelde hij niet aan.

Ziggy zou het ook niet vertellen. Voor Ziggy kwam voorzichtigheid altijd op de eerste plaats. Hij was tenslotte degene geweest die de Land Rover had verplaatst toen hij beseft had dat Weird helemaal uit zijn dak begon te gaan. Hij had Alex apart genomen en gezegd: 'Ik heb de sleutels uit Weirds jaszak gehaald. Ik ga de Land Rover ergens anders zetten, zodat hij niet in de verleiding komt. Hij heeft al mensen meegenomen voor een ritje en het is tijd om er een eind aan te maken voordat hij zichzelf of iemand anders de dood injaagt.' Alex had geen idee hoe lang hij weg was geweest, maar toen hij terug was, had Ziggy hem verteld dat de Land Rover veilig opgeborgen was achter een van de fabrieksgebouwen bij Largo Road. 'We kunnen hem morgenochtend ophalen,' had hij gezegd.

Alex had gegrinnikt. 'Of we kunnen hem daar laten staan. Een aardig puzzeltje voor Hoera Henry als hij het volgende trimester terugkomt.'

'Dat lijkt me geen goed idee. Zodra hij merkt dat zijn geliefde auto niet geparkeerd staat op de plaats waar hij hem heeft achtergelaten, gaat hij naar de politie en zitten wij in de puree. Het ding is bezaaid met onze vingerafdrukken.'

Hij had gelijk gehad, dacht Alex. De Laddies fi' Kirkcaldy en de twee Engelsen die het studentenhuis met zes kamers met hen deelden, konden elkaar niet luchten of zien. Henry zou nooit de lol inzien van het feit dat Weird de Land Rover had veroverd. Dus zou Ziggy zijn mond erover houden, dat was zeker.

Maar Mondo zou het kunnen vertellen. Alex hoopte dat Ziggy's waarschuwing diep genoeg tot Mondo was doorgedrongen om ervoor te zorgen dat hij over de gevolgen nadacht. De politie vertellen dat Weird gebruik had gemaakt van de auto van iemand anders, zou Mondo niet vrijpleiten. Het zou alleen maar betekenen dat ze alle vier verdachter werden. Bovendien had hij er zelf ook in gereden toen hij dat meisje uit Guardbridge naar huis bracht. *Gebruik voor één keer in je leven je hersens, Mondo.*

Als je iemand wilde die zijn hersens gebruikte, moest je Ziggy hebben. Niemand wist dat achter die ogenschijnlijke openheid, de gemakkelijke charme en de snelle intelligentie heel wat meer gaande was. Alex was nu negeneneenhalf jaar bevriend met Ziggy en had het gevoel dat hij nauwelijks verder was gekomen dan het oppervlak. Ziggy was degene die je kon verrassen met een bepaald inzicht, je uit je evenwicht kon brengen met een vraag, je met andere ogen naar iets kon laten kijken doordat hij de wereld op zijn kop had gezet. Alex wist een paar dingen over Ziggy die, dat wist hij bijna zeker, voor Mondo en Weird nog verborgen waren. Dat kwam doordat Ziggy had gewild dat hij het wist en omdat Ziggy wist dat zijn geheimen bij Alex altijd veilig zouden zijn.

Hij stelde zich voor hoe Ziggy zich zou gedragen tijdens de ondervraging. Hij zou ontspannen, rustig, op zijn gemak lijken. Als iemand de politie ervan zou kunnen overtuigen dat hun betrokkenheid bij het lichaam op Hallow Hill volstrekt onschuldig was, dan was dat Ziggy.

Inspecteur Barney Maclennan gooide zijn vochtige jas over de dichtstbijzijnde stoel in de kamer van de recherche. De kamer was ongeveer zo groot als een klaslokaal, groter dan ze normaal gesproken nodig hadden. St Andrews stond niet hoog op de lijst van mogelijke misdaadgebieden van het politiekorps van Fife, en dat werd weerspiegeld in het aantal rechercheurs. Maclennan was niet hoofd van de recherche in die uithoek van het koninkrijk omdat het hem aan ambitie ontbrak, maar omdat hij een volledig betaald lid was van de lastige brigade, het type dwarse politieman dat de hogere functionarissen liever op afstand hielden. Hij ergerde zich vaak aan het gebrek aan interessante zaken om hem bezig te houden, maar dat betekende nog niet dat hij blij was met de moord op een jong meisje in zijn district.

De identiteit hadden ze meteen gehad. De bar waar Rosie Duff werkte werd zo nu en dan bezocht door een paar van de agenten, en agent Jimmy Lawson, die als eerste op de plaats van de misdaad was geweest, had haar meteen herkend. Net als de meeste andere mannen die ter plekke waren, had hij er geschokt en misselijk uitgezien. Maclennan kon zich de laatste keer niet herinneren dat ze een moord in zijn district hadden gehad die niet gewoon met huiselijk geweld te maken had gehad; die jongens hadden niet genoeg gezien om voldoende gehard te zijn voor de aanblik op de besneeuwde heuveltop. Hij had trouwens zelf niet meer dan een paar slachtoffers van moord gezien, en nooit zoiets afschuwelijks als het mishandelde lichaam van Rosie Duff.

Volgens de politiearts leek ze verkracht te zijn en vervolgens in het onderlichaam gestoken. Eén enkele gemene haal die zijn dodelijke spoor omhoog door haar buik had getrokken. En ze was waarschijnlijk niet meteen dood geweest. De gedachte daaraan maakte dat Maclennan de man die ervoor verantwoordelijk was in handen wilde krijgen en hem een pak op zijn lazer wilde geven. Op dit soort momenten leek de wet eerder in de weg te zitten dan te helpen als het ging om rechtvaardigheid.

Maclennan zuchtte en stak een sigaret op. Hij ging aan zijn bureau zitten en maakte aantekeningen op basis van het beetje informatie dat hij tot nu toe had. Rosemary Duff. Negentien jaar. Werkte in de Lammas Bar. Woonde in Strathkinness met haar ouders en twee oudere broers. De broers werkten in de papierfabriek in Guardbridge, haar vader was tuinman in Craigtoun Park. Maclennan benijdde rechercheur Iain Shaw en de agente niet die hij naar het dorp had gestuurd om het nieuws te brengen. Hij zou binnenkort zelf met de familie moeten praten, dat wist hij. Maar op dit moment kon hij beter proberen het onderzoek in gang te zetten. Het krioelde daar bepaald niet van de rechercheurs die wisten hoe ze een groot onderzoek moesten uitvoeren. Als ze wilden voorkomen dat ze aan de zijlijn werden gezet door de grote jongens van het hoofdbureau moest Maclennan ervoor zorgen dat de zaak op gang kwam en dat het er goed uitzag.

Hij keek ongeduldig op zijn horloge. Hij had nog een rechercheur nodig om aan het verhoor van de vier studenten te kunnen beginnen, die beweerden dat ze het lichaam gevonden hadden. Hij had rechercheur Allan Burnside gezegd zo snel mogelijk naar het bureau te komen, maar er was nog geen spoor van hem te bekennen. Maclennan zuchtte. Uilskuikens en windbuilen, daar werd hij hier door omringd.

Hij liet zijn voeten uit zijn vochtige schoenen glijden en draaide rond op zijn stoel zodat hij ze op de radiator kon leggen. Maar wat was het een rotnacht om aan een moordonderzoek te beginnen. De sneeuw had de plaats van de misdaad in een nachtmerrie veranderd, bewijsmateriaal bedolven, waardoor alles honderd keer zo moeilijk werd. Wie kon nog zien welke sporen achtergelaten waren door de moordenaar en welke door de getuigen? Ervan uitgaande natuurlijk dat die twee niet één en dezelfde waren. Maclennan wreef de slaap uit zijn ogen en dacht na over zijn verhoorstrategie.

Op basis van zijn ervaring wist hij dat hij eerst zou moeten praten met de jongen die het lichaam echt had gevonden. Goed gebouwde jongeman, brede schouders, moeilijk veel van zijn gezicht te zien in de grote snorkel van een capuchon van zijn parka. Maclennan leunde achterover en pakte zijn notitieboekje. Alex Gilbey, dat was hem. Maar hij had een raar gevoel bij die jongen. Niet dat hij echt ontwijkend was geweest, meer dat hij Maclennan niet had aangekeken met het soort medelijdende openheid dat de meeste jongens in zijn situatie zouden hebben getoond. En hij leek in elk geval sterk genoeg om Rosies stervende lichaam de lichte helling van Hallow Hill op te dragen. Misschien was daar toch meer aan de hand dan je op het eerste gezicht dacht. Het zou niet voor het eerst zijn dat een moordenaar zogenaamd het lichaam van zijn slachtoffer had gevonden. Nee, hij zou jongeheer Gilbey nog een beetje laten zweten.

De dienstdoende brigadier had hem verteld dat de andere verhoorkamer bezet werd door de student medicijnen met de Poolse naam. Hij was degene die volgehouden had dat Rosie nog leefde toen ze haar vonden en dat hij alles gedaan had om haar in leven te houden. Hij had behoorlijk kalm geleken gezien de omstandigheden, kalmer dan Maclennan zou zijn geweest. Hij moest maar met hem beginnen, dacht hij. Zodra Burnside kwam opdagen.

De verhoorkamer waarin Ziggy was ondergebracht, was twee keer zo groot als die van Alex. Op de een of andere manier wist Ziggy eruit te zien alsof hij zich er op zijn gemak voelde. Hij hing onderuitgezakt in zijn stoel, half tegen de muur geleund, voor zich uit te staren. Hij was zo moe dat hij moeiteloos in slaap had kunnen vallen, alleen kwam Rosies lichaam hem scherp voor de geest zodra hij zijn ogen sloot. Niets van zijn theoretische studie medicijnen had Ziggy voorbereid op de brute werkelijkheid van een menselijk wezen dat zo moedwillig was vernietigd. Hij had gewoon niet genoeg geweten om van nut te kunnen zijn voor Rosie toen het nodig was, en dat irriteerde hem mateloos. Hij wist dat hij medelijden zou moeten hebben met het dode meisje, maar zijn frustratie liet geen ruimte over voor enige andere emotie. Zelfs niet voor angst.

Ziggy was echter ook slim genoeg om te weten dat hij bang zou moeten zijn. Zijn kleren zaten onder het bloed van Rosie Duff; het zat zelfs onder zijn nagels. Misschien ook nog in zijn haar; hij herinnerde zich dat hij zijn natte pony uit zijn ogen had gestreken toen hij wanhopig probeerde te ontdekken waar het bloed vandaan kwam. Dat was onschuldig genoeg, als de politie zijn verhaal zou geloven. Maar hij was ook de man zonder alibi, dankzij Weirds tegenstrijdige ideeën over wat een lolletje was. Hij kon het zich echt niet veroorloven dat de politie het best mogelijke vervoermiddel voor een rit door een sneeuwstorm zou vinden dat onder zijn vingerafdrukken zat. Ziggy was gewoonlijk zo voorzichtig, maar nu kon zijn leven op de kop worden gezet door één onvoorzichtig woord. Hij moest er niet aan denken.

Het was bijna een opluchting toen de deur openging en twee politiemannen binnenkwamen. Hij herkende de man die de agenten opdracht had gegeven hen naar het bureau te brengen. Zonder zijn enorme overjas was het een magere man, en zijn muisgrijze haar was iets langer dan in de mode was. Zijn stoppelige wangen maakten duidelijk dat hij midden in de nacht uit zijn bed was gehaald, hoewel het nette witte overhemd en het modieuze pak eruitzagen alsof ze rechtstreeks van de stomerij waren gekomen. Hij liet zich in de stoel tegenover Ziggy vallen en zei: 'Ik ben inspecteur Maclennan van de recherche en dit is rechercheur Burnside. We moeten even praten over wat er vannacht is gebeurd.' Hij knikte naar Burnside. 'Mijn collega zal aantekeningen maken en daarna stellen we een verklaring op die je kunt tekenen.'

Ziggy knikte. 'Prima. Vraag maar.' Hij ging rechtop zitten in zijn stoel. 'Zou ik ook een kop thee kunnen krijgen?'

Maclennan draaide zich naar Burnside en knikte. Burnside stond op en verliet de kamer. Maclennan ging achterover zitten en bekeek zijn getuige. Grappig hoe de jaren-zestigkapsels weer in de mode waren gekomen. De jongen met het donkere haar die tegenover hem zat, zou een jaar of tien eerder niet misplaatst hebben geleken in de Small Faces. Wat Maclennan betrof zag hij er niet uit als een Pool. Hij had de lichte huid en rode wangen van een Fifer, hoewel de bruine ogen bij die gelaatskleur een beetje ongewoon waren. Brede jukbeenderen gaven zijn gezicht iets gebeeldhouwds en exotisch. Een beetje als die Russische danser, Rudolph Nagenoeg, of hoe hij ook heette.

Burnside was vrijwel onmiddellijk terug. 'Het komt eraan,' zei hij terwijl hij ging zitten en zijn pen oppakte.

Maclennan zette zijn onderarmen op de tafel en strengelde zijn vingers in elkaar. 'Eerst de persoonlijke gegevens.' Ze gingen snel door de inleiding heen en toen zei de rechercheur: 'Een nare zaak. Je moet er behoorlijk van geschrokken zijn.'

Ziggy kreeg het gevoel dat hij gevangen was in het land van de clichés. 'Dat kun je wel zeggen.'

'Ik wil graag dat je me in je eigen woorden vertelt wat er vanavond is gebeurd.'

Ziggy schraapte zijn keel. 'We liepen terug naar Fife Park...'

Maclennan onderbrak hem met een opgeheven hand. 'Een beetje terug. De hele avond graag, oké?'

De moed zonk Ziggy in de schoenen. Hij had gehoopt hun eerdere bezoek aan de Lammas Bar te kunnen verzwijgen. 'Goed. We wonen met z'n vieren in hetzelfde huis in Fife Park, dus eten we meestal samen. Vanavond was het mijn beurt om te koken. We hebben ei en patat en boontjes gegeten en zijn om ongeveer negen uur de stad ingegaan. We hadden later op de avond een feestje en wilden eerst een paar biertjes drinken.' Hij wachtte even om Burnside de tijd te geven het op te schrijven.

'Waar zijn jullie heen gegaan om iets te drinken?'

'Naar de Lammas Bar.' De woorden hingen in de lucht tussen hen in.

Maclennan toonde geen reactie, hoewel zijn hart sneller begon te kloppen. 'Kwamen jullie daar vaak?'

'Vrij regelmatig. Het bier is er goedkoop en studenten zijn er welkom, wat je niet van alle tenten in de stad kunt zeggen.'

'Dus zullen jullie Rosie Duff hebben gezien? Het dode meisje?'

Ziggy haalde zijn schouders op. 'Ik heb er niet echt op gelet.'

'Wat? Een mooie meid als zij? Heb je haar niet opgemerkt?'

'Ik werd niet door haar geholpen toen ik mijn rondje ging halen.'

'Maar je moet haar toch weleens gesproken hebben?'

Ziggy haalde diep adem. 'Zoals ik al zei, heb ik er niet echt op gelet. Barmeisjes versieren is niks voor mij.'

'Niet goed genoeg voor je, hè?' zei Maclennan grimmig.

'Ik ben geen snob, inspecteur. Ik kom zelf uit een heel gewoon gezin. Ik krijg er gewoon geen kick van om de macho in de kroeg te spelen, oké? Ja, ik weet wie ze was, maar ik heb nooit een gesprek met haar gehad dat verder ging dan: "Vier glazen Tennant's, alsjeblieft."'

'Had een van je vrienden meer belangstelling voor haar?'

'Niet dat ik heb gemerkt.' Door de teneur van de vragen liet Ziggy's zijn nonchalante houding varen en werd wat behoedzamer.

'Dus je hebt een paar biertjes gedronken in de Lammas. Wat toen?'

'Zoals ik al zei, gingen we naar een feestje. Een derdejaars wiskundestudent die Pete heet en die Tom Mackie kent. Hij woont in St Andrews, in Learmonth Gardens. Het nummer weet ik niet. Zijn ouders waren weg en hij gaf een feestje. We kwamen daar rond middernacht en gingen tegen vieren weer weg.'

'Waren jullie allemaal samen op het feestje?'

Ziggy snoof. 'Bent u weleens op een studentenfeest geweest, inspecteur? U weet hoe dat gaat. Je komt samen binnen, je haalt een biertje, je raakt uit elkaar. Als je er genoeg van hebt, ga je kijken wie er nog op de been is en je haalt ze bij elkaar en je waggelt de nacht in. De goede herder, dat ben ik.' Hij glimlachte spottend.

'Dus jullie kwamen met z'n vieren en vertrokken weer met z'n vieren, maar je hebt geen idee wat de anderen in de tussentijd hebben gedaan.'

'Daar komt het ongeveer op neer, ja.'

'Je zou niet eens kunnen zweren dat geen van de anderen een tijdje is weggeweest en weer teruggekomen is.'

Als Maclennan een schrikreactie van Ziggy had verwacht, werd hij teleurgesteld. In plaats daarvan hield hij nadenkend zijn hoofd scheef. 'Waarschijnlijk niet,' gaf hij toe. 'Ik ben het grootste deel van de tijd in de serre aan de achterkant van het huis geweest. Samen met een paar Engelse jongens. Het spijt me, maar ik kan me hun namen niet herinneren. We hebben over muziek, politiek gepraat, dat soort dingen. De gemoederen raakten nogal verhit toen we het over de Schotse decentralisatie kregen, zoals u zich kunt voorstellen. Ik ben een paar keer weggelopen om nog een biertje te halen, naar de eetkamer gelopen om iets te eten te pakken, maar nee, ik was niet mijn broeders hoeder.'

'Gaan jullie meestal weer samen naar huis?' Maclennan wist niet precies waar hij naartoe wilde, maar het leek een goede vraag.

'Het hangt ervan af of een van ons iemand versierd heeft.'

Hij is nu echt in het defensief, dacht de politieman. 'Gebeurt dat vaak?'

'Soms.' Ziggy's glimlach was een beetje gespannen. 'Hé, we zijn gezonde warmbloedige jongens, niet?'

'Maar meestal gaan jullie met z'n vieren naar huis? Heel gezellig.'

'Weet u, inspecteur, niet alle studenten worden geobsedeerd door seks. Sommigen van ons weten hoeveel geluk we hebben om hier te kunnen studeren en we willen het niet verknoeien.'

'Dus jullie geven de voorkeur aan elkaars gezelschap? Waar ik vandaan kom, zouden de mensen denken dat jullie homo's zijn.'

Ziggy kon zich even niet inhouden. 'En wat dan nog? Het is niet onwettig.'

'Het hangt ervan af wat je doet en met wie je het doet,' zei Maclennan, bij wie alle schijn van beminnelijkheid verdwenen was.

'Luister, wat heeft dit allemaal te maken met het feit dat we over het lichaam van een stervende jonge vrouw zijn gestruikeld?' vroeg Ziggy terwijl hij zich naar voren boog. 'Wat probeert u te suggereren? Dat we homo's zijn en daarom een meisje hebben verkracht en vermoord?'

'Jouw woorden, niet de mijne. Het is een bekend feit dat sommige homoseksuelen een hekel hebben aan vrouwen.'

Ziggy schudde ongelovig zijn hoofd. 'Bekend bij wie? Mensen met vooroordelen en dommeriken? Alex en Tom en Davey hoeven toch niet homoseksueel te zijn om samen met mij naar huis te gaan? Ze kunnen u wel een lijst geven van meisjes die kunnen verklaren dat u ernaast zit.'

'En jij, Sigmund? Kun jij hetzelfde doen?'

Ziggy hield zijn lichaam onder controle, zodat het hem niet zou verraden. Er was een wereld van verschil zo groot als Schotland tussen niet onwettig en begrip. Hij was nu op een punt gekomen waarop de waarheid niet meer zijn vriend was. 'Kunnen we terug naar waar we waren, inspecteur? Ik ben rond vier uur van het feestje weggegaan met mijn drie vrienden. We zijn over Learmonth Place gelopen, linksaf gegaan naar Canongate en toen over Trinity Place. Hallow Hill is een doorsteek naar Fife Park...'

'Heb je iemand anders gezien toen je naar de heuvel liep?' onderbrak Maclennan hem.

'Nee. Maar doordat het sneeuwde was het zicht niet geweldig. Maar goed, we liepen over het voetpad onder aan de heuvel toen Alex de heuvel op begon te rennen. Ik weet niet waarom. Ik liep voor hem en ik heb niet gezien wat hem op gang bracht. Toen hij bovenaan was, struikelde hij en viel in de holte. En meteen daarna riep hij naar ons dat we naar boven moesten komen, dat er een bloedende jonge vrouw lag.' Ziggy sloot zijn ogen, maar deed ze snel weer open toen hij het dode meisje weer zag verschijnen. 'We klommen naar boven en vonden Rosie in de sneeuw. Ik heb meteen in haar hals gevoeld. Haar hart klopte, maar heel zwak. Ze leek te bloeden uit een wond in haar buik. Het voelde als een behoorlijk grote snijwond. Acht of tien centimeter lang. Ik zei tegen Alex dat hij hulp moest gaan halen. De politie moest bellen. We hebben haar bedekt met onze jassen en ik heb geprobeerd druk op de wond uit te oefenen. Maar het was te laat. Te veel inwendig letsel. Hij zuchtte diep. 'Ik kon niets meer doen.'

Zelfs Maclennan was even stil door de intensiteit van Ziggy's woorden. Hij keek naar Burnside, die verwoed zat te schrijven. 'Waarom vroeg je Alex Gilbey om hulp te gaan halen?'

'Omdat Alex nuchterder was dan Tom. En Davey raakt in paniek bij een crisis.'

Het klonk heel logisch. Bijna te mooi. Maclennan schoof zijn stoel naar achteren. 'Een van mijn mensen brengt u naar huis, meneer Malkiewicz. We willen de kleren die u draagt graag voor forensisch onderzoek. En uw vingerafdrukken om u te kunnen uitsluiten. En we zullen nog een keer met u willen praten.'

Er waren dingen die Maclennan wilde weten over Sigmund Malkiewicz. Maar dat kon wachten. Hij begon met de minuut een ongemakkelijker gevoel te krijgen over die vier jongemannen. Hij wilde druk gaan uitoefenen. En hij had het idee dat degene die in paniek raakte bij een crisis degene zou kunnen zijn die zou instorten.

3

De poëzie van Baudelaire leek te helpen. Opgerold tot een bal op een matras die zo hard was dat hij nauwelijks de naam verdiende, werkte Mondo zich geestelijk door *Les Fleurs du Mal* heen. Het leek ironisch toepasselijk in het licht van de gebeurtenissen van die nacht. De muzikale woordenstroom kalmeerde hem, nam de werkelijkheid weg van de dood van Rosie Duff en de politiecel waarin die hem had gebracht. Ze was transcendent, verhief hem uit zijn lichaam naar een plaats waar de soepele opeenvolging van lettergrepen het enige was dat zijn bewustzijn kon opnemen. Hij wilde niet denken aan dood of schuld of angst of verdenking.

Zijn schuilplaats implodeerde abrupt toen de deur van zijn cel met een klap openging. Agent Jimmy Lawson doemde boven hem op. 'Opstaan, knul. Ze willen je spreken.'

Mondo krabbelde achteruit, weg van de jonge politieman die op de een of andere manier van redder in vervolger was veranderd.

Lawsons glimlach was verre van geruststellend. 'Zo raken je darmen nog in de knoop. Kom op, actie. Inspecteur Maclennan houdt niet van wachten.'

Mondo stond op en volgde Lawson de cel uit naar een helder verlichte gang. Het was allemaal te scherp, te sterk omlijnd naar Mondo's smaak. Hij vond het hier echt niet prettig.

Lawson volgde een bocht in de gang en zwaaide een deur open. Mondo aarzelde op de drempel. Aan de tafel zat de man die hij op Hallow Hill had gezien. Hij leek te klein om een politieman te zijn, dacht Mondo. 'Meneer Kerr?' vroeg de man.

Mondo knikte. 'Ja,' zei hij. De klank van zijn eigen stem verraste hem.

'Kom binnen en ga zitten. Ik ben inspecteur Maclennan; dit is rechercheur Burnside.'

Mondo hield zijn ogen op het tafelblad gericht en ging tegenover de twee mannen zitten. Burnside ging met hem door de formaliteiten heen met een beleefdheid die Mondo verbaasde. Hij had *The Sweeney* verwacht: veel geschreeuw en machoachtig gebluf.

Toen Maclennan het overnam, kreeg het gesprek iets scherps. 'Je kende Rosie Duff,' zei hij.

'Ja.' Mondo keek nog steeds niet op. 'Nou ja, ik wist dat ze het barmeisje was in de Lammas,' voegde hij eraan toe toen de stilte om hem heen luider werd.

'Een mooie meid,' zei Maclennan. Mondo reageerde niet. 'Dat moet je toch minstens hebben opgemerkt.'

Mondo haalde zijn schouders op. 'Ik heb verder niet op haar gelet.'

'Was ze je type niet?'

Mondo keek op, zijn ene mondhoek opgetrokken in een half glimlachje. 'Ik denk dat ik háár type niet was. Ze keurde me nooit een blik waardig. Er waren altijd andere jongens die haar meer interesseerden. Ik moest altijd wachten om bediend te worden in de Lammas.'

'Dat moet je vervelend hebben gevonden.'

Paniek flitste in Mondo's ogen. Hij begon te begrijpen dat Maclennan scherper was dan hij van een politieman had verwacht. Hij zou het slim moeten spelen en zijn hoofd erbij moeten houden. 'Niet echt. Als we haast hadden, vroeg ik Gilly meestal om mijn rondje te halen.'

'Gilly? Is dat Alex Gilbey?'

Mondo knikte en sloeg zijn ogen weer neer. Hij wilde niet dat deze man de emoties zag die door hem heen kolkten. *Dood, schuld, angst, verdenking.* Hij wilde de hele zaak wanhopig graag achter zich laten, weg uit het politiebureau. Hij wilde niemand anders belasten, maar hij kon dit niet aan. Hij wist dat hij het niet aan zou kunnen, en hij wilde zich niet op zo'n manier gedragen dat de politie zou denken dat hij zich verdacht gedroeg, of schuldig. Want hij had niets verkeerds gedaan. Hij had niet geprobeerd Rosie Duff te versieren, ook al had hij het wel gewild. Hij had geen Land Rover gestolen. Hij had hem alleen geleend om een meisje naar huis te brengen, in Guardbridge. Hij was niet over een lijk in de sneeuw gestruikeld. Dat had Alex gedaan. Dankzij de anderen zat hij in deze ellende. Als hij voor zijn eigen veiligheid moest zorgen dat de politie ergens anders ging zoeken, dan moest dat maar. Gilly zou er nooit achter komen. En zelfs als dat zou gebeuren, zou Gilly hem vergeven, daar was Mondo van overtuigd.

'Dus ze mocht Gilly wel?' Maclennan was onverbiddelijk.

'Dat weet ik niet. Voor zover ik weet, was hij gewoon een van de klanten voor haar.'

'Maar ze had meer aandacht voor hem dan voor jou.'

'Ja, nou, dat maakte hem nou niet direct uniek.'

'Bedoel je dat Rosie een beetje een flirt was?'

Mondo schudde ongeduldig zijn hoofd. 'Nee. Helemaal niet. Het was haar werk. Ze stond achter de bar. Ze moest aardig zijn tegen de klanten.'

'Maar niet tegen jou.'

Mondo trok zenuwachtig aan de krullen die om zijn oren vielen. 'U verdraait dit. Ze betekende niets voor mij, ik betekende niets voor haar. Mag ik nu gaan, alstublieft?'

'Nog niet, meneer Kerr. Wie kwam vanavond op het idee terug te lopen via Hallow Hill?'

Mondo fronste zijn voorhoofd. 'Het was niemands idee. Het is gewoon de snelste weg van waar we waren naar Fife Park. We gaan vaak zo terug. We dachten er verder niet bij na.'

'En heeft een van jullie het ooit eerder nodig gevonden om omhoog te rennen naar de Pictische begraafplaats?'

Mondo schudde zijn hoofd. 'We wisten dat die er was. We zijn er wezen kijken toen ze aan het opgraven waren. Net als de halve bevolking van St Andrews. Dat maakt nog geen mafketels van ons, weet u.'

'Dat heb ik niet gezegd. Maar jullie hebben op weg naar huis nooit eerder die omweg gemaakt?'

'Waarom zouden we?'

Maclennan haalde zijn schouders op. 'Dat weet ik niet. Gekke jongensspelletjes. Misschien hebben jullie iets te veel naar *Carrie* gekeken.'

Mondo trok aan een haarpluk. *Dood, schuld, angst, verdenking*. 'Griezelfilms interesseren me niet. Luister, inspecteur, u ziet het allemaal verkeerd. We zijn vier gewone jongens die in iets buitengewoons terecht zijn gekomen. Niets meer, niets minder.' Hij spreidde zijn handen in een gebaar van onschuld waarvan hij vurig hoopte dat het overtuigend was. 'Ik vind het heel erg wat er met het meisje is gebeurd, maar het heeft niets met mij te maken.'

Maclennan ging achterover zitten. 'Dat zeg jij.' Mondo zei niets, liet alleen zijn adem in een lange zucht van frustratie ontsnappen. 'En het feestje? Wat heb je daar gedaan?'

Mondo draaide opzij op zijn stoel. Zijn verlangen om te ontsnappen was zichtbaar in elke spier. Zou het meisje praten? Hij betwijfelde het. Ze was stilletjes het huis binnengeslopen omdat ze uren eerder thuis had moeten zijn. En ze was geen studente, want ze had bijna niemand daar gekend. Met een beetje geluk zou ze nooit ter sprake komen en nooit ondervraagd worden. 'Luister, wat maakt dat uit? We hebben alleen een lijk gevonden, weet u.'

'We moeten alle mogelijkheden onderzoeken.'

Mondo zei spottend: 'U doet alleen maar uw werk, hè? Nou, u verspilt uw tijd als u denkt dat wij iets te maken hebben gehad met wat er met haar is gebeurd.'

Maclennan haalde zijn schouders op. 'Toch wil ik graag over het feestje horen.'

Met kramp in zijn maag produceerde Mondo een versie waarvan hij hoopte dat die ermee door zou kunnen. 'Ik weet het niet. Ik kan me niet alle bijzonderheden herinneren. Niet lang nadat we er waren, begon ik een beetje te flirten met een meisje. Marg, heette ze. Van Elgin. We hebben een tijdje gedanst. Ik dacht dat ik haar versierd had, begrijpt u?' Hij trok een quasi-zielig gezicht. 'Toen kwam haar vriendje opdagen. Ze had het helemaal niet over een vriendje gehad. Ik had een beetje de pest in, dus heb ik nog een paar biertjes gedronken en ben toen naar boven gegaan. Daar was een studeerkamertje, heel klein, meer een berghok eigenlijk, met een bureau en een stoel. Ik heb daar een poosje medelijden met mezelf zitten hebben. Niet lang, alleen de tijd die nodig is om een biertje te drinken. Toen ben ik weer naar beneden gegaan en heb wat rondgehangen. Ziggy was in de serre, waar hij een paar Engelse jongens zijn Verklaring van Arbroath-toespraak gaf, dus ben ik daar niet gebleven. Ik heb hem te vaak gehoord. Ik heb niet echt op anderen gelet. Wat talent betreft, stelde het niet veel voor, en wat er was, was al bezet, dus heb ik gewoon wat rondgehangen. Eerlijk gezegd, had ik veel vroeger naar huis gewild.'

'Maar je hebt niet voorgesteld om te gaan?'

'Nee.'

'Waarom niet? Kun je niet voor jezelf beslissen?'

Mondo wierp hem een hatelijke blik toe. Het was niet voor het eerst dat hij ervan beschuldigd werd als een dom schaap achter de anderen aan te lopen. 'Natuurlijk wel. Ik vond het gewoon niet de moeite waard, oké?'

'Goed,' zei Maclennan. 'We zullen je verhaal natrekken. Je mag nu naar huis. We willen de kleren hebben die je vanavond draagt. Er zal een agent bij je langskomen om ze op te halen.' Hij stond op, en de poten van zijn stoel knarsten zo krijsend over de vloer dat Mondo's tanden pijn deden. 'U hoort van ons, meneer Kerr.'

Agente Janice Hogg deed het portier van de Panda zo zacht mogelijk dicht. Het was niet nodig om de hele straat wakker te maken. Ze zouden het nieuws snel genoeg horen. Ze kromp even in elkaar toen agent Iain Shaw zijn portier zonder erbij na te denken dichtsloeg en keek misprijzend naar zijn kalende achterhoofd. Nog maar vijfentwintig en nu al de haarlijn van een oude man, dacht ze met een steekje van leedvermaak. En hij maar denken dat hij zo'n geweldige vangst was.

Alsof de strekking van haar gedachten zijn schedel was binnengedrongen, draaide Shaw zich om en zei nors: 'Kom op. Ik wil het achter de rug hebben.'

Janice wierp een blik op het huis, terwijl Shaw het houten hek openduwde en kordaat het korte pad opliep. Het huis was kenmerkend voor de streek: een laag bouwwerk met een paar dakkapellen die uit de dakpannen staken, een trapgevel bedekt met sneeuw. Een kleine veranda die naar voren kwam tussen de ramen van de begane grond, pleisterkalk geverfd in een soort bruingrijze kleur die moeilijk te bepalen was in het zwakke licht van de straatlantaarns. Het zag er wel goed onderhouden uit, dacht ze, en ze vroeg zich af welke kamer van Rosie was geweest.

Janice zette de gedachte uit haar hoofd en bereidde zich voor op de komende beproeving. Ze was vaker dan haar lief was ingezet om slecht nieuws te brengen. Het kwam met de sekse. Ze zette zich schrap terwijl Shaw de zware ijzeren klopper op de deur liet neerkomen. Aanvankelijk roerde zich niets. Toen was er gedempt licht zichtbaar achter de gordijnen van het rechter benedenraam. Er verscheen een hand, die het gordijn opentrok. Daarna een gezicht, aan één kant verlicht. Een man van middelbare leeftijd, zijn haar grijzend en in de war, stond met open mond naar hen te kijken.

Shaw pakte zijn identiteitskaart en stak hem in de richting van de man. Het gebaar was duidelijk. Het gordijn viel terug. Even later ging de voordeur open en zagen ze de man, die het koord van een dikke wollen ochtendjas om zijn middel bond. De pijpen van zijn pyjamabroek vielen op verkleurde geruite pantoffels. 'Wat is er aan de hand?' vroeg hij, zijn ongerustheid gebrekkig verbergend achter agressiviteit.

'Meneer Duff?' vroeg Shaw.

'Ja, dat ben ik. Wat doen jullie hier op dit uur van de nacht?'

'Ik ben rechercheur Shaw, en dit is agent Hogg. Mogen we binnenkomen, meneer Duff? We moeten u even spreken.'

'Wat hebben die jongens van me uitgehaald?' Hij stapte naar achteren en gebaarde hun binnen te komen. De binnendeur gaf direct toegang tot de woonkamer. Een driedelig bankstel belegerde het grootste televisietoestel dat Janice ooit had gezien. 'Ga zitten,' zei hij.

Terwijl ze naar de bank liepen, verscheen Eileen Duff uit de deur aan de andere kant van de kamer. 'Wat is er aan de hand, Archie?' vroeg ze. Haar onopgemaakte gezicht was vettig van de nachtcrème en haar haar was bedekt met een beige sjaal van chiffon om haar krullers te beschermen. Haar gewatteerde nylon ochtendjas was scheef dichtgeknoopt.

'Het is de politie,' zei haar man.

De ogen van de vrouw waren groot van ongerustheid. 'Wat is er aan de hand?'

'Kunt u hierheen komen en gaan zitten, mevrouw Duff?' zei Janice terwijl ze naar de vrouw liep en haar bij de elleboog nam. Ze leidde haar naar de bank en gebaarde naar haar man dat hij bij haar moest gaan zitten.

'Het is slecht nieuws, dat voel ik,' zei de vrouw meelijwekkend terwijl ze zich aan de arm van haar man klemde. Archie Duff staarde uitdrukkingsloos naar het zwarte tv-scherm, de lippen stijf op elkaar geperst.

'Het spijt me verschrikkelijk, mevrouw Duff. Maar ik vrees dat u gelijk hebt. We hebben heel slecht nieuws voor u.' Shaw stond daar onbeholpen, het hoofd licht gebogen, zijn ogen op de bontgekleurde krullen van het tapijt gericht.

Mevrouw Duff gaf haar man een duwtje. 'Ik heb je gezegd dat je Brian die motor niet moest laten kopen. Ik heb het je gezegd.'

Shaw wierp Janice een smekende blik toe. Ze zette een stap dichter naar de Duffs en zei zacht: 'Het is Brian niet. Het is Rosie.'

Mevrouw Duff liet een zacht, klaaglijk geluid horen. 'Dat kan niet kloppen,' protesteerde meneer Duff.

Janice dwong zichzelf door te gaan. 'Vannacht is het lichaam van een jonge vrouw gevonden op Hallow Hill.'

'Het moet een vergissing zijn,' zei Archie Duff koppig.

'Ik vrees van niet. Een paar van de agenten hebben Rosie herkend. Ze kenden haar uit de Lammas Bar. Het spijt me heel erg om u te moeten vertellen dat uw dochter dood is.'

Janice had de klap vaak genoeg uitgedeeld om te weten dat er twee gebruikelijke reacties waren. Ontkenning, zoals Archie Duff. En een overweldigend verdriet dat de achtergebleven familieleden raakte als een natuurkracht. Eileen Duff gooide haar hoofd achterover en brulde, haar handen draaiend en wringend in haar schoot, haar hele lichaam in de greep van smart, haar pijn naar het plafond. Haar man staarde naar haar alsof ze een vreemde was, zijn wenkbrauwen omlaag getrokken in een resolute weigering om te erkennen wat er aan de hand was.

Janice stond daar en liet de eerste golf over zich heen komen als een springvloed op de West Sands. Shaw wipte van zijn ene voet op de andere, onzeker van wat hij moest zeggen.

Ineens klonken er zware voetstappen op de trap die in een hoek van de kamer omhoogliep. Er verschenen benen gehuld in een pyjamabroek, gevolgd door een ontbloot bovenlichaam en daarna een slaperig gezicht bekroond door een grote bos warrig donker haar. De jongeman bleef een paar treden van onderen staan en nam het tafereel in zich op. 'Wat is er in jezusnaam aan de hand?' gromde hij.

Zonder zijn hoofd om te draaien, zei Archie: 'Je zusje is dood, Colin.'

Colin Duffs mond zakte open. 'Wát?'

Janice vulde de stilte. 'Het spijt me heel erg, Colin. Maar een paar uur geleden is het lichaam van je zuster gevonden.'

'Waar? Wat is er gebeurd? Wat bedoel je, dat haar lichaam is gevonden?' De woorden tuimelden naar buiten terwijl zijn benen het begaven en hij ineenzakte op de onderste tree van de trap.

'Ze is gevonden op Hallow Hill.' Janice haalde diep adem. 'We denken dat Rosie is vermoord.'

Colin sloeg zijn handen voor zijn gezicht. 'O god,' fluisterde hij steeds opnieuw.

Shaw boog zich naar voren. 'We zullen u een paar vragen moeten stellen, meneer Duff. Kunnen we misschien naar de keuken gaan?'

Eileens eerste uitbarsting van verdriet nam nu af. Ze was opgehouden met jammeren en draaide haar betraande gezicht naar Archie. 'Blijf hier. Ik ben geen kind dat de waarheid niet mag horen,' snikte ze.

'Hebben jullie wat cognac?' vroeg Janice. Archie reageerde niet. 'Of whisky?'

Colin krabbelde overeind. 'Er is een fles in de bijkeuken. Ik haal hem.'

Eileen richtte haar gezwollen ogen op Janice. 'Wat is er met mijn Rosie gebeurd?'

'We weten het nog niet precies. Het ziet ernaar uit dat ze neergestoken is. Maar we moeten op de dokter wachten voordat we het zeker weten.'

Bij haar woorden deinsde Eileen achteruit alsof ze zelf werd aangevallen. 'Wie zou dat met Rosie doen? Terwijl ze zelf geen vlieg kwaad zou doen.'

'Dat weten we ook nog niet,' zei Shaw. 'Maar we zullen hem vinden, mevrouw Duff. We zullen hem vinden. We weten dat dit het slechtste moment van de wereld is om u vragen te stellen, maar hoe sneller we de informatie krijgen die we nodig hebben, hoe sneller we vooruitgang kunnen boeken.'

'Mag ik haar zien?' vroeg Eileen.

'Dat zullen we later vandaag regelen,' zei Janice. Ze hurkte naast Eileen neer en legde een troostende hand op haar arm. 'Hoe laat kwam Rosie gewooonlijk thuis?'

Colin kwam de keuken uit met een fles Bells en drie glazen. 'De Lammas heeft zijn laatste ronde om halfelf. Ze was meestal om kwart over elf thuis.' Hij zette de glazen op de salontafel en schonk drie flinke bellen in.

'Maar was ze ook weleens later?' vroeg Shaw.

Colin gaf zijn beide ouders een glas whisky. Archie sloeg de helft van het zijne in één keer achterover. Eileen hield het glas in haar handen, maar bracht het niet naar haar lippen. 'Ja. Als ze naar een feestje ging of zoiets.'

'En vanavond?'

Colin nam een slok whisky. 'Ik weet het niet. Mam? Heeft ze iets tegen jou gezegd?'

Met een verdwaasde, verloren uitdrukking op haar gezicht keek Eileen naar hem op. 'Ze zei dat ze een afspraak had met wat vrienden. Ze heeft niet gezegd wie het waren en ik heb het niet gevraagd. Ze heeft recht op haar eigen leven.' Er was iets verdedigends in haar stem dat Janice vertelde dat dit een bron van onenigheid was geweest, waarschijnlijk met Archie.

'Hoe kwam Rosie meestal naar huis?' vroeg Janice.

'Als Brian of ik in de stad waren, gingen we rond sluitingstijd langs en haalden haar op. Een van de andere barmeisjes, Maureen, zette haar hier af als ze dezelfde dienst hadden. Als ze met niemand mee kon rijden, nam ze een taxi.'

'Waar is Brian?' vroeg Eileen ineens, bezorgd om haar kinderen.

Colin haalde zijn schouders op. 'Hij is niet thuis. Hij zal wel in de stad zijn gebleven.'

'Hij zou hier moeten zijn. Hij moet dit niet van vreemden horen.'

'Hij zal wel terugkomen voor zijn ontbijt,' zei Archie bot. 'Hij moet zich klaarmaken voor zijn werk.'

'Had Rosie een relatie? Had ze een vriend?' Shaws verlangen om daar weg te zijn, kreeg de overhand, en hij stuurde het gesprek terug in de richting die hij wilde.

Archie fronste zijn voorhoofd. 'Ze had nooit een gebrek aan vriendjes.'

'Had ze iemand die speciaal was?'

Eileen nam een slokje van haar whisky. 'Ze ging de laatste tijd wel met iemand, maar ze wilde er niets over vertellen. Ik heb haar ernaar gevraagd, maar ze zei dat ze het me zou vertellen als ze eraan toe was.'

Colin snoof. 'Een getrouwde man, zo te horen.'

Archie wierp zijn zoon een afkeurende blik toe. 'Je praat wel fatsoenlijk over je zuster, hoor je me?'

'Nou, waarom zou ze het anders geheimhouden?' Colins kin stak uitdagend naar voren.

'Misschien wilde ze niet dat jij en je broer zich ermee bemoeiden,' wierp Archie tegen. Hij wendde zich tot Janice. 'Ze hebben een jongen een keer een pak op zijn donder gegeven omdat ze vonden dat hij Rosie niet goed behandelde.'

'Wie was dat?'

Archies ogen werden groot van verbazing. 'Dat is jaren geleden. Het heeft hier niets mee te maken. De jongen woont niet eens meer in de buurt. Hij is naar Engeland gegaan, niet lang nadat het gebeurd was.'

'Toch willen we graag zijn naam,' zei Shaw.

'John Stobie,' zei Colin opstandig. 'Zijn vader is terreinknecht op de Old Course. Zoals mijn vader al zegt, zou hij niet bij Rosie in de buurt durven komen.'

'Het is geen getrouwde man,' zei Eileen. 'Ik heb het haar gevraagd. Ze zei dat ze niet voor dat soort problemen zou zorgen.'

Colin schudde zijn hoofd en wendde zich af, zijn whisky in zijn handen. 'Ik heb haar de laatste tijd niet met iemand gezien,' zei hij. 'Maar ze had wel haar geheimen, Rosie.'

'We zullen haar kamer even moeten bekijken,' zei Shaw. 'Niet nu meteen. Maar later vandaag. Dus zou het helpen als u alles laat zoals het is.' Hij schraapte zijn keel. 'Als u wilt, kan agente Hogg bij u blijven.'

Archie schudde zijn hoofd. 'We redden ons wel.'

'Er komen misschien verslaggevers aan de deur,' zei Shaw. 'Het zou gemakkelijker zijn als u hier een agent had.'

'U hebt gehoord wat mijn vader zei. We zijn liever alleen,' zei Colin.

'Wanneer kan ik Rosie zien?' vroeg Eileen.

'We zullen later op de dag een auto sturen. Ik zorg ervoor dat iemand u belt om een afspraak te maken. En mocht u zich iets herinneren van wat Rosie heeft gezegd over waar ze gisteravond heen ging of met wie ze iets had afgesproken, laat het ons dan weten. Het zou ook helpen als u een lijst van haar vrienden zou kunnen maken. Vooral de namen van degenen die misschien weten waar ze gisteravond was en met wie. Kunt u dat voor ons doen?' Shaw was vriendelijk nu hij zijn ontsnappingsroute voor zich zag.

Archie knikte en stond op. 'Later. We zullen het doen.'

Janice kwam overeind. Haar knieën protesteerden vanwege de lange hurkzit. 'We komen er wel uit.'

Ze volgde Shaw naar de deur. Het verdriet in de kamer was tastbaar, vulde de lucht en maakte het moeilijk om te ademen. Het was altijd hetzelfde. De zwaarmoedigheid leek snel sterker te worden in de eerste uren nadat het nieuws was meegedeeld.

Maar dat zou veranderen. De woede zou snel genoeg komen.

4

Weird, zijn magere armen voor zijn smalle borst geslagen, keek kwaad naar Maclennan. 'Ik wil een sigaret,' zei hij. De acid die hij eerder op de avond had gebruikt, was uitgewerkt, en hij voelde zich gespannen en humeurig. Hij wilde hier niet zijn, en was vastbesloten er zo snel mogelijk vandoor te gaan. Maar dat betekende nog niet dat hij ook maar iets zou toegeven.

Maclennan schudde zijn hoofd. 'Sorry, knul. Ik rook niet.'

Weird wendde zijn hoofd af en staarde naar de deur. 'Foltering is verboden, weet u.'

Maclennan weigerde te happen. 'We moeten je een paar vragen stellen over wat er vanavond is gebeurd.'

'O nee, niet zonder een advocaat.' Weird glimlachte bij zichzelf.

'Waarom zou je een advocaat nodig hebben als je niets te verbergen hebt?'

'Omdat u de baas bent. En u zit met een dood meisje en moet iemand de schuld geven. En ik teken geen valse bekentenissen, hoe lang u me hier ook vasthoudt.'

Maclennan zuchtte. Het deprimeerde hem dat de twijfelachtige capriolen van een paar wijsneuzen als deze jongen een stok gaven om alle politiemensen mee te slaan. Hij durfde er een weekloon op te zetten dat deze zelfingenomen jongeman een poster van Che Guevara in zijn slaapkamer had hangen. En dat hij meende het eerste recht te hebben op de rol van held van de arbeidersklasse. Maar dit alles betekende niet dat hij Rosie Duff niet kon hebben vermoord. 'Je hebt een merkwaardig idee van de manier waarop we de dingen hier doen.'

'Vertel dat maar aan de Birmingham Six en de Guildford Four,' zei Weird alsof het een troefkaart was.

'Als je niet in dezelfde situatie wilt belanden, knul, zou ik maar een beetje meewerken als ik jou was. We kunnen dit op de gemakkelijke manier doen, en dan stel ik jou een paar vragen en jij beantwoordt ze, of we sluiten je een paar uur op tot we een advocaat hebben gevonden die zo verlegen zit om werk.'

'Ontzegt u mij het recht op juridische bijstand?' Er was iets pompeus in Weirds stem dat zijn vrienden de moed in de schoenen had doen zinken als ze het hadden gehoord.

Maar Maclennan ging ervan uit dat hij zo'n opgeblazen student wel aankon. 'Zoals je wilt.' Hij schoof zijn stoel achteruit.

'Ja, dat wil ik,' zei Weird koppig. 'Ik zeg niets als er geen advocaat bij is.' Maclennan liep naar de deur, met Burnside op zijn hielen. 'Dus u zorgt dat ik iemand krijg?'

Bij de open deur draaide Maclennan zich om. 'Dat is mijn taak niet, knul. Als jij een advocaat wilt, bel je er maar een.'

Weird dacht na. Hij kende geen advocaten. En als hij er al een had gekend, kon hij zich die niet veroorloven. Hij kon zich al indenken wat zijn vader zou zeggen als hij naar huis zou bellen en om hulp zou vragen. Het was geen aantrekkelijke gedachte. Bovendien zou hij een advocaat het hele verhaal moeten vertellen, en een advocaat die door zijn vader werd betaald, zou het hele verhaal terugrapporteren. Er waren, dacht hij, heel wat erger dingen dan gepakt worden voor het stelen van een Land Rover. 'Weet u wat,' zei hij met tegenzin, 'u stelt uw vragen. Als ze zo onschuldig zijn als u lijkt te denken, zal ik ze beantwoorden. Maar als ik ook maar even het idee krijg dat u me erin probeert te luizen, zeg ik niets meer.'

Maclennan deed de deur dicht en ging weer zitten. Hij wierp Weird een lange, scherpe blik toe, nam de intelligente ogen, de haakneus en de ongerijmd volle lippen in zich op. Hij dacht niet dat Rosie Duff hem als een begerenswaardige partij zou hebben gezien. Ze had hem waarschijnlijk uitgelachen als hij haar ooit een voorstel had gedaan. Een dergelijke reactie kon wrok opwekken. Wrok die misschien overgegaan was in moord. 'Hoe goed kende je Rosie Duff?' vroeg hij.

Weird hield zijn hoofd scheef. 'Niet goed genoeg om haar tweede naam te kennen.'

'Heb je haar ooit mee uit gevraagd?'

Weird snoof. 'Dat meent u niet. Ik ben een klein beetje ambitieuzer dan dat. Provinciale meisjes met provinciale dromen, dat is niks voor mij.'

'En je vrienden?'

'Ik denk het niet. We zijn hier juist omdat we grootsere plannen hebben.'

Maclennan trok zijn wenkbrauwen op. 'Wat? Jullie zijn helemaal van Kirkcaldy naar St Andrews gekomen om je horizon te verbreden? Lieve hemel, de wereld moet zijn adem wel inhouden. Luister, knul, Rosie Duff is vermoord. Wat voor dromen ze ook had, ze zijn met haar gestorven. Dus ik zou maar een beetje op mijn woorden letten en niet zo neerbuigend doen.'

Weird keek Maclennan recht aan. 'Het enige wat ik bedoel is

dat ons leven niets gemeen had met dat van haar. Als we haar niet per ongeluk hadden gevonden, had u onze namen niet eens gehoord in verband met dit onderzoek. En eerlijk gezegd verdienen jullie de naam rechercheur niet als wij jullie enige verdachten zijn.'

De lucht tussen hen was geladen van spanning. Normaal gesproken hield Maclennan er wel van als de verhoren scherp werden. Het was een nuttig middel om mensen meer te laten zeggen dan ze van plan waren geweest. En hij had het gevoel dat deze jongeman iets verborg achter zijn ogenschijnlijke arrogantie. Misschien was het iets onbelangrijks, maar het kon ook heel belangrijk zijn. Maclennan kon het niet laten om hem onder druk te zetten, ook al zou het hem niets anders opleveren dan hoofdpijn. Het was te proberen. 'Vertel me over het feestje,' zei hij.

Weird sloeg zijn ogen ten hemel. 'Oké, ik denk niet dat u vaak op een feestje wordt uitgenodigd. Het gaat als volgt: mannen en vrouwen komen bij elkaar in een huis of een appartement, drinken wat en dansen op muziek. Soms proberen ze elkaar te versieren. Soms maken ze zelfs een wip. En dan gaat iedereen weer naar huis. Zo ging het vanavond ook.'

'En soms worden ze stoned,' zei Maclennan rustig. Hij weigerde zich nog meer op stang te laten jagen door het sarcasme van de jongen.

'Niet als u er zou zijn, denk ik.' Weird glimlachte minachtend.

'Ben jij vanavond stoned geworden?'

'Zie je wel. Daar gaan we. U probeert me in de val te lokken.'

'Met wie was je?'

Weird dacht na. 'Weet u, ik kan het me niet echt herinneren. Ik kwam met de jongens, ik vertrok met de jongens. Daartussenin? Ik kan niet zeggen dat ik dat nog weet. Maar als u wilt suggereren dat ik even ben weggeglipt om een moord te plegen, zit u ernaast. Vraag me wáár ik was en ik kan u antwoord geven. Ik ben de hele avond in de woonkamer geweest, behalve toen ik naar boven ging om te plassen.'

'En je vrienden? Waar waren die?'

'Geen idee. Ik ben niet mijn broeders hoeder.'

Maclennan merkte onmiddellijk de echo van Sigmund Malkiewicz' woorden op. 'Maar jullie passen een beetje op elkaar, niet?'

'Dat doen vrienden, hoewel u dat misschien niet weet,' sneerde Weird.

'Dus jullie zouden voor elkaar liegen?'

'Ah, de strikvraag. "Wanneer hield je op met je vrouw te slaan?" Als het om Rosie Duff gaat, hoeven we niet voor elkaar te liegen. We hebben namelijk niets gedaan waarover we zouden moeten liegen.' Weird wreef over zijn slapen. Hij verlangde zo naar zijn bed dat het als een diepe jeuk in zijn botten voelde. 'We hebben gewoon pech gehad, dat is alles.'

'Vertel me hoe het gebeurde.'

'Alex en ik waren een beetje aan het klooien. Elkaar in de sneeuw duwen. Hij verloor zijn evenwicht en liep verder de heuvel op. Alsof hij opgewonden raakte van de sneeuw. Toen struikelde hij en viel, en meteen daarna schreeuwde hij dat we snel naar boven moesten komen.' Weird verloor even zijn arrogantie en zag er jonger uit dan hij was. 'En daar lag ze. Ziggy probeerde... maar hij kon haar niet redden.' Hij tikte wat modder van zijn broekspijp. 'Mag ik nu gaan?'

'Je hebt niemand anders in de buurt gezien? Of op weg daarheen?'

Weird schudde zijn hoofd. 'Nee. De krankzinnige bijlmoordenaar moet een andere kant op zijn gegaan.' Zijn verdedigende houding was terug, en Maclennan begreep dat verdere pogingen om informatie aan hem te ontlokken vruchteloos zouden zijn. Maar er zou een andere dag komen. En hij verwachtte dat er een andere manier zou zijn om Tom Mackies verdediging onderuit te halen. Hij moest die manier alleen nog vinden.

Janice Hogg glibberde achter Iain Shaw aan over het parkeerterrein. Tijdens de rit terug naar het politiebureau hadden ze min of meer gezwegen; beiden hadden de ontmoeting met de familie Duff met verschillende mate van opluchting in verband gebracht met hun eigen leven. Terwijl Shaw de deur openduwde naar de uitnodigende warmte van het bureau, haalde Janice hem in. 'Ik vraag me af waarom ze haar moeder niet zou hebben verteld met wie ze omging,' zei ze.

Shaw haalde zijn schouders op. 'Misschien had de broer gelijk. Misschien was het een getrouwde man.'

'Maar stel dat ze de waarheid sprak. Stel dat dat niet zo was. Over wie zou ze anders geheimzinnig kunnen doen?'

'Jij bent de vrouw in het gezelschap, Janice. Wat denk jij?' Shaw liep door naar het hokje dat bezet werd door de agent die belast was met het bijhouden van de plaatselijke informatie. Het kantoor was leeg midden in de nacht, maar de kasten met hun alfabetisch geordende dossierkaarten waren niet afgesloten en beschikbaar.

'Nou, als haar broers er een gewoonte van maakten om ongeschikte mannen weg te jagen, moet ik denk ik nagaan wat voor soort mannen in de ogen van Brian en Colin ongeschikt waren,' peinsde ze.

'En wat zou dat zijn?' vroeg Shaw terwijl hij de la met het etiket 'D' opentrok. Zijn vingers, die verrassend lang en slank waren, begonnen de kaarten door te lopen.

'Nou, hardop denkend... als ik naar dat gezin kijk, dat gesloten Fife-achtige fatsoen... zou ik zeggen iedereen die ze te goed of niet goed genoeg voor haar vonden.'

Shaw wierp haar een blik toe. 'Nou, daar schieten we een hoop mee op.'

'Ik was hardop aan het denken, zei ik,' mompelde ze. 'Als het een of andere schurk was, had ze waarschijnlijk gedacht dat hij haar broers wel zou aankunnen. Maar als het iemand was die wat verfijnder was...'

'Verfijnder? Wat een chic woord voor een gewone agent, Janice.'

'Een gewone agent hoeft nog niet dom te zijn, rechercheur Shaw. Vergeet niet dat je nog niet zo lang geleden zelf nog in een uniform liep.'

'Oké, oké. Laten we het op verfijnd houden. Bedoel je, zoals een student?' vroeg Shaw.

'Precies.'

'Zoals een van de jongens die haar gevonden hebben?' Hij ging weer verder met zoeken.

'Ik zou het niet uitsluiten.' Janice leunde tegen de deurstijl. 'Ze had door haar werk genoeg gelegenheid om studenten te ontmoeten.'

'Hebbes,' zei Shaw terwijl hij een paar kaarten uit de la haalde. 'Ik dacht al dat Colin Duff me niet helemaal onbekend voorkwam.'

Hij las de eerste kaart en gaf hem toen aan Janice. In een net handschrift stond er te lezen: *Colin James Duff. Geb. 5-3- '55. Adres: Caberfeidh Cottage, Strathkinness. Werkzaam bij Guardbridge papierfabriek als chauffeur vorkheftruck. 9-'74 Dronken en verstoring openbare orde, boete 25 pond. 5-'76 Verstoring openbare orde, gedagvaard. 6-'78 Te hard rijden, boete 37 pond. Bekende contacten: Brian Stuart Duff, broer. Donald Angus Thomson.* Janice draaide de kaart om. In hetzelfde handschrift, maar met potlood nu zodat het kon worden uitgegumd als het ooit als bewijs zou moeten dienen: *Duff houdt van een knokpartij als hij gedronken heeft. Handig met zijn vuisten; handig in buiten beeld blijven. Beetje een bullebak. Niet oneerlijk, alleen een lastpost.*

'Niet het type dat je ruzie wilt laten krijgen met je gevoelige studentenvriendje,' merkte Janice op terwijl ze de tweede kaart van Shaw aanpakte. *Brian Stuart Duff. Geb. 27-5-'57. Adres: Caberfeidh Cottage, Strathkinness. Werkzaam bij Guardbridge papierfabriek als magazijnbediende. 6-'75 Geweldpleging, boete 50 pond. 5-'76 Geweldpleging, drie maanden uitgezeten in Perth. 3-'78 Verstoring openbare orde, gedagvaard. Bekende contacten: Colin James Duff, broer. Donald Angus Thomson.* Toen ze de kaart omdraaide, las ze: *Duff junior is een pummel die denkt dat hij een keiharde is. Strafblad zou heel wat langer zijn als grote broer hem niet weg zou slepen voordat het echt menens wordt. Hij begon al jong – gebroken ribben en arm van John Stobie in 1975 waarschijnlijk te danken aan hem, Stobie weigerde een verklaring af te leggen, zei dat hij gevallen was met zijn fiets. Duff verdacht van betrokkenheid bij onopgeloste inbraak slijterij West Port 8-'78. Op een dag zal hij voor lange tijd achter de tralies raken.*

Janice kon de persoonlijke opmerkingen van de agent die de informatie bijhield wel waarderen. Als je iemand moest arresteren, was het handig om te weten of de dingen uit de hand konden lopen. En zo te zien, kon dat bij de broertjes Duff weleens het geval zijn. Jammer, eigenlijk, dacht ze. Nu ze aan hem terugdacht, was Colin Duff wel een lekker ding.

'Wat vind je ervan?' vroeg Shaw, en hij verraste haar zowel vanwege de strekking van haar gedachten als vanwege het feit dat ze niet gewend was dat iemand van de recherche haar in staat achtte tot logisch denken.

'Ik denk dat Rosie haar mond hield over haar vriend omdat ze wist dat het haar broers zou irriteren. Het lijkt een hecht gezin. Dus misschien beschermde ze niet alleen haar vriend, maar ook haar broers.'

Shaw fronste zijn wenkbrauwen. 'Hoe bedoel je dat?'

'Ze wilde niet dat ze nog verder in de problemen zouden raken. Vooral met Brians strafblad zou een andere ernstige gewelddaad weleens voor allebei gevangenisstraf kunnen betekenen. Dus hield ze haar mond.' Janice stopte de kaarten terug in de la.

'Goed gedacht. Luister, ik ga naar de recherchekamer om het verslag te schrijven. Jij gaat naar het mortuarium om een bezoek voor de familie te regelen. De dagploeg kan de Duffs erheen brengen, maar het zou handig zijn als ze wisten wanneer het ongeveer kan.'

Janice trok een gezicht. 'Waarom krijg ik alle leuke klussen?'

Shaw trok zijn wenkbrauwen op. 'Moet je dat nog vragen?'

Janice zei niets. Ze liet Shaw in het informatiekantoortje achter en liep gapend naar de dameskleedkamer. Ze hadden daar een ketel waar de mannen niets van wisten. Haar lichaam snakte naar een dosis cafeïne, en aangezien ze naar het mortuarium moest, verdiende ze wel een traktatie. Rosie Duff zou tenslotte niet weglopen.

Alex rookte zijn vijfde sigaret en vroeg zich af of hij wel genoeg aan zijn pakje zou hebben toen de deur van de verhoorkamer eindelijk openging. Hij herkende de rechercheur met het smalle gezicht die hij op Hallow Hill had gezien. De man zag er heel wat frisser uit dan Alex zich voelde. Erg verbazingwekkend was dat niet, want voor de meeste mensen was het bijna tijd voor het ontbijt. En Alex betwijfelde ten zeerste of de rechercheur last zou hebben van de doffe hoofdpijn van een beginnende kater. Hij liep naar de stoel tegenover hem zonder zijn ogen van Alex' gezicht te nemen. Alex dwong zichzelf zijn ogen niet neer te slaan, vastbesloten om door zijn vermoeidheid niet ontwijkend over te komen.

'Ik ben inspecteur Maclennan,' zei de man op afgemeten toon.

Alex vroeg zich af hoe de omgangsvormen hier waren. 'Ik ben Alex Gilbey,' probeerde hij.

'Dat weet ik, knul. Ik weet ook dat jij degene bent die Rosie Duff wel leuk vond.'

Alex voelde zijn wangen rood worden. 'Dat is geen misdaad,' zei hij. Het had geen zin iets te ontkennen waar Maclennan zo zeker van leek. Hij vroeg zich af wie van zijn vrienden zijn belangstelling voor het dode barmeisje had verraden. Mondo, dat wist hij bijna zeker. Hij zou zijn grootmoeder nog verkopen als hij onder druk stond, en zichzelf er daarna van overtuigen dat het het beste was geweest voor de oude vrouw.

'Nee, dat is geen misdaad. Maar wat haar vannacht is overkomen, is de ergste soort misdaad. En het is mijn taak om erachter te komen wie het gedaan heeft. De enige, tot nu toe, die iets met het dode meisje had en ook iets te maken had met de vondst van haar lichaam, ben jij. En aangezien je duidelijk een slimme jongen bent, hoef ik je dit verder niet uit te leggen, neem ik aan.'

Alex tikte nerveus op zijn sigaret, hoewel er geen as was om eraf te tikken. 'Toeval komt voor.'

'Minder vaak dan je misschien denkt.'

'Nou, in dit geval is het wel zo.' Maclennans blik gaf Alex het gevoel dat er insecten onder zijn huid rondkropen. 'Ik had gewoon pech dat ik Rosie zo vond.'

'Dat zeg jij. Maar als ik Rosie Duff voor dood op een ijskoude heuvel had achtergelaten en bang was dat er misschien wat bloed op mijn kleren zat, en als ik een slimme jongen was, zou ik het zo organiseren dat ik degene was die haar zou vinden. Op die manier had ik het volmaakte excuus voor het feit dat ik onder haar bloed zat.' Maclennan gebaarde naar Alex' hemd, dat roestbruin gevlekt was van gedroogd bloed.

'Ik ben ervan overtuigd dat u dat zou doen. Maar ik heb het niet gedaan. Ik ben geen moment weg geweest van het feestje.' Alex begon echt bang te worden. Hij had wat lastige momenten in het gesprek met de politie verwacht, maar hij had niet verwacht dat Maclennan er zo snel zo hard tegenaan zou gaan. Het klamme zweet stond in zijn handen en hij moest de neiging weerstaan om ze aan zijn spijkerbroek af te vegen.

'Heb je daar getuigen voor?'

Alex kneep zijn ogen dicht en probeerde het bonzen in zijn hoofd voldoende te dempen om zich zijn doen en laten op het feestje te kunnen herinneren. 'Toen we er net waren, heb ik een poosje met een vrouw van mijn studie gepraat. Penny Jamieson, heet ze. Ze liep weg om te gaan dansen en ik heb wat in de eetkamer rondgehangen en wat gegeten. Allerlei mensen kwamen binnen en vertrokken weer, maar ik heb verder niet op ze gelet. Ik voelde me een beetje aangeschoten. Later ben ik naar de achtertuin gegaan om mijn hoofd wat helderder te krijgen.'

'Helemaal alleen?' Maclennan boog zich licht naar voren.

Alex herinnerde zich ineens iets dat enige opluchting met zich meebracht. 'Ja. Maar u zult waarschijnlijk de rozenstruik wel kunnen vinden waarnaast ik heb overgegeven.'

'Je kunt op elk moment hebben overgegeven,' merkte Maclennan op. 'Nadat je net iemand hebt verkracht en gestoken, en voor dood hebt achtergelaten, bijvoorbeeld. Daar zou je misselijk van kunnen worden.'

Alex' hoop was de bodem ingeslagen. 'Misschien, maar zo is het niet gegaan,' zei hij opstandig. 'Als ik onder het bloed had gezeten, zou iemand het toch hebben opgemerkt toen ik terugging naar het feestje? Ik voelde me beter nadat ik had overgegeven. Ik ben naar binnen gegaan en heb me bij de dansenden gevoegd in de woonkamer. Allerlei mensen moeten me daar gezien hebben.'

'En wij zullen het aan ze vragen. We hebben een lijst met namen nodig van iedereen die op dat feestje was. We zullen met de gastheer spreken. En met alle aanwezigen die we kunnen vinden. En als Rosie Duff haar gezicht daar heeft laten zien, al was het maar voor een minuut, zullen wij een heel wat minder vriendelijk gesprek voeren, meneer Gilbey.'

Alex voelde dat zijn gezicht hem weer verraadde en hij wendde zich snel af. Maar niet snel genoeg. Maclennan sloeg toe. 'Was ze daar aanwezig?'

Alex schudde zijn hoofd. 'Ik heb haar niet meer gezien nadat we de Lammas Bar hadden verlaten.' Hij zag iets dagen achter Maclennans scherpe blik.

'Je hebt haar uitgenodigd voor het feestje.' De handen van de rechercheur omklemden de rand van de tafel terwijl hij zich naar voren boog, zo dicht bij Alex dat deze de ongerijmde shampoogeur van zijn haar kon ruiken.

Alex knikte, te nerveus om het te ontkennen. 'Ik heb haar het adres gegeven, toen we in het café waren. Maar ze is niet gekomen. En ik verwachtte het ook niet.' Er klonk een snik in zijn stem nu hij zijn met moeite bewaarde zelfbeheersing verloor bij de gedachte aan Rosie achter de bar: levendig, plagend, vriendelijk. Tranen welden op in zijn ogen terwijl hij de rechercheur aankeek.

'Maakte je dat kwaad? Dat ze niet was gekomen?'

Alex schudde zijn hoofd. 'Nee. Ik had het niet echt verwacht. Luister, ik wou dat ze niet dood was. Ik wou dat ik haar niet had gevonden. Maar u moet me geloven, ik heb er niets mee te maken.'

'Ja, dat zeg je, knul. Dat zeg je.' Maclennan bleef in dezelfde houding zitten, centimeters van Alex' gezicht. Zijn intuïtie vertelde hem dat er iets verborgen lag onder het oppervlak van deze verhoren. En hij zou te weten komen wat dat was, hoe dan ook.

5

Janice Hogg wierp een blik op haar horloge terwijl ze naar de receptie liep. Nog een uur en dan zat haar dienst erop, in elk geval in theorie. Nu ze midden in een moordonderzoek zaten, was er een kans dat ze zou moeten overwerken, vooral omdat vrouwelijke politiefunctionarissen dun gezaaid waren in St Andrews. Ze liep net door de klapdeuren de receptie in toen de deur naar de straat zo hard werd opengegooid dat hij tegen de muur knalde.

De kracht achter de deur was een jonge man met schouders die bijna zo breed waren als de deurlijst. In zijn donkere, golvende haar hing sneeuw en zijn gezicht was nat, van tranen, zweet of gesmolten vlokken. Hij stoof met een grom van woede diep in zijn keel naar de receptiebalie. De dienstdoende agent deinsde geschrokken achteruit en viel bijna van zijn hoge kruk. 'Waar zijn de rotzakken?' brulde de man.

Het sierde de agent dat hij vanuit de diepste diepten van zijn training enige koelbloedigheid wist op te roepen. 'Kan ik u helpen, meneer?' vroeg hij terwijl hij buiten het bereik bleef van de vuisten die op de receptiebalie beukten. Janice bleef onopgemerkt op de achtergrond. Dit kon weleens heel vervelend worden, en als dat gebeurde zou het verrassingselement haar van pas komen.

'Ik wil die vuile rotzakken die mijn zus hebben vermoord,' brulde de man.

Juist, dacht Janice. Het nieuws had Brian Duff bereikt.

'Ik weet niet waar u het over hebt, meneer,' zei de agent vriendelijk.

'Mijn zuster. Rosie. Ze is vermoord. En jullie hebben ze hier. De rotzakken die het gedaan hebben.' Duff zag eruit alsof hij in zijn wanhopige verlangen naar wraak op het punt stond over de balie te klimmen.

'Ik denk dat u onjuist bent ingelicht, meneer.'

'Daar moet je bij mij niet mee aankomen, lul,' schreeuwde Duff. 'Mijn zus is dood en iemand zal ervoor boeten.'

Janice koos haar moment. 'Meneer Duff?' zei ze rustig terwijl ze op hem afliep.

Hij tolde rond en keek haar dreigend aan, zijn ogen wijd open, wit speeksel in zijn mondhoeken. 'Waar zijn ze?' snauwde hij.

'Het spijt me heel erg van uw zuster. Maar er zijn geen arrestaties verricht in verband met haar dood. We zijn nog maar net met het onderzoek begonnen en we ondervragen getuigen. Geen verdachten. Getuigen.' Ze legde voorzichtig een hand op zijn onderarm. 'U kunt beter naar huis gaan. Uw moeder heeft haar zoons om zich heen nodig.'

Duff schudde haar hand af. 'Ik heb gehoord dat jullie ze hier opgesloten hebben. De rotzakken die het gedaan hebben.'

'Degene die u dat verteld heeft, heeft zich vergist. We willen allemaal niets liever dan degene oppakken die deze verschrikkelijke daad heeft begaan, en soms trekken mensen dan de verkeerde conclusies. Geloof me, meneer Duff. Als we een verdachte in hechtenis hadden, zou ik het u vertellen.' Janice hield haar ogen op hem gericht en hoopte dat haar kalme, niet-emotionele aanpak zou werken. Anders zou hij met één enkele klap haar kaak kunnen breken. 'Als we iemand arresteren, zal de familie als eerste op de hoogte worden gesteld. Dat beloof ik u.'

Duff zag er verbijsterd en kwaad uit. Ineens stroomden zijn ogen vol tranen en zakte hij in een van de stoelen in de wachtruimte neer. Hij sloeg zijn armen om zijn hoofd en zijn lichaam schokte van de heftige snikken. Janice wisselde een hulpeloze blik uit met de agent achter de balie. Hij duidde met gebaren het gebruik van handboeien aan, maar ze schudde haar hoofd en ging naast Duff zitten.

Langzaam herwon Brian Duff zijn zelfbeheersing. Zijn handen vielen als stenen op zijn schoot en hij wendde zijn betraande gezicht naar Janice. 'Maar jullie krijgen hem? De rotzak die dit gedaan heeft?'

'We doen ons best, meneer Duff. Zal ik u nu naar huis brengen? Uw moeder maakte zich daarstraks ongerust over u. Ze moet weten dat het goed met u is.' Ze stond op en keek hem afwachtend aan.

De woede was even uitgeraasd. Duff stond gehoorzaam op en knikte. 'Ja.'

Janice wendde zich tot de dienstdoende agent en zei: 'Zeg tegen rechercheur Shaw dat ik meneer Duff naar huis breng. Ik zal mijn werk afmaken als ik terug ben.' Niemand zou het haar kwalijk nemen dat ze een keer op eigen initiatief had gehandeld. Alles wat ze konden ontdekken over Rosie Duff en haar familie was welkom op dit moment, en zij had nu de kans om Brian Duff mee te maken terwijl hij kwetsbaar was. 'Ze was een schat van een meid, Rosie,' zei ze terwijl ze Brian Duff de voordeur uit leidde en de hoek om naar het parkeerterrein.

'Kende u haar?'

'Ik kom weleens in de Lammas.' Het was een leugentje, maar nuttig onder de omstandigheden. Janice vond de Lammas Bar ongeveer zo aanlokkelijk als een bord koude pap. Met rooksmaak.

'Ik kan het maar niet geloven,' zei Duff. 'Dit zijn dingen die je op de televisie ziet. Geen dingen die ons soort mensen overkomen.'

'Hoe hebt u het gehoord?' Janice was oprecht nieuwsgierig. In een stadje als St Andrews ging het nieuws rond met de snelheid van het geluid, maar over het algemeen niet midden in de nacht.

'Ik ben vannacht bij een van mijn vrienden blijven slapen. Zijn vriendin werkt 's morgens vroeg in die eettent aan South Street. Ze hoorde het toen ze om zes uur aan het werk ging en ze heeft meteen gebeld. Jezus,' barstte hij uit. 'Ik dacht eerst dat het een stomme, slechte grap was. Ik bedoel, logisch toch, dat je dat denkt?'

Janice deed de auto van het slot en dacht: eerlijk gezegd, nee, ik heb geen vrienden die dat soort grappen zouden maken. Ze zei:

'Je wilt helemaal niet denken, nog geen seconde, dat het waar zou kunnen zijn.'

'Precies,' zei Duff terwijl hij op de passagiersstoel ging zitten. 'Wie zou Rosie zoiets nou aandoen? Ik bedoel, ze was aardig. Een lief meisje. Niet een of andere slet.'

'Je broer en jij hielden een oogje op haar. Heb je iemand in haar buurt zien rondhangen die je niet beviel?' Janice startte de motor en rilde toen een vlaag koude lucht uit de ventilatiegaten stroomde. God, was wat het een bitter koude ochtend.

'Er hing altijd allerlei tuig rond. Maar ze wisten allemaal dat ze met Colin en mij te maken zouden krijgen als ze Rosie zouden lastig vallen. Dus bleven ze op afstand. We pasten altijd op haar.' Hij stompte ineens met zijn vuist in zijn andere hand. 'Dus waar waren we vannacht toen ze ons echt nodig had?'

'Je kunt jezelf de schuld niet geven, Brian.' Janice reed de Panda voorzichtig van het parkeerterrein de gladde, samengepakte sneeuw van de straat op. De kerstlichtjes zagen er zwak uit tegen het geelachtige grijs van de lucht; de glamoureuze laser, geïnstalleerd door de natuurkundesectie van de universiteit was een bijna onzichtbare krabbel tegen de laaghangende wolken.

'Ik geef mezelf niet de schuld. Het is de schuld van de rotzak die het gedaan heeft. Ik wou alleen dat ik er was geweest om het te voorkomen. Te laat, verdomme, altijd te laat,' mompelde hij duister.

'Dus je weet niet met wie ze had afgesproken?'

Hij schudde zijn hoofd. 'Ze heeft tegen me gelogen. Ze zei dat ze naar een kerstfeestje ging, met Dorothy waar ze mee werkt. Maar Dorothy verscheen op het feestje waar ik was. Ze zei dat Rosie had afgesproken met een of andere vent. Ik was van plan haar flink op haar donder te geven als ik haar weer zou zien. Ik bedoel, dat ze pa en ma niks vertelde, oké. Maar Colin en ik stonden altijd aan haar kant.' Hij wreef met de rug van zijn hand in zijn ogen. 'Ik kan het niet verdragen. Het laatste wat ze tegen me gezegd heeft was een leugen.'

'Wanneer heb je haar het laatst gezien?' Janice kwam glijdend tot stilstand bij de West Port en reed voorzichtig de weg naar Strathkinness op.

'Gisteren, toen ik klaar was met werken. Ik had in de stad met haar afgesproken om een kerstcadeau voor ma te kopen. We hadden met z'n drieën geld bij elkaar gelegd voor een nieuwe haardroger. Daarna zijn we naar Boots gegaan om wat lekkere zeep voor haar te kopen. Ik liep met Rosie mee naar de Lammas Bar en toen zei ze dat ze met Dorothy uit zou gaan.' Hij schudde zijn hoofd. 'Ze loog. En nu is ze dood.'

'Misschien was het geen leugen, Brian,' zei Janice. 'Misschien was ze van plan naar het feestje te gaan, maar is er later iets tussen gekomen.' Dat was waarschijnlijk niet zo waar als het verhaal dat Rosie had opgedist, maar Janice wist uit ervaring dat de nabestaanden zich aan iedere kleinigheid vastklampten die hun beeld van degene die ze verloren hadden in stand hield.

Duff reageerde geheel in stijl. Zijn gezicht lichtte op van hoop. 'Weet je, dat is het waarschijnlijk. Want Rosie was geen leugenaar.'

'Maar ze had haar geheimen. Net als elk ander meisje.'

Hij fronste zijn voorhoofd weer. 'Geheimen geven problemen. Dat had ze moeten weten.' Ineens kwam er iets bij hem op en zijn lichaam verstijfde. 'Is ze... u weet wel? Is ze onteerd?'

Janice kon niets zeggen wat hem enige geruststelling zou geven. Als ze de verstandhouding die ze met Duff leek te hebben ontwikkeld in stand wilde houden, kon ze zich niet veroorloven om hem te laten denken dat ook zij een leugenaar was. 'We weten het pas zeker na de lijkschouwing, maar ja, het ziet er wel naar uit.'

Duff sloeg met zijn vuist op het dashboard. 'De rotzak,' brulde hij. Terwijl de auto slingerend de heuvel naar Strathkinness opreed, draaide hij zich opzij in zijn stoel. 'Degene die het gedaan heeft, mag hopen dat jullie hem pakken voordat ik hem in mijn handen krijg. Want ik zweer het, ik vermoord hem.'

Het huis voelde geschonden, dacht Alex toen hij de deur opende van het zelfstandige onderkomen dat de Laddies fi' Kirkcaldy in hun persoonlijke leengoed hadden veranderd. Cavendish en Greenhalgh, de twee Engelse kostschooljongens met wie ze het huis deelden, brachten er zo weinig mogelijk tijd door, een regeling die beide partijen uitstekend paste. Ze waren al naar huis voor de kerstdagen, maar vandaag was hun accent, dat Alex zo vreselijk bekakt in de oren klonk, heel wat welkomer geweest dan de aanwezigheid van de politie, die zelfs de lucht die hij inademde leek te overheersen.

Met Maclennan op zijn hielen rende Alex de trap op naar zijn slaapkamer. 'Denk eraan, we willen alles wat je aanhebt. Dus ook je ondergoed,' bracht Maclennan hem in herinnering terwijl Alex de deur opendeed. Maclennan stond op de drempel en zag er lichtelijk verbaasd uit bij de aanblik van twee bedden in de kleine kamer die duidelijk voor één bedoeld was geweest. 'Met wie deel je deze kamer?' vroeg hij.

Voordat Alex kon antwoorden, sneed Ziggy's koele stem door de lucht. 'Hij denkt dat we allemaal van de verkeerde kant zijn,' zei hij sarcastisch. 'En daarom hebben we natuurlijk Rosie vermoord. Ook al ontbreekt elke logica, dat is wat hij denkt. De verklaring, meneer Maclennan, is heel wat alledaagser.' Ziggy gebaarde over zijn schouder naar de dichte deur aan de andere kant van de overloop. 'Kijk daar maar eens,' zei hij.

Maclennan ging nieuwsgierig op Ziggy's uitnodiging in. Toen hij zich omdraaide, nam Alex de gelegenheid waar om zich snel uit te kleden en zijn ochtendjas te grijpen om zijn verlegenheid te verbergen. Hij volgde de andere twee over de overloop en kon een zelfgenoegzaam glimlachje niet onderdrukken toen hij Maclennans verbijsterde gezicht zag.

'Ziet u?' zei Ziggy. 'Er is gewoon geen ruimte voor een heel drumstel, een Farfisa-orgel, twee gitaren en een bed in een van deze konijnenhokken. Dus hebben Weird en Gilly aan het kortste eind getrokken en moeten ze een kamer delen.'

'Zitten jullie in een band dan?' Maclennan klonk als zijn vader, dacht Alex met een golfje van genegenheid dat hem verbaasde.

'We maken al vijf jaar samen muziek,' zei Ziggy.

'Wat? Jullie worden de volgende Beatles?' Maclennan kon het niet laten.

Ziggy sloeg zijn ogen ten hemel. 'Er zijn twee redenen waarom we niet de volgende Beatles worden. Om te beginnen spelen we alleen voor ons eigen plezier. In tegenstelling tot de Rezillos hebben we niet de wens om in *Top of the Pops* te komen. De tweede reden is talent. We zijn bekwame muzikanten, maar geen van ons heeft oorspronkelijke muzikale ideeën. Aanvankelijk noemden we onszelf de Muze, tot we beseften dat we geen eigen muze hadden. Nu heten we de Combine.'

'De Combine?' herhaalde Maclennan zwakjes, geschrokken van Ziggy's plotselinge aanval van vertrouwelijkheid.

'Ook weer twee redenen. Maaidorsers halen de oogst van anderen binnen. Net als wij. En vanwege het nummer van de Jam met dezelfde naam. We onderscheiden ons niet van de massa.'

Maclennan wendde zich hoofdschuddend af. 'We zullen die kamer ook moeten doorzoeken.'

Ziggy snoof. 'Het enige onwettige waar jullie bewijs van zullen vinden is schending van het copyright,' zei hij. 'Luister, we hebben allemaal meegewerkt met de politie. Wanneer laten jullie ons met rust?'

'Zodra we al jullie kleren hebben. We willen ook dagboeken, agenda's, adressenboekjes.'

'Alex, geef de man wat hij wil. We hebben allemaal onze spullen afgegeven. Hoe sneller we dit achter de rug hebben, hoe sneller we dit kunnen verwerken.' Ziggy wendde zich weer tot Maclennan. 'Ziet u, waar u en uw ondergeschikten kennelijk niet eens aan hebben gedacht, is het feit dat wij iets afschuwelijks hebben meegemaakt. We hebben een bloedende, stervende jonge vrouw gevonden die we kenden, ook al kenden we haar niet goed.' Zijn stem begaf het, wat onthulde hoe kwetsbaar hij was onder het koele oppervlak. 'We komen misschien vreemd op u over, meneer Maclennan, maar vergeet niet dat het iets te maken kan hebben met het feit dat we een behoorlijke schok hebben gehad vannacht.'

Ziggy stoof langs de politieman heen, rende de trap af, stormde de keuken in en sloeg de deur achter zich dicht. Maclennans smalle gezicht verstrakte.

'Hij heeft gelijk,' zei Alex vriendelijk.

'Er is een gezin in Strathkinness dat een heel wat beroerder nacht heeft gehad dan jullie, knul. En het is mijn taak om wat antwoorden voor ze te vinden. Als dat betekent dat ik op jullie gevoelige tenen moet gaan staan, dan is dat jammer. Zo, geef me je kleren. En de andere spullen.'

Hij stond op de drempel terwijl Alex zijn vuile kleren in een vuilniszak stopte. 'Hebt u mijn schoenen ook nodig?' vroeg Alex terwijl hij ze met een bezorgd gezicht omhooghield.

'Alles,' zei Maclennan terwijl hij zich voornam om tegen de technisch onderzoekers te zeggen dat ze speciaal aandacht moeten besteden aan het schoeisel van Gilbey.

'Ik heb geen ander fatsoenlijk paar. Alleen honkbalschoenen, en die zijn nuttig noch fraai bij dit weer.'

'Ik heb medelijden met je. In de zak, knul.'

Alex gooide zijn schoenen boven op de kleren. 'Het is pure tijdverspilling, weet u. Elke minuut die u aan ons besteedt is een verloren minuut. We hebben niets te verbergen. We hebben Rosie niet vermoord.'

'Voor zover ik weet, heeft niemand dat beweerd. Maar door de manier waarop jullie er maar over door blijven gaan, begin ik te twijfelen.' Maclennan nam de zak van Alex over en pakte de beduimelde agenda van hem aan. 'We komen terug, meneer Gilbey. Niet weggaan.'

'We zouden vandaag naar huis gaan,' protesteerde Alex.

Maclennan stond op de tweede tree van de trap stil. 'Dat hoor ik voor het eerst,' zei hij wantrouwig.

'U zult het wel niet gevraagd hebben. We zouden vanmiddag de bus nemen. We hebben allemaal een vakantiebaantje en moeten morgen beginnen. Nou ja, allemaal behalve Ziggy.' Zijn mond verdraaide tot een sardonische glimlach. 'Zijn vader vindt dat studenten in de vakantie met hun neus in de boeken moeten zitten in plaats van vakken te vullen bij Safeway.'

Maclennan dacht na. Verdenkingen die grotendeels op zijn gevoel gebaseerd waren, konden niet de eis rechtvaardigen dat ze in St Andrews zouden blijven. Het zag er tenslotte niet naar uit alsof ze op de vlucht zouden slaan. Kirkcaldy was niet ver weg. 'Jullie kunnen naar huis gaan,' zei hij ten slotte. 'Als jullie het maar niet erg vinden als mijn team en ik bij jullie ouders aan de deur komen.'

Alex keek hem na met een gevoel van ontzetting dat hem nog neerslachtiger maakte. Precies wat hij kon gebruiken om vrolijk aan de feestdagen te beginnen.

6

De gebeurtenissen van de nacht hadden eindelijk hun effect op Weird. Toen Alex na een sombere kop koffie met Ziggy naar boven ging, lag Weird in zijn gebruikelijke houding. Plat op zijn rug, zijn slungelige armen en benen onder de dekens vandaan gestoken, verstoorde hij de relatieve rust van de ochtend met grommend gesnurk dat zo nu en dan overging in een hoog gefluit. Normaal gesproken kon Alex prima slapen bij dat hevige kabaal. Zijn slaapkamer thuis lag aan de spoorbaan, dus was hij nooit gewend geweest aan nachtelijke stilte.

Maar deze ochtend wist Alex zonder het ook maar te proberen, dat hij nooit in slaap zou vallen met Weirds geluiden als achtergrond voor de gedachten die door zijn hoofd maalden. Hoewel hij zich licht in het hoofd voelde door slaapgebrek, was hij niet in het minst slaperig. Hij pakte wat kleren van zijn stoel, graaide onder zijn bed naar zijn honkbalschoenen en liep de kamer uit. Hij kleedde zich aan in de badkamer en liep zachtjes de trap af om Weird en Mondo niet wakker te maken. Bij uitzondering wilde hij zelfs Ziggy's gezelschap niet. Bij de kapstok in de hal stond hij stil. Zijn parka was meegenomen door de politie. Daardoor had hij alleen nog een spijkerjack en een lichte anorak. Hij pakte ze allebei en liep naar buiten.

Het sneeuwde niet meer, maar de wolken hingen nog zwaar en laag. De stad leek gesmoord in watten. De wereld was monochroom geworden. Als hij zijn ogen half sloot, verdwenen de witte gebouwen van Fife Park en werd de zuiverheid van het uitzicht alleen tenietgedaan door de rechthoekige vormen van lege ramen. Ook het geluid was verdwenen, gesmoord door het gewicht van het weer. Alex liep over een met sneeuw bedekt grasveld naar de hoofdweg. Vandaag bood hij de aanblik van een spoor door de Cairngorms: platgereden sneeuw gaf aan waar een enkele auto voorbij was gezwoegd. Niemand die niet echt hoefde, reed onder deze omstandigheden. Tegen de tijd dat hij bij de sportvelden van de universiteit kwam, waren zijn voeten nat en ijskoud, en op de een of andere manier leek dat toepasselijk. Alex liep het pad op naar de hockeyvelden. Midden in een uitgestrekt wit terrein, veegde hij de sneeuw van de achterplank van een doelmond en ging erop zitten. Hij zette zijn ellebogen op zijn knieën, liet zijn kin in zijn handen rusten en staarde naar het ononderbroken tafelkleed van sneeuw tot er kleine lichtjes voor zijn ogen begonnen te dansen.

Hoe hard hij het ook probeerde, Alex kon zijn hoofd niet zo leeg krijgen als het uitzicht. Beelden van Rosie bleven als atmosferische storingen voor zijn ogen flikkeren. Rosie die met een geconcentreerd gezicht een glas Guinness inschonk. Rosie die half afgewend om een of andere opmerking van een klant lachte. Rosie die haar wenkbrauwen optrok en hem plaagde met iets wat hij had gezegd. Dat waren herinneringen waar hij nog net mee om kon gaan. Maar ze wilden niet blijven hangen. Ze werden voortdurend verjaagd door de andere Rosie. Gezicht vertrokken van pijn. Bloedend in de sneeuw. Happend naar haar laatste adem.

Alex boog zich voorover, pakte een paar handen sneeuw en klemde de sneeuw stijf in zijn vuisten tot zijn handen roodachtig paars begonnen te worden van de kou en druppels water over zijn polsen rolden. De kou ging over in pijn, de pijn in gevoelloosheid. Hij wou dat hij iets kon doen om dezelfde reactie in zijn hoofd op te wekken. Om het uit te zetten, alles uit te zetten. Om een leeg hoofd te krijgen als het schitterende lege wit van het besneeuwde veld.

Toen hij een hand op zijn schouder voelde, deed hij het bijna in zijn broek van schrik. Alex struikelde naar voren, viel bijna languit in de sneeuw, maar wist net op tijd zijn evenwicht te vinden. Hij draaide zich vliegensvlug om, zijn handen nog als vuisten tegen zijn borst geklemd. 'Ziggy,' schreeuwde hij. 'Jezus, ik schrok me dood.'

'Sorry.' Ziggy leek op het punt in tranen uit te barsten. 'Ik zei je naam, maar je reageerde niet.'

'Ik heb je niet gehoord. Jezus, je moet niet zo op mensen afsluipen, je krijgt nog een slechte naam, man,' zei Alex met een beverig lachje, in een poging een grap van zijn angst te maken.

Ziggy trapte met de punt van zijn rubberlaarzen in de sneeuw. 'Ik weet dat je waarschijnlijk alleen wilde zijn, maar toen ik je weg zag gaan, ben ik je gevolgd.'

'Het geeft niet, Zig.' Alex boog zich en veegde nog wat sneeuw van de plank. 'Voeg je bij me op mijn luxueuze bank, waar haremmeisjes ons zullen voeden met sorbet en rozenwater.'

Ziggy wist een zwak glimlachje te voorschijn te brengen. 'Ik laat de sorbet aan me voorbijgaan. Ik krijg er een tintelende tong van. Je vindt het niet vervelend?'

'Ik vind het niet vervelend, oké?'

'Ik maakte me zorgen om je, dat is alles. Je kende haar beter dan wij. Ik wist niet of je zou willen praten, zonder de anderen erbij.'

Alex zat ineengedoken in zijn jas en schudde zijn hoofd. 'Ik heb niet zoveel te zeggen. Alleen blijf ik haar gezicht maar zien. Ik dacht niet dat ik zou kunnen slapen.' Hij zuchtte. 'Ach nee, dat is niet waar. Ik was gewoon te bang om het te proberen. Toen ik nog klein was, was een vriend van mijn vader betrokken bij een ongeluk op de scheepswerf. Een soort ontploffing; ik weet niet precies hoe het zat. Maar hij had maar een half gezicht over. Letterlijk. Hij had een half gezicht. De andere helft is een plastic masker dat hij over het verbrande weefsel draagt. Je hebt hem misschien weleens op straat of bij het voetbal gezien. Je kunt hem nauwelijks over het hoofd zien. Mijn vader nam me mee naar het ziekenhuis om hem op te zoeken. Ik was nog maar vijf. En ik was helemaal van streek. Ik bleef me maar voorstellen wat er achter dat masker zat. Als ik ging slapen, werd ik gillend wakker doordat ik over hem droomde. De ene keer zag ik maden als het masker af ging. De andere keer was het een bloederige massa, zoals de illustraties in jouw anatomieboeken. De ergste was de droom waarin het masker af ging en er niets achter was, alleen gladde huid met een schim van wat er hoorde te zijn.' Hij hoestte. 'Daardoor ben ik bang om te gaan slapen.'

Ziggy legde zijn arm om Alex' schouders. 'Dat is moeilijk, Alex. Maar je bent ouder nu. Wat we vannacht hebben gezien, dat was zo erg als het maar kan worden. Je fantasie kan het nauwelijks erger maken. Wat je ook mag dromen, het zal lang niet zo erg zijn als Rosie echt zo zien.'

Alex wou dat hij meer geruststelling kon putten uit Ziggy's woorden. Maar hij had het gevoel dat ze niet helemaal waar waren. 'Ik denk dat we na vannacht allemaal met angsten te maken zullen hebben,' zei hij.

'Sommigen met reëlere angsten dan anderen,' zei Ziggy terwijl hij zijn arm terugtrok en zijn handen in elkaar sloeg. 'Ik weet niet hoe, maar Maclennan heeft doorgekregen dat ik homoseksueel ben.' Hij beet op zijn lip.

'O, verdomme,' zei Alex.

'Jij bent de enige aan wie ik het ooit heb verteld, weet je dat?' Ziggy's mond verdraaide tot een wrange glimlach. 'Nou ja, afgezien van de kerels waar ik wat mee gehad heb, natuurlijk.'

'Natuurlijk. Hoe wist hij het?' vroeg Alex.

'Ik deed zo mijn best om niet te liegen, dat hij de waarheid tussen de woorden door heeft gehoord. En nu ben ik bang dat het verder bekend wordt.'

'Waarom zou dat gebeuren?'

'Mensen houden van roddelen, dat weet je. Ik denk niet dat politiemensen wat dat betreft anders zijn dan anderen. Ze zullen met de universiteit willen praten. En als ze ons onder druk willen zetten, zou dat een manier kunnen zijn. En stel dat ze bij ons thuis komen in Kirkcaldy. Stel dat Maclennan het wel een slimme zet zou vinden om me te verraden bij mijn ouders.'

'Dat zal hij niet doen, Ziggy. We zijn getuigen. Het levert hem niets op als hij ons van elkaar vervreemdt.'

Ziggy zuchtte. 'Ik wou dat ik je kon geloven. Voor zover ik kan nagaan, behandelt Maclennan ons meer als verdachten dan getuigen. En dat betekent dat hij alles zal gebruiken om druk uit te oefenen, denk je niet?'

'Ik denk dat je spoken ziet.'

'Misschien. Maar stel dat hij iets tegen Weird of Mondo zegt.'

'Ze zijn je vrienden. Ze zullen je om zoiets niet laten vallen.'

Ziggy snoof. 'Ik zal je zeggen wat er volgens mij gaat gebeuren als Maclennan zich zou laten ontvallen dat hun beste vriend een nicht is. Ik denk dat Weird met me wil vechten en dat Mondo zijn leven lang niet meer samen met mij een wc zal binnengaan. Het zijn homohaters, Alex. Dat weet je.'

'Ze kennen je al hun halve leven. Dat moet toch heel wat meer betekenen dan stomme vooroordelen. Ik ben er niet gillend vandoor gegaan toen je het me vertelde,' zei Alex.

'Ik heb het je verteld omdat ik wist dat je dat niet zou doen. Jij bent niet zo'n voorspelbare primitieveling.'

Alex trok een zelfkritisch gezicht. 'Het was denk ik niet zo'n gevaarlijke gok om het te vertellen aan iemand wiens favoriete schilder Caravaggio is. Maar zo primitief zijn ze nou ook weer niet, Ziggy. Ze zullen het aankunnen. Hun wereldbeeld herzien op grond van wat ze van je weten. Als ik jou was zou ik er echt niet wakker van liggen.'

Ziggy haalde zijn schouders op. 'Misschien heb je gelijk, maar ik stel de proef liever niet op de som. Maar ook al zouden zij er geen moeite mee hebben, wat zou er gebeuren als het breder bekend wordt? Hoeveel homo's die ervoor uitkomen kun jij opnoemen hier op de universiteit? Al die Engelse kostschooljongens die in hun tienerjaren met elkaar gerotzooid hebben, komen er niet voor uit. Ze hebben nu allemaal hun Fiona's en Fenella's om hun opvolging te garanderen. Kijk naar Jeremy Thorpe. Hij staat terecht voor samenzwering tot moord op zijn ex-minnaar, alleen om zijn homoseksualiteit verborgen te houden. Dit is San Francisco niet, Alex. Dit is St Andrews. Het duurt nog jaren voordat ik gekwalificeerd ben als arts, en ik zeg je, als Maclennan me verraadt, kan ik mijn carrière wel vergeten.'

'Dat gebeurt niet, Ziggy. Je overdrijft. Je bent moe, en zoals je zelf al zei, hebben we allemaal een behoorlijke schok gehad vannacht. Ik zal je zeggen waar ik veel meer over inzit.'

'Wat dan?'

'De Land Rover. Wat moeten we daar verdomme mee?'

'We moeten hem terugbrengen. We hebben geen andere keuze. Anders wordt hij als gestolen gemeld en zitten we dik in de problemen.'

'Natuurlijk, dat weet ik. Maar wanneer?' vroeg Alex. 'Vandaag kunnen we het niet doen. Degene die Rosie daar heeft achtergelaten, moet een soort vervoermiddel hebben gehad, en het enige dat ons minder verdacht maakt, is dat we geen van allen een auto hebben. Maar als iemand ons in de sneeuw in een Land Rover ziet rondtoeren, staan we meteen op de eerste plaats van Maclennans hitparade.'

'Hetzelfde geldt als er ineens een Land Rover bij ons huis staat,' zei Ziggy.

'Dus wat moeten we doen?'

Ziggy schopte in de sneeuw tussen zijn voeten. 'Ik denk dat we moeten wachten tot alles een beetje tot rust is gekomen. Dan ga ik hierheen en zet hem terug. Godzijdank dacht ik op tijd aan de sleutels om ze in de band van mijn onderbroek te stoppen. Anders waren we mooi genaaid geweest toen Maclennan ons vroeg onze zakken te legen.'

'Meen je dat? Weet je zeker dat je hem terug wilt zetten?'

'Jullie hebben allemaal een vakantiebaantje. Ik kan gemakkelijk weggaan. Ik hoef alleen maar te zeggen dat ik iets uit de universiteitsbibliotheek nodig heb.'

Alex schoof ongemakkelijk heen en weer. 'Ik neem aan dat het bij je opgekomen is dat we misschien een moordenaar vrijuit laten gaan door niet te vertellen dat we de Land Rover hadden.'

Ziggy zag er geschokt uit. 'Je wilt toch niet serieus suggereren dat...'

'Wat? Dat een van ons het kan hebben gedaan?' Alex kon niet geloven dat hij de sluimerende verdenkingen die zich een weg naar zijn bewustzijn hadden gevreten nu had verwoord. Hij probeerde het haastig ongedaan te maken. 'Nee, maar die sleutels hebben wat rondgezworven tijdens dat feestje. Misschien heeft iemand anders zijn kans gezien en gegrepen...' Zijn stem stierf weg.

'Je weet dat dat niet gebeurd is. En diep vanbinnen geloof je niet echt dat een van ons Rosie kan hebben vermoord,' zei Ziggy overtuigd.

Alex wou dat hij zo zeker kon zijn. Wie wist wat er in Weirds hoofd rondging wanneer hij vol met drugs zat. En hoe zat het met Mondo? Hij had dat meisje naar huis gebracht, duidelijk met de gedachte dat er wat te halen viel. Maar stel dat ze hem had afgewezen. Dan zou hij pissig en gefrustreerd zijn geweest, en misschien net dronken genoeg om het af te reageren op een ander meisje dat hem had afgewezen, zoals Rosie meer dan eens in de Lammas had gedaan. Stel dat hij haar op de terugweg was tegengekomen. Hij schudde zijn hoofd. Hij moest er niet aan denken.

Alsof hij zijn gedachten kon lezen, zei Ziggy zacht: 'Als je aan Weird en Mondo denkt, moet je mij ook op je lijstje zetten. Ik heb net zoveel kans gehad als zij. En ik hoop dat je weet wat voor bespottelijk idee het is.'

'Dat is krankzinnig. Jij zou nooit iemand kwaad doen.'

'Hetzelfde geldt voor de andere twee. Wantrouwen is als een virus, Alex. Maclennan heeft je aangestoken. Maar je moet het van je afschudden voordat het je te pakken krijgt en je hoofd en je hart infecteert. Denk aan wat je van ons weet. Niets daarvan wijst op een koelbloedige moordenaar.'

Ziggy's woorden namen Alex' onbehaaglijke gevoel niet weg, maar hij wilde er verder niet over praten. Hij legde zijn arm om Ziggy's schouders. 'Je bent een geweldige vriend, Zig. Kom op. We gaan de stad in. Ik trakteer je op een pannenkoek.'

Ziggy grijnsde. 'Je wou het nog één keer breed laten hangen, hè? Maar ik hoef niet. Op de een of andere manier heb ik niet zo'n honger. En denk eraan: allen voor één en één voor allen. Dat heeft niets te maken met blind zijn voor elkaars fouten, maar met elkaar vertrouwen. Het is een vertrouwen dat gebaseerd is op al die jaren dat we elkaar kennen. Laat dat niet door Maclennan ondermijnen.'

Barney Maclennan keek de recherchekamer rond. Hij zat bij uitzondering vol. In tegenstelling tot de meeste rechercheurs vond Maclennan het nuttig om de geuniformeerde agenten uit te nodigen bij zijn besprekingen van belangrijke zaken. Het gaf hun ook een belang in het onderzoek. Bovendien stonden ze veel dichter bij de bevolking en zouden daardoor dingen kunnen oppikken die de rechercheurs wellicht zouden missen. Door hen deel van het team te maken, waren ze meer geneigd iets te doen met hun waarnemingen in plaats van ze als onbelangrijk aan de kant te schuiven. Hij stond aan het eind van de kamer, geflankeerd door Burnside en Shaw, met zijn ene hand in zijn broekzak obsessief munten omdraaiend. Hij voelde zich zwak van vermoeidheid en spanning, maar wist dat de adrenaline hem nog urenlang actief zou houden. Zo ging het altijd als hij zijn gevoel volgde. 'Jullie weten waarom we hier zijn,' zei hij toen iedereen was gaan zitten. 'Vroeg in de ochtend is het lichaam van een jonge vrouw gevonden op Hallow Hill. Rosie Duff is gedood door één enkele steekwond in haar buik. Het is te vroeg voor veel bijzonderheden, maar ze is waarschijnlijk ook verkracht. We krijgen niet veel van dit soort zaken in ons district, maar dat wil niet zeggen dat we de zaak niet kunnen oplossen. En snel. Er is een gezin dat recht heeft op antwoorden.

Tot nu toe hebben we weinig aanwijzingen. Rosie werd gevonden door vier studenten die van een feestje in Learmonth Gardens op weg waren naar Fife Park. Het is mogelijk dat deze jongens onschuldige voorbijgangers zijn, maar het is net zo goed mogelijk dat ze heel wat meer zijn. Ze zijn de enigen van wie we weten dat ze midden in de nacht daar rondliepen en onder het bloed zaten. Ik wil een team dat een onderzoek doet naar het feestje. Wie waren daar? Wat hebben ze gezien? Hebben onze jongens echt een alibi? Is er tijd die ze niet kunnen verantwoorden? Hoe gedroegen ze zich? Rechercheur Shaw zal dit team leiden en ik wil graag dat een paar agenten met hen samenwerken. Laten we de feestgangers een beetje bang maken.

Rosie werkte in de Lammas Bar, zoals sommigen van jullie waarschijnlijk weten?' Hij keek om zich heen en zag wat knikjes, onder andere van agent Jimmy Lawson, die als eerste op de plaats van de misdaad was geweest. Hij kende Lawson: jong en ambitieus, hij zou goed reageren op een beetje verantwoordelijkheid. 'De vier jongens hebben daar eerder op de avond wat gedronken. Dus wil ik dat rechercheur Burnside een ander team vormt en met iedereen gaat praten die jullie kunnen vinden die daar gisteravond aanwezig was. Besteedde iemand veel aandacht aan Rosie? Wat deden de vier jongens? Hoe gedroegen ze zich? Agent Lawson, jij drinkt daar weleens iets. Ik wil dat je samenwerkt met rechercheur Burnside en hem helpt om de vaste klanten te ondervragen.' Maclennan zweeg en keek de kamer rond.

'We moeten ook een buurtonderzoek doen in Trinity Place. Rosie is niet naar Hallow Hill gelopen. Degene die dit gedaan heeft, moet een vorm van vervoer hebben gehad. Misschien hebben we geluk en vinden we de plaatselijke lijder aan slapeloosheid. Of op zijn minst iemand die opgestaan is om te plassen. Als er auto's zijn gezien die in de vroege uurtjes die kant op reden, wil ik dat weten.'

Maclennan keek weer rond. 'Er is een kans dat Rosie de dader kende. Een of andere vreemde die haar op straat heeft aangevallen, had de moeite niet genomen om haar stervende lichaam ergens anders heen te brengen. Dus moeten we ook meer van haar leven weten. Haar familie en vrienden zullen dat niet leuk vinden en we moeten dus rekening houden met hun verdriet. Maar dat betekent niet dat we genoegen nemen met een half verhaal. Er loopt iemand rond die vannacht heeft gemoord. En ik wil hem oppakken voordat hij de kans heeft om het weer te doen.' Er ging een instemmend gemompel door de kamer. 'Zijn er nog vragen?'

Tot zijn verbazing stak Lawson, een beetje verlegen, zijn hand op. 'Meneer, ik vraag me af of de plaats waar het lichaam is achtergelaten enige betekenis heeft.'

'Hoe bedoel je?' vroeg Maclennan.

'Omdat het de Pictische begraafplaats is. Misschien was het een soort satanisch ritueel. En zou het in dat geval niet een vreemde kunnen zijn geweest die Rosie alleen heeft gekozen omdat ze geschikt was als mensenoffer?'

Maclennan kreeg kippenvel bij de gedachte aan die mogelijkheid. Waarom had hij daar niet aan gedacht? Als het bij Jimmy Lawson was opgekomen, zou het heel goed bij de pers kunnen opkomen. En het laatste dat hij wilde, waren krantenkoppen die meldden dat er een rituele moordenaar rondliep. 'Dat is een interessante gedachte, en we moeten het allemaal in ons achterhoofd houden. Maar het is ook een gedachte die we binnen deze vier muren moeten houden. Voorlopig concentreren we ons op wat we zeker weten. De studenten, de Lammas Bar en het buurtonderzoek. Dat betekent niet dat we onze ogen sluiten voor andere mogelijkheden. Laten we aan het werk gaan.'

Nu de instructie voorbij was, liep Maclennan door de kamer en stond hier en daar stil voor een bemoedigend woord terwijl de politiemensen zich om hun bureaus verzamelden en hun taken organiseerden. Hij kon het niet helpen, maar hij hoopte dat ze het in verband zouden kunnen brengen met een van de studenten. Op die manier zouden ze snel resultaat boeken, en bij zaken als deze telde dat voor het publiek. Beter nog was dat de stad niet met de smaak van argwaan in de mond zou zitten. Het was altijd gemakkelijker als de slechteriken van buiten kwamen. Ook al was buiten in dit geval niet meer dan een vijftig kilometer van hen verwijderd.

Toen Ziggy en Alex terugkwamen in hun huis hadden ze nog een uur voordat ze naar het busstation moesten vertrekken. Ze waren er voor de zekerheid langsgelopen en hadden te horen gekregen dat de bussen nog reden, hoewel de dienstregeling enigszins verstoord was geraakt. 'Jullie kunnen het erop wagen,' had de kaartjesverkoper gezegd. 'Ik kan de tijd niet garanderen, maar er zullen wel bussen zijn.'

Ze troffen Weird en Mondo gebogen over een kop koffie in de keuken aan, allebei humeurig en ongeschoren. 'Ik dacht dat jullie uitgeteld waren,' zei Alex terwijl hij de ketel vulde voor een vers kopje.

'Vergeet het maar,' gromde Weird.

'We hebben niet aan de aasgieren gedacht,' zei Mondo. 'Journalisten. Ze blijven maar op de deur kloppen en wij blijven maar zeggen dat ze moeten oprotten. Maar het werkt niet. Tien minuten later zijn ze er weer.'

'Het lijkt wel een "klop, klop"-grap hier. Ik heb tegen de laatste gezegd dat ik hem midden in zijn gezicht zou meppen als hij niet maakte dat hij wegkwam.'

'Hmm,' zei Alex. 'En de winnaar van de Mevrouw Vrolijkprijs voor Tact en Diplomatie van dit jaar is...'

'Wat? Had ik hem binnen moeten laten?' Weird ontplofte. 'Die klootzakken? Je moet tegen ze praten in een taal die ze begrijpen. Nee zeggen is niet genoeg.'

Ziggy spoelde twee koppen om en schepte er wat koffie in. 'Wij hebben niemand gezien, nietwaar, Alex?'

'Nee. Weird moet ze overtuigd hebben van hun dwalingen. Maar als ze terugkomen, denk je niet dat we ze dan gewoon een verklaring moeten geven? We hebben tenslotte niets te verbergen.'

'Dan zouden we wel van ze af zijn,' zei Mondo instemmend, maar op de manier waarop Mondo altijd zijn instemming betuigde. Hij was gespecialiseerd in een toon die twijfel suggereerde, waardoor hij altijd een uitweg had als hij merkte dat hij per ongeluk tegen de stroom in moest zwemmen. Hij wilde zo graag geliefd zijn, dat het alles beïnvloedde wat hij zei, alles wat hij deed. Hetzelfde gold voor zijn behoefte om zichzelf te beschermen.

Weird, aan de andere kant, liet nooit ruimte voor twijfel. 'Als jullie denken dat ik ook maar een woord wissel met die slaafse volgelingen van het kapitalistische imperialisme, dan zit je er goed naast. Het is tuig. Wanneer heb je ooit een wedstrijdverslag gelezen dat ook maar een beetje gelijkenis vertoonde met de wedstrijd die je net had gezien? Moet je zien hoe ze Ally McLeod behandeld hebben. Voordat we naar Argentinië gingen, was de man een god, de held die de wereldbeker mee terug zou brengen. En nu? Nu is hij niet goed genoeg om je kont mee af te vegen. Als ze zoiets simpels als voetbal niet eens goed kunnen beschrijven, wat voor kans hebben wij dan om niet verkeerd geciteerd te worden?'

'Wat is het toch heerlijk als Weird met z'n goede been uit bed is gestapt,' zei Ziggy. 'Maar hij heeft wel gelijk, Alex. We kunnen ons beter gedeisd houden. Morgen zijn ze ons al vergeten.' Hij roerde zijn koffie en liep naar de deur. 'Ik ga pakken. We kunnen beter een beetje de tijd nemen, iets eerder weggaan dan normaal. Het is lastig lopen, en dankzij Maclennan hebben we geen van allen fatsoenlijke schoenen. Niet te geloven. Ik moet het met rubberlaarzen doen.'

'Als je niet uitkijkt, word je opgepakt door de modepolitie,' riep Weird hem achterna. Hij gaapte en rekte zich uit. 'Ik ben zo moe. Heeft iemand nog dexedrine?'

'Als we die nog hadden, zijn ze uren geleden al door de wc gespoeld,' zei Mondo. 'Ben je vergeten dat die zwijnen de hele boel overhoop hebben gehaald?'

Weird zag er beteuterd uit. 'Sorry. Daar dacht ik niet aan. Weet je, toen ik wakker werd kon ik bijna geloven dat vannacht alleen maar een slechte trip was geweest. Als het zo was, had het me voor de rest van mijn leven van de acid afgeholpen, dat kan ik jullie wel vertellen.' Hij schudde zijn hoofd. 'Arme meid.'

Alex zag dat als het signaal om naar boven te gaan en het laatste stapeltje boeken in zijn weekendtas te proppen. Het speet hem niet om naar huis te gaan. Voor het eerst sinds hij met de andere drie samenwoonde, had hij last van claustrofobie. Hij verlangde naar zijn eigen slaapkamer; een deur die hij dicht kon doen en die niemand anders zonder zijn toestemming open zou maken.

Het was tijd om te vertrekken. Drie weekendtassen en Ziggy's enorme rugzak stonden in de hal. De Laddies fi' Kirkcaldy waren klaar om naar huis te gaan. Ze hingen de tassen aan hun schouders en liepen de deur uit, Ziggy voorop. Helaas was het effect van Weirds harde woorden blijkbaar verdwenen. Toen ze op de tot brij geworden sneeuw van hun pad stonden, kwamen als uit het niets vijf mannen te voorschijn. Drie van hen hadden een camera, en voordat het viertal ook maar besefte wat er gebeurde, was de lucht gevuld met de geluiden van draaiende Nikons.

De twee journalisten kwamen achter de fotografen vandaan en schreeuwden hun vragen. Ze slaagden erin zichzelf te laten klinken als een volledige persconferentie, zo snel vuurden ze hun vragen af. 'Hoe hebben jullie het meisje gevonden?' 'Wie van jullie heeft haar gevonden?' 'Wat deden jullie midden in de nacht op Hallow Hill?' 'Was het een of ander satanisch ritueel?' En natuurlijk, onvermijdelijk: 'Hoe voelen jullie je?'

'Flikker op!' brulde Weird terwijl hij zijn tas als een bovenmaatse zeis voor zich uit zwaaide. 'We hebben jullie niets te zeggen.'

'Jezus, jezus, jezus,' mompelde Mondo als een plaat die blijft hangen.

'Naar binnen,' riep Ziggy. 'Terug naar binnen!'

Alex, die de achterhoede vormde, draaide zich haastig om. Mondo tuimelde naar binnen en struikelde bijna over hem in zijn haast om weg te komen van het spervuur van vragen en klikkende camera's. Weird en Ziggy volgden en gooiden de deur achter zich dicht. Opgejaagd en achtervolgd keken ze elkaar aan. 'Wat moeten we doen?' vroeg Mondo, de vraag verwoordend die ze zich allemaal stelden. Ze zagen er verbijsterd uit. Dit was een situatie die buiten hun beperkte levenservaring lag.

'We kunnen niet blijven wachten,' vervolgde Mondo nukkig. 'We moeten naar Kirkcaldy zien te komen. Ik moet morgenochtend om zes uur bij Safeway beginnen.'

'Alex en ik ook,' zei Weird. Ze keken allemaal verwachtingsvol naar Ziggy.

'Goed. Als we de achteruitgang nemen?'

'Er is geen achteruitgang, Ziggy. We hebben alleen een voordeur,' merkte Weird op.

'Er is een wc-raampje. Jullie drieën kunnen door het raam naar buiten gaan en ik blijf hier. Ik ga boven wat rondlopen, doe lichten aan en zo, zodat ze denken dat we allemaal nog hier zijn. Ik kan morgen naar huis gaan, als het rustiger is geworden.'

De andere drie keken elkaar aan. Het was geen slecht idee. 'Vind je het niet vervelend om alleen achter te blijven?' vroeg Alex.

'Ik red me wel. Als een van jullie mijn vader en moeder maar belt om uit te leggen waarom ik hier nog ben. Ik wil niet dat ze dit uit de kranten te weten komen.'

'Ik zal bellen,' bood Alex aan. 'Bedankt, Ziggy.'

Ziggy stak zijn arm omhoog en de andere drie volgden. Ze grepen op hun vertrouwde manier elkaars handen vast. 'Allen voor één,' zei Weird.

'En één voor allen,' zeiden de anderen in koor. Het was nu net zo zinnig als toen ze het, negen jaar eerder, voor het eerst hadden gedaan. En voor het eerst sinds hij over Rosie Duff in de sneeuw was gestruikeld, voelde Alex zich enigszins gerustgesteld.

7

Alex sjokte over de spoorbrug en ging rechtsaf naar Balsusney Road. Kirkcaldy leek wel een ander land. Terwijl de bus de kronkelweg langs de kust van Fife had gevolgd, was de sneeuw geleidelijk overgegaan in brij en daarna in deze bijtende grijze nevel. Tegen de tijd dat de noordoostenwind hier gekomen was, had hij zijn lading sneeuw al laten vallen en de beschutte stadjes verderop langs de riviermond niets anders meer kunnen bieden dan kille regenvlagen. Hij voelde zich als een van Breughels ellendiger boeren die vermoeid naar huis sjokt.

Alex tilde de klink van het vertrouwde smeedijzeren hek op en liep het korte pad op naar de kleine stenen villa waarin hij was opgegroeid. Hij haalde zijn sleutels uit zijn broekzak en ging naar binnen. Een heerlijke warmte omhulde hem. In de zomer hadden ze centrale verwarming laten installeren en dit was de eerste keer dat hij merkte hoeveel verschil het maakte. Hij zette zijn tas bij de deur neer en riep: 'Ik ben thuis.'

Zijn moeder verscheen uit de keuken, haar handen afdrogend aan een theedoek. 'Alex, wat heerlijk dat je er bent. Kom binnen, er is soep en er is stoofschotel. Wij hebben al gegeten. Ik verwachtte je vroeger. Ik neem aan dat het het weer was? Ik zag op het plaatselijke nieuws dat het slecht was in het noorden.'

Hij liet haar woorden over zich heen spoelen, de vertrouwde toon en inhoud waren als een veiligheidsdeken. Hij trok zijn dunne jas uit en liep de gang door om haar te omhelzen. 'Je ziet er moe uit, jongen,' zei ze met bezorgdheid in haar stem.

'Ik heb een verschrikkelijke nacht gehad, mam,' zei hij terwijl hij haar naar de kleine keuken volgde.

Uit de woonkamer klonk zijn vaders stem: 'Ben jij dat, Alex?'

'Ja, pap,' riep hij terug. 'Ik kom zo.'

Zijn moeder schepte al soep voor hem op en gaf hem de kom en een lepel. Tijdens het opdienen van eten had Mary Gilbey geen aandacht voor onbelangrijke dingen als verdriet. 'Ga bij je vader zitten. Ik warm de stoofpot op. Ik heb een gepofte aardappel in de oven.'

Alex ging naar de woonkamer, waar zijn vader in zijn leunstoel voor de tv zat. Op de eettafel in de hoek was voor één persoon gedekt en Alex zette zijn soep neer en ging zitten. 'Alles goed, jongen?' vroeg zijn vader zonder zijn ogen van de wedstrijd op het scherm te nemen.

'Nee, niet echt.'

Dat wist zijn vaders aandacht te trekken. Jock Gilbey draaide zich om en nam zijn zoon op met de scherpe blik waar onderwijzers zo bedreven in zijn. 'Je ziet er niet goed uit,' zei hij. 'Wat is er?'

Alex nam een lepel soep. Hij had geen honger gehad, maar bij de eerste hap van de stevige Schotse soep besefte hij dat hij zich uitgehongerd voelde. Hij had voor het laatst gegeten op het feestje en dat was hij dubbel kwijtgeraakt. Het enige dat hij nu wilde was zijn maag vullen, maar hij zou moeten zingen voor zijn maaltijd. 'Er is vannacht iets verschrikkelijks gebeurd,' zei hij tussen de happen door. 'Er is een meisje vermoord. En wij hebben haar gevonden. Of ik, eigenlijk, maar Ziggy en Weird en Mondo waren bij me.'

Zijn vader staarde hem met open mond aan. Zijn moeder was aan het eind van Alex' onthulling binnen komen lopen en haar handen vlogen naar haar gezicht. In haar opengesperde ogen stond afschuw te lezen. 'O Alex, dat is... O, arme ziel,' zei ze, en ze liep snel naar hem toe en pakte zijn hand.

'Het was echt erg,' zei Alex. 'Ze was neergestoken en ze leefde nog toen we haar vonden.' Hij knipperde hard met zijn ogen. 'Uiteindelijk hebben we de rest van de nacht op het politiebureau gezeten. Ze wilden al onze kleren en zo hebben, alsof ze dachten dat wij er iets mee te maken hadden. Want we kenden haar. Nou ja, we kénden haar niet echt. Maar ze stond achter de bar in een van de cafés waar we soms komen.' Bij de herinnering verloor hij zijn eetlust en hij legde met gebogen hoofd de lepel neer. Een traan vormde zich in zijn ooghoek en biggelde over zijn wang.

'Wat verschrikkelijk, jongen,' zei zijn vader onbeholpen. 'Dat moet een vreselijke schok zijn geweest.'

Alex probeerde de brok in zijn keel weg te slikken. 'Voor ik het vergeet,' zei hij terwijl hij zijn haar naar achteren streek. 'Ik moet meneer Malkiewicz bellen om te zeggen dat Ziggy vanavond nog niet thuiskomt.'

Jock Gilbeys ogen werden groot van schrik. 'Ze hebben hem toch niet op het politiebureau gehouden?'

'Nee, nee, dat is het niet,' zei Alex terwijl hij zijn tranen wegveegde met de rug van zijn hand. 'Er stonden journalisten op de stoep in Fife Park die foto's en interviews wilden. We wilden niet met ze praten. Dus zijn Weird en Mondo en ik aan de achterkant uit het wc-raampje geklommen en zo weggekomen. We gaan morgen alle drie bij Safeway aan het werk. Maar Ziggy heeft geen baantje, dus is hij achtergebleven en gaat morgen naar huis. We wilden het wc-raam niet openlaten, dus moet ik zijn vader bellen om het uit te leggen.'

Alex maakte zijn hand zachtjes los uit die van zijn moeder en liep naar de hal. Hij nam de hoorn van de haak en belde Ziggy's nummer uit zijn hoofd. Hij hoorde de telefoon overgaan, en toen het bekende Schots met een Pools accent van Karel Malkiewicz. Daar gaan we weer, dacht Alex. Hij zou weer moeten uitleggen wat er was gebeurd. Hij had het gevoel dat het niet de laatste keer zou zijn.

'Dat krijg je ervan als je 's avonds een beetje gaat zitten drinken en god mag weten wat nog meer,' zei Frank Mackie bitter. 'Je krijgt problemen met de politie. Ik ben een gerespecteerd man in deze stad, weet je. Ik heb nog nooit de politie aan de deur gehad. Maar er hoeft maar één nutteloze lummel als jij te zijn en iedereen praat over ons.'

'Als wij niet zo laat op stap waren geweest, had ze daar tot de ochtend gelegen. Dan was ze helemaal alleen gestorven,' protesteerde Weird.

'Dat is mijn zorg niet,' zei zijn vader terwijl hij naar de andere kant van de kamer liep en zichzelf een whisky inschonk bij de hoekbar. Hij had hem in de voorkamer laten installeren om indruk te maken op de klanten die hij respectabel genoeg vond om bij hem thuis uit te nodigen. Het was passend, vond hij, dat een accountant de pracht en praal van prestaties liet zien. Het enige dat hij van zijn zoon wilde, was dat hij enig teken van ambitie zou tonen, maar in plaats daarvan had hij een niksnut van een jongen op de wereld gezet die zijn nachten in de kroeg doorbracht. Wat het erger maakte, was dat Tom duidelijk een talent voor cijfers had. Maar in plaats van dat in praktijk te brengen door accountancy te gaan studeren, had hij voor de wazige wereld van de zuivere wiskunde gekozen. Alsof dat de eerste stap was op de weg naar voorspoed en fatsoen. 'Nou, het is mooi geweest. Je blijft elke avond thuis, beste jongen. Geen feestjes, geen cafés voor jou deze vakantie. Je hebt huisarrest. Je gaat naar je werk en komt rechtstreeks naar huis.'

'Maar pap, het is Kerstmis,' protesteerde Weird. 'Iedereen gaat uit. Ik wil mijn vrienden zien.'

'Dat had je moeten bedenken voordat je in moeilijkheden kwam met de politie. Je hebt examens dit jaar. Je kunt je tijd gebruiken om te studeren. Je zult me nog dankbaar zijn, weet je.'

'Maar pap...'

'Dat is mijn laatste woord over het onderwerp. Zolang je onder mijn dak woont, zolang ik je studie betaal, doe je wat ik zeg. Als je zelf je brood gaat verdienen, kun je zelf de regels bepalen. Tot het zover is, heb je maar te luisteren. Uit mijn ogen nu.'

Woedend stormde Weird de kamer uit en rende de trap op. God, hij haatte zijn familie. En hij haatte dit huis. Raith Estate was zogenaamd het toppunt op het gebied van modern leven, maar wat hem betreft was het een van de trucs van de grijze mannen in pakken. Je hoefde niet slim te zijn om te zien dat dit het niet haalde bij het huis waarin ze vroeger woonden. Stenen muren, massieve houten deuren met panelen en lijsten, gebrandschilderd glas in het raam op de overloop. Dát was een huis. Oké, deze doos had meer kamers, maar ze waren hokkerig, de plafonds en de deuropeningen waren zo laag dat Weird voortdurend het gevoel had dat hij moest bukken om er met zijn bijna een meter negentig in te passen. De muren waren ook flinterdun. Je kon iemand een scheet horen laten in de kamer naast je. Wat behoorlijk grappig was als je er goed over nadacht. Zijn ouders waren zo stijf, dat ze een emotie nog niet zouden herkennen als ze erover struikelden. En toch hadden ze een fortuin gespendeerd aan een huis dat iedereen van zijn privacy beroofde. Een kamer delen met Alex voelde meer privé dan onder het dak van zijn ouders wonen.

Waarom hadden ze nooit ook maar een poging gedaan om iets van hem te begrijpen? Hij had het gevoel dat hij zijn hele leven al opstandig was. Niets van wat hij bereikt had, had ooit enige indruk op zijn ouders gemaakt, omdat het niet paste binnen de beperkte grenzen van hun aspiraties. Toen hij schaakkampioen van de school was geworden, had zijn vader opgemerkt dat hij beter bij het bridgeteam had kunnen gaan. Toen hij gevraagd had om een muziekinstrument, had zijn vader ronduit geweigerd en aangeboden een set golfclubs voor hem te kopen. Toen hij op de middelbare school elk jaar weer de wiskundeprijs had gewonnen, had zijn vader gereageerd door boeken over accountancy voor hem te kopen en daarmee volledig gemist waar het om ging. Wiskunde was voor Weird niet het optellen van getallen; het was de schoonheid van een vierkantsvergelijking, de elegantie van calculus, de geheimzinnige taal van algebra. Als zijn vrienden er niet geweest waren, had hij zich een complete zonderling gevoeld. Zij hadden hem de ruimte gegeven om veilig stoom af te blazen, de kans om zijn vleugels uit te slaan zonder te verbranden en neer te storten.

En het enige dat hij hun terug had gegeven was ellende. Hij werd overmand door schuldgevoel toen hij zich zijn laatste streek herinnerde. Deze keer was hij te ver gegaan. Het was begonnen als een grap, Henry Cavendish' auto jatten. Hij had geen idee gehad waar het toe zou leiden. Geen van de anderen zou hem voor de gevolgen hiervan kunnen behoeden, dat besefte hij. Hij hoopte alleen dat hij hen niet in zijn ondergang zou meesleuren.

Weird schoof zijn nieuwe Clash-bandje in zijn geluidsinstallatie en liet zich op zijn bed vallen. Hij zou naar de eerste kant luisteren en zich dan klaarmaken om te gaan slapen. Hij moest om vijf uur opstaan om Alex en Mondo te ontmoeten voor hun vroege dienst in de supermarkt. Normaal zou het vooruitzicht zo vroeg te moeten opstaan hem vreselijk gedeprimeerd hebben. Maar zoals de zaken er nu voorstonden, zou het een opluchting zijn om het huis uit te gaan, een zegen om iets te hebben dat hem af zou leiden van de gedachten die door zijn hoofd spookten. God, hij wou dat hij een joint had.

Zijn vaders botte reactie had in elk geval de gedachten aan Rosie Duff verdrongen. Tegen de tijd dat Joe Strummer 'Julie's in the Drug Squad' zong, was Weird in een diepe, droomloze slaap gezonken.

Karel Malkiewicz reed op zijn beste momenten nog als een oude man. Aarzelend, langzaam, op kruisingen volkomen onvoorspelbaar. Hij was ook een mooi-weerrijder. Onder normale omstandigheden bleef de auto bij het eerste teken van mist of vorst staan waar hij stond en liep hij de steile heuvel van Massareene Road af naar Bennochy, waar hij de bus kon nemen die hem naar Factory Road bracht en naar zijn werk als elektricien in de vloerbedekkingsbranche. Het was lang geleden sinds de verdwijning van de kist met lijnzaadolie die de stad haar reputatie van 'de vreemde lucht' had gegeven, maar hoewel linoleum in sneltreinvaart uit de mode was geraakt, bedekte datgene wat uit Nairns fabriek kwam nog steeds de vloeren van miljoenen keukens, badkamers en gangen. Het had Karel Malkiewicz een fatsoenlijk bestaan gegeven sinds hij na de oorlog uit de RAF was gekomen en hij was daar dankbaar voor.

Dat betekende niet dat hij was vergeten waarom hij uit Krakau was weggegaan. Niemand kon die giftige atmosfeer van wantrouwen en verraderlijkheid zonder kleerscheuren overleven, vooral een Poolse jood niet die het geluk had gehad daar weg te gaan voordat de pogrom plaatsvond die hem zonder familie had achtergelaten.

Hij had zijn leven opnieuw moeten opbouwen, een nieuwe familie voor zichzelf moeten creëren. Zijn oude familie was nooit al te belijdend geweest, dus had hij zich niet te beroofd gevoeld door het afscheid van zijn godsdienst. Er waren geen joden in Kirkcaldy, herinnerde hij zich dat iemand tegen hem had gezegd, een paar dagen nadat hij in het stadje was aangekomen. Het sentiment was duidelijk: zo willen we het ook houden. Dus had hij zich aangepast, en was zelfs zover gegaan dat hij in een katholieke kerk met zijn vrouw was getrouwd. Hij had geleerd thuis te horen in dit vreemde, geïsoleerde land dat hem welkom had geheten. Hij was verbaasd geweest over zichzelf bij de heftige, bezitterige trots die hij had gevoeld toen een Pool zo kortgeleden paus was geworden. Hij zag zichzelf tegenwoordig nog maar zelden als een Pool.

Hij was bijna veertig geweest toen de zoon waar hij altijd van had gedroomd eindelijk was gekomen. Het was een reden voor vreugde, maar ook voor hernieuwde angst. Hij had nu zoveel meer te verliezen. Dit was een beschaafd land. De fascisten zouden hier nooit aan de macht komen. Daar werd in elk geval algemeen van uitgegaan. Maar Duitsland was ook een beschaafd land geweest. Niemand kon voorspellen wat er in een land zou gebeuren als het aantal bezitlozen een kritische massa bereikte. Iedereen die redding beloofde, zou volgelingen vinden.

En de laatste tijd waren er gegronde redenen geweest voor angst. Het National Front sloop door het politieke kreupelhout. Stakingen en arbeidsonrust maakten de regering gespannen. De bommencampagne van de IRA gaf de politici alle excuses die ze nodig hadden om repressieve maatregelen te nemen. En dat kille kreng dat de Tory-partij leidde, had het over immigranten die de eigen cultuur onder de voet liepen. O ja, het zaad was er.

Dus toen Alex Gilbey had gebeld en hem vertelde dat zijn zoon de nacht in een politiebureau had doorgebracht, had Karel Malkiewicz geen keuze. Hij wilde zijn zoon onder zijn dak, onder zijn hoede. Hij kleedde zich warm aan, gaf zijn vrouw opdracht een thermosfles hete soep en een pakje boterhammen te maken en vertrok naar het noorden om zijn zoon thuis te brengen.

De vijftig kilometer die hij moest afleggen, kostte hem bijna twee uur in zijn oude Vauxhall. Maar hij was opgelucht toen hij licht zag branden in het huis dat Sigmund deelde met zijn vrienden. Hij parkeerde de auto, pakte zijn etenswaren en liep het pad op.

Op zijn eerste geklop kwam geen reactie. Hij stapte voorzichtig de sneeuw in en keek door het helder verlichte keukenraam naar binnen. De keuken was leeg. Hij sloeg op het raam en schreeuwde: 'Sigmund! Doe open! Ik ben het, je vader!'

Hij hoorde het geluid van voeten die de trap af klepperden. Toen ging de deur open en verscheen zijn knappe zoon, grijnzend van oor tot oor, zijn armen wijd gespreid ter verwelkoming. 'Pap,' zei hij terwijl hij blootsvoets in de sneeuwbrij stapte om zijn vader te omhelzen. 'Ik had jou hier niet verwacht.'

'Alex belde. Ik wilde niet dat je alleen zou zijn. Dus ben ik gekomen om je op te halen.' Karel klemde zijn zoon tegen zich aan terwijl de vlinder van angst zijn vleugels tegen zijn borst sloeg. Liefde, dacht hij, was iets verschrikkelijks.

Mondo zat met gekruiste benen op zijn bed, zijn draaitafel binnen handbereik. Hij luisterde, steeds opnieuw, naar zijn persoonlijke thema: 'Shine On, You Crazy Diamond'. De stotende gitaren, de diepe smart in Roger Waters' stem, de weemoedige synthesizers, de hese saxofoon zorgden voor de perfecte muziek om bij te zwelgen.

En zwelgen was precies wat Mondo wilde doen. Hij was ontsnapt aan de verstikkende bezorgdheid van zijn moeder, die hem overspoeld had zodra hij had uitgelegd was er gebeurd was. Het was een poosje heel prettig geweest om het vertrouwde beschermende omhulsel om zich heen te voelen. Maar langzaamaan was het hem gaan verstikken, en hij had gezegd dat hij er behoefte aan had alleen te zijn. De Greta Garbo-routine werkte altijd bij zijn moeder, die dacht dat hij een intellectueel was omdat hij boeken in het Frans las. Het leek aan haar aandacht te ontsnappen dat je dat moest doen als je het onderwerp op examenniveau wilde studeren.

Dat was maar goed ook, eigenlijk. Hij had met geen mogelijkheid kunnen uitleggen welke emoties hem dreigden te overspoelen. Geweld was hem vreemd, als een vreemde taal waarvan hij de grammatica en woordenschat nooit in zich had opgenomen. Door zijn recente confrontatie ermee voelde hij zich beverig en raar. Hij kon niet oprecht zeggen dat het hem speet dat Rosie Duff dood was; ze had hem meer dan eens in het bijzijn van zijn vrienden vernederd wanneer hij de versiertactieken gebruikte die bij andere meisjes wel leken te werken. Maar het speet hem dat haar dood hem ten onrechte in moeilijkheden had gebracht.

Wat hij echt nodig had was seks. Dat zou zijn gedachten afleiden van de verschrikkingen van de vorige nacht. Het zou een soort therapie zijn, als weer op het paard stappen. Helaas miste hij het gemak van een vriendin in Kirkcaldy. Misschien moest hij wat mensen bellen. Eén of twee van zijn exen zouden de relatie met genoegen hervatten. Ze zouden een gewillig oor zijn voor zijn narigheid en het zou hem in elk geval door de vakantie heen helpen. Judith, misschien. Of Liz. Ja, Liz waarschijnlijk. De dikkerdjes waren altijd zo meelijwekkend dankbaar voor een afspraakje; je hoefde geen enkele moeite voor ze te doen. Hij kreeg een stijve bij de gedachte.

Net toen hij van het bed wilde komen om beneden te gaan telefoneren, werd er op zijn deur geklopt. 'Binnen,' zei hij vermoeid, zich afvragend wat zijn moeder nu weer wilde. Hij veranderde van houding om zijn ontluikende erectie te verbergen.

Maar het was zijn moeder niet. Het was zijn vijftienjarige zusje Lynn. 'Mam dacht dat je misschien een cola zou willen,' zei ze, met het glas naar hem zwaaiend.

'Ik kan dingen bedenken die ik liever heb,' zei hij.

'Je moet behoorlijk van streek zijn,' zei Lynn. 'Ik kan me niet voorstellen hoe dat moet zijn geweest.'

Bij ontstentenis van een vriendin, zou hij het moeten doen met indruk maken op zijn zusje. 'Het was behoorlijk moeilijk,' zei hij, 'niet iets wat ik nog eens zou willen meemaken. En de politie, wat een primitieve imbecielen. Ik snap gewoon niet waarom ze het nodig vonden om ons te verhoren alsof we een stel bommengooiers van de IRA waren. Er was echt lef voor nodig om je niet door ze te laten koeioneren, dat kan ik je wel vertellen.'

Om de een of andere reden gaf Lynn hem niet de onvoorwaardelijke adoratie en steun die hij verdiende. Ze leunde tegen de muur met de uitdrukking van iemand die wacht op een onderbreking van de woordenstroom om te kunnen zeggen wat hem echt bezighoudt. 'Dat wil ik wel geloven,' zei ze mechanisch.

'We zullen waarschijnlijk opnieuw ondervraagd worden,' voegde hij eraan toe.

'Het moet vreselijk zijn geweest voor Alex. Hoe is het met hem?'

'Gilly? Nou, zo gevoelig is hij niet. Hij komt er wel overheen.'

'Alex is veel gevoeliger dan jij denkt,' zei Lynn fel. 'Alleen omdat hij rugby heeft gespeeld, denk jij dat hij alleen maar een spierbonk is en geen hart heeft. Hij moet er echt kapot van zijn, vooral omdat hij het meisje kende.'

Mondo vloekte bij zichzelf. Hij was even vergeten dat zijn zusje verliefd was op Alex. Ze was niet naar hem toe gekomen om hem cola te geven en medeleven te tonen, het gaf haar alleen een excuus om over Alex te praten. 'Het was waarschijnlijk maar goed dat hij haar niet zo goed kende als hij had gewild.'

'Wat bedoel je?'

'Hij was helemaal kapot van haar. Hij heeft haar zelfs mee uit gevraagd. En als ze ja had gezegd, was Alex nu hun hoofdverdachte, reken daar maar op.'

Lynn bloosde. 'Dat bedenk je maar. Alex zit niet achter barmeisjes aan.'

Mondo liet een wreed glimlachje zien. 'O nee? Ik denk dat je die lieve Alex van je niet zo goed kent als je denkt.'

'Je bent een gluiperd, weet je dat?' zei Lynn. 'Waarom doe je zo gemeen over Alex. Ik dacht dat hij een van je beste vrienden was.'

Ze liep de kamer uit, smeet de deur achter zich dicht en liet hem achter om over haar vraag na te denken. Waarom deed hij zo gemeen over Alex, terwijl hij normaal gesproken geen woord van kritiek op hem had willen horen?

Langzaam begon het tot hem door te dringen dat hij diep vanbinnen Alex de schuld gaf van de hele toestand. Als ze gewoon het pad hadden gevolgd, had iemand anders Rosie Duffs lichaam gevonden. Dan had iemand anders daar gestaan en haar haar moeizame laatste adem horen uitblazen. Dan zou iemand anders zich besmet voelen door die uren in een politiecel.

Dat hij nu blijkbaar een verdachte was in een moordonderzoek was Alex' schuld, daar kon hij niet omheen. Mondo voelde zich ongemakkelijk bij de gedachte. Hij probeerde hem uit zijn hoofd te zetten, maar hij wist dat hij Pandora's doos niet kon sluiten. Nu het idee eenmaal in zijn hoofd zat, kon hij het niet bij de wortels uitrukken en weggooien. Dit was niet het moment voor meningen die een wig tussen hen zouden drijven. Ze hadden elkaar nu meer nodig dan ooit tevoren. Maar hij kon er niet omheen. Het was Alex' schuld dat hij in deze ellende zat.

En stel dat het nog erger zou worden. Ze konden niet om het feit heen dat Weird de halve nacht in die Land Rover had rondgereden. Hij had meisjes meegenomen voor een ritje in een poging indruk op ze te maken. Hij had in feite geen alibi, en hetzelfde gold voor Ziggy, die stiekem weg was gegaan om de Land Rover op een plek neer te zetten waar Weird hem niet zou vinden. En het gold ook voor Mondo zelf. Wat had hem bezield om de Land Rover te nemen en dat meisje naar huis te brengen in Guardbridge? Een snelle wip op de achterbank was het gedoe niet waard waar hij mee te maken zou krijgen als iemand zich zou herinneren dat ze op het feestje was geweest. Als de politie de andere feestgangers zou ondervragen, zou iemand hen verlinken. De studenten mochten dan hun minachting voor autoriteiten belijden, maar iemand zou het benauwd krijgen en gaan praten. Dan zou de vinger gaan wijzen.

Alex de schuld geven leek ineens de minste van zijn zorgen. En terwijl hij nadacht over de gebeurtenissen van de laatste paar dagen, herinnerde Mondo zich iets wat hij laat op een avond had gezien. Iets wat hem misschien van verdenking zou ontheffen. Iets wat hij voorlopig voor zich zou houden. Eén voor allen en allen voor één, het klonk mooi. Maar de eerste aan wie Mondo een verplichting had, was hijzelf. De anderen konden voor hun eigen belangen opkomen.

8

Maclennan sloot de deur achter zich. Met agente Janice Hogg en hem samen in de kamer voelde het claustrofobisch, ingesloten door de lage helling van het dak. Dit was het schrijnendste van een plotselinge dood, dacht hij. Je hebt de kans niet om je zaken op orde te brengen, de wereld het beeld van jezelf te laten zien dat je wilt laten zien. Je zit vast aan wat je achterliet toen je voor het laatst de deur achter je dichttrok. Hij had in zijn loopbaan wat trieste dingen gezien, maar weinige die aangrijpender waren dan dit.

Iemand had de moeite genomen om de kamer helder en vrolijk te maken, ondanks de beperkte hoeveelheid licht die binnenviel door de smalle dakkapel die uitkeek op de dorpsstraat. In de verte zag hij St Andrews, nog wit onder de sneeuw van gisteren, hoewel hij wist dat de werkelijkheid anders was. De stoepen waren al vuil van de sneeuwbrij, de straten een glibberig moeras van zand en gesmolten sneeuw. Voorbij het stadje ging de grijze vlek van de zee onwaarneembaar in de lucht over. Op een zonnige dag moet het een mooi uitzicht zijn, dacht hij, terwijl hij zich omdraaide naar het magnolia-geschilderde spaanplaat en de witte chenille sprei, nog gekreukeld van de laatste keer dat Rosie erop had gezeten. Aan de muur hing één poster. Van een of andere groep die Blondie heette, met een rondborstige zangeres die pruillippen had en een onmogelijk kort rokje droeg. Was dat Rosies ambitie geweest, vroeg hij zich af.

'Waar wilt u dat ik begin?' vroeg Janice terwijl ze om zich heen keek naar de kleerkast en toilettafel uit de jaren vijftig, die wit geschilderd waren in een poging ze eigentijdser te maken. Naast het bed stond een nachtkastje met één la. De enige plekken waar afgezien daarvan nog iets verstopt kon zitten, waren een kleine wasmand die achter de deur stond en een metalen prullenbak onder de toilettafel.

'Jij doet de toilettafel,' zei hij. Op die manier hoefde hij de confrontatie niet aan te gaan met de make-up die nooit meer gebruikt zou worden, de op één na beste beha en de oude onderbroeken die achter in de la waren geduwd voor noodgevallen die zich nooit meer zouden voordoen. Maclennan kende zijn gevoelige plekken, en hij stelde ze liever niet op de proef als het niet echt nodig was.

Janice zat op het voeteneind van het bed, waar Rosie moest hebben gezeten om in de spiegel te kijken en zich op te maken. Maclennan liep naar het nachtkastje en trok de la open. Er lag een dik boek in dat *The Far Pavilions* heette en het soort boek was, dacht hij, dat zijn ex-vrouw had gebruikt om hem in bed op afstand te houden. 'Ik ben aan het lezen, Barney,' zei ze dan op zo'n toon van geduldig lijden terwijl ze hem een of andere pil onder zijn neus duwde. Wat hadden vrouwen toch met boeken? Hij haalde het boek eruit en probeerde niet te letten op Janice, die systematisch de laden doorzocht. Er lag een dagboek onder. Weigerend zichzelf optimisme toe te staan, pakte Maclennan het op.

Als hij op een boek had gehoopt waarin Rosie haar hart had uitgestort, dan was dit een grote teleurstelling. Rosie was niet het type meisje van 'Lief Dagboek' geweest. Op de bladzijden stonden haar diensten bij de Lammas Bar, verjaardagen van familieleden en vrienden, en sociale gebeurtenissen als 'feestje Bob', 'Julies fuif'. Afspraakjes werden vermeld met de tijd en de plaats en het woord 'Hij', gevolgd door een getal. Het zag ernaar uit dat ze in het afgelopen jaar nummer veertien, vijftien en zestien had gehad, waarbij zestien duidelijk de meest recente was. Hij verscheen begin november voor het eerst en werd een regelmatige verschijning van twee of drie keer per week. Altijd na het werk, dacht Maclennan. Hij zou terug moeten gaan naar de Lammas en opnieuw vragen of iemand Rosie na sluitingstijd weleens met een man had gezien. Hij vroeg zich af waarom ze elkaar op dat tijdstip ontmoet hadden, in plaats van op Rosies vrije avond of op de dag dat ze niet werkte. Een van beiden leek vastbesloten te zijn geweest om zijn identiteit geheim te houden.

Hij keek even naar Janice. 'Iets gevonden?'

'Niets wat je niet zou verwachten. Allemaal spullen die vrouwen voor zichzelf kopen. Geen van de ordinaire dingen die mannen kopen.'

'Mannen kopen ordinaire dingen?'

'Ik ben bang van wel, meneer. Kriebelig kant. Nylon waarin je gaat zweten. Wat mannen willen dat vrouwen dragen, niet wat vrouwen voor zichzelf kiezen.'

'Dus dat heb ik al die jaren fout gedaan. Ik had dus grote onderbroeken bij Marks & Spencer moeten kopen.'

Janice grinnikte. 'Met dankbaarheid kom je een heel eind, meneer.'

'Enig teken dat ze aan de pil was?'

'Tot nu toe niet. Misschien had Brian gelijk toen hij zei dat ze een goed meisje was.'

'Niet helemaal. Ze was geen maagd meer volgens de patholoog.'

'Er zijn meerdere manieren om je maagdelijkheid te verliezen, meneer,' merkte Janice op, niet moedig genoeg om een patholoog te belasteren van wie iedereen wist dat hij meer gericht was op zijn volgende borrel en zijn pensioen dan op degene die op zijn tafel terechtkwam.

'Ja. En de pillen zitten misschien in haar handtas, die nog niet gevonden is.' Maclennan zuchtte en schoof de la met de roman en het dagboek dicht. 'Ik zal even naar haar garderobe kijken.' Een halfuur later moest hij concluderen dat Rosie Duff geen hamsteraar was geweest. Haar kleerkast bevatte kleren en schoenen, allemaal volgens de huidige mode. In een hoek lag een stapel paperbacks, stuk voor stuk dikke pillen die in gelijke mate glamour, rijkdom en liefde beloofden. 'We verspillen onze tijd hier,' zei hij.

'Ik moet nog één la doen. Misschien kunt u even in haar sieradendoosje kijken?' Janice gaf hem een doosje in de vorm van een schatkist, dat bekleed was met wit kunstleer. Hij wipte het dunne koperen lipje los en opende de deksel. Het bovenste vakje bevatte een aantal oorbellen in diverse kleuren. Ze waren voor het merendeel groot en opvallend, maar niet duur. In het onderste vakje lagen een kinderhorloge van Timex, een paar goedkope zilveren kettingen en een paar moderne broches; een ervan zag eruit als een breiwerkje, compleet met miniatuurnaalden; een was een kunstvlieg en de derde een glanzend geëmailleerd dier dat eruitzag als een kat van een andere planeet. Het was moeilijk om in een van die dingen iets belangrijks te zien. 'Ze hield van oorbellen,' zei hij terwijl hij het doosje dichtdeed. 'Degene met wie ze iets had, was niet het soort man dat dure sieraden geeft.'

Janice stopte haar hand achter in de la en trok er een zakje foto's uit. Het zag ernaar uit dat Rosie de familiealbums had geplunderd en haar eigen verzameling had aangelegd. Het was een typische mengeling van familiefoto's: de trouwfoto van haar ouders, Rosie en haar broers terwijl ze opgroeiden, verschillende familiegroepen over de laatste drie decennia, een paar babyfoto's en wat kiekjes van Rosie met schoolvriendinnen, gezichten trekkend naar de camera in hun uniform van Madras College. Geen foto's uit een automaat van haarzelf met vriendjes. Helemaal geen vriendjes, in feite. Maclennan bekeek ze en stopte ze terug in het zakje. 'Kom, Janice, laten we eens kijken of we iets kunnen vinden wat een beetje interessanter voor ons is.' Hij wierp een laatste blik door de kamer, die hem veel minder over Rosie Duff had verteld dan hij had gehoopt. Een meisje dat niet veel van zichzelf prijsgaf. Een meisje dat haar geheimen mee naar haar graf had genomen en zo waarschijnlijk de moordenaar beschermde.

Toen ze terugreden naar St Andrews, kraakte Maclennans radio. Hij rommelde wat aan de knoppen om een helder signaal te krijgen. Een paar seconden later kwam Burnsides stem luid en duidelijk door. Hij klonk opgewonden. 'Meneer? Ik denk dat we iets hebben.'

Alex, Mondo en Weird hadden hun werkdag van het vullen van

schappen bij Safeway achter de rug. Ze hadden zich rustig gehouden in de hoop dat niemand hen zou herkennen van de voorpagina van de *Daily Record*. Ze hadden een paar kranten gekocht en waren ermee door High Street naar de snackbar gelopen waar ze hun namiddagen als tieners hadden doorgebracht.

'Wisten jullie dat een op de twee volwassenen in Schotland de *Record* leest?' zei Alex somber.

'De andere kan niet lezen,' zei Weird terwijl hij naar de stiekem genomen foto van hen vieren op de drempel van hun studentenhuis keek. 'Jezus, moet je ons zien. Ze hadden er net zo goed bij kunnen zetten: "Onbetrouwbare klootzakken verdacht van verkrachting en moord". Denken jullie niet dat iedereen die dat ziet zal denken dat we het gedaan hebben?'

'Het is niet de meest flatteuze foto die ooit van me is gemaakt,' zei Alex.

'Voor jou is het niet zo erg. Je staat helemaal achteraan. Je gezicht is amper te herkennen. En Ziggy draait zich net om. Maar Weird en ik staan er echt frontaal op,' klaagde Mondo. 'Eens kijken wat de andere kranten hebben.'

Eenzelfde soort foto stond in de *Scotsman*, de *Glasgow Herald* en de *Courier*, maar gelukkig op een van de binnenpagina's. De moord had echter wel alle voorpagina's gehaald, met uitzondering van die van de *Courier*. Zoiets onbelangrijks als een moord kon de veeprijzen en de kleine advertenties niet van hun voorpagina verdrijven.

Ze nipten van hun schuimachtige koffie en lazen zwijgend de artikelen. 'Het had erger gekund, denk ik,' zei Alex.

Weird trok een ongelovig gezicht. 'Erger? Hoe dan?'

'Ze hebben onze namen goed gespeld. Zelfs die van Ziggy.'

'Daar hebben we wat aan. Oké, ze noemen ons nog net geen verdachten. Maar dat is dan ook het enige wat nog in ons voordeel is. Dit maakt een slechte indruk, Alex. Je weet dat het zo is.'

'Iedereen die we kennen, zal dit gezien hebben,' zei Mondo. 'We krijgen iedereen op onze nek hierover. Als ik op deze manier beroemd moet worden, mogen ze mijn portie houden.'

'Het was toch bekend geworden,' merkte Alex op. 'Je weet hoe het in dit stadje gaat. Dorpsmentaliteit. Mensen hebben niets anders te doen dan roddelen over hun buren. Je hebt hier de kranten niet nodig om het nieuws te verspreiden. De positieve kant is dat de helft van de universitaire bevolking in Engeland woont, dus die horen hier niets over. En tegen de tijd dat we terugkomen, na nieuwjaar, zal het allemaal vergeten zijn.'

'Denk je dat?' Weird vouwde met een definitief gebaar de *Scotsman* dicht. 'Ik zal je iets zeggen. We kunnen maar beter bidden dat Maclennan de dader vindt en oppakt.'

'Waarom?' vroeg Mondo.

'Als hij dat niet doet, zijn wij de rest van ons leven die jongens die een moord hebben gepleegd en er ongestraft vanaf zijn gekomen.'

Mondo zag eruit als een man die zojuist te horen heeft gekregen dat hij terminale kanker heeft. 'Meen je dat?'

'Ik ben nooit van mijn leven serieuzer geweest,' zei Weird. 'Als ze niemand oppakken voor de moord op Rosie, zullen wij herinnerd worden als de vier jongens die de nacht op het politiebureau hebben doorgebracht. Het is zo klaar als een klontje, man. We worden veroordeeld zonder proces. "We weten allemaal wie het gedaan heeft. De politie kon het alleen niet bewijzen,"' voegde hij eraan toe, een vrouwenstem nabootsend. 'Zie het maar onder ogen, Mondo. Van nu af aan kun je een wip wel vergeten.' Hij grijnsde gemeen in de wetenschap dat hij zijn vriend op zijn zeerste plek had geraakt.

'Flikker op, Weird. Ik zal tenminste mijn herinneringen hebben,' snauwde Mondo.

Voordat een van hen nog iets kon zeggen, werden ze onderbroken. Ziggy kwam binnen en schudde de regen uit zijn haar. 'Ik dacht wel dat ik jullie hier zou vinden,' zei hij.

'Ziggy, Weird zegt...' begon Mondo.

'Laat maar even. Maclennan is hier. Hij wil ons alle vier weer spreken.'

Alex trok zijn wenkbrauwen op. 'Wil hij ons terugslepen naar St Andrews?'

Ziggy schudde zijn hoofd. 'Nee, hij is hier in Kirkcaldy. Hij wil dat we naar het politiebureau komen.'

'Verdomme,' zei Weird. 'Mijn vader wordt razend. Ik heb huisarrest. Hij zal denken dat ik me er niks van aantrek. Ik kan hem moeilijk vertellen dat ik bij de politie heb gezeten.'

'Bedank mijn vader maar voor het feit dat we niet naar St Andrews moeten,' zei Ziggy. 'Hij werd woest toen Maclennan bij ons voor de deur stond. Hij gaf hem een ernstige waarschuwing en beschuldigde hem ervan dat hij ons als misdadigers behandelde terwijl we alles hebben gedaan om Rosie te redden. Op een gegeven moment dacht ik dat hij hem een pak ransel zou geven met de *Record*.' Hij glimlachte. 'Ik was trots op hem, dat kan ik jullie wel vertellen.'

'Goeie actie van hem,' zei Alex. 'En waar is Maclennan?'

'Buiten, in zijn auto. Met mijn vaders auto vlak achter hem.' Ziggy's schouders begonnen te schudden van het lachen. 'Ik denk niet dat Maclennan ooit eerder te maken heeft gehad met iemand als die vader van mij.'

'Dus we moeten nu meteen naar het politiebureau?' vroeg Alex.

Ziggy knikte. 'Maclennan wacht op ons. Hij zei dat mijn vader ons erheen kon rijden, maar dat hij niet in de stemming is om een beetje rond te hangen.'

Tien minuten later zat Ziggy alleen in een verhoorkamer. Toen ze op het politiebureau waren aangekomen, waren Alex, Weird en Mondo onder het waakzame oog van een agent apart in een verhoorkamer gezet. Een ongeruste Karel Malkiewicz was zonder pardon bij de receptie achtergelaten, nadat Maclennan had gezegd dat hij daar moest wachten. En Ziggy was meegenomen, ingeklemd tussen Maclennan en Burnside, die hem vervolgens alleen hadden gelaten.

Ze wisten wat ze deden, dacht hij treurig. Hem op deze manier afzonderen was een onfeilbare manier om hem zenuwachtig te maken. En het werkte. Hoewel hij geen zichtbare tekenen van nervositeit toonde, was Ziggy zo gespannen als een snaar, trillend van ongerustheid. Aan de langste vijf minuten van zijn leven kwam een einde toen de twee rechercheurs terugkwamen en tegenover hem gingen zitten.

Maclennans ogen boorden zich in de zijne, zijn smalle gezicht stond strak van een of andere onderdrukte emotie. 'Liegen tegen de politie is een ernstige zaak,' zei hij zonder enige inleiding. Zijn stem klonk afgemeten en koud. 'Het is niet alleen een overtreding, maar het maakt ook dat wij ons afvragen wat je precies te verbergen hebt. Je hebt er een nachtje over kunnen slapen. Zou je je eerdere verklaring willen herzien?'

Een kille schok van angst verkrampte Ziggy's borst. Ze wisten iets, dat was duidelijk. Maar hoeveel? Hij zei niets, wachtte op de volgende zet van Maclennan.

Maclennan opende zijn dossiermap en trok er het blad met vingerafdrukken uit dat Ziggy de vorige dag had getekend. 'Zijn dit jouw vingerafdrukken?'

Ziggy knikte. Hij wist nu wat er zou komen.

'Kun je uitleggen hoe ze terecht zijn gekomen op het stuurwiel en de versnellingspook van een Land Rover die op naam staat van ene Henry Cavendish en die vanochtend verlaten aangetroffen is op de parkeerplaats van een industrieterrein aan Largo Road in St Andrews?'

Ziggy sloot even zijn ogen. 'Ja, dat kan ik.' Hij zweeg in een poging zijn gedachten te ordenen. Hij had dit gesprek vanochtend in zijn bed geoefend, maar alle zinnen die hij bedacht had, lieten hem nu in de steek en hij werd geconfronteerd met deze verontrustende realiteit.

'Ik wacht, meneer Malkiewicz,' zei Maclennan.

'De Land Rover is van een van de andere studenten die bij ons in huis wonen. We hebben hem gisteravond geleend om naar het feestje te gaan.'

'Jullie hebben hem geleend? Bedoel je dat meneer Cavendish je toestemming heeft gegeven om in zijn Land Rover rond te rijden?' snauwde Maclennan, die weigerde Ziggy de kans te geven om op dreef te komen.

'Niet helemaal, nee.' Ziggy kon Maclennan niet aankijken en wendde zijn blik af. 'Luister, ik weet dat we hem niet hadden moeten gebruiken, maar zo erg was het nou ook weer niet.' De woorden waren zijn mond nog niet uit of Ziggy wist dat het een vergissing was.

'Het is een overtreding. Ik weet wel zeker dat je dat wist. Dus je hebt de Land Rover gestolen en bent ermee naar het feestje gereden. Dat verklaart nog niet hoe hij terechtgekomen is op de plaats waar hij stond.'

Ziggy's adem fladderde door zijn borst als een gevangen nachtvlinder. 'Ik heb hem daar voor de zekerheid neergezet. We waren aan het drinken en ik wilde niet dat een van ons in de verleiding zou komen om er nog mee te gaan rijden.'

'Wanneer heb je hem precies verplaatst?'

'Ik weet het niet precies. Ergens tussen één en twee uur 's nachts.'

'Je moet toen zelf al aardig wat op hebben gehad.' Maclennan was op stoom nu. Zijn schouders waren naar voren gebogen terwijl hij zijn vragen stelde.

'Ik had misschien iets te veel op, ja. Maar...'

'Nog een overtreding. Dus je loog toen je zei dat je het feestje niet had verlaten.' Maclennans ogen leken dwars door Ziggy heen te kijken.

'Ik ben niet langer weggeweest dan nodig was om de auto daarheen te rijden en terug te lopen. Twintig minuten misschien.'

'Daar hebben we alleen jouw woord voor. We hebben met wat andere mensen van het feestje gesproken en er zijn er niet veel die je gezien hebben. Ik denk dat je heel wat langer bent weg geweest. Ik denk dat je Rosie Duff tegen bent gekomen en haar een lift hebt aangeboden.'

'Nee!'

Maclennan ging meedogenloos door. 'En er gebeurde iets wat je kwaad maakte en je hebt haar verkracht. Toen besefte je dat ze je kapot kon maken als ze naar de politie zou gaan. Je raakte in paniek en je hebt haar vermoord. Je wist dat je het lichaam ergens moest achterlaten, maar je had de Land Rover, dus dat was geen probleem. En daarna heb je jezelf opgeknapt en ben je teruggegaan naar het feestje. Zo is het gegaan, hè?'

Ziggy schudde zijn hoofd. 'Nee. U zit er helemaal naast. Ik heb haar niet gezien. Ik heb haar niet aangeraakt. Ik heb alleen de Land Rover weggebracht om te voorkomen dat iemand een ongeluk zou krijgen.'

'Wat Rosie Duff overkomen is, was geen ongeluk. En jij hebt het gedaan.'

Met een kleur van angst haalde Ziggy zijn handen door zijn haar. 'Nee. U moet me geloven. Ik heb niets met haar dood te maken.'

'Waarom zou ik je geloven?'

'Omdat ik de waarheid spreek.'

'Nee, wat jij me vertelt is een nieuwe versie van de gebeurtenissen die overeenkomt met wat je denkt dat ik weet. Ik geloof niet dat het ook maar in de buurt komt van de waarheid.'

Er viel een lange stilte. Ziggy klemde zijn kaken op elkaar en voelde de spieren samenballen in zijn wangen.

Maclennan sprak weer. Deze keer was zijn toon zachter. 'We zullen te weten komen wat er gebeurd is. Dat weet je. Op dit moment wordt elke centimeter van de Land Rover onderzocht door een team van forensisch deskundigen. Als we ook maar een druppeltje bloed vinden, één haar van Rosie Duffs hoofd, één draadje van haar kleren, zal het heel lang duren voordat jij weer in je eigen bed slaapt. Je kunt jezelf en je vader heel veel verdriet besparen als je ons nu alles vertelt.'

Ziggy barstte bijna in lachen uit. Het was zo'n doorzichtige truc, zo onthullend voor het zwakke bewijs dat Maclennan had. 'Ik heb niets meer te zeggen.'

'Zoals je wilt, knul. Ik arresteer je voor het meenemen van en rijden in een motorvoertuig zonder toestemming van de eigenaar. Je mag naar huis, maar moet je over een week op het politiebureau melden.' Maclennan duwde zijn stoel achteruit. 'Ik raad je aan een advocaat te zoeken, meneer Malkiewicz.'

Weird was, onvermijdelijk, de volgende. Het moest de Land Rover zijn, had hij geconcludeerd toen ze zwijgend in de verhoorkamer zaten. Oké, had hij zich voorgenomen. Hij zou zijn vinger opsteken, de schuld op zich nemen. Hij zou de anderen niet laten opdraaien voor zijn stommiteit. Ze zouden hem niet naar de gevangenis sturen, niet voor zoiets onbelangrijks. Het zou een boete worden, en die zou hij op de een of andere manier betalen. Hij zou een baantje kunnen nemen. Je kon wiskundige worden met een strafblad.

Hij hing onderuitgezakt op de stoel tegenover Maclennan en Burnside, een sigaret uit een mondhoek bungelend in een poging er nonchalant uit te zien. 'Wat kan ik voor u doen?' zei hij.

'De waarheid vertellen zou een begin zijn,' zei Maclennan. 'Op de een of andere manier ben je vergeten te vertellen dat je aan het joyrijden bent geweest in een Land Rover toen je zogenaamd aan het feesten was.'

Weird spreidde zijn handen. 'U hebt gelijk. Jeugdige overmoed, meneer Maclennan, dat is alles.'

Maclennan sloeg met zijn vuist op tafel. 'Dit is geen spelletje, knul. Het gaat om moord. Hou op met de lolbroek uithangen.'

'Maar meer stelde het niet voor, echt niet. Het was rotweer. De anderen gingen alvast naar de Lammas terwijl ik de afwas deed. Ik stond in de keuken en ik keek naar de Land Rover en ik dacht: waarom niet? Henry zit in Engeland en niemand merkt er iets van als ik hem een paar uur leen. Dus ben ik ermee naar het café gereden. De andere drie waren behoorlijk nijdig op me, maar toen ze zagen hoe hard het sneeuwde, vonden ze het toch niet zo'n slecht idee. Dus zijn we ermee naar het feest gereden. Later heeft Ziggy hem ergens anders neergezet om te voorkomen dat ik brokken zou maken. En dat is alles.' Hij haalde zijn schouders op. 'Eerlijk. We hebben het niet verteld omdat we uw tijd niet met iets onnozels wilden verspillen.'

Maclennan keek hem dreigend aan. 'Je verspilt mijn tijd nu.' Hij deed zijn map open. 'We hebben een verklaring van Helen Walker dat jij haar hebt overgehaald om een ritje in de Land Rover te maken. Volgens haar kon je je handen niet thuishouden terwijl je reed. Je begon zo over de weg te slingeren dat je een schuiver maakte en tegen een stoep reed. Ze is eruit gesprongen en is teruggaan naar het feest. Ze zei, en ik citeer: "Hij wist niet meer wat hij deed." '

Weirds gezicht vertrok, waardoor de as van zijn sigaret op zijn trui viel. 'Die gekke meid,' zei hij, maar zijn stem klonk minder zelfverzekerd dan zijn woorden.

'Hoe ver was je heen, knul?'

Weird lachte beverig. 'Weer een van uw strikvragen. Luister, Ik liet me een beetje meeslepen. Maar er is een groot verschil tussen een beetje lol hebben in een auto en iemand vermoorden.'

Maclennan wierp hem een minachtende blik toe. 'Dat is jouw idee van een beetje lol, hè? Een vrouw lastig vallen en zo bang maken dat ze liever midden in de nacht door een sneeuwstorm rent dan bij jouw in de auto zit?' Weird wendde zuchtend zijn blik af. 'Je moet kwaad zijn geweest. Je weet een vrouw in je gestolen Land Rover te krijgen, je denkt dat je indruk op haar kunt maken en haar kunt versieren, maar in plaats daarvan neemt ze de benen. En wat gebeurt er dan? Je ziet Rosie Duff door de sneeuw lopen en je denkt dat je haar kunt verleiden? Alleen wil ze je niet en ze verzet zich, maar je weet haar te overweldigen. En dan raak je in paniek, want je weet dat ze je kapot kan maken.'

Weird sprong overeind. 'Ik hoef dit soort gepraat niet te accepteren. Wat een gezeik. U kunt me nergens van beschuldigen en dat weet u.'

Burnside was al opgestaan en versperde Weird de weg naar de deur. 'Niet zo snel, knul,' zei Maclennan. 'Je bent gearresteerd.'

Mondo trok zijn schouders op tot aan zijn oren, en zwakke verdediging tegen wat eraan zat te komen. Maclennan wierp hem een lange, koude blik toe. 'Vingerafdrukken,' zei hij. 'Jouw vingerafdrukken op het stuur van een gestolen Land Rover. Wil je daarop reageren?'

'Hij was niet gestolen. Alleen geleend. Stelen is als je niet van plan bent het terug te geven, nietwaar?' Mondo klonk humeurig.

Maclennan negeerde het antwoord. 'Ik wacht,' zei hij.

'Ik heb iemand een lift naar huis gegeven, oké?'

Maclennan leunde naar voren, een jachthond die een prooi ruikt. 'Wie?'

'Een meisje dat op het feest was. Ze moest naar Guardbridge, dus heb ik gezegd dat ik haar zou brengen.' Mondo stak zijn hand in zijn binnenzak en haalde er een vel papier uit. Hij had dit voorzien en had terwijl hij wachtte de gegevens van het meisje opgeschreven. Op de een of andere manier leek het minder echt, minder belangrijk als hij haar naam niet hardop uitsprak. Bovendien had hij bedacht dat hij zichzelf nog meer vrij kon pleiten als hij dit goed speelde. Dat het meisje problemen met haar ouders zou krijgen, deed er niet toe. 'Alstublieft. U kunt het haar vragen.'

'Hoe laat was dat?'

Hij haalde zijn schouders op. 'Ik weet het niet precies. Twee uur misschien?'

Maclennan keek naar de naam en het adres. Ze zeiden hem niets. 'En wat is er gebeurd?'

Mondo grijnsde even, zo'n moment van mannen onder elkaar. 'Ik heb haar naar huis gereden. We hebben seks gehad. We hebben elkaar welterusten gewenst. Dus u ziet, inspecteur, ik had geen reden om geïnteresseerd te zijn in Rosie Duff, ook al had ik haar gezien. Wat niet het geval was. Ik heb alleen een wip gemaakt. Ik was behoorlijk ingenomen met mezelf.'

'Je zegt dat je seks hebt gehad. Waar precies?'

'Op de achterbank van de Land Rover.'

'Heb je een condoom gebruikt?'

'Ik geloof het nooit als vrouwen zeggen dat ze de pil gebruiken. U wel? Natuurlijk heb ik een condoom gebruikt.' Mondo voelde zich nu wat minder gespannen. Dit was een terrein dat hij begreep, een terrein van mannen die elkaar begrepen, van mannelijke samenzwering.

'Wat heb je er daarna mee gedaan?'

'Ik heb het uit het raam gegooid. Als ik het in de auto had laten liggen, had Henry het kunnen vinden en zijn conclusies kunnen trekken, nietwaar?'

Hij kon merken dat Maclennan niet goed wist hoe hij verder moest met zijn ondervraging. Hij had gelijk gehad. Zijn bekentenis had hun verhoor ondermijnd. Hij had niet gefrustreerd en wanhopig op zoek naar seks door de sneeuw rondgereden. Dus welk motief had hij kunnen hebben om Rosie Duff te verkrachten en te vermoorden?

Maclennan glimlachte grimmig en ging niet mee in Mondo's veronderstelde camaraderie. 'We zullen je verhaal natrekken, meneer Kerr. Eens kijken of deze jongedame het bevestigt. Want als ze dat niet doet, ziet het er allemaal heel anders uit, nietwaar?'

9

Het voelde niet als kerstavond. Toen hij tussen de middag naar de bakker liep voor een pastei, had Barney Maclennan het gevoel in een parallel universum te zijn beland. Etalages bloeiden van felgekleurde kerstversierselen, kerstlichtjes twinkelden in de schemering en de straten waren vol winkelende mensen die bijna wankelden onder het gewicht van boodschappentassen. Maar het was hem allemaal vreemd. Hun zorgen waren niet de zijne; ze hadden iets meer om naar uit te zien dan een kerstdiner dat bedorven werd door de trieste smaak van mislukking. Er waren acht dagen voorbijgegaan sinds de moord op Rosie Duff en er was geen enkel vooruitzicht op een arrestatie.

Hij was ervan overtuigd geweest dat de vondst van de Land Rover de sleutel zou zijn voor een zaak tegen een of meer van de studenten. Vooral na de verhoren in Kirkcaldy. Hun verhalen waren geloofwaardig genoeg, maar ze hadden dan ook anderhalve dag gehad om ze te vervolmaken. En hij had nog steeds het gevoel dat hij niet de hele waarheid had gehoord, maar hij kon niet precies aanwijzen waar de onwaarheid zat. Hij had nauwelijks een woord geloofd van wat Tom Mackie had gezegd, maar Maclennan was eerlijk genoeg om toe te geven dat dat iets te maken kon hebben met de sterke antipathie die hij ten opzichte van de wiskundestudent voelde.

Ziggy Malkiewicz was uitgekookt, dat was zeker. Als hij de moordenaar was, zou Maclennan niets bereiken zonder hard bewijs, dat wist hij; de student medicijnen zou niet instorten. Hij had gedacht dat hij het verhaal van Davey Kerr onderuit had gehaald toen het meisje uit Guardbridge had ontkend dat ze seks hadden gehad. Maar Janice Hogg, die hij omdat het correct was met zich mee had genomen, was ervan overtuigd geweest dat het meisje loog en ten onrechte probeerde haar reputatie te beschermen. En toen hij Janice terug had gestuurd om het meisje nog eens alleen te ondervragen, was ze ingestort en had toegegeven dat ze seks had gehad met Kerr. Het had niet geklonken alsof het een ervaring was die ze graag zou willen herhalen. Misschien was Davey Kerr daarna niet zo bevredigd en vrolijk geweest als hij had doen voorkomen.

Alex Gilbey was een mogelijke kandidaat, al was het alleen maar omdat er geen bewijs was dat hij de Land Rover had gereden. Zijn vingerafdrukken waren overal in de auto gevonden, maar niet op de plaats van de bestuurder. Dat pleitte hem echter niet vrij. Als Gilbey Rosie had vermoord, zou hij de anderen mogelijk om hulp hebben gevraagd en ze hadden hem die waarschijnlijk gegeven; Maclennan begreep heel goed hoe sterk de band was die hen verenigde. En als Gilbey een afspraakje met Rosie Duff had gehad dat verschrikkelijk uit de hand was gelopen, zou Malkiewicz, daar was

Maclennan behoorlijk zeker van, niet geaarzeld hebben om alles te doen om zijn vriend te beschermen. Of Gilbey het nu wist of niet, Malkiewicz was verliefd op hem, had Maclennan op basis van niets meer dan zijn intuïtie geconcludeerd.

Maar wat dit betreft speelde er meer dan alleen Maclennans intuïtie. Na de frustrerende serie verhoren, had hij op het punt gestaan terug te gaan naar St Andrews toen een bekende stem hem had gegroet. 'Hé, Barney, ik had al gehoord dat je in de stad was,' galmde het over het sombere parkeerterrein.

Maclennan draaide zich om. 'Robin? Ben jij dat?'

Een slanke gestalte in het uniform van een politieagent was in de lichtbundel verschenen. Robin Maclennan was vijftien jaar jonger dan zijn broer, maar de gelijkenis was opvallend. 'Dacht je dat je er stiekem vandoor kon gaan zonder me even op te zoeken?'

'Ze zeiden dat je op patrouille was.'

Robin kwam bij zijn broer en schudde hem de hand. 'Ik kwam alleen even terug voor verwijzingen. Ik dacht al dat jij het was toen we stopten. Laten we een kop koffie drinken voordat je teruggaat.' Hij grijnsde en gaf Maclennan een vriendelijke stomp op zijn schouder. 'Ik heb wat informatie die je denk ik wel wilt horen.'

Maclennan keek gefronst naar de zich verwijderende rug van zijn broer. Robin, altijd overtuigd van zijn charme, had niet op zijn broers reactie gewacht, maar had zich omgedraaid naar het gebouw en de kantine die zich daar bevond. Maclennan haalde hem in bij de deur. 'Wat bedoel je met informatie?' vroeg hij.

'Die studenten die je in beeld hebt voor de moord op Rosie Duff. Ik dacht ik ga een beetje graven, kijken wat de tamtam te vertellen heeft.'

'Je zou je hier niet mee moeten bemoeien, Robin. Het is jouw zaak niet,' protesteerde Maclennan terwijl hij zijn broer door de gang volgde.

'Zo'n moord is een zaak van iedereen.'

'Dat maakt niet uit.' Hij wilde niet dat zijn slimme, charismatische broer erdoor besmet zou raken als hij deze zaak zou verknallen. Robin was innemend; hij zou veel verder komen in het korps dan Maclennan had gedaan, en dat verdiende hij ook. 'Ze hebben geen strafblad, dat heb ik al gecontroleerd.'

Toen ze de kantine binnenliepen, draaide Robin zich om en glimlachte weer stralend naar hem. 'Ja, maar dit is mijn terrein. Ik kan dingen uit mensen krijgen die ze niet aan jou zullen vertellen.'

Nieuwsgierig volgde Maclennan zijn broer naar een rustige hoektafel en wachtte geduldig tot Robin de koffie had gehaald. 'Vertel eens wat je weet.'

'Die jongens van jou zijn blijkbaar niet zulke onschuldige lammetjes. Toen ze dertien waren of zo zijn ze opgepakt voor winkeldiefstal.

Maclennan haalde zijn schouders op. 'Welk kind heeft niet een keer iets uit een winkel gestolen?'

'Maar dit was niet gewoon een paar repen chocola of een pak peuken stelen. Dit was wat je noemt de Hogere Kunst van het Stelen. Het schijnt dat ze elkaar uitdaagden om echt moeilijke dingen te jatten, gewoon voor de lol. Meestal uit kleine winkels. Geen dingen die ze echt wilden hebben of nodig hadden. Van snoeischaren tot parfum. Op een gegeven moment werd Kerr op heterdaad betrapt met een Chinese gemberpot uit een kruidenierszaak. De andere drie werden gesnapt doordat ze op hem stonden te wachten. Zodra ze op het bureau kwamen, stortten ze in als een kaartenhuis. Ze brachten ons naar een schuur in de tuin van Gilbeys ouders, waar ze de buit verstopt hadden. Alles zat nog in de verpakking.' Robin schudde verbaasd zijn hoofd. 'De man die ze gearresteerd had, zei dat het net Alladins grot was.'

'Hoe ging het verder?'

'Er werd wat invloed uitgeoefend. Gilbeys vader is hoofd van een school, Mackies vader speelt golf met de commissaris. Ze zijn er vanaf gekomen met een stevige waarschuwing.'

'Interessant, maar het is nou niet direct de Grote Treinroof.'

Robin erkende dit met een knikje. 'Maar dat is niet alles. Een paar jaar later waren er wat streken met geparkeerde auto's. De eigenaars vonden ze met graffiti, met lippenstift op de binnenkant van de voorruit geschreven. En de auto's zaten allemaal stevig op slot. Het eindigde net zo plotseling als het begonnen was, rond de tijd dat een gestolen auto was uitgebrand. Er waren nooit harde bewijzen tegen ze, maar onze plaatselijke inlichtingenagent gaat ervan uit dat zij erachter hebben gezeten. Ze lijken de gave te hebben om beschuldigd te worden.'

Maclennan knikte. 'Ik denk dat ik daar niets tegen in kan brengen.' De informatie over de auto's interesseerde hem. Misschien was de Land Rover die nacht niet de enige auto op de weg geweest met een van zijn verdachten achter het stuur.

Robin had geprobeerd meer informatie van hem los te krijgen over het onderzoek, maar Maclennan had hem keurig ontweken. Het gesprek was overgegaan op vertrouwde onderwerpen – familie, voetbal, de kerstcadeaus voor hun ouders – voordat het Maclennan gelukt was om weg te komen. Robins informatie stelde niet veel voor, dat was waar, maar gaf Maclennan wel het gevoel dat er een patroon zat in de activiteiten van de Laddies fi' Kirkcaldy dat riekte naar een drang om risico's te nemen. Het was het soort gedrag dat gemakkelijk kon overgaan in iets veel gevaarlijkers.

Gevoel was heel mooi, maar je had er niets aan zonder hard bewijs. En hard bewijs, daar ontbrak het pijnlijk aan. Het forensisch onderzoek van de Land Rover had niets opgeleverd. Ze hadden de binnenkant zo ongeveer ontmanteld, maar er was niets gevonden wat erop wees dat Rosie Duff er ooit in was geweest. Het team was helemaal opgewonden geraakt toen er bloedsporen waren gevonden, maar nader onderzoek had uitgewezen dat het niet alleen niet van Rosie was, maar dat het zelfs geen mensenbloed was.

De enige vage hoop was nog maar een dag geleden aan de horizon verschenen. Een man die aan Trinity Place woonde, had wat in zijn tuin gewerkt en een doorweekt bundeltje materiaal in zijn heg gevonden. Mevrouw Duff had verklaard dat het spullen van Rosie waren geweest. Het was naar het lab gestuurd voor onderzoek, maar hoewel Maclennan het als urgent had aangemerkt zou er, wist hij, niets meer gebeuren tot na nieuwjaar. De zoveelste frustratie.

Hij kon zelfs niet besluiten of hij Mackie, Kerr en Malkiewicz in staat van beschuldiging zou stellen voor autodiefstal. Ze hadden zich keurig aan hun meldplicht gehouden en hij had op het punt gestaan hen in staat van beschuldiging te stellen toen hij een gesprek in de politieclub had opgevangen. Hij was afgeschermd van de twee politiemannen door de rug van een bank, maar had de stemmen van Jimmy Lawson en Iain Shaw herkend. Shaw had ervoor gepleit om de studenten van alles te beschuldigen wat ze maar hard konden maken. Tot Maclennans verbazing was Lawson het daar echter niet mee eens geweest. 'Het maakt alleen maar een slechte indruk,' had de agent gezegd. 'Het lijkt alleen maar alsof we kleinzielig en wraakzuchtig zijn. Het is alsof we een bord ophangen met de tekst: "hé, we kunnen ze niet pakken voor moord, maar we zullen ze het leven wel zuur maken!"'

'Wat is daar verkeerd aan?' had Iain Shaw geantwoord. 'Als ze schuldig zijn, moeten ze boeten.'

'Maar misschien zijn ze niet schuldig,' had Lawson op dringende toon gezegd. 'Wat wij doen gaat toch om gerechtigheid? Dat betekent niet alleen de schuldigen oppakken, het betekent ook de onschuldigen beschermen. Goed, ze hebben tegen Maclennan gelogen over de Land Rover, maar dat maakt ze nog niet tot moordenaars.'

'Als een van hen het niet heeft gedaan, wie dan wel?' zei Shaw uitdagend.

'Ik denk nog steeds dat het iets met Hallow Hill te maken heeft. Een of ander heidens ritueel of zo. Je weet net zo goed als ik dat we elk jaar meldingen van Tentsmuir Forest krijgen over dieren die eruitzien alsof ze ten prooi zijn gevallen aan een soort rituele slachting. En we besteden er nooit aandacht aan, want in het grote plaatje is het niet zo belangrijk. Maar stel dat er een of andere gek rondloopt die hier al jaren mee bezig is. Het was tenslotte behoorlijk dicht bij Saturnalia.'

'Saturnalia?'

'De Romeinen vierden het winterpunt op 17 december. Maar de datum lag niet helemaal vast.'

Shaw snoof ongelovig. 'Jezus, Jimmy, je hebt de zaak wel onderzocht.'

'Ik ben alleen naar de bibliotheek geweest. Je weet dat ik bij de recherche wil. Ik probeer mijn goede intenties te laten zien.'

'Dus jij denkt dat het een of andere gestoorde satanist is geweest die Rosie om zeep heeft geholpen?'

'Ik weet het niet. Het is een theorie, dat is alles. Maar we zouden goed voor gek staan als we het die vier studenten aanwrijven en er op Meidag weer een mensenoffer zou zijn.'

'Meidag?' zei Shaw zwakjes.

'Eind april, begin mei. Een groot heidens feest. Dus ik vind dat we die jongens niet al te hard moeten aanpakken voordat we meer bewijs tegen ze hebben. Als ze niet over Rosies lichaam waren gestruikeld, hadden ze de Land Rover teruggebracht en had niemand er iets van geweten. Ze hadden gewoon pech.'

Daarna hadden ze hun glas geleegd en waren vertrokken. Maar Lawsons woorden bleven in Maclennans hoofd hangen. Hij was een eerlijk man, en hij moest erkennen dat de agent een punt had. Als ze meteen hadden geweten wie de geheimzinnige man was met wie Rosie was omgegaan, hadden ze tenslotte nauwelijks aandacht besteed aan het viertal uit Kirkcaldy. Misschien had hij de studenten alleen zo hard aangepakt omdat hij niets anders had om zich op te richten. Hoe vervelend het ook was om door een gewone agent aan zijn verplichtingen te worden herinnerd, Lawson had Maclennan er wel van overtuigd dat hij Malkiewicz en Mackie beter niet in staat van beschuldiging kon stellen.

Nog niet.

Intussen had hij zijn voelhoorns uitgestoken. Hij wilde weten of iemand iets wist over satanistische rituelen in de buurt. Het probleem was dat hij geen idee had waar hij moest beginnen. Misschien moest hij Burnside vragen om eens te gaan praten met een van de plaatselijke geestelijken. Hij glimlachte grimmig. Het zou hun aandacht wel van het kindje Jezus afbrengen, dat was zeker.

Aan het eind van hun werkdag nam Weird met een zwaai afscheid van Alex en Mondo en liep naar de promenade. Hij trok zijn schouders op tegen de koude wind en begroef zijn kin in zijn sjaal. Hij moest eigenlijk zijn laatste kerstinkopen doen, maar hij had wat tijd voor zichzelf nodig voordat hij de meedogenloos feestelijke sfeer van High Street aankon.

Het was eb, dus liep hij de slijmerige trap af van de boulevard naar het strand. In het lage, grijze namiddaglicht had het natte zand de kleur van oude stopverf en het zoog onplezierig aan zijn voeten terwijl hij liep. Dit paste uitstekend bij zijn stemming. Voor zover hij zich kon herinneren, had hij zich van zijn leven niet zo neerslachtig gevoeld.

Thuis ging het nog slechter dan gewoonlijk. Hij had zijn vader over zijn arrestatie moeten vertellen, en deze onthulling had geleid tot een spervuur van kritiek en sarcastische opmerkingen vanwege zijn falen om de goede zoon te zijn die hij hoorde te zijn. Hij moest elke minuut die hij buitenshuis doorbracht verantwoorden, alsof hij weer tien was. Het ergste was dat hij niet eens kon doen alsof het onterecht was. Hij wist dat hij fout zat. Hij had bijna het gevoel dat hij zijn vaders minachting had verdiend, en dat was nog het deprimerendst. Hij had zichzelf altijd kunnen troosten met de gedachte dat zijn manier de beste was. Maar deze keer was hij te ver gegaan.

Het werk hielp ook niet. Het was vervelend, saai en hem onwaardig. In het verleden had hij er gewoon een grote grap van gemaakt, een kans om herrie te schoppen en kattenkwaad uit te halen. De jongen die met plezier de chefs op de kast had gejaagd en samen met Alex en Mondo allerlei streken had uitgehaald, voelde nu als een vreemde voor Weird. De gebeurtenissen met Rosie Duff en zijn betrokkenheid bij de zaak hadden hem gedwongen om te erkennen dat hij inderdaad de uitvreter was die zijn vader al heel lang in hem zag. En dat was geen geruststellende gedachte.

Ook vriendschap bood hem geen troost. Voor het eerst voelde het gezelschap van de anderen niet als ondersteuning. Het was nu iets wat hem aan zijn mislukkingen herinnerde. Hij kon ten opzichte van hen niet aan zijn schuldgevoel ontkomen, want zijn handelen had hen in moeilijkheden gebracht, hoewel ze hem dat nooit kwalijk leken te nemen.

Hij wist niet hoe hij het volgende trimester onder ogen moest zien. Blaaswier knapte en glibberde onder zijn voeten toen hij het eind van het strand bereikte. Hij klom de brede trap op naar de Port Brae. Net als het zeewier voelde alles om hem heen slijmerig en onvast.

Terwijl het licht in het westen verflauwde, begaf Weird zich naar de winkels. Tijd om te doen alsof hij weer onderdeel van de wereld was.

10

Oudejaarsavond 1978, Kirkcaldy, Schotland

Ze hadden een verbond gesloten, toen ze vijftien waren en hun ouders voor het eerst toestonden dat ze op oudejaarsavond op stap zouden gaan. Om middernacht verzamelden de vier Laddies fi'

Kirkcaldy zich op het grote plein en luidden samen het nieuwe jaar in. Tot nu toe hadden ze zich elk jaar aan hun woord gehouden en hadden daar elkaar duwend en trekkend gestaan terwijl de wijzers van de klok naar de twaalf kropen. Ziggy bracht zijn transistorradio mee om te zorgen dat ze de klokken zouden horen en ze gaven elkaar de drank door die ze te pakken hadden weten te krijgen. Het eerste jaar hadden ze op die manier ingeluid met een fles zoete sherry en vier blikjes Carlsberg Special. Nu waren ze gepromoveerd tot een fles Famous Grouse.

Er was geen officiële viering op het plein, maar de laatste jaren hadden jonge mensen de gewoonte ontwikkeld om daar bij elkaar te komen. Het was geen bijzonder aantrekkelijk plein, voornamelijk doordat het stadhuis eruitzag als een van de minder mooie producten van de Sovjet-architectuur, met een klokkentoren die groen was van oxydatie. Maar het was de enige open ruimte in het stadscentrum, afgezien van het busstation dat nog onaantrekkelijker was. Op het plein stond een kerstboom met kerstlichtjes, wat het iets feestelijker maakte dan het busstation.

Dat jaar arriveerden Alex en Ziggy samen. Ziggy was bij hem langsgekomen om hem op te halen en had Mary Gilbey weten over te halen hun allebei een glaasje whisky te geven om de kou te bestrijden. Hun zakken volgestopt met zelfgemaakte zandkoek, roggebrood dat niemand zou eten en rozijnenbrood, waren ze langs het station en de bibliotheek gelopen, langs het Adam Smith Centre met zijn reclameposters voor *Babes in the Wood* met Russell Hunter en de Patton Brothers, langs de Memorial Gardens. Hun gesprek begon met de vraag of Weird zijn vader zou weten over te halen om hem de deur uit te laten gaan voor oudejaarsavond.

'Hij gedraagt zich nogal vreemd de laatste tijd,' zei Alex.

'Hij is altijd vreemd, Gilly. Daarom noemen we hem Weird.'

'Dat weet ik, maar nu is het anders. Ik heb het gemerkt doordat ik samen met hem werk. Hij lijkt een beetje gelaten. Hij laat dingen gewoon maar gebeuren.'

'Misschien komt het doordat hij niet kan drinken en geen drugs kan gebruiken,' zei Ziggy spottend.

'Maar hij is niet eens dwars. Dat is het punt. Je kent Weird. Hij hoeft maar te denken dat hij iemand te pakken kan nemen en hij gaat ervoor. Nu laat hij zijn hoofd hangen en gaat er niet eens tegen in als de chefs hem te pakken nemen. Hij staat daar maar en accepteert het en doet alles wat ze zeggen dat hij moet doen. Denk je dat hij last heeft van die toestand met Rosie?'

Ziggy haalde zijn schouders op. 'Zou kunnen. Hij nam het nogal luchtig op destijds, maar toen had hij wat gebruikt. Eerlijk gezegd heb ik nauwelijks met hem gepraat sinds de dag dat Maclennan hier was.'

'Ik heb hem alleen op het werk gezien. Zodra we uitklokken, is hij verdwenen. Hij gaat niet eens mee om een kop koffie te drinken met Mondo en mij.'

Ziggy trok een gezicht. 'Het verbaast me dat Mondo tijd heeft voor koffie.'

'Val hem niet te hard. Het is zijn manier om ermee om te gaan. Als hij zijn zin krijgt bij een meisje, kan hij niet aan de moord denken. Daarom gaat hij voor alles waar een gat in zit,' voegde Alex er met een grijns aan toe.

Ze staken de weg over en liepen Wemyssfield in, de korte straat die op het stadsplein uitkwam.

Ze hadden het zelfverzekerde loopje van mannen die op eigen terrein zijn, een terrein dat zo vertrouwd is dat het een soort bezit is geworden. Het was tien voor twaalf toen ze de brede ondiepe treden afdraafden die naar het plaveisel voor het stadhuis leidden. Er stonden al wat groepjes mensen die elkaar flessen doorgaven. Alex keek om zich heen of hij de anderen zag.

'Daar, aan de kant van het postkantoor,' zei Ziggy. 'Mondo heeft zijn nieuwste liefje meegebracht. O, en Lynn is er ook.' Hij wees naar links en ze liepen naar de anderen toe.

Nadat ze elkaar begroet hadden, en met elkaar tot de conclusie waren gekomen dat het er niet naar uitzag dat Weird zou komen, merkte Alex dat hij naast Lynn stond. Ze werd groot, dacht hij. Ze was geen kind meer. Met haar ondeugende trekken en donkere krullen was ze een vrouwelijke versie van Mondo. Maar paradoxaal genoeg hadden de aspecten die zijn gezicht iets zwaks leken te geven het omgekeerde effect bij Lynn. Ze had niets, maar dan ook niets fragiels. 'Zo, hoe gaat het?' zei Alex. Als opmerking stelde hett niet veel voor, maar hij wilde ook niet gezien worden als iemand die het op vijftienjarige meisjes heeft voorzien.

'Geweldig. En jij, goeie kerst gehad?'

'Niet slecht.' Hij fronste zijn wenkbrauwen. 'Het was moeilijk om niet aan... je weet wel te denken.'

'Ik weet het. Ik kon haar ook niet uit mijn hoofd zetten. Ze hadden waarschijnlijk al kerstcadeautjes voor haar gekocht toen ze stierf. Het moet afschuwelijk zijn om door die cadeautjes aan haar herinnerd te worden.'

'Ik denk dat zo ongeveer alles op een vreselijke manier aan haar zal herinneren. Kom, laten we over iets anders praten. Hoe gaat het op school?'

Haar gezicht betrok. Ze wilde niet herinnerd worden aan het leeftijdsverschil tussen hen, besefte hij. 'Prima. Ik zit nu in de vijfde. Volgend jaar eindexamen. Ik kan niet wachten tot het zover is en ik echt aan mijn leven kan beginnen.'

'Weet je al wat je wilt gaan doen?' vroeg Alex.

'Ik wil Schone Kunsten studeren in Edinburgh en dan naar de Courtauld in Londen om restaurateur van schilderijen te worden.'

Haar zelfvertrouwen was heerlijk om te zien, dacht hij. Was hij ooit zo zelfverzekerd geweest? Hij was min of meer vanzelf bij kunstgeschiedenis terechtgekomen omdat hij nooit vertrouwen had gehad in zijn talent als kunstenaar. Hij floot zacht. 'Zeven jaar studeren? Dat is een hele tijd.'

'Ik wil dat graag worden en dat is ervoor nodig.'

'Waarom wil je schilderijen restaureren?' Hij was echt geïnteresseerd.

'Het boeit me. Eerst de research en dan de wetenschap, en dan die sprong in het duister, waarbij je moet proberen te begrijpen wat de kunstenaar ons echt wilde laten zien. Het is spannend, Alex.'

Voordat hij kon antwoorden, klonk er een schreeuw van de anderen. 'Het is hem gelukt!'

Alex draaide zich om en zag Weird afgetekend tegen het grijze, statige gerechtsgebouw, zijn armen rondzwaaiend als een uit elkaar vallende vogelverschrikker. Onder het slaken van een soort oorlogskreet kwam hij aanrennen. Alex keek naar de klok. Nog een minuut.

Toen was Weird bij hen en omhelsde hen grijnzend. 'Ik dacht ineens: dit is bespottelijk. Ik ben een volwassen man en mijn vader probeert me op oudejaarsavond bij mijn vrienden weg te houden. Dat kan toch niet?' Hij schudde zijn hoofd. 'Als hij me eruit gooit, kan ik wel bij jou pitten, hè, Alex?'

Alex stompte hem tegen zijn schouder. 'Waarom niet. Ik ben gewend aan dat vreselijke gesnurk van je.'

'Stil, allemaal,' schreeuwde Ziggy boven het lawaai uit. 'De klokken.'

Ze werden stil en probeerden de blikkerige omzetting van de Big Ben uit Ziggy's transistor te horen. Toen het klokgelui begon, keken de Laddies fi' Kirkcaldy elkaar aan. Hun armen gingen omhoog alsof ze aan een en hetzelfde touwtje zaten en bij de twaalfde slag klemden ze hun handen in elkaar. 'Gelukkig nieuwjaar,' zeiden ze in koor. Alex zag dat zijn vrienden net zo ontroerd waren als hij.

Toen lieten ze elkaar los en was het moment voorbij. Hij draaide zich om naar Lynn en kuste haar ingetogen op de lippen. 'Gelukkig nieuwjaar,' zei hij.

'Dat zou het weleens kunnen worden,' zei ze met een blos op haar wangen.

Ziggy draaide de dop van de fles Grouse, die van hand tot hand ging. De groepen op het plein begonnen uit elkaar te vallen. Iedereen begon rond te lopen en vreemden een goed nieuwjaar te wensen met whisky in de adem en ruimhartige omhelzingen. Een paar mensen die ze nog van school kenden, spraken hun medeleven uit omdat ze de pech hadden gehad om op een stervend meisje in de sneeuw te stuiten. Er was niets kwaadaardigs in hun woorden, maar Alex zag aan de ogen van zijn vrienden dat ze het net zo vreselijk vonden als hij. Een stel meisjes voerde een geïmproviseerde Schotse dans uit bij de kerstboom. Niet in staat de emoties in zijn borst onder woorden te brengen, keek Alex om zich heen.

Lynn liet haar hand in de zijne glijden. 'Waar denk je aan, Alex?'

Hij keek naar haar en wist een vermoeid glimlachje op zijn gezicht te brengen. 'Ik dacht dat het zo gemakkelijk zou zijn als de tijd nu tot stilstand zou komen. Als ik St Andrews mijn leven lang niet meer hoefde te zien.'

'Het zal niet zo erg zijn als je denkt. Je hoeft nog maar zes maanden en dan ben je vrij.'

'Ik zou in de weekends terug kunnen komen.' De woorden waren eruit voordat Alex wist dat hij ze ging zeggen. Ze wisten allebei wat hij bedoelde.

'Dat zou ik fijn vinden,' zei ze. 'Maar laten we het niet tegen die vreselijke broer van me zeggen.'

Een nieuw nieuwjaar, een nieuw verbond.

Op de politieclub in St Andrews vloeide de drank al enige tijd rijkelijk. Het geluid van de klokken ging bijna verloren in de ruwe jovialiteit van de oudejaarsdans. De enige rem op de luidruchtigheid van degenen die zich inhielden vanwege hun werk was de aanwezigheid van echtgenoten, verloofden en iedereen die was overgehaald om mee te gaan om het gezicht te redden van de alleenstaanden.

Jimmy Lawson, met een kleur van inspanning, werd geflankeerd door de twee vrouwen van middelbare leeftijd die het schakelbord van het bureau bedienden in een Dashing White Sergeant-set. De leuke tandartsreceptioniste met wie hij was gekomen, was naar de wc's ontsnapt, afgemat door zijn kennelijk grenzeloze enthousiasme voor de Schotse volksdans. Het maakte hem niet uit; er waren altijd genoeg vrouwen die op oudejaarsavond wel een dansje willen maken en Lawson hield ervan om stoom af te blazen. Het was een compensatie voor zijn intense manier van werken.

Barney Maclennan leunde op de bar, met Iain Shaw en Allan Burnside aan weerszijden van hem, beiden met een flink glas whisky. 'O god, moet je ze zien,' kreunde hij. 'Als de "Dashing White Sergeant" komt, kan "Strip the Willow" dan nog lang op zich laten wachten?'

'Op dit soort avonden is het goed om ongebonden te zijn,' zei Burnside. 'Niemand die je van je drankje afhaalt en de dansvloer opsleept.'

Maclennan zei niets. Hij was de tel kwijtgeraakt van het aantal keren dat hij geprobeerd had zichzelf ervan te overtuigen dat hij zonder Elaine beter af was. Het was hem nooit langer dan een paar uur achter elkaar gelukt. De laatste oudejaarsavond waren ze nog samen geweest, nog net. Ze waren bij elkaar gebleven met heel wat minder vastbeslotenheid dan de paren die over de dansvloer zwierden. Een paar weken later had ze gezegd dat ze bij hem wegging. Ze had er genoeg van dat zijn werk op de eerste plaats kwam.

Met een licht gevoel van ironie herinnerde Maclennan zich een van haar tirades. 'Ik zou het niet zo erg vinden als je belangrijke misdaden moest oplossen, zoals verkrachting of moord. Maar je bent alle uren van de dag en de nacht op pad voor kleine inbraken en autodiefstal. Hoe denk je dat het voelt om in de schaduw te staan van de Austin Maxi van de een of andere ouwe kerel?' Nou, haar wens was uitgekomen. Daar zat hij dan, een jaar later, midden in de grootste zaak uit zijn loopbaan. En het enige wat hij deed was duimen draaien.

Elk spoor dat ze hadden onderzocht was doodgelopen. Geen enkele getuige had Rosie na begin november nog met een man gezien. De geheimzinnige man had het geluk gehad dat het een koude winter was geweest, waarin mensen meer geïnteresseerd waren in de vierkante meter vóór hen dan in iemand die rondhing met iemand waarmee hij dat niet zou moeten doen. Het was een geluk voor hem, maar niet voor de politie. Ze hadden haar twee eerdere vriendjes gevonden. Een van hen had haar aan de kant gezet voor het meisje waar hij nog steeds mee uitging. Hij had niets af te rekenen gehad met het dode barmeisje. Rosie had de andere begin november de bons gegeven en aanvankelijk had hij een interessante kandidaat geleken. Hij had Rosies afwijzing niet geaccepteerd en was een paar keer herrie komen schoppen in het café. Maar hij had een keihard alibi voor de betreffende nacht. Hij was tot na middernacht op het kerstfeest van zijn werk geweest, was daarna naar huis gegaan met de secretaresse van zijn baas en had de rest van de nacht met haar doorgebracht. Hij gaf toe dat hij nijdig was geweest toen Rosie de relatie had beëindigd, maar had nu eerlijk gezegd veel meer lol met een vrouw die wat ruimhartiger was met haar seksuele gunsten.

Toen Maclennan hem onder druk had gezet om te vertellen wat hij daarmee bedoelde, was zijn mannelijke trots gaan opspelen en had hij eerst zijn mond gehouden. Maar uiteindelijk gaf hij toe dat ze nooit echt geslachtsgemeenschap hadden gehad. Ze hadden genoeg gerotzooid; Rosie was niet preuts geweest. Maar ze wilde het niet echt met hem doen. Hij had wat gemompeld over afzuigen en aftrekken, maar verder was het nooit gegaan.

Dus had Brian toch, min of meer, gelijk gehad toen hij zei dat zijn zus een goed meisje was geweest. Maclennan begreep dat Rosie in de hiërarchie van dat soort dingen niet bepaald een gemakkelijke meid was geweest. Maar meer intieme kennis van haar seksuele gedragingen bracht hem niet dichter bij het vinden van de moordenaar.

Er was een mogelijkheid dat de man met wie ze die avond had afgesproken ook de man was geweest die van haar genomen had wat hij wilde en haar daarna het leven had benomen. Het kon Alex Gilbey of een van diens vrienden zijn geweest, maar misschien ook niet.

Zijn collega's hadden gezegd dat er een goede reden kon zijn waarom degene met wie ze een afspraak had gehad zich niet had gemeld. 'Hij is misschien getrouwd,' had Burnside gezegd. 'Hij is misschien bang dat we hem erin luizen,' had Shaw er cynisch aan toegevoegd. Het waren verklaringen die hout sneden, dacht Maclennan. Maar zijn persoonlijke overtuiging veranderde er niet door. Ondanks James Lawsons theorie over satanische rituelen. Geen van de geestelijken met wie Burnside had gesproken, had ook maar horen fluisteren dat zoiets bij hen in de buurt zou plaatsvinden. En Maclennan geloofde dat zij van zulke dingen op de hoogte zouden zijn. In zekere zin was hij opgelucht; hij had geen behoefte aan valse sporen. Hij was ervan overtuigd dat Rosie de moordenaar gekend had en dat ze vol vertrouwen met hem de nacht in was gelopen.

Vijf kilometer verder, in Strathkinness, was het nieuwe jaar in een heel andere sfeer begonnen. Hier waren geen kerstversierselen. Kaarten lagen in een verwaarloosd stapeltje op een plank. De televisie, die gewoonlijk de eerste januari inleidde, stond donker en zwijgend in de hoek. Eileen en Archie Duff zaten ineengedoken in hun stoel, onaangeroerde glazen whisky naast hen. De benauwende stilte was zwaar van verdriet en neerslachtigheid. Diep vanbinnen wisten de Duffs dat ze nooit meer een vrolijk nieuwjaar zouden hebben. De feestdagen zouden voor altijd besmet zijn door de dood van hun dochter. Anderen mochten dan feest vieren; zij konden slechts rouwen.

In de bijkeuken zaten Brian en Colin onderuitgezakt op twee plastic keukenstoelen. In tegenstelling tot hun ouders hadden zij er geen moeite mee om het nieuwe jaar met drank in te luiden.

Sinds Rosies dood hadden ze moeiteloos alcohol naar binnen gegoten tot ze hun mond niet meer konden vinden. In hun reactie op de tragedie hadden ze zich niet in zichzelf teruggetrokken, maar waren ze juist prominenter zichzelf geworden. De kroegbazen van St Andrews waren gewend geraakt aan de dronken streken van de broertjes Duff. Ze hadden weinig keus, tenzij ze de toorn van hun lichtgeraakte klanten over zich uit wilden roepen die vonden Brian en Colin al het medeleven verdienden dat ze maar konden krijgen.

Vanavond was de fles Bells al meer dan halfleeg. Colin keek op zijn horloge. 'We hebben het gemist,' zei hij.

Brian keek hem wazig aan. 'Wat kan dat schelen? Rosie zal het elk jaar missen.'

'Ja, maar ergens loopt een moordenaar rond die misschien proost op het feit dat hij er ongestraft vanaf is gekomen.'

'Zij hebben het gedaan. Ik weet zeker dat zij het hebben gedaan. Heb je die foto gezien? Heb je ooit iemand gezien die er schuldiger uitzag?'

Colin leegde zijn glas en pakte, instemmend knikkend, de fles. 'Er was verder niemand in de buurt. En ze zeiden dat ze nog ademde. Dus als zij het niet gedaan hebben, waar was de moordenaar dan? Hij kan niet zomaar in lucht zijn opgegaan.'

'We moeten een voornemen maken voor nieuwjaar.'

'Wat dan? Je gaat toch niet weer stoppen met roken?'

'Ik meen het. We moeten een plechtige belofte doen. Het is het minste dat we voor Rosie kunnen betekenen.'

'Wat bedoel je? Wat voor plechtige belofte?'

'Zo moeilijk is het niet, Col.' Brian vulde zijn glas weer. Hij hield het verwachtingsvol omhoog. 'Als de politie geen bekentenis kan krijgen, doen wij het.'

Colin dacht even na. Toen hief hij zijn glas en klonk met zijn broer. 'Als de politie geen bekentenis kan krijgen, doen wij het.'

11

De aanzienlijke overblijfselen van Ravenscraig Castle staan op een rotsachtig uitsteeksel tussen twee zandachtige baaien en bieden een magistraal uitzicht op de mond van de Forth en de rivierarmen. Aan de oostkant zorgt een lange stenen muur voor verdediging tegen de zee en eventuele plunderaars. Hij loopt helemaal naar de haven van Dysart, die nu grotendeels is dichtgeslibd maar ooit een bedrijvige, bloeiende haven was. Aan het eind van de baai die in een bocht vanaf het kasteel loopt, langs de duiventil die nog steeds duiven en zeevogels herbergt, waar de muur in een v-vormige punt uitloopt, is een kleine uitkijkpost met een steil dak en pijlspleten in de muren.

Sinds het begin van hun tienerjaren hadden de Laddies fi' Kirkcaldy dit als hun persoonlijke leengoed beschouwd. Een van de beste manieren om aan de ogen van hun ouders te ontsnappen, was eropuit trekken. Het werd als gezond beschouwd en zou hen waarschijnlijk van slecht gedrag afhouden. Dus als ze beloofden de hele dag weg te blijven, de kust en de bossen te gaan verkennen, werden ze altijd van harte voorzien van picknickspullen.

Soms gingen ze in de tegenovergestelde richting, langs Invertiel en de lelijke groeve van Seafield naar Kinghorn. Maar meestal gingen ze naar Ravenscraig, ook omdat het niet ver verwijderd was van het ijskarretje in het nabije park. Op warme dagen lagen ze op het gras en gaven zich over aan wilde fantasieën over hoe hun leven eruit zou gaan zien, zowel in de nabije als de verre toekomst. Ze vertelden voor de zoveelste keer verhalen over avonturen die ze op school hadden beleefd, die ze steeds mooier maakten en waarbij ze afdwaalden naar hoe het had kunnen zijn. Ze speelden kaart, eindeloze spelletjes eenentwintigen. Ze hadden hier hun eerste sigaret gerookt, waarbij Ziggy groen was geworden en tot zijn schaamte in een doornstruik had gekotst.

Soms klommen ze op de hoge muur en keken naar de schepen in de riviermond terwijl de wind hun verkoeling gaf en het gevoel dat ze op de boeg van een zeilschip stonden, dat kraakte en slingerde onder hun voeten. En als het regende, schuilden ze in de uitkijkpost. Ziggy had een grondzeil dat ze over de modder konden uitspreiden. Zelfs nu ze zich als volwassenen beschouwden, liepen ze nog steeds graag de stenen trap af die van het kasteel naar het strand leidde, waar ze door het kolengruis en de schelpen naar de uitkijkpost wandelden.

De dag voordat ze terug zouden gaan naar St Andrews, ontmoetten ze elkaar in het Havencafé voor een glas tussen de middag. Goed bij kas door hun kerstverdiensten hadden Alex, Mondo en Weird er graag een lange zit van gemaakt. Maar Ziggy haalde hen over om naar buiten te gaan. Het was fris en helder, met een waterig zonnetje aan de bleekblauwe hemel. Ze liepen door de haven, sneden een stuk weg af tussen de grote silo's van de graanfabriek door en kwamen op het westelijke strand. Weird bleef wat achter bij de andere drie, zijn ogen gericht op de verre horizon alsof hij inspiratie zocht.

Toen ze het kasteel naderden, maakte Alex zich los van het groepje en klauterde de rots op die bij hoogtij bijna onder water verdween. 'Zeg me nog eens, hoeveel kreeg hij?'

Mondo hoefde er niet eens over na te denken. 'Magistraat David Boys, meester-metselaar, werd in opdracht van koningin Mary van Gueldres, weduwe van James de Tweede van Schotland, de som van zeshonderd Schotse ponden betaald voor de bouw van een kasteel op Ravenscraig. En denk eraan, daarvan moest hij zelf de materialen betalen.'

'En die waren niet goedkoop. In 1461 werden veertien bomen gehakt op de oevers van de rivier de Allan en vervolgens naar Stirling getransporteerd voor de som van zeven shilling. En ene Andrew Balfour ontving twee pond en tien shilling voor het zagen, schaven en vervoeren van deze balken naar Ravenscraig,' citeerde Ziggy.

'Ik ben blij dat ik de baan bij Safeway heb genomen,' grapte Alex. 'Je verdient er veel meer.' Hij boog zich achterover en keek langs de rots naar het kasteel. 'Ik denk dat de Sinclairs het veel mooier hebben gemaakt dan het geweest zou zijn als de oude koningin Mary niet het hoekje om was gegaan voordat het voltooid was.'

'Kastelen zijn er niet om mooi te zijn,' zei Weird, die zich bij hen voegde. 'Ze zijn bedoeld als toevluchtsoord en vesting.'

'Dat is zo zakelijk geredeneerd,' klaagde Alex terwijl hij omlaag sprong op het zand. De anderen volgden hem en ze schuifelden tussen het drijfhout door langs de hoogwaterlijn. Halverwege het strand begon Weird te praten, ernstiger dan ze hem ooit hadden gehoord. 'Ik heb jullie iets te vertellen,' zei hij.

Alex draaide zich naar hem om en liep achteruit. De anderen draaiden hun hoofd opzij om naar Weird te kijken. 'Dat klinkt onheilspellend,' zei Mondo.

'Ik weet dat jullie het niet leuk zullen vinden, maar ik hoop dat jullie het kunnen respecteren.'

Alex zag behoedzaamheid in Ziggy's ogen. Maar hij dacht niet dat zijn vriend zich zorgen hoefde te maken. Wat Weird hen ook ging vertellen, het had met hemzelf te maken en niet met het geheim van een ander. 'Kom op, Weird. Zeg het,' zei Alex in een poging aanmoedigend te klinken.

Weird stopte zijn handen in zijn broekzakken. 'Ik heb me tot christen bekeerd,' zei hij kortaf. Alex staarde hem met open mond aan. Hij was misschien nog minder verbaasd geweest als Weird had verteld dat hij Rosie Duff had vermoord.

Ziggy brulde van het lachen. 'Jezus, Weird, ik dacht dat je met een of andere verschrikkelijke onthulling zou komen. Christen?'

Weirds kaken spanden zich koppig. 'Het was een openbaring. En ik heb Jezus in mijn leven geaccepteerd als mijn verlosser. En ik zou het op prijs stellen als jullie er niet mee zouden spotten.'

Ziggy hing dubbel van het lachen, zijn handen om zijn buik geslagen. 'Zoiets grappigs heb ik in geen jaren gehoord... O god, volgens mij doe ik het in mijn broek.' Hij hing tegen Mondo aan, die grijnsde van oor tot oor.

'En ik zou het op prijs stellen als jullie de naam van de Heer niet ijdel zouden gebruiken,' zei Weird.

Ziggy barstte in een nieuwe lachbui uit. 'O hemel. Wat zeggen ze ook alweer. Er is meer vreugde in de hemel om één zondaar die zich bekeert? Ik zeg je, ze dansen in de straten van het paradijs nu ze een zondaar als jij hebben binnengehaald.'

Weird zag er beledigd uit. 'Ik zal niet ontkennen dat ik in het verleden slechte dingen heb gedaan. Maar dat ligt nu achter me. Ik ben herboren, en dat betekent dat ik weer met een schone lei begin.'

'Dat moet me een bordenwisser zijn geweest. Wanneer is dat gebeurd?' vroeg Mondo.

'Ik ben naar de kerstdienst geweest op kerstavond,' zei Weird. 'En er gebeurde iets. Ik besefte dat ik gewassen wilde worden in het bloed van het lam. Ik wilde gezuiverd worden.'

'Dolletjes,' zei Mondo.

'Op oudejaarsavond heb je niets gezegd,' zei Alex.

'Ik wilde dat jullie nuchter zouden zijn als ik het vertelde. Het is een grote stap om je leven aan Jezus te geven.'

'Het spijt me,' zei Ziggy terwijl hij zich hernam. 'Maar je bent de laatste op de hele wereld van wie ik die woorden had verwacht.'

'Dat weet ik,' zei Weird. 'Maar ik meen het.'

'We zijn nog steeds je vrienden,' zei Ziggy terwijl hij probeerde een grijns te bedwingen.

'Als je ons maar niet probeert te bekeren,' zei Mondo. 'Ik bedoel, ik hou van je als van een broer, Weird, maar niet genoeg om seks en drank op te geven.'

'Daar heeft de liefde voor Jezus niets mee te maken, Mondo.'

'Kom,' onderbrak Ziggy hen. 'Ik bevries als we hier nog langer blijven staan. Laten we naar de uitkijkpost gaan.' Hij ging op weg, met Mondo aan zijn zij. Alex sloot zich aan bij Weird. Hij had op een vreemde manier medelijden met zijn vriend. Het moest vreselijk zijn geweest om je zo eenzaam te voelen dat je je voor troost tot de kerk wendde. Ik had er voor hem moeten zijn, dacht Alex met een steekje van schuldgevoel. Misschien was het nog niet te laat.

'Het moet behoorlijk vreemd hebben gevoeld,' zei hij.

Weird schudde zijn hoofd. 'Integendeel. Er kwam een grote rust over me. Alsof ik eindelijk ergens paste, alsof ik de plek had gevonden waar ik altijd had thuisgehoord. Beter kan ik het niet beschrijven. Ik ging alleen naar de dienst om mijn moeder gezelschap te houden. En ik zat daar in de Abbotshallkerk, en overal flakkerden kaarsen, zoals ze dat doen tijdens de kerstdienst. En Rubie Christie zong "Stille Nacht", solo, onbegeleid. En al het haar op mijn lichaam ging overeind staan en plotseling klopte het allemaal. Ik begreep dat God zijn enige zoon heeft gegeven voor de zonden van de wereld. En dat betekende: voor mij. Het betekende dat ik kon worden verlost.'

'Dat is nogal wat.' Alex was verlegen met deze emotionele openheid. In alle jaren van hun vriendschap had hij nooit zo'n gesprek met Weird gevoerd. En juist Weird, wiens enige geloofspunt leek te zijn geweest om zoveel mogelijk geestveranderende stoffen te consumeren als hij redelijkerwijs kon voordat hij dood zou gaan. 'En wat deed je?' Alex had ineens een beeld voor zich van een naar voren rennende Weird die om vergeving van zijn zonden vroeg. Dat zou echt vreselijk zijn geweest, dacht hij. Iets waarvan het koude zweet je uitbrak als je eraan dacht nadat je de godvruchtige fase achter je had gelaten en weer normaal was gaan leven.

'Niets. Ik heb de dienst verder bijgewoond en ben naar huis gegaan. Ik dacht dat het gewoon een eenmalig iets was, een bizarre mystieke ervaring. Dat het misschien te maken had met alles wat Rosies dood had losgemaakt. Misschien zelfs een soort verlaat effect van de acid. Maar toen ik de volgende ochtend wakker werd, voelde ik me nog zo. Dus zocht ik in de krant naar een kerk waar ze overdag een dienst hadden en ik kwam bij een evangelische bijeenkomst in de buurt van de Links terecht.'

'O jee. Ik wed dat je de hele tent voor jezelf had op kerstochtend.'

Weird lachte. 'Ben je gek! Het was er stampvol. Het was geweldig. De muziek was prachtig en de mensen behandelden me alsof we al jaren vrienden waren. En na de dienst ben ik met de dominee gaan praten.' Weird boog zijn hoofd. 'Het was een behoorlijk emotionele ontmoeting. Maar goed, waar het op neerkomt is dat hij me afgelopen week heeft gedoopt. En hij heeft me de naam van een zustergemeente in St Andrews gegeven.' Hij glimlachte gelukzalig naar Alex. 'Daarom moest ik het jullie vandaag vertellen. Want vlak nadat we morgen terug zijn in Fife Park, ga ik naar de kerk.'

De eerste gelegenheid die de anderen hadden om de damascener bekering van Weird te bespreken, was de volgende avond nadat hij zijn elektrische akoestisch gitaar in zijn koffer had gedaan en vertrokken was om door de stad naar de evangelische dienst in de buurt van de haven te gaan. Ze zaten in de keuken en zagen hem in het donker verdwijnen. 'Nou, dat is het einde van de band,' zei Mondo resoluut. 'Ik ben verdomme niet van plan om voor wie dan ook van die spirituals als "Jesus Loves Me" te gaan spelen.'

'Elvis heeft het gebouw verlaten,' zei Ziggy. 'Ik zeg jullie, hij is het contact met de werkelijkheid nu helemaal kwijt.'

'Hij meent het, jongens,' zei Alex.

'Vind je dat dat het beter maakt? We konden weleens problemen krijgen,' zei Ziggy. 'Straks brengt hij hier van die enge baardmannen mee naartoe. En die zullen ons absoluut willen redden, of we nu gered willen worden of niet. De band kwijtraken is niet onze grootste zorg. We kunnen "Allen voor één en één voor allen" wel vergeten.'

'Ik voel me een beetje schuldig,' zei Alex.

'Waarom?' zei Mondo. 'Je hebt hem toch niet gedwongen om naar Rubie Christie te gaan luisteren.'

'Hij had dit nooit gedaan als hij zich niet ontzettend rot had gevoeld. Ik weet dat hij het rustigst van ons allemaal leek te zijn na de moord op Rosie, maar diep vanbinnen moet het hem erg hebben aangegrepen. En wij gingen allemaal zo in onze eigen reacties op dat we het niet hebben gemerkt.'

'Misschien is er meer aan de hand,' zei Mondo.

'Wat bedoel je?' vroeg Ziggy.

Mondo schraapte met de punten van zijn schoenen over de vloer. 'Toe nou, jongens. We weten toch niet waarom Weird in die Land Rover rondreed in de nacht waarin Rosie is vermoord. We hebben alleen zijn woord dat hij haar niet heeft gezien.'

Alex voelde de grond onder zijn voeten wegzakken. Sinds het moment waarop hij zijn verdenking tegen Ziggy had geuit, had Alex zichzelf gedwongen om zulke verraderlijke gedachten te onderdrukken. Maar nu had Mondo nieuwe vorm gegeven aan het ondenkbare. 'Dat is verschrikkelijk om te zeggen,' zei Alex.

'Maar ik wed dat jij er ook aan hebt gedacht,' zei Mondo uitdagend.

'Je kunt niet echt denken dat Weird iemand zou verkrachten, laat staan vermoorden,' protesteerde Alex.

'Hij was zo stoned als wat die nacht. Je weet niet waar hij toe in staat is als hij zo ver heen is,' zei Mondo.

'Genoeg.' Ziggy's stem sneed als een mes door de atmosfeer van wantrouwen en onbehaaglijkheid. 'Als je zo begint, waar is het einde dan? Ik ben die nacht ook buiten geweest. Alex heeft Rosie voor het feest uitgenodigd. En nu ik erover nadenk, heb jij heel wat tijd nodig gehad om dat meisje naar Guardbridge te brengen. Wat hield je op, Mondo?' Hij keek zijn vriend dreigend aan. 'Is dit het soort flauwekul dat je wilt horen, Mondo?'

'Ik heb niets over jullie tweeën gezegd. Jullie hebben geen reden om mij te pakken.'

'Maar jij mag wel over Weird beginnen terwijl hij hier niet is om zich te verdedigen? Een mooie vriend ben je.'

'Nou ja, hij heeft Jezus nu als vriend,' spotte Mondo. 'En als je er goed over nadenkt, is dat een behoorlijk extreme reactie. Het zou weleens schuldgevoel kunnen zijn.'

'Hou op,' schreeuwde Alex. 'Jullie moeten jezelf eens horen. Er zullen genoeg mensen klaarstaan om het gif te verspreiden zonder dat we ons tegen elkaar keren. We moeten solidair zijn, anders kunnen we het wel vergeten.'

'Alex heeft gelijk,' zei Ziggy vermoeid. 'Geen beschuldigingen meer tegen elkaar, oké? Maclennan probeert ons uit elkaar te drijven. Het maakt hem niet uit wie hij voor de moord pakt zolang hij maar iemand kan pakken. We moeten zorgen dat het niet een van ons is. Mondo, hou je verraderlijke ideeën voortaan voor jezelf.' Ziggy stond op. 'Ik ga naar de avondwinkel om wat melk en brood te kopen zodat we een kop koffie kunnen drinken voordat die arrogante conservatieven terugkomen en de hele zaak verstoppen met hun Engelse accenten.'

'Ik ga met je mee. Ik heb sigaretten nodig,' zei Alex.

Toen ze een halfuur later terugkwamen, stond de wereld op zijn kop. De politie was weer op volle kracht aanwezig en hun twee huisgenoten stonden op de stoep met hun bagage en gezichten waar het ongeloof van afstraalde. 'Goeienavond, Harry. Goeienavond, Eddie,' zei Ziggy minzaam, en hij tuurde over hun schouders de gang in, waar Mondo nors stond te doen tegen een politieagente. 'Maar goed dat ik de twee halve liters heb gekocht.'

'Wat is hier in godsnaam aan de hand?' wilde Henry Cavendish weten. 'Vertel me niet dat die idioot van een Mackie opgepakt wordt voor drugs.'

'Zo alledaags is het niet,' zei Ziggy. 'Ik neem aan dat de moord de *Tatler* of de *Horse and Hounds* niet heeft gehaald?'

Cavendish kreunde. 'Godallemachtig, doe niet zo pathetisch. Ik dacht dat je die arbeideristische onzin eindelijk ontgroeid was.'

'Let op je woorden, er is nu een christen onder ons.'

'Waar heb je het over? Moord? Christenen?' zei Edward Greenhalgh.

'Weird heeft God,' zei Alex kort en bondig. 'Niet jullie officiële anglicaanse soort, maar die van de tamboerijnen en de Heer zij geloofd en geprezen. Hij zal gebedsbijeenkomsten in de keuken gaan houden.' Wat Alex betreft was er geen grotere sport dan hen die in hun voorrechten geloofden op de kast te jagen. En St Andrews bood daar genoeg gelegenheid voor.

'Wat heeft dat met al die politiemannen in huis te maken?' vroeg Cavendish.

'Ik denk dat je zult merken dat die ene in de gang een vrouw is,' zei Ziggy. 'Tenzij de politie van Fife tegenwoordig bijzonder aantrekkelijke travestieten in dienst heeft.'

Cavendish stond te knarsetanden. Hij haatte de manier waarop de Laddies fi' Kirkcaldy hem bleven behandelen als een karikatuur. Het was de belangrijkste reden waarom hij zo weinig tijd in het huis doorbracht. 'Waarom is de politie hier?' vroeg hij.

Ziggy glimlachte liefjes naar Cavendish. 'De politie is hier omdat we verdacht worden van moord.'

'Wat hij bedoelt,' zei Alex haastig, 'is dat we getuigen zijn. Een van de barmeisjes van de Lammas is vlak voor Kerstmis vermoord. En wij hebben toevallig haar lichaam gevonden.'

'Wat vreselijk,' zei Cavendish. 'Daar had ik geen idee van. Haar arme familie. En ook behoorlijk beroerd voor jullie.'

'Leuk is anders,' zei Alex.

Cavendish keek weer naar binnen. Hij leek niet op zijn gemak. 'Luister, dit is allemaal heel vervelend voor jullie. Het is waarschijnlijk voor iedereen beter als wij voorlopig ergens anders onderdak zoeken. Kom op, Ed. We kunnen vanavond wel bij Tony en Simon slapen. Morgen gaan we kijken of we ergens anders kunnen wonen.' Hij wendde zich af en keek toen met gefronst voorhoofd achterom. 'Waar is mijn Land Rover?'

'Ah,' zei Ziggy. 'Dat is een beetje ingewikkeld. We hebben hem namelijk geleend en...'

'Jullie hebben hem geléénd?' zei Cavendish verontwaardigd.

'Het spijt me. Maar het weer was verschrikkelijk. We dachten dat je het niet erg zou vinden.'

'Waar is hij nu dan?'

Ziggy zag er beschaamd uit. 'Dat moet je de politie vragen. De avond waarop we hem geleend hebben, was de avond van de moord.'

Cavendish' medeleven was als sneeuw voor de zon verdwenen. 'Ik snap jullie niet,' snauwde hij. 'Mijn Land Rover is deel van een moordonderzoek?'

'Ik vrees van wel. Het spijt me.'

Cavendish zag er woedend uit. 'Hier horen jullie nog meer van.'

Alex en Ziggy keken in grimmig stilzwijgen toe hoe de andere twee hun koffers het pad weer afsleepten. Voordat ze nog iets konden zeggen, moesten ze opzij stappen om de politie door te laten. Er waren vier agenten in uniform en een paar mannen in burger. Ze negeerden Alex en Ziggy en liepen naar hun auto's.

'Wat was dat allemaal?' vroeg Alex toen ze eindelijk weer binnen waren.

Mondo haalde zijn schouders op. 'Dat hebben ze niet gezegd. Ze hebben verfmonsters genomen van de muren en het plafond en het houtwerk,' zei hij. 'Ik hoorde een van hen iets zeggen over een vest, maar ze leken niet naar onze kleren te kijken. Ze hebben overal rondgeneusd en vroegen of we de boel kortgeleden hadden geschilderd.'

Ziggy lachte snuivend. 'Alsof we dat zouden doen. En dan vragen ze zich nog af waarom ze dienders worden genoemd.'

'Dit bevalt me helemaal niet,' zei Alex. 'Ik dacht dat wij uit beeld verdwenen waren. Maar dan zijn ze er ineens weer en halen de hele boel overhoop. Ze moeten nieuwe bewijzen hebben gevonden.'

'Nou, wat het ook is, wij hoeven ons er geen zorgen over te maken.'

'Dat zeg jij,' zei Mondo sarcastisch. 'Ik blijf me nog even zorgen maken. Zoals Alex zegt, hebben ze ons eerst met rust gelaten, maar nu zijn ze terug. Ik denk niet dat we dat gewoon maar van ons af kunnen schudden.'

'Mondo, we zijn onschuldig, weet je nog? Dat betekent dat we ons geen zorgen hoeven te maken.'

'Het zal wel. En wat is er met Henry en Eddie?' vroeg Mondo.

'Ze willen niet in één huis wonen met een stel gestoorde bijlmoordenaars,' zei Ziggy over zijn schouder terwijl hij naar de keuken liep.

Alex volgde hem. 'Ik wou dat je dat niet had gezegd,' zei hij.

'Wat? Gestoorde bijlmoordenaars?'

'Nee. Ik wou dat je niet aan Harry en Eddie had verteld dat we verdacht worden van moord.'

Ziggy haalde zijn schouders op. 'Het was een grap. Harry is meer geïnteresseerd in zijn kostbare Land Rover dan in iets wat wij misschien hebben gedaan. Dit geeft hem alleen het excuus dat hij altijd heeft gewild om te kunnen verhuizen. Bovendien is het in jouw voordeel. Met een paar extra kamers hoef jij geen kamer meer met Weird te delen.'

Alex pakte de ketel. 'Toch wou ik dat je dat idee niet in hun hoofd had geplant. Ik heb het akelige gevoel dat we allemaal met de oogst te maken zullen krijgen.'

12

Alex' voorspelling kwam veel sneller uit dan hij had verwacht. Toen hij een paar dagen later door North Street liep op weg naar de faculteit van kunstgeschiedenis zag hij Henry Cavendish met een paar van zijn makkers naderen, paraderend in hun rode flanellen gewaden alsof de straat van hen was. Hij zag dat Cavendish een van de anderen aanstootte en iets zei. Toen ze tegenover elkaar stonden, werd Alex omringd door loerende jongemannen in het standaarduniform van tweedjasjes en keperbroeken.

'Het verbaast me dat je het lef hebt om je gezicht hier te laten zien, Gilbey,' sneerde Cavendish.

'Ik denk dat ik meer recht heb om door deze straten te lopen dan jij en je maten,' zei Alex minzaam. 'Dit is mijn land, niet jouw land.'

'Een mooi land als mensen er ongestraft auto's kunnen stelen. Ik snap niet dat jullie niet gewoon voor de rechter moeten verschijnen voor wat jullie hebben gedaan,' zei Cavendish. 'Als jullie mijn Land Rover hebben gebruikt om een moord te verdoezelen, heb je niet alleen de politie om je zorgen over te maken.'

Alex probeerde door te lopen, maar hij was aan alle kanten ingesloten en werd door ellebogen en handen heen en weer geduwd. 'Rot op, Henry. We hebben niets met de moord op Rosie Duff te maken. We hebben juist hulp gezocht. We hebben geprobeerd haar in leven te houden.'

'En de politie gelooft dat?' zei Cavendish. 'Dan zijn ze nog stommer dan ik dacht.' Een vuist schoot naar voren en raakte Alex hard onder zijn ribben. 'Een beetje mijn auto stelen, hè?'

'Ik wist niet dat je kon nadenken,' hijgde Alex, die het niet kon laten om zijn plaaggeest op de kast te jagen.

'Het is een schande dat je nog lid van deze universiteit bent,' schreeuwde een ander terwijl hij Alex met zijn vinger in zijn borst porde. 'Je bent op zijn minst een lullige kleine dief.'

'God, horen jullie jezelf wel? Jullie klinken als een slecht toneelstuk,' zei Alex die ineens kwaad werd. Hij boog zijn hoofd en stootte naar voren, en zijn lichaam herinnerde zich de talloze aanvallen op het rugbyveld. 'Uit de weg,' schreeuwde hij. Hijgend kwam hij aan de andere kant van de groep te voorschijn en draaide zich om. Met zijn lip spottend opgekruld, zei hij: 'Ik moet naar college.'

Geschrokken van zijn uitbarsting, lieten ze hem gaan. Terwijl hij met grote stappen wegliep, riep Cavendish hen na: 'Ik dacht dat je naar de begrafenis ging en niet naar een college. Horen moordenaars dat niet te doen?'

Alex draaide zich om. 'Wat?'

'Hebben ze je dat niet verteld? Vandaag wordt Rosie Duff begraven.'

Bevend van woede stormde Alex de straat door. Hij was bang geweest, dat moest hij toegeven. Heel even was hij bang geweest. Hij kon niet geloven dat Cavendish dat gezegd had over Rosies begrafenis. Maar hij begreep ook niet dat niemand hem had verteld dat het vandaag was. Niet dat hij erheen had willen gaan. Maar het zou wel prettig zijn geweest als iemand hem had gewaarschuwd.

Hij vroeg zich af hoe het met de anderen ging en wenste opnieuw dat Ziggy zijn gevatte mond had gehouden.

Ziggy kwam een anatomielokaal binnen en werd onmiddellijk begroet met kreten in de trant van: 'Hé, daar hebben we de lijkenrover.'

Hij wierp zijn handen omhoog als erkenning van de goedaardige plagerij van zijn medestudenten medicijnen. Als ergens de zwarte humor over Rosies dood zou worden gevonden, was dat hier. 'Wat is er mis met de lijken die ze ons geven om op te oefenen?' riep iemand door het lokaal.

'Te oud en te lelijk voor Ziggy,' kwam het antwoord van een ander. 'Hij moest zo nodig wat kwaliteitsvlees voor zichzelf halen.'

'Goed, goed, zo is het wel mooi,' zei Ziggy. 'Jullie zijn gewoon jaloers dat ik eerder wat praktijkervaring heb opgedaan.'

Een paar studenten verzamelden zich om hem heen. 'Hoe was het, Ziggy? We hebben gehoord dat ze nog leefde toen jullie haar vonden. Waren jullie bang?'

'Ja. Ik was bang. Maar ik was nog meer gefrustreerd omdat ik haar niet in leven kon houden.'

'Hé, je hebt je best gedaan,' zei een van hen geruststellend.

'Ja, maar tamelijk waardeloos. We zijn jaren bezig geweest om onze hoofden vol te stoppen met kennis, maar toen ik met de praktijk te maken kreeg, wist ik niet eens waar ik moest beginnen. Elke ambulancechauffeur had meer kans gehad Rosies leven te redden dan ik.' Ziggy trok zijn jas uit en gooide hem over een stoel. 'Ik voelde me nutteloos. Ik heb erdoor beseft dat je pas een dokter wordt als je levende, ademende patiënten begint te behandelen.'

Een stem achter hen zei: 'Dat is een zeer waardevolle les die u geleerd hebt, meneer Malkiewicz.' Zonder dat ze het hadden gemerkt, was hun docent binnen komen lopen. 'Ik weet dat het geen troost is, maar de politiearts heeft me verteld dat ze al niet meer gered kon worden toen jullie haar vonden. Ze had veel te veel bloed verloren.' Hij gaf Ziggy een klap op zijn schouder. 'We kunnen geen wonderen verrichten, ben ik bang. Zo, dames en heren, laten we gaan zitten. We hebben belangrijk werk te doen dit trimester.'

Ziggy ging naar zijn plaats, maar was met zijn gedachten heel ergens anders. Hij kon haar bloed nog op zijn handen voelen, de zwakke, onregelmatige hartslag, haar koude lichaam. Hij kon haar moeizame ademhaling horen. Hij kon de koperachtige smaak op zijn tong voelen. Hij vroeg zich af of hij daar ooit overheen zou komen. Hij vroeg zich af of hij ooit arts kon worden nu hij wist dat mislukking altijd de uiteindelijke uitkomst van zijn handelen zou zijn.

Op een paar kilometer afstand bereidde Rosies familie zich voor om hun dochter en zusje naar haar laatste rustplaats te brengen. De politie had het lichaam eindelijk vrijgegeven en de Duffs konden nu de eerste stap zetten op de lange weg van het rouwproces. Eileen zette voor de spiegel haar hoed recht en was zich niet bewust van haar magere, naakte gezicht. Ze nam niet de moeite om zich op te maken tegenwoordig. Wat had het voor zin? Haar ogen waren dof en zwaar. De pillen die de dokter haar had gegeven, namen de pijn niet weg maar brachten die alleen buiten haar directe bereik, waardoor het iets werd waar ze meer aan dacht dan dat ze het voelde.

Archie stond voor het raam op de lijkwagen te wachten. De Strathkinness Parishkerk was maar een paar honderd meter van hen verwijderd. Ze hadden besloten dat de familie achter de kist aan zou lopen, zodat ze Rosie op haar laatste reis zouden begeleiden. Zijn brede schouders hingen omlaag. Hij was in de afgelopen paar weken een oude man geworden, een oude man die geen belangstelling meer had voor de wereld.

Brian en Colin, opgedirkt zoals niemand ze ooit eerder had gezien, waren in de keuken en dronken zich moed in met een whisky. 'Ik hoop dat die vier zo verstandig zijn om weg te blijven,' zei Colin.

'Laat ze maar komen. Ik ben klaar voor ze,' zei Brian met een harde uitdrukking op zijn knappe gezicht.

'Niet vandaag. In godsnaam, Brian. Gedraag je een beetje waardig, alsjeblieft.' Colin leegde zijn glas en zette het met een klap op het aanrecht.

'Ze zijn er,' riep zijn vader.

Colin en Brian wisselden een blik uit, een belofte aan elkaar dat ze de dag zouden doorkomen zonder iets beschamends te doen voor zichzelf of de herinnering aan hun zus. Ze rechtten hun schouders en liepen naar voren.

De lijkwagen stond voor het huis geparkeerd. De Duffs, Eileen zwaar leunend op de arm van haar man, liepen met gebogen hoofd het pad af. Ze namen hun plaatsen in achter de kist. Achter hen verzamelden vrienden en verwanten zich in sombere groepjes. De achterhoede werd gevormd door de politie. Maclennan leidde de vertegenwoordiging, trots dat verscheidene leden van het team in hun vrije tijd waren komen opdagen. De pers had besloten gezamenlijk verslag te doen en was bij uitzondering discreet.

Dorpelingen stonden langs de straat naar de kerk. Velen van hen sloten zich aan bij de rouwstoet terwijl deze zich langzaam naar het grijze, stenen gebouw bewoog dat vierkant op de heuvel stond en dreigend neerkeek op St Andrews. Toen iedereen binnen was, was de kleine kerk stampvol mensen. Sommige rouwenden moesten in de zijpaden en achterin staan.

Het was een korte, formele dienst. Eileen was niet in staat geweest om over de details na te denken en Archie had gevraagd het tot het minimum te beperken. 'Het is iets waar we doorheen moeten,' had hij aan de dominee uitgelegd. 'Het is niet iets waardoor we ons Rosie zullen herinneren.'

Maclennan vond de eenvoudige woorden van de uitvaartdienst ondraaglijk aangrijpend. Dit waren woorden die gesproken moesten worden voor mensen die een vol leven hadden geleid, niet voor een jonge vrouw die nauwelijks aan haar leven begonnen was. Hij boog zijn hoofd voor het gebed en wist dat deze dienst geen verlichting zou brengen voor de mensen die Rosie hadden gekend. Er zou voor hen geen vrede zijn voordat hij zijn werk had gedaan.

En het zag er steeds minder naar uit dat hij aan hun behoefte zou kunnen voldoen. Het onderzoek was bijna tot stilstand gekomen. Het enige recente technisch bewijs was van het vest gekomen. En dat had niet meer opgeleverd dan wat verffragmenten. Maar geen van de monsters die uit het studentenhuis in Fife Park waren gehaald was ook maar in de buurt van een overeenkomst gekomen. Het hoofdbureau had een hoofdinspecteur gestuurd om het werk dat hij met zijn team had gedaan te onderzoeken, wat impliceerde dat ze op de een of andere manier tekort waren geschoten. Maar de man had moeten toegeven dat Maclennan zich prijzenswaardig van zijn taak had gekweten. Hij had geen enkel voorstel voor een nieuwe aanpak kunnen doen.

Maclennan had gemerkt dat hij steeds maar weer terugkwam bij de vier studenten. Hun alibi's waren zo zwak dat ze de naam amper verdienden. Gilbey en Kerr hadden haar leuk gevonden. Dorothy, een van de andere barmeisjes, had dat in haar verklaring meer dan eens genoemd. 'Die grote, die er een beetje uitziet als Ryan O'Neal met donker haar,' had ze gezegd. Zelf zou hij Gilbey niet zo beschreven hebben, maar hij wist wat ze bedoelde. 'Hij was helemaal weg van haar,' had ze gezegd. 'En die kleine, die op die ene uit T Rex lijkt. Die zat altijd smachtend naar Rosie te kijken. Niet dat ze hem ook maar een blik waardig keurde, hoor. Ze zei dat hij zichzelf veel te leuk vond. Maar die andere, die grote. Ze zei dat ze best een avondje met hem uit zou willen als hij vijf jaar ouder was.'

Dus daar was een zwak motief. En natuurlijk hadden ze het perfecte vervoermiddel gehad om het stervende lichaam van een jonge vrouw in te verplaatsen. Dat er geen sporen in waren gevonden, betekende nog niet dat ze de Land Rover niet hadden gebruikt. Een dekzeil, een grondzeil, een dikke lap plastic zou het bloed hebben tegengehouden waardoor de auto schoon was gebleven. Er was geen twijfel aan dat degene die Rosie had vermoord een auto moest hebben gehad.

Het was ofwel dat, of het was een van de fatsoenlijke huisvaders van Trinity Place. Het probleem was dat elke mannelijke inwoner tussen de veertien en zeventig een alibi had. Ze waren van huis geweest of hadden in hun bed liggen slapen. Ze hadden nog eens nauwkeurig naar een paar tienerjongens gekeken, maar er was niets dat hen in verband bracht met Rosie of de misdaad. Het andere dat Gilbey tot een minder waarschijnlijke verdachte maakte, was het technisch bewijs. Het sperma dat ze op Rosies kleren hadden gevonden, was afkomstig van iemand wiens bloedgroep aanwezig was in zijn andere lichaamsvloeistoffen. De verkrachter, en waarschijnlijke moordenaar, had bloedgroep O. Alex Gilbeys bloedgroep was AB, wat betekende dat hij haar niet verkracht had tenzij hij een condoom had gebruikt. Maar Malkiewicz, Kerr en Mackie hadden alle drie bloedgroep O. Theoretisch kon het dus een van hen zijn geweest.

Hij dacht echt niet dat Kerr het in zich had om zoiets te doen. Maar Mackie was een mogelijkheid, geen twijfel aan. Maclennan had gehoord over de plotselinge bekering van de jongeman tot het christendom. Het klonk hem in de oren als een wanhoopsdaad die voortkwam uit schuldgevoel. En Malkiewicz was helemaal een ander verhaal. Maclennan was per ongeluk op de seksuele geaardheid van de jongen gestuit, maar als hij verliefd was op Gilbey was het mogelijk dat hij van iemand af had gewild die hij als een rivaal zag.

Maclennan was zo in gedachten verzonken, dat hij met een schok merkte dat de dienst afgelopen was en de aanwezigen overeind kwamen. De kist werd door het gangpad gedragen, met Colin en Brian Duff als dragers vooraan. Brians gezicht was betraand en Colin zag eruit alsof hij al zijn kracht nodig had om niet te huilen.

Maclennan keek naar zijn mensen en gaf een knikje dat ze naar buiten konden gaan toen de kist verdween. De familie zou met de auto de heuvel afgaan naar de Westelijke Begraafplaats, waar de teraardebestelling in besloten kring zou plaatsvinden. Hij glipte naar buiten, ging bij de deur staan en keek hoe de rouwenden zich verspreidden. Hij was er niet van overtuigd dat de moordenaar zich onder hen bevond, die conclusie was hem te gemakkelijk. Zijn mensen verzamelden zich om hem heen en spraken zacht met elkaar.

Verborgen door een hoek van het gebouw stak Janice Hogg een sigaret op. Ze had tenslotte geen dienst en ze had een dosis nicotine nodig na die aangrijpende gebeurtenis. Ze had nog maar een paar trekjes genomen toen Jimmy Lawson verscheen. 'Ik dacht al dat ik rook rook,' zei hij. 'Mag ik meedoen?'

Leunend tegen de muur stak hij op, en zijn haar viel over zijn voorhoofd en overschaduwde zijn ogen. Ze had de indruk dat hij de laatste tijd wat magerder was geworden, en het stond hem; het maakte zijn wangen iets holler en zijn kaaklijn sterker. 'Dat maak ik liever niet nog eens mee,' zei hij.

'Ik ook niet. Ik had het gevoel dat al die ogen naar ons keken om een antwoord te krijgen dat we niet hebben.'

'En niets wijst erop dat we het binnenkort krijgen. De recherche heeft niemand die ook maar op een verdachte lijkt,' zei Lawson, en zijn stem was zo bitter als de oostenwind die de rook uit hun mond sloeg.

'Het lijkt absoluut niet op *Starsky and Hutch*, hè?'

'Godzijdank niet. Ik bedoel, zou jij die vesten willen dragen?'

In weerwil van zichzelf gniffelde Janice. 'Als je het zo stelt...'

Lawson inhaleerde diep. 'Janice... zou je het leuk vinden om een keer iets te gaan drinken?'

Janice keek hem verbaasd aan. Ze had nooit ook maar even gedacht dat Jimmy Lawson had gemerkt dat ze een vrouw was, behalve wanneer er thee gezet moest worden of slecht nieuws moest worden verteld. 'Vraag je me mee uit?'

'Daar lijkt het op. Wat denk je ervan?'

'Ik weet het niet, Jimmy. Ik vraag me af of het een goed idee is om iets met een collega te krijgen.'

'En wanneer krijgen we de kans om iemand anders te ontmoeten behalve bij een arrestatie? Kom op, Janice. Gewoon een drankje. We kunnen het toch goed met elkaar vinden?' Zijn glimlach gaf hem een charme die ze nooit eerder had opgemerkt.

Ze keek hem nadenkend aan. Hij was nou niet direct de man van haar dromen, maar hij zag er niet slecht uit. Hij had de naam een beetje een rokkenjager te zijn, iemand die meestal kreeg wat hij wilde zonder er al te veel zijn best voor te hoeven doen. Maar hij had haar altijd hoffelijk behandeld, in tegenstelling tot veel van haar collega's bij wie de minachting zelden ver onder het oppervlak lag. En ze kon zich niet eens herinneren wanneer ze voor het laatst was uitgegaan met iemand die een beetje interessant was. 'Oké,' zei ze.

'Ik zal vanavond wanneer we beginnen naar de roosters kijken wanneer we allebei vrij zijn.' Hij liet zijn peuk vallen en wreef hem uit met de punt van zijn schoen. Ze keek hem na tot hij om de hoek van de kerk verdween om zich bij de anderen te voegen. Het zag ernaar uit dat ze een afspraakje had. Het was het laatste dat ze verwacht had van Rosie Duffs begrafenis. Misschien had de dominee gelijk. Misschien moest dit een tijd zijn om niet alleen terug maar ook vooruit te kijken.

13

Niemand van zijn drie vrienden zou Weird ooit als verstandig hebben beschreven, zelfs niet voordat hij God had gekregen. Hij was altijd een onstabiele combinatie geweest van cynisme en naïviteit. Helaas had zijn nieuwe spiritualiteit hem beroofd van zijn cynisme zonder daar iets voor in de plaats te stellen. Dus toen zijn nieuwe vrienden in Jezus vertelden dat er geen betere gelegenheid was om het evangelie te verkondigen dan de avond van Rosie Duffs begrafenis, was Weird met de suggestie meegegaan. Mensen zouden aan hun sterfelijkheid denken, was de redenering. Dit was het best mogelijke moment om hen eraan te herinneren dat Jezus de enige rechtstreekse weg bood naar het koninkrijk der hemelen. Het idee zijn getuigenis aan vreemden aan te bieden zou hem een paar weken eerder nog over de grond hebben laten rollen van het lachen, maar nu leek het de meest normale zaak van de wereld. Ze verzamelden zich in het huis van hun predikant, een gretige jongeman uit Wales wiens enthousiasme bijna ziekelijk was. Zelfs in de eerste opwinding van zijn bekering had Weird hem enigszins overweldigend gevonden. Lloyd was er oprecht van overtuigd dat heel St Andrews alleen nog niet tot Jezus was bekeerd doordat hij en zijn volgelingen niet genoeg hun best deden. Het was duidelijk, dacht Weird, dat hij Ziggy nog nooit had ontmoet, de atheïst onder de atheïsten. Bijna elke maaltijd die hij sinds hun terugkeer in Fife Park had genuttigd, was gepaard gegaan met een hartstochtelijke discussie over geloof en godsdienst. Weird had er genoeg van. Hij wist nog niet genoeg om op alle argumenten in te gaan, en hij wist intuïtief dat het niet voldoende was om te antwoorden met: 'Daar komt je geloof in het spel.' Bijbelstudie zou dat op een gegeven moment oplossen, wist hij. Tot het zover zou zijn, bad hij om geduld en de juiste woorden.

Lloyd stopte hem folders in zijn hand. 'Deze geven een korte introductie tot de Heer en daarnaast een beknopte selectie van bijbelpassages,' legde hij uit. 'Probeer met mensen in discussie te raken en vraag ze dan of ze er vijf minuten voor over hebben om zichzelf voor rampspoed te behoeden. Dan geef je ze de folder en vraagt ze hem te lezen. Zeg dat ze, als ze er met je over willen praten, naar de zondagsdienst kunnen komen.' Lloyd spreidde zijn handen als om aan te geven dat het een makkie was.

'Juist,' zei Weird. Hij keek om zich heen naar hun kleine groep. Ze waren met zijn zessen. Afgezien van Lloyd was er nog één man. Hij had een gitaar bij zich en zag er geestdriftig uit. Helaas was zijn ijver niet in overeenstemming met zijn talent. Weird wist dat hij niet mocht oordelen, maar zelfs op zijn slechtste dag kon hij die sul nog onder de tafel spelen, dacht hij. Maar hij kende de liederen nog niet, dus zou hij vanavond nog niet voor Jezus optreden.

'We zetten de muziek op in North Street. Daar zijn genoeg mensen. De anderen gaan de cafés langs. Jullie hoeven niet naar binnen te gaan. Vang mensen gewoon op als ze naar binnen willen gaan of naar buiten komen. We zullen nu een kort gebed zeggen voordat we voor de Heer op pad gaan.' Ze hielden elkaars handen vast en bogen hun hoofd. Weird voelde het nog maar net vertrouwde gevoel van vrede over zich heen komen en vertrouwde zichzelf toe aan zijn verlosser.

Het was gek hoe anders de dingen nu waren, dacht hij terwijl hij van het ene café naar het andere slenterde. Vroeger zou hij nooit op volkomen vreemden zijn afgestapt behalve om de richting te vragen, maar hij genoot. De meeste mensen moesten er niets van hebben, maar sommigen hadden zijn folders aangepakt en hij was vol vertrouwen dat hij enkele van hen terug zou zien. Hij was ervan overtuigd dat ze de rust en vreugde die hij uitstraalde wel moesten opmerken.

Het was bijna tien uur toen hij door de massieve stenen poort van de West Port naar de Lammas Bar liep. Hij was nu geschokt bij de gedachte hoeveel tijd hij daar in de loop van de jaren had verspild. Hij schaamde zich niet voor zijn verleden; Lloyd had hem geleerd dat dat een verkeerde manier was om ernaar te kijken. Door zijn huidige leven met zijn vroegere leven te vergelijken, wist hij juist hoe eervol zijn leven nu was. Maar hij betreurde het dat hij deze innerlijke rust en dit toevluchtsoord niet eerder had gevonden.

Hij stak de straat over en posteerde zich bij de deur van de Lammas Bar. In de eerste tien minuten deelde hij één folder uit aan een van de stamgasten, die bevreemd naar hem keek terwijl hij naar binnen liep. Een paar seconden later werd de deur met geweld opengegooid. Brian en Colin Duff stormden naar buiten, gevolgd door een paar andere jongens. Ze waren allemaal rood in het gezicht en opgewonden van de drank.

'Waar denk jij verdomme waar je mee bezig bent?' brulde Brian terwijl hij Weird bij de voorkant van zijn parka pakte. Hij duwde hem hard tegen de muur.

'Ik wil alleen...'

'Hou je kop, lul,' schreeuwde Colin. 'We hebben vandaag mijn zus begraven, dankzij jou en die vuile vrienden van je. En jij hebt het lef om hier te komen opdagen en over Jezus te preken?'

'Jij noemt jezelf verdomme een christen? Je hebt mijn zuster vermoord, rotzak.' Brian beukte hem ritmisch tegen de muur. Weird probeerde zijn handen weg te duwen, maar de andere man was veel sterker.

'Ik heb haar niet aangeraakt,' gilde Weird. 'Wij hebben het niet gedaan.'

'Wie dan wel? Jullie waren de enigen die daar waren,' raasde Brian. Hij liet Weirds parka los en bracht zijn vuist omhoog. 'Eens kijken hoe je dit vindt, rotzak.' Hij gaf hem een rechtse hoekstoot op zijn kaak gevolgd door een vernietigende linkse in zijn gezicht. Weirds knieën begaven het. Hij dacht dat de onderste helft van zijn gezicht eraf zou vallen.

Het was nog maar het begin. Ineens vlogen voeten en vuisten rond en beukten in op zijn lichaam. Bloed, tranen en slijm stroomden over zijn gezicht. De tijd vertraagde, vervormde woorden en intensiveerde elk martelend contact. Hij was nooit bij een gevecht van volwassenen betrokken geweest en het geweld ervan maakte hem doodsbang. 'Jezus, Jezus,' snikte hij.

'Die zal je nu niet helpen, vuile zeikerd,' schreeuwde iemand.

Toen hield het gelukkig op. Net zo plotseling als er een eind was gekomen aan de klappen, viel er een stilte. 'Wat is hier aan de hand?' hoorde hij een vrouw zeggen. Hij hief zijn hoofd op uit de foetushouding die hij had aangenomen. Een agente stond over hem heen gebogen. Achter haar zag hij de agent die Alex toen door de sneeuw was gaan halen. Zijn aanvallers stonden er nors bij, handen in hun zakken.

'Gewoon een beetje lol,' zei Brian Duff.

'Ik vind het er niet zo lollig uitzien, Brian. Hij heeft geluk gehad dat de cafébaas zo verstandig was om dit te melden,' zei de vrouw terwijl ze zich bukte om naar Weirds gezicht te kijken. Hij duwde zich in een zittende houding en hoestte een mondvol snot en bloed op. 'Jij bent Tom Mackie, klopt dat?' zei ze, en ze begon te begrijpen wat er gebeurd was.

'Ja,' kreunde hij.

'Ik laat een ambulance komen,' zei ze.

'Nee,' zei Weird terwijl hij op de een of andere manier zijn benen onder zich wist te krijgen en wankelend overeind kwam. 'Het gaat wel. Gewoon een beetje lol.' Praten, merkte hij, was een inspanning. Het voelde alsof hij een kaaktransplantatie had gehad en nog niet geleerd had hoe hij ermee om moest gaan.

'Ik denk dat je neus gebroken is, knul,' zei de mannelijke agent. Hoe heette hij ook alweer? Morton? Lawton? Lawson, dat was het.

'Het geeft niet. Ik heb een dokter in huis.'

'Hij studeert medicijnen, voor zover ik weet,' zei Lawson.

'We brengen je naar huis in de patrouillewagen,' zei de vrouw. 'Ik ben agent Hogg en dit is agent Lawson. Jimmy, let even op hem. Ik heb een woordje te wisselen met dit stel imbecielen. Colin, Brian? Hierheen. De anderen? Wegwezen.' Ze liep met Colin en Brian een stukje opzij. Ze was wel voorzichtig genoeg om in de buurt van Lawson te blijven om diens hulp te kunnen inroepen als het uit de hand zou lopen.

'Wat bezielt jullie, verdomme?' zei ze. 'Kijk eens hoe hij eraan toe is.'

Met openhangende mond, glazige ogen en zwetend van inspanning hoonde Brian dronken: 'Lang niet zo erg als hij verdient. Je weet waar het om ging. We doen gewoon jullie werk, want jullie zijn een stelletje nutteloze zakken die nog niet eens de weg zouden kunnen vinden uit een papieren zak.'

'Hou op, Brian,' zei Colin dringend. Hij was nauwelijks nuchterder dan zijn broer, maar hij had altijd meer instinct gehad om niet in problemen te raken. 'Het spijt ons, oké? Het is gewoon een beetje uit de hand gelopen.'

'Dat kun je wel zeggen. Jullie hebben hem half vermoord.'

'Nou, zijn vrienden en hij hebben het karwei niet half gedaan toen ze eenmaal begonnen waren,' zei Brian strijdlustig. Ineens vertrok zijn gezicht en biggelden er hete tranen over zijn wangen. 'Mijn kleine zusje. Mijn Rosie. Je zou een hond niet behandelen zoals zij haar hebben behandeld.'

'Je zit ernaast, Brian. Ze zijn getuigen, geen verdachten,' zei Janice vermoeid. 'Ik heb je dat al gezegd in de nacht waarin het gebeurd is.'

'Jullie zijn de enigen hier in de buurt die dat denken,' zei Brian.

'Hou nou eindelijk je mond,' zei Colin. Hij wendde zich tot Janice. 'Worden we gearresteerd of hoe zit het?'

Janice zuchtte. 'Ik weet dat jullie Rosie vandaag begraven hebben. Ik was erbij. Ik heb gezien hoe kapot jullie ouders ervan zijn. In hun belang ben ik bereid dit door de vingers te zien. Ik denk niet dat meneer Mackie een aanklacht zal indienen.' Toen Colin iets wilde zeggen, hief ze een waarschuwende vinger op. 'Maar alleen op voorwaarde dat jij en Cassius Clay jullie handen in bedwang houden. Laat dit aan ons over, Colin.'

Hij knikte. 'Oké, Janice.'

Brian zei verbaasd: 'Sinds wanneer noem je haar Janice? Ze staat niet aan onze kant, weet je.'

'Hou je kop, Brian,' zei Colin, elke lettergreep benadrukkend. 'Ik bied verontschuldigingen aan voor mijn broer. Hij heeft een beetje te veel gedronken.'

'Dat is wel goed. Maar je bent niet dom, Colin. Je weet dat ik meende wat ik zei. Mackie en zijn vrienden zijn verboden terrein voor jullie tweeën. Is dat duidelijk?'

Brian gniffelde. 'Ik denk dat ze je leuk vindt, Colin.'

Het idee prikkelde kennelijk het dronken deel van Colin Duffs hersenen. 'Is dat zo? Nou, wat vind je ervan, Janice? Waarom hou jij me niet op het rechte pad? Zin om een keer uit te gaan? Ik zorg wel dat het leuk wordt.'

Janice ving uit haar ooghoek een beweging op en keek net op tijd opzij om te zien dat Jimmy Lawson zijn wapenstok pakte en op Colin Duff afging. Ze hief haar hand op om hem af te weren, maar de dreiging was genoeg om Duff geschrokken en met grote ogen een stap achteruit te laten zetten. 'Hé,' protesteerde hij.

'Spoel je mond, ellendige etter,' zei Lawson. Zijn gezicht stond strak en boos. 'Waag het niet om ooit nog zo tegen een politieagente te praten. En maak nu dat je wegkomt, allebei, voordat ik agent Hogg van mening laat veranderen en jullie voor een heel lange tijd laat opsluiten.' Hij sprak woest, met zijn lippen stijf tegen zijn tanden. Janice steigerde. Ze vond het vreselijk als mannelijke agenten meenden hun mannelijkheid te moeten demonstreren door haar eer te verdedigen.

Colin greep Brians arm. 'Kom op. Er staat een glas op ons te wachten binnen.' Hij leidde zijn grijnzende broer weg voordat hij nog meer problemen zou kunnen veroorzaken.

Janice wendde zich tot Lawson. 'Dat was niet nodig, Jimmy.'

'Niet nodig? Hij probeerde je te versieren. Hij is nog te min om je schoenen te poetsen.' Zijn stem droop van minachting.

'Ik kan heel goed voor mezelf zorgen, Jimmy. Ik heb met heel wat erger dan Colin Duff te maken gehad zonder dat jij de galante ridder speelde. Nou, laten we die jongen naar huis brengen.'

Samen hielpen ze Weird naar hun auto en zetten hem op de achterbank. Toen Lawson naar het bestuurdersportier liep, zei Janice. 'En Jimmy... Wat dat drankje betreft? Ik denk dat ik dat maar niet doe.'

Lawson wierp haar een lange, harde blik toe. 'Zoals je wilt.'

In een ijzige stilte reden ze naar Fife Park. Ze hielpen Weird naar de voordeur en liepen terug naar de auto. 'Luister, Janice, het spijt me als ik daarnet buiten mijn boekje ging. Maar Duff ging wel te ver. Je kunt zo niet tegen een politiefunctionaris spreken,' zei Lawson.

Janice leunde op het dak van de auto. 'Hij ging te ver, ja. Maar jij reageerde niet zo omdat hij het uniform beledigde. Jij pakte je wapenstok omdat je ergens in je hoofd besloten had dat ik jouw bezit was, alleen omdat ik erin had toegestemd iets met je te gaan drinken. En hij kwam op jouw terrein. Het spijt me, Jimmy, maar dat kan ik op dit moment niet gebruiken.'

'Dat is niet waar, Janice,' protesteerde Lawson.

'Laat maar, Jimmy. Even goede vrienden, hè?'

Hij haalde nukkig zijn schouders op. 'Zelf weten. Ik zit echt niet verlegen om vrouwelijk gezelschap.' Hij ging achter het stuur zitten.

Janice kon een glimlach niet onderdrukken en schudde haar hoofd. Mannen, ze waren zo voorspelbaar. Ze hoefden maar een vleugje feminisme te ruiken of ze gingen ervandoor.

In het huis in Fife Park was Ziggy bezig Weird te onderzoeken. 'Ik heb je gezegd dat er tranen van zouden komen,' zei hij terwijl zijn vingers voorzichtig het gezwollen weefsel rond Weirds ribben en buik betastten. 'Je gaat op pad voor een beetje evangelisatiewerk en je komt terug als een soldaat uit *Oh! What a Lovely War*. Ten strijde, soldaten van de Heer.'

'Het had niets met mijn getuigenis te maken,' zei Weird, en zijn gezicht vertrok van de inspanning. 'Het waren Rosies broers.'

Ziggy hield op met wat hij deed. 'Hebben Rosies broers dit gedaan?' vroeg hij, met een ongeruste frons op zijn gezicht.

'Ik stond voor de Lammas. Iemand moet het ze verteld hebben. Ze kwamen naar buiten en begonnen tekeer te gaan.'

'Verdomme.' Ziggy liep naar de deur. 'Gilly,' schreeuwde hij naar boven. Mondo was uit, zoals bijna elke avond sinds ze terug waren gekomen. Soms was hij er voor het ontbijt, maar meestal niet.

Alex kwam de trap afstormen en stond stil toen hij Weirds gehavende gezicht zag. 'Godallemachtig, wat is er met jou gebeurd?'

'Rosies broers,' was het enige dat Ziggy zei. Hij vulde een kom met warm water en begon met behulp van wattenbolletjes voorzichtig Weirds gezicht schoon te maken.

'Hebben ze je in elkaar geslagen?' Alex begreep het niet.

'Ze denken dat wij het gedaan hebben,' zei Weird. 'Au. Kun je het iets zachter doen?'

'Je neus is gebroken. Je hoort naar het ziekenhuis te gaan,' zei Ziggy.

'Ik haat ziekenhuizen. Doe jij het maar.'

Ziggy trok zijn wenkbrauwen op. 'Ik weet niet wat ik ervan kan maken. Straks zie je er nog uit als een waardeloze bokser.'

'Ik waag het erop.'

'Je.hebt in elk geval geen gebroken kaak,' zei hij terwijl hij zich over Weirds gezicht boog. Hij nam zijn neus in beide handen en draaide hem, en deed zijn best niet misselijk te worden van het knarsende geluid van het kraakbeen. Weird schreeuwde het uit, maar Ziggy ging door. Er stond zweet op zijn bovenlip. 'Zo,' zei hij. 'Meer kan ik niet doen.'

'Het was Rosies begrafenis vandaag,' zei Alex.

'Niemand heeft het ons verteld,' klaagde Ziggy. 'Dat verklaart waarom ze zo heetgebakerd waren.'

'Denk je niet dat ze achter ons aanzitten?' vroeg Alex.

'De politie heeft ze gewaarschuwd,' zei Weird. Zijn kaak werd stijver en het werd steeds moeilijker voor hem om te praten.

Ziggy bestudeerde zijn patiënt. 'Nou, Weird, als ik zie hoe jij eraan toe bent, hoop ik bij god dat ze hebben geluisterd.'

14

Elke hoop die ze hadden gehad dat Rosies dood een eendagsvlieg zou zijn, werd de bodem ingeslagen door de krantenverslagen van de begrafenis. Het werd weer breed uitgemeten op de voorpagina's en iedereen in de stad die de eerste verslagen had gemist, kon er nu bijna niet meer omheen.

Opnieuw was Alex het eerste slachtoffer. Toen hij een paar dagen later van de supermarkt naar huis liep en een kortere weg nam langs de Botanische Tuinen, kwam hij Henry Cavendish en zijn makkers tegen die in een rommelige groep bezig waren met hun rugbytraining. Zodra ze Alex zagen, begonnen ze te joelen. Vervolgens omringden ze hem en begonnen te duwen en te trekken. Ze vormden een losse groep om hem heen, sleepten hem naar de rand van het gras en gooiden hem op de modderige grond. Alex rolde zich om in een poging aan hun porrende schoenen te ontsnappen. Er was weinig kans op echt geweld, zoals Weird had meegemaakt, en hij was eerder kwaad dan bang. Ineens raakte een schoen zijn neus en hij voelde het bloed eruit spuiten.

'Sodemieter op,' schreeuwde hij en hij veegde modder, bloed en sneeuwbrij van zijn gezicht. 'Sodemieter op, allemaal.'

'Jullie zijn degenen die op moeten sodemieteren, moordenaartje,' schreeuwde Cavendish. 'Jullie zijn niet welkom hier.'

Een kalme stem onderbrak hem. 'En waarom denk je dat jij dat wel bent?'

Alex veegde zijn ogen schoon en zag Jimmy Lawson aan de rand van de groep staan. Het koste hem een seconde om hem zonder uniform te herkennen, maar zijn hart sprong op toen het tot hem doordrong.

'Wegwezen,' zei Edward Greenhalgh. 'Je hebt hier niets mee te maken.'

Lawson stopte zijn hand in zijn binnenzak en haalde zijn identiteitsbewijs te voorschijn. Hij klapte het achteloos open en zei: 'Ik denk dat je je vergist. Zo, mag ik jullie namen? Volgens mij is dit een zaak voor de leiding van de universiteit.'

Op slag waren het weer kleine jongens. Ze schuifelden met hun voeten en staarden naar de grond terwijl ze hun gegevens fluisterden en mompelden zodat Lawson ze kon opschrijven. Intussen kwam Alex doorweekt en smerig overeind en keek wat er van zijn boodschappen over was. Een fles melk was over zijn broek gegaan, en een plastic kuipje citroenpasta was gebarsten en een van de mouwen van zijn parka was ermee besmeurd.

Lawson liet zijn aanvallers gaan en stond met een glimlach op zijn gezicht naar Alex te kijken. 'Je ziet er niet uit,' zei hij. 'Je had geluk dat ik voorbijkwam.'

'Je bent niet aan het werk?' zei Alex.

'Nee. Ik woon om de hoek. Ik liep alleen even naar buiten om iets te posten. Kom maar even met me mee, dan kunnen we je een beetje opknappen.'

'Dat is heel aardig, maar het hoeft niet.'

Lawson grinnikte. 'Je kunt zo niet door de straten van St Andrews lopen. Je zou waarschijnlijk gearresteerd worden voor het bang maken van de golfers. Bovendien zie ik je rillen. Je hebt een kop thee nodig.'

Alex ging hier niet tegen in. De temperatuur zakte weer naar het vriespunt en hij had niet veel zin om doornat naar huis te lopen. 'Bedankt,' zei hij.

Ze liepen een gloednieuwe straat in. Zo nieuw dat er nog geen bestrating lag. De eerste paar percelen waren klaar, maar daarna kwamen ze bij bouwplaatsen. Lawson liep langs de voltooide huizen en stond stil bij een caravan die op een stuk grond stond dat op een dag een voortuin moest zijn. Daarachter boden vier muren en dakspanten die bespannen waren met dekzeilen de belofte van iets veel vorstelijkers dan de vierpersoonscaravan. 'Ik bouw het zelf,' zei hij terwijl hij de deur van de caravan van het slot deed. 'De hele straat doet het. We helpen elkaar allemaal met werkuren en vakmanschap. Op die manier krijg ik een commissarissenhuis op het salaris van een gewone agent.' Hij stapte de caravan in. 'Maar voorlopig woon ik hier.'

Alex volgde hem. De caravan zag er gezellig uit. Een losse gaskachel stond droge warmte in de kleine ruimte te blazen. Het was er zo netjes dat hij onder de indruk was. De meeste alleenstaande mannen die hij kende, leefden in een varkensstal, maar Lawsons huis was smetteloos. Al het chroom glansde. Het schilderwerk was fris en schoon. De vrolijke gordijnen waren netjes bijeengebonden. Nergens lag rommel. Alles was keurig opgeborgen: de boeken op planken, de kopjes aan haken, cassettes in een doos, bouwtekeningen ingelijst aan de wanden. Het enige teken van bewoning was een pan die stond te sudderen op het fornuis. De geur van linzensoep ontdooide Alex' hart. 'Heel aardig,' zei hij terwijl hij het allemaal in zich opnam.

'Het is een beetje klein, maar als je het opgeruimd houdt, wordt het niet al te benauwend. Doe je jas uit, dan hangen we hem bij de kachel. Je zult je handen en je gezicht even moeten wassen... daar is de wc, meteen voorbij het fornuis.'

Alex liep naar het kleine hok. Hij keek in de spiegel boven de poppenhuiswasbak. God, wat zag hij eruit. Gedroogd bloed, modder. Zijn haar in pieken door de citroenpasta. Geen wonder dat Lawson hem meegenomen had zodat hij zich kon opknappen. Hij liet de wasbak vollopen met water en boende zich schoon. Toen hij weer te voorschijn kwam, stond Lawson tegen het fornuis geleund.

'Dat is beter. Ga bij de kachel zitten, dan ben je zo droog. Goed, een kop thee? Ik heb ook zelfgemaakte soep, als je zin hebt.'

'Soep zou heerlijk zijn.' Alex deed wat hem gezegd was, terwijl Lawson een kom vulde met dampende goudgele soep waarin stukken varkenskluif dreven. Hij zette de kom voor Alex neer en gaf hem een lepel. 'Ik wil niet onbeleefd lijken,' zei hij, 'maar waarom ben je zo aardig voor me?'

Lawson ging tegenover hem zitten en stak een sigaret op. 'Omdat ik medelijden heb met jou en je vrienden. Jullie hebben je alleen maar als verantwoordelijke burgers gedragen, maar jullie worden uitgemaakt voor de slechteriken. En ik voel me denk ik ook een beetje verantwoordelijk. Als ik op patrouille was geweest, in plaats van in de auto te zitten en niets te doen, had ik de dader misschien op heterdaad betrapt.' Hij boog zijn hoofd achterover en zuchtte een wolk rook de lucht in. 'Daarom denk ik dat de dader niet iemand uit de buurt is geweest. Iedereen die daar 's avonds weleens komt, weet dat er vaak een patrouilleauto staat.' Lawson trok een gezicht. 'Ons benzinebudget is niet groot genoeg om de hele nacht rond te rijden, dus moeten we ergens parkeren.'

'Denkt Maclennan nog steeds dat wij het misschien gedaan hebben?' vroeg Alex.

'Ik weet niet wat hij denkt. Ik zal eerlijk tegen je zijn. We zitten vast, dus zijn jullie met z'n vieren in de vuurlinie komen te liggen. En nu huilen de Duff-broertjes om jullie bloed en, van wat ik net heb gezien, hebben jullie eigen makkers zich ook tegen jullie gekeerd.'

Alex snoof. 'Het zijn geen makkers van me. Ga je ze echt aangeven?'

'Wil je dat ik het doe?'

'Niet echt. Ze zouden gewoon weer een manier vinden om wraak te nemen. Ik denk niet dat ze ons nog lastig zullen vallen. Te bang dat pappie en mammie ervan zouden horen en hun toelage zouden stopzetten. Ik maak me meer zorgen om de Duffs.'

'Ik denk dat zij jullie ook wel met rust zullen laten. Mijn collega heeft ze goed onder handen genomen. Je vriend Mackie kwam ze op het verkeerde moment tegen. Ze waren behoorlijk kapot na de begrafenis.'

'Dat kan ik ze niet kwalijk nemen. Ik wil gewoon niet zo te pakken genomen worden als Weird.'

'Weird? Je bedoelt Mackie?' vroeg Lawson met gefronst voorhoofd.

'Ja. Het is een bijnaam, van een liedje van David Bowie.'

Lawson grinnikte. 'Natuurlijk. *Ziggy Stardust and the Spiders from Mars*. Dat maakt jou Gilly, niet? En Sigmund is Ziggy.'

'Heel goed.'

'Ik ben niet zoveel ouder dan jullie. En hoe past Kerr erin?'

'Hij is geen echte Bowie-fan. Hij houdt van de Floyd. Dus is hij Mondo. *Crazy diamond*. Snap je?'

Lawson knikte.

'Geweldige soep, trouwens.'

'Een recept van mijn moeder. Jullie kennen elkaar dus al lang?'

'We leerden elkaar kennen op de eerste dag van de middelbare school. Sinds die tijd zijn we boezemvrienden.'

'Iedereen heeft vrienden nodig. Net als bij deze baan. Als je een tijd met dezelfde mensen hebt gewerkt, zijn ze als broers voor je. Je zou je leven voor ze geven als het moest.'

Alex glimlachte begrijpend. 'Ik begrijp wat je bedoelt. Bij ons is het ook zo.' *Of was zo*, dacht hij met een schok. Dit trimester waren de dingen anders. Weird was bijna altijd op pad met de Jezusbrigade. En alleen God wist waar Mondo de helft van de tijd uithing. De Duffs waren niet de enigen die een emotionele prijs betaalden voor Rosies dood, besefte hij ineens.

'Dus jullie zouden voor elkaar liegen als je dacht dat het nodig was?'

De lepel bleef halverwege Alex' mond hangen. Dus hier ging het allemaal om. Hij schoof de kom weg, stond op en pakte zijn jas. 'Bedankt voor de soep,' zei hij. 'Ik voel me goed nu.'

Ziggy voelde zich zelden eenzaam. Als enig kind was hij gewend aan zijn eigen gezelschap en hij had nooit gebrek aan afleiding. Zijn moeder had altijd naar andere ouders gekeken alsof ze gek waren wanneer ze klaagden dat hun kinderen zich in de vakanties verveelden. Verveling was niet een probleem waar zij ooit mee te maken had gehad.

Maar vanavond was eenzaamheid het kleine huis aan Fife Park binnengeslopen. Hij had genoeg werk om hem bezig te houden, maar bij uitzondering verlangde Ziggy hevig naar gezelschap. Weird was vertrokken met zijn gitaar om de Heer te leren loven in drie akkoorden. Alex was in een slecht humeur thuisgekomen, na een aanvaring met rechts en een ontmoeting met die agent Lawson die heel vervelend was afgelopen. Hij had zich omgekleed en was naar een of andere dialezing over Venetiaanse schilders gegaan. En Mondo was op stap, waarschijnlijk om een nummertje te maken.

Hé, dat was een idee. Wanneer had hij voor het laatst seks gehad? Een hele tijd voordat ze Rosie Duff hadden gevonden. Hij was een avond naar Edinburgh gegaan, naar het enige café waar hij ooit was geweest waar homo's welkom waren. Hij had aan de bar gestaan met een glas bier en had steels beide kanten op gekeken, er zorgvuldig voor wakend oogcontact te maken. Na een halfuur ongeveer was een man van achter in de twintig bij hem komen staan. Spijkerbroek, overhemd en jasje. Knap, op een soort harde manier. Hij was een gesprek begonnen, dat geëindigd was met snelle maar bevredigende seks tegen de muur van de wc. Hij had moeiteloos de laatste trein naar huis gehaald.

Ziggy hunkerde naar iets meer dan de anonieme ontmoetingen met vreemden die zijn enige ervaringen met seks waren. Hij wilde datgene wat zijn heterovrienden zo gemakkelijk leken te krijgen. Hij wilde hofmakerij en romantiek. Hij wilde iemand met wie hij een intimiteit kon delen die verder ging dan de uitwisseling van lichaamssappen. Hij wilde een vriend, een minnaar, een partner. En hij had geen idee hoe hij die moest vinden.

Er was een homosociëteit op de universiteit, dat wist hij. Maar voor zover hij had kunnen nagaan, bestond die uit een stuk of vijf jongens die er bijna van leken te genieten om als homo's te worden gezien. De politiek van Gay Liberation interesseerde Ziggy, maar van wat hij gezien had van die jongens, die poserend op de campus rondhingen, was er bij hen geen sprake van een serieus politiek engagement. Ze wilden alleen opvallen. Ziggy schaamde zich niet voor zijn homoseksualiteit, maar hij wilde niet dat dat het enige was wat mensen van hem wisten. Bovendien wilde hij arts worden, en hij had het vage vermoeden dat een carrière als homo-activist hem niet zou helpen dat te bereiken.

Dus kon hij zijn gevoelens voorlopig alleen kwijt door middel van losse contacten. Voor zover hij wist, waren er geen cafés in St Andrews waar hij een kans had te vinden waar hij naar op zoek was. Maar er waren een paar plekken waar mannen rondhingen, klaar voor anonieme seks met een vreemde. Het nadeel was dat dit in de openlucht was, en met dit weer zouden er niet veel zijn die de elementen trotseerden. Maar goed, hij kon toch niet de enige vent in St Andrews zijn die vanavond seks wilde.

Ziggy trok zijn schapenvachtjas en zijn laarzen aan en liep de vrieskoude avondlucht in. Een stevige wandeling van een kwartier bracht hem aan de achterkant van de ruïne van de kathedraal. Hij stak over naar The Scores, naar wat overgebleven was van de Mariakerk. In de schaduw van de kapotte muren hingen vaak mannen rond die probeerden te doen alsof ze een ommetje maakten dat wat architecturaal erfgoed omvatte. Ziggy rechtte zijn schouders en probeerde er nonchalant uit te zien.

Beneden bij de haven zat Brian Duff te drinken met zijn maten. Ze verveelden zich. En ze waren net dronken genoeg om daar iets aan te willen doen. 'Hier is verdomme geen moer aan,' klaagde zijn beste vriend Tommy. 'En we hebben geen geld om ergens heen te gaan waar het een beetje leuk is.'

De klacht ging een poosje heen en weer door de groep. Toen had Kenny een idee. 'Ik weet wat we kunnen doen. Lol, en geld. En geen problemen.'

'Wat is dat?' vroeg Brian.

'Laten we een paar flikkers gaan beroven.'

Ze keken hem aan alsof hij Swahili sprak. 'Wat?' zei Donny.

'Het wordt lachen. En ze hebben geld bij zich. En ze zullen niet echt vechten, snap je? Het zijn een stel mietjes.'

'Je bedoelt dat we mensen gaan beroven?' zei Donny met twijfel in zijn stem.

Kenny haalde zijn schouders op. 'Het zijn nichten. Ze tellen niet mee. En ze zullen niet naar de politie rennen, nietwaar? Anders moeten ze uitleggen waarom ze daar in het donker bij de Mariakerk rondhingen.'

'Kon weleens leuk worden,' lalde Brian. 'Die reetneukers een beetje de stuipen op het lijf jagen. Dat kon weleens slecht nieuws voor iemand zijn.' Hij leegde zijn glas en stond op. 'Kom op dan. Laten we gaan.'

Ze liepen onvast de avond in, elkaar in de ribben porrend en ruw lachend. Het was een korte wandeling over The Shore naar de kerkruïne. Een halvemaan piepte tussen wat onrustige wolken door, verzilverde de zee en verlichtte hun pad. Toen ze dichterbij kwamen, werden ze stil en slopen op de ballen van hun voeten verder. Ze liepen om de hoek van het bouwwerk heen. Niets. Ze liepen zachtjes naar de zijkant en door de overblijfselen van een deur. En daar, in een nis, vonden ze wat ze zochten.

Een man leunde tegen de muur, zijn hoofd achterover gebogen en kleine geluidjes van genot stroomden van zijn lippen. Voor hem knielde een andere man, wiens hoofd naar voren en achteren bewoog.

'Kijk nou eens,' zei Donny onduidelijk. 'Wat hebben we daar?'

Geschrokken trok Ziggy zijn hoofd terug en keek met afschuw naar zijn ergste nachtmerrie.

Brian Duff stapte naar voren. 'Hier ga ik echt van genieten.'

15

Ziggy was nog nooit zo bang geweest. Hij kwam struikelend overeind en stapte achteruit. Maar Brian was al bij hem en zijn hand greep naar de revers van schapenvacht. Brian smeet hem tegen de muur, waardoor de lucht uit zijn longen schoot. Donny en Kenny bleven onzeker staan, terwijl de andere man haastig zijn broek dichtritste en de benen nam. 'Brian, wil je dat we achter die andere aan gaan?' vroeg Kenny.

'Nee, dit is prima. Weet je wie dit gluiperige mietje is?'

'Nee,' zei Donny. 'Wie is het?'

'Alleen maar een van die rotzakken die Rosie hebben vermoord.' Zijn handen balden zich tot vuisten en zijn ogen daagden Ziggy uit om een ontsnappingspoging te wagen.

'We hebben Rosie niet vermoord,' zei Ziggy, niet in staat de trilling van angst uit zijn stem te houden. 'Ik ben degene die geprobeerd heeft haar te redden.'

'Ja, nadat je haar eerst hebt verkracht en met een mes hebt bewerkt. Wou je je vriendjes soms bewijzen dat je een echte man bent en geen flikker?' schreeuwde Brian. 'Nou, knul, het is tijd om te biechten. Je gaat me de waarheid vertellen over wat er met mijn zuster is gebeurd.'

'Ik vertel je de waarheid. We hebben geen haar op haar hoofd gekrenkt.'

'Ik geloof je niet. En ik ga ervoor zorgen dat je de waarheid vertelt. Ik weet precies hoe.' Zonder zijn ogen van Ziggy af te nemen, zei hij: 'Kenny, ga naar de haven en haal een touw. Een lang touw, hè.'

Ziggy had geen idee wat hem te wachten stond, maar hij wist wel dat het niet bepaald aangenaam zou worden. De enige kans die hij had was zich eruit te praten. 'Dat is geen goed idee,' zei hij. 'Ik heb je zuster niet vermoord. En ik weet van de politie dat ze je al gewaarschuwd hebben om ons met rust te laten. Denk niet dat ik dit niet ga melden.'

Brian lachte. 'Dacht je dat ik zo stom was? Jij gaat naar de politie en zegt: "Alsjeblieft, politieagent, ik was een of andere vent aan het afzuigen en Brian Duff komt langs en geeft me een klap?" Je denkt zeker dat ik van gisteren ben. Jij vertelt hier niemand iets over. Want dan weet iedereen dat je een reetroeier bent.'

'Dat kan me niet schelen,' zei Ziggy. En op dat moment leek het een heel wat minder verschrikkelijk lot dan datgene wat een losgeslagen Brian Duff voor hem in petto kon hebben. 'Ik waag het erop. Wil je je moeder echt nog meer verdriet doen?'

Zodra hij de woorden had uitgesproken, wist Ziggy dat het een misrekening was. Brians gezicht verstrakte. Hij hief zijn hand op en sloeg Ziggy zo hard dat hij zijn nekwervels hoorde kraken. 'Waag het niet om mijn moeder te noemen, klootzak. Ze heeft nooit verdriet gekend voordat jullie mijn zuster vermoordden.' Hij sloeg hem weer. 'Geef het toe. Je weet dat je er vroeg of laat voor zal moeten boeten.'

'Ik geef niet iets toe wat ik niet heb gedaan,' wist Ziggy half verstikt uit te brengen. Hij proefde bloed; de binnenkant van zijn wang was opengescheurd door de scherpe rand van een kies.

Brian bracht zijn hand naar achteren en gaf hem met al zijn aanzienlijke kracht een stomp in zijn maag. Ziggy wankelde en klapte dubbel. Heet braaksel spoot op de grond en bespatte zijn voeten. Hij hapte naar adem en voelde de ruwe steen tegen zijn rug, het enige dat hem nog overeind hield.

'Vertel het me,' siste Brian.

Ziggy sloot zijn ogen. 'Er valt niets te vertellen,' wist hij uit te brengen.

Tegen de tijd dat Kenny terugkwam, had hij nog een paar klappen geïncasseerd. Hij had niet geweten dat je zoveel pijn kon voelen zonder bewusteloos te raken. Zijn kin zat onder het bloed van een gescheurde lip en zijn nieren stuurden scherpe pijnscheuten door zijn lichaam.

'Waar bleef je?' vroeg Brian. Hij rukte Ziggy's handen naar voren. 'Bind één uiteinde om zijn polsen,' zei hij tegen Kenny.

'Wat ga je met me doen?' vroeg Ziggy door gezwollen lippen.

Brian grijnsde. 'Je aan het praten maken, klootzak.'

Toen Kenny klaar was, pakte Brian het touw. Hij legde een lus rond Ziggy's middel en trok hem strak. Nu waren zijn handen stevig tegen zijn lichaam gebonden. Brian rukte aan het touw. 'Kom op, we hebben dingen te doen.' Ziggy zette zich schrap, maar Donny pakte het touw ook vast en ze gaven er zo'n harde ruk aan dat Ziggy bijna viel. 'Kenny, kijk of de kust veilig is.'

Kenny rende naar de boog. Hij keek The Scores af. Geen mens te zien. Het was te koud om voor je plezier een wandeling te maken en nog te vroeg voor de laatste mensen die hun hond uitlieten. 'Niemand te zien, Bri,' riep hij zacht.

Trekkend aan het touw begonnen Brian en Donny te lopen. 'Sneller,' zei Brian tegen Donny. Ze draafden The Scores op en Ziggy probeerde wanhopig zijn evenwicht te bewaren terwijl hij tegelijkertijd zijn handen bewoog om na te gaan of hij zich kon bevrijden. Wat zouden ze in godsnaam met hem gaan doen? Het was hoogtij. Ze zouden hem toch niet in de zee laten zakken? Mensen stierven in de Noordzee binnen enkele minuten. Wat ze ook van plan mochten zijn, hij wist intuïtief dat het erger zou zijn dan alles wat hij zich kon voorstellen.

Ineens zakte de grond weg onder zijn voeten en Ziggy viel en rolde om en om tot hij tegen de benen van Brian en Donny knalde. Een storm van gevloek, toen handen op zijn lichaam die hem ruw overeind trokken en hem met zijn gezicht tegen een muur duwden. Langzaam wist Ziggy zich te oriënteren. Ze stonden op het pad dat langs de kasteelmuur liep. Die muur was geen middeleeuwse borstwering, maar een moderne barrière om vandalen en geliefden buiten te houden. Zouden ze hem mee naar binnen nemen en ophangen aan de kantelen?

'Wat doen we hier?' vroeg Donny ongemakkelijk. Hij wist niet zeker of hij wel mee wilde doen aan wat Brian van plan was.

'Kenny, over de muur,' zei Brian.

Kenny, die gewend was aan Brians leiderschap, deed wat hem werd gezegd. Hij klauterde de anderhalve meter omhoog en verdween aan de andere kant. 'Ik gooi het touw eroverheen, Kenny,' schreeuwde Brian. 'Pak het vast.'

Hij wendde zich tot Donny. 'We zullen hem eroverheen moeten hijsen. Net als paalwerpen, maar dan met z'n tweeën.'

'Jullie breken mijn nek nog,' protesteerde Ziggy.

'Alleen als je niet voorzichtig bent. We geven je een voetje. Als je boven bent kun je je omdraaien en je laten vallen.'

'Dat kan ik niet.'

Brian haalde zijn schouders op. 'Je mag kiezen. Je kunt met je hoofd voorover gaan of met je voeten eerst, maar je gaat. Tenzij je klaar bent om me de waarheid te vertellen.'

'Ik heb je de waarheid verteld,' gilde Ziggy. 'Je moet me geloven.'

Brian schudde zijn hoofd. 'Ik weet dat het de waarheid is als ik die hoor. Klaar, Donny?'

Ziggy probeerde weg te komen, maar ze hadden hem al te pakken. Ze draaiden hem weer met zijn gezicht naar de muur, pakten allebei een been en tilden Ziggy gevaarlijk balancerend de lucht in. Hij durfde zich niet te verzetten. Hij wist hoe broos de bescherming van het ruggenmerg onder aan de schedel was en hij wilde hier geen verlamming aan overhouden. Hij kwam over de muur te hangen als een zak aardappelen. Langzaam, oneindig voorzichtig, wist hij zich opzij te draaien tot hij één been over de muur had. Toen, nog langzamer, schoof hij verder tot het andere been op de muur lag. Zijn geschaafde knokkels vuurden nieuwe pijnscheuten door zijn armen. 'Schiet op, klootzak,' schreeuwde Brian ongeduldig.

Hij stormde tegen de muur op en was enkele seconden later naast Ziggy's voet. Hij schoof hem ruw opzij, waardoor Ziggy zijn evenwicht verloor. Ziggy's blaas gaf zijn inhoud vrij terwijl hij achterover door de lucht viel en de schrik zijn adrenalineniveau nog hoger maakte. Hij landde zwaar op zijn voeten. Zijn knieën en enkels begaven het onder de schok. Met tranen van schaamte en pijn in zijn ogen lag hij ineengedoken op de grond.

Brian sprong naast hem neer. 'Een goeie, Kenny,' zei hij terwijl hij het touw terugpakte.

Donny's gezicht verscheen over de muur. 'Ga je me vertellen wat je van plan bent?' vroeg hij.

'En de verrassing bederven? Vergeet het maar.' Brian rukte aan het touw. 'Kom op, klootzak. We gaan een wandelingetje maken.'

Ze klommen de grasachtige helling op naar de lage stomp van de oostelijke muur van de kasteelruïne. Ziggy struikelde en viel een paar keer, maar er waren steeds handen klaar om hem overeind te hijsen. Ze gingen de muur over en stonden op het binnenplein. De maan gleed achter een wolk vandaan en baadde hen in een griezelig schijnsel. 'Mijn broer en ik speelden hier vaak toen we nog kinderen waren,' zei Brian terwijl hij langzamer ging lopen. 'Dit kasteel is door de kerk gebouwd. Niet door een koning. Wist je dat, klootzak?'

Ziggy schudde zijn hoofd. 'Ik ben hier nooit eerder geweest.'

'Dan heb je wat gemist. Het is geweldig. De mijn en de tegenmijn. Twee van de grootste vestingwerken van de wereld.' Ze liepen naar de noordkant: de Keukentoren rechts van hen en de Zeetoren links. 'Het was me toch een bouwwerk. Het was een woning, het was een vesting.' Hij draaide zich om naar Ziggy en liep achteruit. 'En het was een gevangenis.'

'Waarom vertel je me dat?' vroeg Ziggy.

'Omdat het interessant is. Ze hebben hier ook een kardinaal vermoord. Ze hebben hem gedood en zijn naakte lichaam aan de kasteelmuur gehangen. Ik wed dat je daar nooit aan gedacht hebt, hè, klootzak?'

'Ik heb je zuster niet vermoord,' herhaalde Ziggy.

Ze waren inmiddels bij de ingang van de Zeetoren gekomen. 'Op de benedenverdieping van deze toren zijn twee kerkers,' zei Brian op een gesprekstoon terwijl hij als eerste naar binnen liep. 'De oostelijke kerker bevat iets wat bijna net zo interessant is als de mijn en de tegenmijn. Weet je wat dat is?'

Ziggy zei niets. Maar Kenny beantwoordde de vraag voor hem. 'Je stopt hem toch niet in de Flessenhals?'

Brian grijnsde. 'Goed gedaan, Kenny. Je bent de beste van de klas.' Hij stak zijn hand in zijn zak en haalde er een aansteker uit. 'Donny, geef me je krant.'

Donny haalde een *Evening Telegraph* uit zijn binnenzak. Brian rolde hem strak op en stak hem aan één kant aan terwijl hij de oostelijke kerker inliep. Bij het licht van de geïmproviseerde toorts zag Ziggy een gat in de vloer dat bedekt was met een zwaar ijzeren rooster. 'Ze hebben een gat in de rots gehouwen. Het heeft de vorm van een fles. En het is heel diep.'

Donny en Kenny keken elkaar aan. Dit werd iets te serieus naar hun smaak. 'Toe nou, Brian,' protesteerde Donny.

'Wat? Jullie zeiden toch dat flikkers niet meetellen. Kom op, help me.' Hij bond het uiteinde van Ziggy's touw aan het rooster. 'We krijgen het er alleen met z'n drieën af.'

Ze hurkten neer en pakten het rooster vast. Ze kreunden en spanden hun spieren. Gedurende een lange, gelukkige minuut dacht Ziggy dat ze het niet omhoog zouden krijgen. Maar ten slotte, met een hard geknars van ijzer op steen, kwam het los. Ze schoven het opzij en keerden zich als één man naar Ziggy.

'Heb je me iets te zeggen?' vroeg Brian Duff.

'Ik heb je zuster niet vermoord,' zei Ziggy, wanhopig nu. 'Denk je nou echt dat je me ongestraft in een kerker kunt gooien en me daar kunt laten doodgaan?'

'Het kasteel is in de weekenden open in de winter. Dus over een paar dagen weer. Je gaat niet dood. Nou ja, waarschijnlijk niet.' Hij gaf Donny een por in zijn ribben en lachte. 'Oké, jongens, daar gaan we.'

Ze pakten Ziggy met z'n drieën vast en duwden hem naar de smalle opening. Hij schopte woest om zich heen en kronkelde in hun handen. Maar met drie tegen één, zes handen tegen geen, had hij geen enkele kans. Binnen een paar seconden zat hij op de rand van het ronde gat, met zijn benen bungelend in de ruimte. 'Doe dit niet,' zei hij. 'Doe dit alsjeblieft niet. Ze sturen jullie een hele tijd naar de gevangenis hiervoor. Doe het niet, alsjeblieft.' Hij haalde zijn neus op, probeerde niet toe te geven aan de tranen van paniek die zijn keel verstikten. 'Ik smeek jullie.'

'Vertel me de waarheid,' zei Brian. 'Het is je laatste kans.'

'Ik heb het niet gedaan,' snikte Ziggy. 'Ik heb het niet gedaan.'

Brian schopte hem onder in zijn rug, waardoor hij een halve meter naar beneden viel. Zijn schouders knalden pijnlijk tegen de stenen muren van de nauwe trechter. Toen bleef hij met een ruk hangen en het touw sneed wreed in zijn maag. Brians lach galmde om hem heen. 'Dacht je dat we je helemaal naar beneden zouden laten vallen?'

'Alsjeblieft,' snikte Ziggy. 'Ik heb haar niet vermoord. Ik weet niet wie haar vermoord heeft. Alsjeblieft...'

Nu bewoog hij weer en viel met korte rukken omlaag. Hij dacht dat het touw hem doormidden zou snijden. Hij hoorde de zware ademhaling van de mannen boven hem, de incidentele vloek wanneer het touw een onvoorzichtige hand brandde. Met elke ruk zakte hij dieper de duisternis in, de vage flikkering van boven verdween in de klamme, ijskoude lucht.

Het leek eindeloos door te gaan. Ten slotte voelde hij verschil in de luchtkwaliteit en bonsde hij niet meer tegen de zijkanten. Hij was door de flessenhals heen. Ze gingen het echt doen. Ze gingen hem hier echt achterlaten. 'Nee,' schreeuwde hij zo hard als hij kon. 'Nee.'

Zijn tenen schraapten over vaste grond en namen gelukkig de spanning weg van het touw dat in zijn lichaam sneed. Boven hing het touw slap. Een enge, onstoffelijke stem galmde van boven. 'Laatste kans, klootzak. Bekén en we halen je eruit.'

Het zou zo gemakkelijk zijn geweest. Maar het zou een leugen zijn geweest die hem het leven onmogelijk had gemaakt. Zelfs om zich te redden kon Ziggy zichzelf geen moordenaar noemen. 'Je vergist je,' schreeuwde hij met alle kracht die hij in zijn pijnlijke longen had.

Het touw landde op zijn hoofd, de striemende windingen verrassend zwaar. Hij hoorde een laatste smalende lach, toen stilte. Totale, overweldigende stilte. Het zwakke lichtschijnsel van boven verdween. Hij was opgesloten in het donker. Hoe hard hij zijn ogen ook inspande, hij zag helemaal niets. Hij was in volledige duisternis gedompeld.

Voorzichtig bewoog Ziggy zich zijwaarts. Hij had geen idee hoe ver hij van de muren verwijderd was en hij wilde niet met zijn gevoelige gezicht tegen een harde stenen wand aan lopen. Hij herinnerde zich iets gelezen te hebben over blinde witte krabben die zich in een ondergrondse grot hadden ontwikkeld. Ergens op de Canarische Eilanden, dacht hij. Generaties van duisternis hadden ogen overbodig gemaakt. Dat was hij geworden: een blinde witte krab die zich zijwaarts in ondoordringbaarheid bewoog.

De wand kwam sneller dan hij had verwacht. Hij draaide zich ernaartoe en liet zijn vingertoppen over het korrelige zandsteen glijden. Hij vocht om niet in paniek te raken en concentreerde zich op zijn omgeving. De vraag hoe lang hij hier zou zijn, kon hij zichzelf niet toestaan. Hij zou gek worden, instorten, zijn hoofd kapotslaan op het steen als hij aan die mogelijkheid zou denken. Ze zouden hem toch niet laten sterven? Brian Duff misschien, maar hij dacht niet dat zijn vrienden dat risico wilden nemen.

Ziggy draaide zijn rug naar de muur en liet zich langzaam omlaag glijden tot hij op de ijskoude vloer zat. Zijn hele lichaam deed pijn. Hij dacht niet dat er iets gebroken was, maar hij wist nu dat je geen breuken hoefde te hebben om het soort pijn te voelen dat om serieuze pijnbestrijding vroeg.

Hij wist dat hij zich niet kon veroorloven om daar maar te zitten en niets te doen. Zijn lichaam zou verstijven, zijn gewrichten zouden verkrampen als hij niet bleef bewegen. Hij zou doodgaan van de kou bij deze temperaturen als hij zijn bloedsomloop niet op gang zou houden, en hij was niet van plan die barbaarse rotzakken dat genoegen te doen. Hij moest zijn handen los zien te krijgen. Ziggy boog zijn hoofd zo laag mogelijk, ineenkrimpend van de pijn in zijn gekneusde ribben en ruggengraat. Als hij zijn handen zo ver omhoogbracht als het touw toeliet, kon hij net met zijn tanden bij de knoop komen.

Terwijl stille tranen van pijn en zelfmedelijden langs zijn neus stroomden, begon Ziggy aan het belangrijkste gevecht van zijn leven.

16

Toen Alex thuiskwam, was hij verbaasd het huis leeg te vinden. Ziggy had niets gezegd over uitgaan en Alex had aangenomen dat hij van plan was geweest die avond te gaan studeren. Misschien was hij naar een van zijn medestudenten medicijnen gegaan. Misschien was Mondo thuisgekomen en waren ze samen ergens iets gaan drinken. Niet dat hij ongerust was. Het feit dat hij was aangevallen door Cavendish en zijn vrienden hoefde nog niet te betekenen dat Ziggy iets was overkomen.

Alex maakte een kop koffie voor zichzelf klaar en een stapel boterhammen. Hij ging aan de keukentafel zitten, met zijn aantekeningen van het college voor zich. Hij had het altijd lastig gevonden om de Venetiaanse schilders uit elkaar te houden, maar de diavoorstelling van vanavond had bepaalde dingen opgehelderd die hij wilde onthouden. Hij zat in de kantlijn te krabbelen toen Weird opgewekt binnen kwam stormen. 'Ik heb een geweldige avond gehad,' zei hij enthousiast. 'Lloyd heeft een absoluut inspirerende bijbelstudie gedaan over de Brief aan de Efeziërs. Niet te geloven hoeveel hij uit de tekst kan halen.'

'Ik ben blij dat je het leuk hebt gehad,' zei Alex afwezig. Weirds binnenkomsten waren nog net zo dramatisch als voordat hij met de christenen omging. Alex besteedde er allang geen aandacht meer aan.

'Waar is Zig? Aan de studie?'

'Hij is uitgegaan. Ik weet niet waarheen. Als je de ketel wilt opzetten, neem ik nog een koffie.'

Het water was amper aan de kook gekomen toen ze de voordeur hoorden opengaan. Tot hun verbazing was het Mondo die binnenkwam, niet Ziggy. 'Hallo, vreemdeling,' zei Alex. 'Heeft ze je eruit gegooid?'

'Ze zit in een opstelcrisis,' zei Mondo terwijl hij een mok pakte en er wat koffie in deed. 'Als ik was gebleven, had ze me alleen maar wakker gehouden met gezeur erover. Dus besloot ik jullie met mijn aanwezigheid te vereren. Waar is Ziggy?'

'Ik weet het niet. Ben ik mijn broeders hoeder?'

'Genesis hoofdstuk vier, vers negen,' zei Weird zelfingenomen.

'Allemachtig, Weird,' zei Mondo, 'ben je daar nu nog niet overheen?'

'Over Jezus kom je niet heen, Mondo. Ik verwacht niet dat iemand die zo oppervlakkig is als jij dat begrijpt. Wat jij aanbidt zijn valse goden.'

Mondo grijnsde. 'Misschien wel. Maar ze kan geweldig pijpen.'

Alex kreunde. 'Ik kan dit niet meer aanhoren. Ik ga naar bed.' Hij liet hen aan hun gebekvecht over en genoot van de rust van de eigen kamer die hij weer had. Er was niemand gestuurd om de plaatsen van Cavendish en Greenhalgh in te nemen, dus had hij de slaapkamer van Cavendish in bezit genomen. Hij stond stil op de drempel en wierp een blik in de muziekkamer. Hij kon zich niet herinneren wanneer ze voor het laatst samen hadden gespeeld. Tot dit trimester was er nauwelijks een dag voorbijgegaan zonder dat ze een halfuur of langer samen muziek hadden gemaakt. Maar ook dat was verdwenen, samen met de hechte band.

Misschien gebeurde dat altijd als je volwassen werd. Maar Alex vermoedde dat het meer te maken had met de dingen die de dood van Rosie Duff hun had geleerd over zichzelf en elkaar. Het was tot nu toe geen erg stichtelijke tijd geweest. Mondo had zich teruggetrokken in egoïsme en seks; Weird was naar een andere wereld getrokken waarvan zelfs de taal onbegrijpelijk was. Alleen met Ziggy had hij een vertrouwelijke band gehouden. En zelfs die leek nu te verdwijnen zonder een spoor achter te laten. En achter dat alles knaagden wantrouwen en onzekerheid als een dissonant aan hun dagelijks leven. Mondo was degene geweest die de verderfelijke woorden had geuit, maar Alex had al een overvloedig feestmaal bereid voor de worm in de knop.

Aan de ene kant hoopte hij dat de dingen tot rust zouden komen en alles weer normaal zou worden. Aan de andere kant wist hij dat sommige dingen als ze eenmaal stuk zijn gegaan niet meer te lijmen zijn. Toen hij aan lijmen dacht, kwam Lynn hem voor de geest en glimlachte hij. Het komende weekend ging hij naar huis. Ze zouden in Edinburgh naar een film gaan. *Heaven Can Wait*, met Julie Christie en Warren Beatty. Een romantische film leek een goed begin. Het was een stilzwijgende afspraak tussen hen dat ze niet in Kirkcaldy uit zouden gaan. Te veel bewegende tongen die te snel oordeelden.

Hij dacht er wel over het aan Ziggy te vertellen. Hij had dat vanavond willen doen. Maar net als de hemel kon het wachten. Ze gingen tenslotte geen van beiden ergens heen.

Ziggy had alles wat hij bezat willen geven om ergens anders te zijn. Het leek uren geleden dat hij in de kerker was gegooid. Hij was koud tot op het bot. De natte plek in zijn broek voelde ijzig; zijn lul en zijn ballen leken tot kindermaat geslonken. En het was hem nog steeds niet gelukt zijn handen te bevrijden. Er waren krampen door zijn armen en benen gegaan die hem aan het huilen maakten van de ondraaglijke pijn. Maar eindelijk meende hij te voelen dat de knoop begon mee te geven.

Hij zette zijn pijnlijke kaken opnieuw in het nylon touw en bewoog zijn hoofd wrikkend heen en weer. Ja, er zat beslist meer beweging in. Als het niet zo was, was hij blijkbaar zo wanhopig dat hij voortgang hallucineerde. Een ruk naar links en een ruk terug. Hij herhaalde de beweging verscheidene keren. Toen het uiteinde van het touw eindelijk loskrulde en in zijn gezicht sloeg, barstte Ziggy in tranen uit.

Nadat de eerste knoop los was geraakt, volgde de rest gemakkelijk. Ineens waren zijn handen vrij. Gevoelloos, maar vrij. Zijn vingers voelden zo gezwollen en koud als worstjes uit de supermarkt. Hij stopte ze in zijn jas, onder zijn oksels. Axillae, dacht hij, en hij herinnerde zich dat kou een vijand was van het denken doordat de hersenen trager gingen werken. 'Denk anatomisch,' zei hij hardop, en hij herinnerde zich het gegiechel waarmee hij samen met een medestudent gelezen had hoe je een ontwrichte schouder moest zetten. 'Plaats een van een kous voorziene voet in de axilla,' luidde de tekst. 'Travestie voor artsen,' had zijn vriend gezegd. 'Ik moet niet vergeten een zwarte kous in mijn dokterstas te doen voor het geval ik met een ontwrichte schouder te maken krijg.'

Dat was de manier om in leven te blijven, dacht hij. Herinnering en beweging. Nu hij zijn armen weer had om zijn evenwicht te bewaren, kon hij rondlopen. Hij kon joggen op de plaats. Een minuut joggen, twee minuten rust. Wat prima zou zijn als hij zijn horloge kon zien, dacht hij dommig. Voor één keer wou hij dat hij rookte. Dan zou hij lucifers bij zich hebben, een aansteker. Iets om deze vreselijke duisternis te doorbreken. 'Verlies van zintuiglijke waarneming,' zei hij. 'Doorbreek de stilte. Praat tegen jezelf. Zing.'

Zijn handen begonnen te tintelen en zijn gezicht vertrok. Hij haalde ze uit zijn oksels en schudde ze krachtig vanuit de polsen. Hij masseerde ze onhandig door ze tegen elkaar te wrijven en langzaam kwam het gevoel erin terug. Hij raakte de muur aan, blij met de sedimentaire ruwheid van het zandsteen. Hij was bang geworden voor permanente beschadiging doordat het bloed afgesneden was geweest. Zijn vingers waren nog gezwollen en stijf, maar hij kon ze in elk geval weer voelen.

Hij duwde zichzelf overeind en begon zijn voeten op te tillen in een voorzichtige looppas. Hij liet zijn hartslag sneller worden en stopte dan tot hij weer normaal was. Hij dacht aan al die middagen van gymnastiek waaraan hij een bloedhekel had gehad. Sadistische gymleraren en eindeloze trainingen, terreinlopen en rugby. Beweging en herinnering.

Hij zou er levend uitkomen. Toch?

Het werd ochtend en er was geen Ziggy in de keuken. Ongerust nu stak Alex zijn hoofd om Ziggy's deur. Geen Ziggy. Het was moeilijk te zien of hij in zijn bed had geslapen, want Alex betwijfelde dat hij het sinds het begin van het trimester ooit had opgemaakt. Hij ging terug naar de keuken, waar Mondo een grote kom Coco Pops zat te eten. 'Ik maak me ongerust over Ziggy. Ik denk niet dat hij gisteravond thuis is gekomen.'

'Je bent zo'n zeur, Gilly. Heb je eraan gedacht dat hij misschien een potje heeft geneukt?'

'Ik denk dat hij die mogelijkheid zou hebben genoemd.'

Mondo snoof. 'Niet Ziggy. Als hij niet wilde dat je het wist, zou je er nooit achter komen. Hij is niet doorzichtig, zoals jij en ik.'

'Mondo, hoe lang wonen we al samen in dit huis?'

'Drieëneenhalf jaar,' zei Mondo terwijl hij zijn ogen ten hemel sloeg.

'En hoeveel nachten is Ziggy weggebleven?'

'Ik zou het niet weten, Gilly. Voor het geval je het niet gemerkt hebt, ik ben zelf nogal eens van huis. In tegenstelling tot jou heb ik nog een leven buiten deze vier muren.'

'Ik ben niet bepaald een monnik, Mondo, maar voor zover ik weet is Ziggy nog nooit de hele nacht weggebleven. En ik ben ongerust omdat Weird nog niet zo lang geleden in elkaar geslagen is door de broertjes Duff. En gisteren heb ik een aanvaring gehad met Cavendish en zijn conservatieve vriendjes. Stel dat hij in gevecht is geraakt. Stel dat hij in het ziekenhuis ligt.'

'En stel dat hij een potje heeft geneukt. Luister naar jezelf, Gilly, je klinkt als mijn moeder.'

'Stik erin, Mondo.' Alex pakte zijn jas uit de hal en liep naar de deur.

'Waar ga je heen?'

'Ik ga Maclennan bellen. Als die tegen me zegt dat ik net als zijn moeder klink, hou ik verder mijn mond, oké?' Alex gooide met een klap de deur achter zich dicht. Er was nog iets anders waar hij bang voor was, maar dat had hij niet tegen Mondo gezegd. Stel dat Ziggy op pad was gegaan voor seks en gearresteerd was. Dat was het nachtmerriescenario.

Hij ging naar de telefooncellen in het administratiegebouw en belde het politiebureau. Tot zijn verbazing werd hij meteen doorverbonden met Maclennan. 'Met Alex Gilbey, inspecteur,' zei hij. 'Ik weet dat dit waarschijnlijk als een verspilling van uw tijd klinkt, maar ik maak me zorgen over Ziggy Malkiewicz. Hij is vannacht niet thuisgekomen, en dat is voor het eerst...'

'En na wat er met Mackie is gebeurd, voel je je een beetje ongemakkelijk?' maakte Maclennan af.

'Inderdaad.'

'Ben je in Fife Park nu?'

'Ja.'

'Blijf daar. Ik kom eraan.'

Nu de rechercheur hem serieus had genomen, wist Alex niet of hij opgelucht of ongerust moest zijn. Hij liep terug naar huis en vertelde Mondo dat ze een bezoek van de politie konden verwachten.

'Hij zal je daar echt dankbaar voor zijn als hij komt binnenlopen met die 'net-geneukt'-uitdrukking op zijn gezicht,' zei Mondo.

Tegen de tijd dat Maclennan verscheen, had Weird zich bij hen gevoegd. Hij wreef over zijn gevoelige, half genezen neus en zei: 'Ik ben het met Gilly eens. Als Ziggy te pakken is genomen door de broertjes Duff zou hij inmiddels weleens op de intensive care kunnen liggen.'

Maclennan liet Alex precies vertellen wat er de vorige avond was gebeurd. 'En je hebt geen idee waar hij naartoe kan zijn gegaan?'

Alex schudde zijn hoofd. 'Hij heeft niet gezegd dat hij uit zou gaan.'

Maclennan wierp Alex een scherpe blik toe. 'Doet hij aan cruisen, voor zover je weet?'

'Wat is cruisen?' vroeg Weird.

Mondo negeerde hem en keek Maclennan dreigend aan. 'Wat bedoelt u? Noemt u mijn vriend een homo?'

Weird zag er nog verbijsterder uit. 'Wat is cruisen? Hoe bedoel je, homo?'

Woest keerde Mondo zich tot Weird. 'Cruisen is wat flikkers

doen. Ze pikken vreemden op in wc's en hebben seks met ze.' Hij gebaarde met zijn duim naar Maclennan. 'Om de een of andere reden denkt deze diender dat Ziggy een flikker is.'

'Mondo, hou op,' zei Alex. 'We praten hier later wel over.'

De andere twee waren onder de indruk van Alex' plotseling gezaghebbende houding en verbijsterd door deze ontwikkeling. Alex wendde zich weer tot Maclennan. 'Hij gaat soms naar een café in Edinburgh. Hij heeft nooit iets gezegd over hier in St Andrews. Denkt u dat hij gearresteerd is?'

'Ik heb de cellen gecontroleerd voordat ik hierheen kwam. Hij is niet bij ons geweest.' Zijn mobilofoon kwam knetterend tot leven en hij liep de hal in om het gesprek te voeren. Zijn woorden waren in de keuken te horen. 'Het kasteel? Dat meen je niet... Trouwens, ik heb een idee wie dat kan zijn. Stuur de brandweer erheen. Ik zie je daar.'

Hij kwam terug. Hij zag er ongerust uit. 'Hij is misschien gevonden. We hebben een melding gekregen van een van de gidsen van het kasteel. Hij controleert de zaak daar elke ochtend. Hij heeft ons gebeld om te zeggen dat er iemand in de Flessenhals zit.'

'De Flessenhals?' herhaalden ze alle drie in koor.

'Het is een ruimte die uitgehakt is in de rotsen onder een van de torens. In de vorm van een fles. Als je er eenmaal in zit, kun je er niet meer uit. Ik moet erheen om te kijken wat er aan de hand is. Ik zal jullie laten weten wat er gaande is.'

'Nee. Wij gaan mee,' zei Alex. 'Als hij daar de hele nacht heeft vastgezeten, verdient hij het om een vriendelijk gezicht te zien.'

'Het spijt me, jongens. Dat kan niet. Als jullie er zelf heen gaan, mogen jullie erin, daar zorg ik voor. Maar ik wil niet dat jullie in de weg lopen bij een reddingsoperatie.' En hij vertrok.

Zodra de deur dicht was, begon Mondo tegen Alex. 'Wat denk je wel. Ons een beetje de mond snoeren? Cruising?'

Alex wendde zijn blik af. 'Ziggy is homoseksueel,' zei hij.

Weird wierp hem een ongelovige blik toe. 'Nee, dat is niet waar. Hij kan geen homo zijn. We zijn zijn beste vrienden, dat zouden we weten.'

'Ik weet het,' zei Alex. 'Hij heeft het me een paar jaar geleden verteld.'

'Geweldig,' zei Mondo. 'Bedankt dat je die informatie met ons hebt gedeeld, Gilly. Daar gaan we dan met ons "Allen voor één en één voor allen". Wij waren niet goed genoeg om het nieuws aan te vertellen, hè? Jij mag het kennelijk weten, maar wij hebben het recht niet om te horen te krijgen dat onze zogenaamd beste vriend een flikker is.'

Alex keek Mondo aan tot hij zijn ogen neersloeg. 'Nou, te oordelen naar je tolerante en kalme reactie zou ik zeggen dat Ziggy de juiste afweging heeft gemaakt.'

'Je moet je vergissen,' zei Weird koppig. 'Ziggy is geen homo. Hij is normaal. Homo's zijn ziek. Ze zijn walgelijk. Zo is Ziggy niet.'

Ineens had Alex het gehad. Hij werd zelden kwaad, maar als het gebeurde was het een adembenemend schouwspel. Zijn gezicht werd donkerrood en hij sloeg met zijn vlakke hand tegen de muur. 'Hou je mond, allebei. Ik schaam me dat ik jullie vriend ben. Ik wil geen bekrompen woord meer van jullie horen. Ziggy heeft bijna tien jaar voor ons gezorgd. Hij was onze vriend, hij was er altijd voor ons en hij heeft ons nooit in de steek gelaten. Wat maakt het uit dat hij op mannen valt in plaats van op vrouwen? Het kan mij geen moer schelen. Het betekent niet dat hij op mij valt, of op jullie, net zoals ik niet op elke vrouw met een paar tieten val. Het betekent niet dat ik op moet passen in de douche, godallemachtig! Hij is nog steeds dezelfde. Ik hou nog steeds van hem als van een broer. Ik zou nog steeds mijn leven in zijn handen leggen, en dat zouden jullie ook moeten doen. En jij,' voegde hij eraan toe terwijl hij Weird in zijn borst porde, 'jij noemt jezelf een christen? Hoe durf je te oordelen over een man die tien van jou en je Jezusfreaks waard is? Je verdient een vriend als Ziggy niet.' Hij greep zijn jas. 'Ik ga naar het kasteel. En ik wil jullie daar niet zien tenzij je je weet te gedragen, verdomme.'

Toen de deur deze keer werd dichtgegooid, rammelden zelfs de ramen.

Toen Ziggy het zwakke lichtschijnsel zag, dacht hij eerst dat hij weer hallucineerde. Hij was zo nu en dan in een soort ijltoestand geweest en hij wist in zijn heldere momenten genoeg om te beseffen dat hij onderkoeld begon te raken. Hij deed zijn uiterste best om in beweging te blijven, maar lethargie was een moeilijke tegenstander om te verslaan. Van tijd tot tijd was hij verdwaasd op de vloer gezakt en waren zijn gedachten in de vreemdste richtingen gedwaald. Op een gegeven moment dacht hij dat zijn vader bij hem was en met hem praatte over de kansen van de Raith Rovers op promotie. Nou, als dat niet absurd was...

Hij had geen idee hoe lang hij al hier beneden was. Maar toen het zwakke lichtschijnsel verscheen, wist hij wat hij moest doen. Hij sprong op en neer en schreeuwde zo hard als hij kon: 'Help! Help! Ik ben hier beneden. Help me!'

Een lang moment gebeurde er niets. Toen werd het licht pijnlijk fel en schermde Ziggy zijn ogen af. 'Hallo?' galmde het door de schacht en het geluid vulde de ruimte.

'Haal me hier uit!' gilde Ziggy. 'Haal me hier uit, alsjeblieft!'

'Ik ga hulp halen,' riep de stem. 'Als ik de zaklamp laat vallen, kun je hem dan vangen?'

'Wacht,' schreeuwde Ziggy. Hij vertrouwde zijn handen niet. Hij trok zijn jas en zijn trui uit, vouwde ze op en legde ze midden in het zwakke lichtschijnsel. 'Oké, nu kan het,' riep hij omhoog.

Het licht trilde en stuiterde op de muren van de hals en flitste vreemde patronen op zijn geschrokken netvliezen. Ineens spiraalde het uit de schacht en plofte een zware rubberen zaklamp netjes op de zachte schapenvacht. Tranen brandden in Ziggy's ogen, een tegelijkertijd lichamelijke en emotionele reactie. Hij pakte de zaklamp en hield hem als een talisman tegen zijn borst. 'Dank je,' snikte hij. 'Dank je, dank je, dank je.'

'Ik kom zo snel mogelijk terug,' sprak de stem, zachter wordend toen de bezitter ervan wegliep.

Ik kan het nu verdragen, dacht Ziggy. Hij had licht. Hij liet de lichtbundel over de muren spelen. Het ruwe rode zandsteen was hier en daar gladgesleten; het dak en de wanden vertoonden vlekken van roet en talk. Het moest gevoeld hebben als de voorkamer van de hel, voor de gevangenen die daar waren opgesloten. Hij wist in elk geval dat hij bevrijd zou worden, en snel. Maar voor hen moest licht de wanhoop alleen maar hebben versterkt, een bevestiging van de zinloosheid van enige hoop op ontsnapping.

Toen Alex bij het kasteel arriveerde, stonden er twee politiewagens, een brandweerwagen en een ambulance. Bij het zien van de ambulance begon zijn hart te bonzen. Wat was er met Ziggy gebeurd? Hij kon zo naar binnen; Maclennan had zich aan zijn woord gehouden. Een van de brandweerlieden wees hem over het grasachtige binnenplein naar de Zeetoren, waar hij een tafereel van kalme efficiëntie aantrof. De brandweerlieden hadden een draagbare generator opgezet, die krachtige booglichten en een lier van stroom voorzag. Door het gat in het midden van de vloer ging een touw omlaag. Alex huiverde bij de aanblik.

'Het is inderdaad Ziggy die daar zit. Er is net een brandweerman omlaaggegaan in een soort hijstoestel. Zo'n soort broek aan een touw, als je weet wat ik bedoel?' zei Maclennan.

'Ik denk het wel. Wat is er gebeurd?'

Maclennan haalde zijn schouders op. 'Dat weten we nog niet.'

Terwijl hij sprak, klonk er een zwakke stem van beneden. 'Hijs maar op.'

De brandweerman bij de lier drukte op een knop en de machinerie kwam gierend in werking. Het touw rolde om een haspel, centimeter voor kwellende centimeter. Het leek eindeloos te duren. Toen kwam Ziggy's vertrouwde hoofd in zicht. Hij zag er vreselijk uit. Zijn gezicht was besmeurd met bloed en vuil. Een oog was gezwollen en blauw, een lip was gescheurd en zat onder een korst van bloed. Hij knipperde tegen het licht, maar zodra hij beter kon zien en Alex ontwaarde, wist hij een glimlach te voorschijn te brengen. 'Hé, Gilly,' zei hij. 'Aardig van je om langs te komen.'

Toen zijn bovenlichaam uit de trechter was, trokken bereidwillige handen hem er verder uit en hielpen hem uit de canvas draagbroek. Ziggy wankelde, gedesoriënteerd en uitgeput. Impulsief rende Alex naar hem toe en nam zijn vriend in zijn armen. Hij rook de scherpe lucht van zweet en urine, en daarbij de grondachtige geur van modder. 'Het is goed nu,' zei Alex terwijl hij hem stevig vasthield. 'Het is goed nu.'

Ziggy klemde zich aan hem vast alsof zijn leven ervan afhing. 'Ik was bang dat ik dood zou gaan daar beneden,' fluisterde hij. 'Ik kon het mezelf niet toestaan om zo te denken, maar ik was zo bang dat ik dood zou gaan.'

17

Maclennan stormde het ziekenhuis uit. Toen hij bij de auto kwam, gaf hij een klap met zijn handen op het dak. Deze zaak was een nachtmerrie. Niets was goed gegaan sinds de nacht waarin Rosie Duff was gestorven. En nu had hij een slachtoffer van ontvoering, mishandeling en opsluiting dat weigerde een verklaring over zijn aanvallers af te leggen. Volgens Ziggy was hij te pakken genomen door drie mannen. Het was donker, hij had ze niet goed kunnen zien. Hij had hun stemmen niet herkend en ze hadden elkaar niet bij een naam genoemd. En zonder er enige reden voor te hebben, hadden ze hem in de Flessenhals opgesloten. Maclennan had gedreigd hem te arresteren wegens belemmering van de rechtsgang, maar een bleke en vermoeide Ziggy had hem recht in zijn ogen gekeken en gezegd: 'Hoe kan ik u in uw werk belemmeren als ik u niet vraag een onderzoek in te stellen? Het was een grap die uit de hand liep, dat is alles.'

Hij wrikte het portier open en liet zich in de auto vallen. Janice Hogg, die achter het stuur zat, keek hem vragend aan.

'Hij zegt dat het een uit de hand gelopen grap was. Hij wil geen verklaring afleggen. Hij weet niet wie het gedaan heeft.'

'Brian Duff,' zei Janice resoluut.

'Waarom denk je dat?'

'Terwijl u binnen was en wachtte tot Malkiewicz onderzocht was, heb ik wat geïnformeerd. Duff en zijn twee boezemvrienden zaten gisteravond in de haven te drinken. Niet ver van het kasteel. Rond halftien zijn ze weggegaan. Volgens de cafébaas zagen ze eruit alsof ze iets van plan waren.'

'Goed gedaan, Janice. Maar dat is nog geen bewijs.'

'Waarom denkt u dat Malkiewicz geen verklaring wil afleggen? Denkt u dat hij bang is voor vergelding?'

Maclennan zuchtte. 'Niet het soort vergelding dat jij bedoelt. Ik denk dat hij aan het cruisen was bij de kerk. Hij is bang dat Duff en zijn maten, als hij ze aanklaagt, voor de rechtbank zullen verklaren dat Ziggy Malkiewicz een flikker is. De jongen wil arts worden. Als dat zou gebeuren, kan hij het wel vergeten. God, ik haat deze zaak. Wat ik ook probeer, het gaat nergens heen.'

'U zou Duff onder druk kunnen zetten.'

'Waarmee?'

'Dat weet ik niet. Maar het lucht misschien een beetje op.'

Maclennan keek Janice verbaasd aan. Toen grinnikte hij. 'Je hebt gelijk, Janice. Malkiewicz mag dan nog een verdachte zijn, maar als iemand hem ervan langs geeft, zouden wij dat moeten zijn. We gaan naar Guardbridge. Het is lang geleden dat ik in de papierfabriek was.'

Brian Duff stapte het kantoor van de bedrijfsleider binnen met de hanige houding van een man die denkt dat hij de sleutels van het koninkrijk heeft. Hij leunde tegen de muur en wierp Maclennan een arrogante blik toe. 'Ik houd er niet van om van mijn werk te worden gehaald,' zei hij.

'Hou je bek, Brian,' zei Maclennan minachtend.

'Zo praat u niet tegen een burger, inspecteur.'

'Ik praat niet tegen een burger. Ik praat tegen een stuk ongedierte. Ik weet wat jij en je imbeciele makkers gisteravond hebben gedaan, Brian. En ik weet dat je denkt dat je er ongestraft van afkomt door wat je weet van Ziggy Malkiewicz. Nou, ik kom je vertellen dat het anders is.' Hij bewoog zich dichter naar Duff toe en stond nu vlak voor hem. 'Van nu af aan, Brian, houden we jou en je broer in de gaten. Als je een kilometer over de maximumsnelheid gaat op die motor van je, word je aangehouden. Als je één glas te veel drinkt, moet je blazen. Als je ook nog maar in de buurt komt van een van die vier jongens, word je gearresteerd. En met jouw strafblad betekent dat dat je weer moet zitten. En deze keer zal dat heel wat langer dan drie maanden zijn.' Maclennan zweeg even om adem te halen.

'Dat is politiepesterij,' zei Brian, wiens zelfvoldaanheid nauwelijks was aangetast.

'Nee, dat is het niet. Politiepesterij is als je per ongeluk van de trap valt op weg naar je cel. Als je struikelt en tegen de muur knalt en je neus breekt.' Met een razendsnelle beweging schoot Maclennans hand uit en greep Duff in zijn kruis. Hij kneep zo hard als hij kon en maakte toen een scherpe draai met zijn pols.

Duff gilde en werd lijkbleek. Maclennan liet hem los en stapte tevreden achteruit. Vloeken spugend klapte Duff dubbel. 'Dát is politiepesterij, Brian. Wen er maar aan.' Maclennan rukte de deur open. 'O hemel, Brian is per ongeluk tegen het bureau gelopen en heeft zich pijn gedaan,' zei hij tegen de geschrokken secretaresse in de andere kamer. Glimlachend liep hij langs haar heen de deur uit en het koude zonlicht in. Hij stapte in de auto.

'Je had gelijk, Janice. Ik voel me een stuk beter nu,' zei hij met een brede glimlach.

In het kleine huis in Fife Park werd die dag niet gestudeerd. Mondo en Weird hingen wat rond in de muziekkamer, maar gitaar en drums maakt geen geweldige combo en Alex was duidelijk niet van plan om mee te doen. Hij lag op zijn bed en probeerde op een rijtje te krijgen wat hij voelde over wat er met hen allemaal was gebeurd. Hij had zich altijd afgevraagd waarom Ziggy zijn geheim niet met de andere twee had willen delen. Diep vanbinnen geloofde Alex dat ze het zouden accepteren omdat ze Ziggy te goed kenden om dat niet te doen. Maar hij had de kracht van het voorspelbare vooroordeel onderschat. Wat hun reactie zei over zijn vrienden stond hem niet aan. En dat trok zijn eigen beoordelingsvermogen in twijfel. Waar was hij mee bezig om zoveel tijd en energie te investeren in mensen die, in feite, net zo kleingeestig waren als tuig van de richel als Brian Duff? Op weg naar de ambulance had Ziggy in Alex' oor gefluisterd wat er was gebeurd. De gedachte dat zijn vrienden net zo bevooroordeeld waren, beangstigde Alex.

Oké, Weird en Mondo zouden niet op een avond aan het potenrammen gaan omdat ze niets beters te doen hadden. Maar niet iedereen in Berlijn had deelgenomen aan het geweld in de Kristallnacht. En iedereen wist waar dat toe had geleid. Door dezelfde intolerante ideeën te hebben, gaf je stilzwijgend steun aan de extremisten. Kwaad kan alleen overwinnen, herinnerde Alex zich, als goede mensen niets doen.

Hij kon Weird bijna begrijpen. Hij had zich ingegraven met een stel fundamentalisten die eisten dat je de hele doctrine slikte. Je kon de dingen die je daarin niet bevielen niet zomaar afwijzen.

Maar voor Mondo was geen excuus te bedenken. Zoals Alex zich nu voelde, wilde hij niet eens met hem aan dezelfde tafel zitten.

Het begon allemaal uit elkaar te vallen en hij wist niet hoe hij dat kon tegenhouden.

Hij hoorde de voordeur opengaan en was binnen enkele seconden van zijn bed en de trap af. Ziggy stond tegen de muur geleund, een beverig glimlachje op zijn gezicht. 'Hoor jij niet in het ziekenhuis te zijn?' vroeg Alex.

'Ze wilden me houden voor observatie. Maar dat kan ik zelf wel. Dan hoef ik ook geen bed in beslag te nemen.'

Alex hielp hem naar de keuken en zette een ketel water op. 'Ik dacht dat je onderkoeld was?'

'Niet erg. Ik had geen bevriezingsverschijnselen of zoiets. Ze hebben mijn lichaamstemperatuur weer op peil gekregen, dus dat is goed. Ik heb niets gebroken, alleen kneuzingen. Ik plas geen bloed, dus mijn nieren zijn in orde. Ik lig liever in mijn eigen bed pijn te lijden dan dat ik aan alle kanten betast word door artsen en verpleegsters die grappen maken over dokters die zichzelf niet kunnen genezen.'

Er klonken voetstappen op de trap en Mondo en Weird verschenen in de deuropening. Ze zagen er schaapachtig uit. 'Hé, goed je weer te zien,' zei Weird.

'Ja,' zei Mondo instemmend. 'Wat is er in godsnaam gebeurd?'

'Ze weten het, Ziggy,' zei Alex.

'Heb je het hun verteld?' De beschuldiging kwam er eerder vermoeid dan boos uit.

'Maclennan heeft het ons verteld,' zei Mondo scherp. 'Alex heeft het alleen maar bevestigd.'

'Oké,' zei Ziggy. 'Ik geloof niet dat Duff en zijn primitieve maten speciaal naar mij op zoek waren. Ik denk dat ze gewoon een potje potenrammen wilden doen en toen per ongeluk mij en die andere vent bij de Mariakerk aantroffen.'

'Had je seks in de kerk?' Weird klonk ontzet.

'Het is een ruïne,' zei Alex. 'Niet bepaald gewijde grond.' Weird leek nog meer te willen zeggen, maar de uitdrukking op Alex' gezicht weerhield hem ervan.

'Je had in de vrieskou in de open lucht seks met een volkomen vreemde?' Mondo sprak met een mengeling van walging en minachting.

Ziggy wierp hem een lange, peinzende blik toe. 'Had je liever gehad dat ik hem hier mee naartoe had genomen?' Mondo zei niets. 'Nee, dat dacht ik al. In tegenstelling tot de stroom van vreemde vrouwen die jullie ons regelmatig opdringen.'

'Dat is anders,' zei Mondo terwijl hij van zijn ene voet op de andere wipte.

'Waarom?'

'Nou, om te beginnen is het niet onwettig,' zei hij.

'Bedankt voor je steun, Mondo.' Ziggy ging staan, langzaam en voorzichtig als een oude man. 'Ik ga naar bed.'

'Je hebt ons nog niet verteld wat er gebeurd is,' zei Weird, die de sfeer weer eens goed aanvoelde.

'Toen ze doorhadden dat ik het was, wilde Duff dat ik zou bekennen. Toen ik dat niet deed, hebben ze me gekneveld en in de Flessenhals laten zakken. Het was niet de prettigste nacht van mijn leven. Nou, als jullie mij willen verontschuldigen.'

Mondo en Weird stapten opzij om hem door te laten. De trap was te smal voor twee personen, dus bood Alex niet aan te helpen. Hij dacht ook niet dat Ziggy op dit moment hulp zou accepteren, zelfs niet van hem. 'Waarom trekken jullie niet gewoon in bij de mensen bij wie je je thuisvoelt?' zei Alex terwijl hij langs hen heen liep. 'Ik ga naar de bibliotheek. Het zou heel prettig zijn als jullie tweeën verdwenen waren wanneer ik terugkom.'

Er gingen een paar weken voorbij in wat nog het meest leek op een ongemakkelijke wapenstilstand. Weird bracht het grootste deel van zijn tijd door in de bibliotheek en met zijn evangelische vrienden. Ziggy leek met de genezing van zijn lichamelijke kwetsuren zijn koelbloedigheid te herwinnen, maar Alex merkte dat hij wanneer het donker werd liever niet alleen was. Alex stortte zich op zijn studie, maar zorgde ervoor in de buurt te zijn als Ziggy gezelschap nodig had. Hij ging voor een weekend naar Kirkcaldy en nam Lynn mee uit naar Edinburgh. Ze aten in een klein Italiaans restaurant met een vrolijke inrichting en gingen naar de film. Ze liepen het hele eind van het station naar haar huis, een wandeling van vijf kilometer aan de andere kant van de stad. Toen ze de weg afsneden door een groep bomen die Dunnikier Estate aan het zicht van de weg onttrok, trok ze hem in de schaduw en kuste hem alsof haar leven ervan afhing. Hij was zingend naar huis gelopen.

Degene die het meest getroffen leek door de gebeurtenissen was, paradoxaal genoeg, Mondo. Het verhaal over de aanval op Ziggy verspreidde zich als een lopend vuurtje over de universiteit. In de publieke versie van het verhaal kwam het eerste deel gelukkig niet voor, dus bleef zijn privacy bewaard. Maar een behoorlijke meerderheid sprak over hen alsof ze verdachten waren, alsof er een soort gerechtigheid zat in wat Ziggy was overkomen. Ze waren paria's geworden.

Mondo's vriendin liet hem zonder plichtplegingen vallen. Ze maakte zich zorgen om haar reputatie, zei ze. Hij vond ook niet gemakkelijk een nieuwe vriendin. Meisjes keken hem niet meer aan. Ze ontweken hem wanneer hij in cafés of disco's met ze wilde praten.

Ook zijn medestudenten Frans maakten duidelijk dat ze niet meer met hem wilden omgaan. Hij was geïsoleerd op een manier die voor geen van de anderen gold. Weird had zijn christenen; Ziggy's medestudenten stonden stevig aan zijn zijde; Alex kon het geen moer schelen wat anderen dachten: hij had Ziggy en, hoewel Mondo dat niet wist, hij had Lynn.

Mondo had zich afgevraagd of hij nog een troef in handen had, maar hij durfde er niet mee voor de dag te komen voor het geval het een joker bleek te zijn. Het was niet bepaald gemakkelijk om de persoon die hij wilde spreken te pakken te krijgen, en tot nu toe was het hem niet gelukt contact te leggen. Hij slaagde er zelfs niet in om het als wederzijds eigenbelang te brengen. Want hij had zichzelf ervan overtuigd dat dat het was. Geen chantage. Alleen een beetje wederkerige steun. Maar zelfs dat was niet mogelijk. Hij was echt een totale mislukkeling; alles wat hij probeerde ging fout.

De wereld had aan zijn voeten gelegen en nu proefde Mondo alleen nog zand. Hij was emotioneel altijd de meest kwetsbare van de vier geweest, en zonder hun steun bleef er niets van hem over. Depressie kwam als een zware deken die de buitenwereld wegnam. Hij liep zelfs als een man met een last op zijn schouders. Hij kon niet studeren, hij kon niet slapen. Hij douchte en schoor zich niet meer en trok slechts af en toe schone kleren aan. Hij lag eindeloos lang op zijn bed naar het plafond te staren en naar banden van Pink Floyd te luisteren. Hij ging naar cafés waar niemand hem kende en zat daar somber te drinken. Daarna wankelde hij naar buiten en zwierf de halve nacht door de stad.

Diep in zijn hart gaf hij Ziggy, Weird en Alex de schuld van wat hem was overkomen, en hij wilde niet wat hij zag als hun medelijden. Dat zou de ultieme belediging zijn. Hij wilde echte vrienden die hem waardeerden, niet mensen die medelijden met hem hadden. Hij wilde vrienden die hij kon vertrouwen, niet mensen bij wie hij zich moest afvragen welke gevolgen zijn omgang met hen voor hem zou kunnen hebben.

Op een middag bracht zijn cafébezoek hem naar een klein hotel aan The Scores. Hij sjokte naar de bar en vroeg met dubbele tong om een glas bier. De barkeeper keek hem met nauwelijks verholen minachting aan en zei: 'Het spijt me, vriend. Je krijgt niets.'

'Wat bedoelt u dat ik niets krijg.'

'Dit is een fatsoenlijke zaak, en jij ziet eruit als een zwerver. Ik heb het recht om bediening te weigeren aan iemand die ik hier niet binnen wil hebben.' Hij wees met zijn duim naar een bordje bij de kassa dat zijn woorden bevestigde. 'Ga fietsen', stond er.

Mondo staarde hem ongelovig aan. Hij keek om zich heen, op zoek naar steun van andere klanten. Maar iedereen ontweek bestudeerd zijn ogen. 'Krijg de klere, makker,' zei hij. Hij smeet een asbak op de vloer en stormde naar buiten.

In de korte tijd die hij binnen was geweest, was de zware regen die de hele dag al gedreigd had te komen, losgebroken boven de stad en geselde de straten met de kracht van een harde oostenwind. Binnen de kortste keren was hij tot op de huid doorweekt. Mondo streek de regen van zijn gezicht en besefte dat hij huilde. Hij had er genoeg van. Hij kon geen dag van ellende en zinloosheid meer aan. Hij had geen vrienden, vrouwen verachtten hem en hij wist dat hij zijn examen niet zou halen, want hij had er niet voor gestudeerd. Het kon niemand iets schelen, want niemand begreep het.

Dronken en diep in de put strompelde hij over The Scores naar het kasteel. Hij was het zat. Hij zou ze eens wat laten zien. Hij zou ze laten zien wat hij ervan vond. Hij klom over het hek langs het voetpad en stond wankelend op de rand van de rots. Onder hem sloeg de zee woest op de rotsen en stuurde een fontein van schuim de lucht in. Mondo ademde de zoute nevel in en voelde zich merkwaardig vredig terwijl hij omlaag keek naar het kolkende water.

Hij spreidde zijn armen wijd, hief zijn gezicht op naar de regen en gilde zijn pijn uit naar de hemel.

18

Maclennan liep langs de meldkamer toen de melding kwam. Een zelfmoordpoging op de rotsen boven Castle Sands. Niet echt iets voor de recherche, en bovendien was het zijn vrije dag. Hij was alleen naar het bureau gegaan om wat papierwerk te doen. Hij kon doorlopen, de deur uit, over tien minuten thuis zijn, met een blikje bier in zijn hand en de sportpagina's open op zijn schoot. Net als bijna elke vrije dag sinds Elaine was vertrokken.

Het lukte niet.

Hij stak zijn hoofd om de hoek van de deur. 'Zeg maar dat ik onderweg ben,' zei hij. 'En laat de reddingsboot komen uit Anstruther.'

De telefonist keek hem verbaasd aan, maar stak toen zijn duim op. Maclennan liep naar het parkeerterrein. God, wat was het een rotdag. Dat verdomde weer alleen al was genoeg om zelfmoordneigingen te krijgen. Hij reed naar de plaats waar het gebeurde. De ruitenwissers konden de voorruit nauwelijks schoon krijgen tussen de regenvlagen door.

De klippen waren een favoriete plek voor zelfmoordenaars. Meestal lukte hun poging als het tij goed was. Er was een gemene onderstroom die de argelozen binnen een paar minuten naar de zee sleepte. En niemand hield het lang vol in de Noordzee in de winter. Er waren ook enkele spectaculaire mislukkingen geweest. Hij herinnerde zich een conciërge van een van de plaatselijke basisscholen, die een volledig verkeerde tijd voor zijn poging had gekozen. Hij had de rotsen helemaal gemist, was in een halve meter water terechtgekomen en op het zand geslagen. Hij had beide enkels gebroken en schaamde zich zo voor de lachwekkende mislukking dat hij de dag waarop hij uit het ziekenhuis werd ontslagen de bus naar Leuchars nam, op zijn krukken langs de spoorbaan strompelde en zich voor de sneltrein naar Aberdeen gooide.

Vandaag zou dat echter niet gebeuren. Maclennan was er behoorlijk zeker van dat het vloed was en de oostenwind zou de zee tot een beukende draaikolk onder de rotsen zwiepen. Hij hoopte dat ze er op tijd zouden zijn.

Er stond al een Panda toen hij arriveerde. Janice Hogg en een andere agent stonden onzeker bij de lage reling naar een jongeman te kijken, die met zijn armen gespreid als Jezus aan het kruis tegen de wind in leunde. 'Wat staan jullie daar,' zei Maclennan terwijl hij zijn kraag opzette tegen de regen. 'Er is een reddingsboei verderop. Zo een met een touw eraan. Haal hem, nu.'

De agent rende in de richting waarin Maclennan had gewezen. Maclennan stapte over de reling en liep een paar passen vooruit. 'Hallo, jongen,' zei hij vriendelijk.

De jongeman keek om en Maclennan besefte dat het Davey Kerr was. Een dronken en geruïneerde Davey Kerr, dat was duidelijk. Maar hij kon zich niet vergissen in dat ondeugende gezicht, die angstige Bambi-ogen. 'U bent te laat,' zei hij wankelend en met dubbele tong.

'Het is nooit te laat,' zei Maclennan. 'Wat er ook mis mag zijn, we kunnen het weer in orde maken.'

Mondo draaide zich om naar Maclennan. Zijn armen vielen langs zijn zij. 'In orde maken?' Zijn ogen schoten vuur. 'Jullie hebben die hele zaak op gang gebracht. Dankzij jullie denkt iedereen dat ik een moordenaar ben. Ik heb geen vrienden meer. Ik heb geen toekomst meer.'

'Natuurlijk heb je vrienden. Alex, Ziggy, Tom. Dat zijn je vrienden.' De wind loeide en de regen sloeg in zijn gezicht, maar Maclennan was zich alleen bewust van het angstige gezicht voor hem.

'Mooie vrienden. Ze willen me niet omdat ik de waarheid zeg.' Mondo's hand ging omhoog naar zijn mond en hij kauwde op een nagel. 'Ze haten me.'

'Dat denk ik niet.' Maclennan deed nog een stapje naar hem toe. Nog een kleine meter en hij zou hem kunnen pakken.

'Niet dichterbij. Blijf daar staan. Dit is mijn zaak. Niet die van u.'

'Denk na over wat je hier doet, Davey. Denk aan de mensen die van je houden. Dit zal verschrikkelijk zijn voor je ouders.'

Mondo schudde zijn hoofd. 'Ze geven niets om me. Ze hebben

altijd meer van mijn zusje gehouden.'

'Vertel me wat je dwarszit.' *Houd hem aan de praat, houd hem in leven*, hield Maclennan zichzelf voor. Laat dit niet de volgende vreselijke mislukking worden.

'Bent u doof, soms? Dat heb ik al verteld,' schreeuwde Mondo met een gezicht dat een grimas was van pijn. 'Jullie hebben mijn leven kapotgemaakt.'

'Dat is niet waar. Je hebt een geweldige toekomst.'

'Niet meer.' Hij spreidde zijn armen weer uit als vleugels. 'Niemand begrijpt wat ik doormaak.'

'Zorg er dan voor dat ik het begrijp.' Maclennan bewoog zich voorzichtig naar voren. Mondo probeerde opzij te stappen, maar zijn onvaste voeten gleden weg op het natte, dunne gras. Zijn gezicht was een masker van schrik en afschuw. In een verschrikkelijke pantomimische radslag worstelde hij met de zwaartekracht. Een paar lange seconden leek het hem te lukken. Toen gleden zijn voeten onder hem vandaan en verdween hij in één schokkende seconde uit het gezicht.

Maclennan dook naar voren, maar veel te laat. Hij wankelde op de rand, maar de wind hielp hem en hield hem tegen tot hij zijn evenwicht had hervonden. Hij keek omlaag. Hij dacht de plons te horen. Toen zag hij Mondo's bleke gezicht door een opening in het witte schuim op het water. Hij draaide zich om toen Janice en de andere agent hem bereikten. Er stopte een andere politiewagen, waaruit Jimmy Lawson en nog twee agenten kwamen. 'De reddingsboei,' schreeuwde Maclennan. 'Houd het touw goed vast.'

Hij was al bezig zijn jas, zijn colbertje en zijn schoenen uit te trekken. Maclennan pakte de reddingsboei en keek weer omlaag. Deze keer zag hij een arm, die zwart afstak tegen het schuim. Hij haalde diep adem en wierp zich de ruimte in.

De val was adembenemend. Gebeukt door de wind, voelde Maclennan zich gewichtloos en onbetekenend. Het was in enkele seconden voorbij. Hij klapte op het water alsof hij op de grond klapte. Het benam hem de adem. Hijgend en mondenvol ijskoud zout water slikkend, vocht Maclennan zich naar de oppervlakte. Hij zag niets anders dan water, nevel en schuim. Hij trapte met zijn benen en probeerde zich te oriënteren.

Toen ving hij, in een golfdal, een glimp van Mondo op. De jongen was een paar meter verder, links van hem. Maclennan vocht zich naar Mondo toe, maar werd gehinderd door de reddingsboei om zijn arm. De zee tilde hem op, gooide hem weer omlaag en droeg hem recht naar Mondo. Hij greep hem bij zijn kraag.

Mondo zwaaide woest met zijn armen. Aanvankelijk dacht Maclennan dat hij zich uit zijn greep wilde bevrijden om zich te verdrinken. Maar toen begreep hij dat Mondo met hem vocht om de reddingsboei. Maclennan wist dat hij hem uiteindelijk niet zou kunnen vasthouden. Hij liet de reddingsboei los, maar wist zich aan Mondo vast te houden.

Mondo pakte de reddingsboei. Hij stak zijn ene arm erdoorheen en probeerde hem over zijn hoofd te trekken. Maar Maclennan wist dat zijn leven ervan afhing en hield nog steeds zijn kraag vast. Er zat maar één ding op. Mondo stootte met zijn vrije elleboog zo hard als hij kon naar achteren. Ineens was hij vrij.

Hij trok de reddingsboei om zijn lichaam en probeerde wanhopig te ademen in de verzadigde lucht. Achter hem worstelde Maclennan zich dichterbij en wist op de een of andere manier het touw te grijpen dat aan de reddingsboei zat. Het was een bovenmenselijke inspanning door zijn met water doorweekte kleren. De kou begon nu vat op Maclennan te krijgen. Zijn vingers werden gevoelloos. Hij klemde zich met zijn ene arm vast aan het touw en zwaaide met de andere boven zijn hoofd om het team op de rots te laten weten dat ze hen omhoog moesten trekken.

Hij voelde dat er aan het touw werd getrokken. Zouden vijf mensen genoeg zijn om hen beiden op de rotsen te trekken? Had iemand het benul gehad om een boot uit de haven hierheen te halen? Ze zouden allang dood zijn van de kou voordat de reddingsboot uit Anstruther er zou zijn.

Ze kwamen dichter bij de rotsen. Even was Maclennan zich bewust van de opwaartse druk van het water. Toen voelde hij alleen nog dat hij uit het water werd getrokken, en hij klemde zich vast aan de reddingsboei en Mondo. Hij keek omhoog en zag dankbaar het bleke gezicht van de eerste man aan het touw, dat wazig was door de regen en de nevel.

Ze waren anderhalve meter omhooggetrokken toen Mondo, als de dood dat Maclennan hem mee terug zou trekken in de draaikolk, naar achteren trapte. Maclennans vingers gaven het gevecht op. Hij plonsde hulpeloos terug in het water. Opnieuw ging hij onder, opnieuw vocht hij zich naar de oppervlakte. Hij zag Mondo langzaam langs de rotshelling omhooggaan. Hij kon het niet geloven. De rotzak had hem weggeschopt om zichzelf te redden. Hij had helemaal geen zelfmoord willen plegen. Hij had gewoon aandacht willen trekken.

Maclennan spuugde weer een mondvol water uit. Hij was vastbesloten om het nu vol te houden, al was het alleen maar om Davey Kerr te laten wensen dat hij verdronken was. Het enige dat hij moest doen was zijn hoofd boven water houden. Ze zouden de reddingsboei naar hem toe gooien. Ze zouden een boot sturen. Toch?

Zijn kracht nam snel af. Hij kon niet meer tegen het water vechten, dus liet hij zich meevoeren. Hij zou zich concentreren op zijn gezicht, om dat boven water te houden.

Gemakkelijker gezegd dan gedaan. De onderstroom zoog aan hem. De deining smakte zwarte muren van water in zijn mond en neus. Hij had het niet koud meer, wat prettig was. Vaag hoorde hij het zoef-zoef van een helikopter. Hij zweefde nu naar een plaats waar alles heel kalm was. Een reddingshelikopter, dat moest het geluid zijn dat hij hoorde. *Swing low, sweet chariot. Coming for to carry me home. Gek, de dingen waar je aan denkt.* Hij giechelde en slikte weer een mondvol water door.

Hij voelde zich heel licht nu, de zee was als een bed dat hem zachtjes in slaap wiegde. Barney Maclennan, slapend op de golven.

De schijnwerper van de helikopter streek een uur lang over de zee. Niets. De moordenaar van Rosie Duff had een tweede slachtoffer geëist.

DEEL TWEE

19

November 2003, Glenrothes, Schotland

Adjunct-hoofdcommissaris James Lawson reed zijn auto zachtjes de parkeerplaats op die zijn naam droeg op het parkeerterrein van het hoofdbureau van politie. Geen dag ging voorbij zonder dat hij zichzelf feliciteerde met wat hij bereikt had. Niet slecht voor de onwettige zoon van een mijnwerker die opgegroeid was in een benauwde huurflat in een troosteloze wijk die opgetrokken was in de jaren vijftig om werkloze arbeiders te huisvesten wier enige kans op een baan de zich uitbreidende mijnen van Fife waren. Wat een grap was dat geweest. Nog geen vijfentwintig jaar later was die industrie volledig ineengezakt en zaten de voormalige werknemers vast in lelijke oases van werkloosheid. Zijn vrienden hadden hem allemaal uitgelachen toen hij de mijnen de rug toekeerde om zich, zoals zij het zagen, aan de kant van de bazen te scharen. Wie het laatst lachte, lachte het best, dacht Lawson met een grimmig glimlachje, terwijl hij de sleutel uit het contact van zijn ambts-Rover trok. Thatcher had de mijnbouw om zeep geholpen en de politie tot haar persoonlijke Leger naar Nieuw Model gemaakt. Links was dood, en de feniks die uit zijn as was herrezen, hield bijna net zoveel van machtsvertoon als de Tories. Het was een goede tijd geweest om carrière bij de politie te maken. Zijn pensioen zou daarvan getuigen.

Hij pakte zijn aktetas van de passagiersstoel en liep kordaat naar het gebouw, zijn hoofd gebogen tegen een bittere oostenwind die hevige regenbuien beloofde voordat de ochtend voorbij zou zijn. Hij tikte zijn veiligheidscode in het toetsenpaneeltje bij de achterdeur en liep naar de lift. In plaats van rechtstreeks naar zijn kantoor te gaan, liep hij naar de vierde verdieping waar het team voor onopgeloste zaken een kamer had. In de boeken van Fife waren niet veel onopgeloste moorden te vinden, dus elk succes zou als spectaculair worden beschouwd. Lawson wist dat deze operatie zijn naam bekender kon maken als hij goed werd afgehandeld. Hij was vastbesloten er geen knoeiwerk van te maken. Dat konden ze zich geen van allen veroorloven.

De kamer die hij voor het team had gevraagd, was redelijk groot. Er was ruimte voor een stuk of vijf computers, en er kwam weliswaar geen daglicht binnen, maar dat betekende dat er genoeg plaats aan de muren was om alle lopende zaken daar op grote kurkborden uit te stallen. Naast elke zaak hing een geprinte lijst van dingen die moesten worden gedaan. Terwijl de politiemensen deze taken uitvoerden, werden nieuwe, met de hand geschreven punten aan de lijsten toegevoegd. Dozen met dossiermappen stonden tot ruim een meter hoog langs twee van de muren. Lawson wilde de voortgang graag nauwkeurig volgen; hoewel dit een belangrijke zaak was, was er een strak budget. De meeste nieuwe forensische onderzoeken waren duur. Hij was vastbesloten om zijn mensen niet toe te staan zich zo te laten verleiden door de glamour van de nieuwe technologie dat al hun middelen naar laboratoriumrekeningen zouden gaan en er geen geld meer over zou zijn voor het gewone routinewerk.

Met één uitzondering had Lawson het team van vijf rechercheurs zelf uitgezocht, waarbij hij gekozen had voor mensen die bekendstonden om hun nauwgezette aandacht voor details en die de intelligentie hadden om verbanden te leggen tussen afzonderlijke stukken informatie. De uitzondering was een rechercheur wiens aanwezigheid in de kamer Lawson zorgen baarde. Niet omdat hij geen goede politieman zou zijn, maar omdat er te veel voor hem op het spel stond. Inspecteur Robin Maclennans broer Barney was gestorven tijdens het onderzoek van een van de onopgeloste zaken, en als het aan Lawson had gelegen, had hij ver uit de buurt van het heropende onderzoek moeten blijven. Maar Maclennan had achter zijn rug om een verzoek ingediend bij de hoofdcommissaris, die Lawsons bezwaar terzijde had geschoven.

Wat hem wel gelukt was, was Maclennan weg te houden van de zaak Rosie Duff zelf. Na de dood van Barney was Robin weggegaan uit Fife en overgeplaatst naar het zuiden. Hij was pas teruggekomen na de dood van zijn vader in het afgelopen jaar omdat hij de laatste jaren voor zijn pensioen in de buurt van zijn moeder wilde werken. Toevallig was Maclennan nauw betrokken geweest bij een van de andere onopgeloste zaken, dus had Lawson zijn baas overgehaald om hem de rechercheur op de zaak Lesley Cameron te laten zetten, een studente die achttien jaar geleden in St Andrews was verkracht en vermoord. Robin Maclennan was indertijd niet ver van haar ouders gestationeerd geweest en had als contactpersoon gefunctioneerd met Lesleys familie, waarschijnlijk vanwege zijn connecties met het korps van Fife. Waarschijnlijk, dacht Lawson, zou Maclennan wel over de schouder meekijken van de rechercheur die op de Rosie Duff-zaak was gezet, maar zijn persoonlijke gevoelens konden dat onderzoek in elk geval niet direct beïnvloeden.

Die ochtend in november zaten maar twee rechercheurs aan hun bureau. Phil Parhatka had de zaak onder zich die waarschijnlijk het meest gevoelig was. Het slachtoffer was een jongeman die vermoord in zijn huis was gevonden. Zijn beste vriend was beschuldigd van de moord en ervoor veroordeeld, maar een serie beschamende onthullingen over het onderzoek van de politie had ertoe geleid dat de man in hoger beroep was vrijgesproken. De repercussies hadden verscheidene carrières om zeep geholpen en nu stonden ze onder druk om de echte moordenaar te vinden. Lawson had Parhatka deels gekozen omdat hij bekendstond als gevoelig en discreet. Maar wat Lawson daarnaast in de jonge rechercheur had gezien, was dezelfde honger naar succes die hém op die leeftijd had gedreven. Parhatka wilde zo graag een goed resultaat dat hij het aan alle kanten uitstraalde.

Toen Lawson binnenkwam, stond de andere rechercheur net op. Karen Pirie rukte een weinig modieuze maar praktische schapenleren jas van de rugleuning van haar stoel en trok hem aan. Ze voelde dat er iemand binnen was gekomen, keek op en glimlachte vermoeid naar Lawson. 'Er zit niets anders op. Ik zal met de oorspronkelijke getuigen moeten praten.'

'Dat heeft geen zin voordat je het harde bewijsmateriaal hebt doorgenomen,' zei Lawson.

'Maar...'

'Je zult erheen moeten gaan en handmatig moeten zoeken.'

Karen zag er ontzet uit. 'Dat kan weken duren.'

'Dat weet ik. Maar zo is het nu eenmaal.'

'Maar... het budget dan?'

Lawson zuchtte. 'Laat de zorgen over het budget maar aan mij over. Ik zie niet welk alternatief je hebt. We hebben dat bewijsmateriaal nodig om druk uit te kunnen oefenen. Het zit niet in de doos waar het in zou moeten zitten. Het enige dat het team dat verantwoordelijk is voor de opslag van het bewijsmateriaal kan bedenken, is dat het tijdens de verhuizing naar een nieuwe opslagruimte op de verkeerde plaats terecht is gekomen. Zij hebben de mensen niet om te zoeken, dus zul je het zelf moeten doen.'

Karen hees haar tas aan haar schouder. 'Goed.'

'Ik heb van het begin af aan gezegd dat het harde bewijsmateriaal de sleutel is als we met deze zaak verder willen komen. Als iemand het kan vinden, ben jij dat. Doe je best, Karen.' Hij keek haar na, en zag in haar manier van lopen de vasthoudendheid die hem ertoe had gebracht om Karen Pirie op de vijfentwintig jaar oude moord op Rosemary Duff te zetten. Met een paar stimulerende woorden tegen Parhatka vertrok Lawson naar zijn eigen kamer op de derde verdieping.

Hij installeerde zich achter zijn grote bureau en voelde een steekje van bezorgdheid dat de herziening van de oude zaken niet het succes zou brengen waarop hij hoopte. Het zou niet genoeg zijn om alleen maar te zeggen dat ze hun best hadden gedaan. Ze hadden minstens één resultaat nodig. Hij nam een slokje van zijn sterke, zoete thee en reikte naar zijn postbakje. Hij bekeek een paar memo's, zette zijn initialen aan de bovenkant van de papieren en vertrouwde ze toe aan het bakje voor de interne post. Het volgende stuk was een brief van een burger, die aan hem persoonlijk was geadresseerd. Dat was op zichzelf ongebruikelijk. Maar de inhoud trok onmiddellijk de aandacht van James Lawson.

12 Carlton Way, St Monans, Fife

Adjunct-hoofdcommissaris James Lawson
Hoofdbureau korps Fife
Detroit Road
Glenrothes
KY6 2RJ

Geachte adjunct-hoofdcommissaris Lawson,
Met belangstelling heb ik uit de krant vernomen dat de poli-

tie van Fife een herziening in gang heeft gezet van onopgeloste moordzaken. Ik neem aan dat u onder andere opnieuw de moord op Rosemary Duff zult onderzoeken. Ik zou graag een afspraak met u maken om deze zaak te bespreken. Ik heb informatie die misschien niet direct relevant is, maar uw inzicht in de achtergrond kan verbeteren.

Verwijs deze brief alstublieft niet naar de prullenmand als het werk van een of andere gestoorde geest. Ik heb reden om aan te nemen dat de politie ten tijde van het oorspronkelijke onderzoek niet over deze informatie beschikte.

Ik hoop van u te horen.

Met vriendelijke groet,

Graham Macfadyen

Graham Macfadyen kleedde zich zorgvuldig aan. Hij wilde de juiste indruk maken op adjunct-hoofdcommissaris Lawson. Hij was bang geweest dat de politieman zijn brief zou afdoen als het werk van een of andere aandacht zoekende gek. Maar tot zijn verbazing had hij onmiddellijk een brief teruggekregen. Nog verbazingwekkender was dat Lawson hem zelf had geschreven, met het verzoek hem te bellen om een afspraak te maken. Hij had verwacht dat de adjunct-hoofdcommissaris de brief zou doorgeven aan een van zijn ondergeschikten die zich met de zaak bezighield. Het maakte indruk op hem dat de politie de zaak duidelijk serieus nam. Toen hij gebeld had, had Lawson voorgesteld dat ze elkaar zouden ontmoeten in het huis van Macfadyen in St Monans. 'Wat informeler dan hier op het hoofdbureau,' had hij gezegd. Macfadyen vermoedde dat Lawson hem in zijn eigen omgeving wilde zien om zijn geestestoestand beter te kunnen beoordelen. Maar hij was met genoegen op het voorstel ingegaan, niet in het minst omdat hij een bloedhekel had aan het labyrint van rotondes waar Glenrothes uit leek te bestaan.

Macfadyen had de vorige avond zijn woonkamer schoongemaakt. Hij beschouwde zichzelf altijd als een relatief nette man, maar merkte ook altijd verbaasd hoeveel er op te ruimen viel bij de gelegenheden dat hij iemand op bezoek kreeg. Misschien doordat hij zo zelden mensen uitnodigde. Hij had de zin van afspraakjes maken nooit ingezien, en eerlijk gezegd had hij niet het gevoel dat er een vrouw in zijn leven ontbrak. De omgang met zijn collega's leek alle energie op te slokken die hij voor sociale contacten had, en buiten het werk ging hij niet veel met ze om – net voldoende om niet op te vallen. Als kind had hij geleerd dat het beter was onzichtbaar te zijn dan opgemerkt te worden. Maar hoeveel tijd hij ook besteedde aan de ontwikkeling van software, hij kreeg er nooit genoeg van om met de apparaten te werken. Of hij nu over het internet surfte, informatie uitwisselde met nieuwsgroepen of on-linespelletjes speelde, Macfadyen was het gelukkigst als er een barrière van silicium was tussen hem en de rest van de wereld. De computer oordeelde nooit, vond hem nooit ontoereikend. Mensen dachten dat computers ingewikkeld waren en moeilijk te begrijpen, maar ze vergisten zich. Computers waren voorspelbaar en veilig. Computers lieten je niet in de steek. Je wist precies waar je aan toe was met een computer.

Hij bekeek zichzelf in de spiegel. Hij had geleerd dat opgaan in de massa de beste manier was om ongewenste aandacht te voorkomen. Vandaag wilde hij er als een ontspannen, niet-bedreigende, doorsneeburger uitzien. Niet eigenaardig. Hij wist dat de meeste mensen iedereen die in de IT-branche werkte eigenaardig vonden, en hij wilde niet dat Lawson dezelfde conclusie zou trekken. Hij was niet eigenaardig, alleen anders. Maar hij wilde absoluut niet dat Lawson dat zou merken. Onder hun radar doorglippen, dat was de manier om te krijgen wat je wilde.

Hij had gekozen voor een spijkerbroek en een Guinness-poloshirt. Geen kleding waarmee je iemand angst aanjoeg. Hij haalde een kam door zijn dikke donkere haar en keek licht afkeurend naar zijn spiegelbeeld. Een vrouw had ooit tegen hem gezegd dat hij op James Dean leek, maar hij had het afgedaan als een zielige poging van haar om zijn belangstelling te wekken. Hij trok een paar zwartleren instappers aan en keek op zijn horloge. Tien minuten nog. Macfadyen liep naar de logeerkamer en ging aan een van de drie computers zitten. Hij had één leugen te vertellen, en als hij dat overtuigend wilde doen moest hij kalm zijn.

James Lawson reed langzaam over Carlton Way. Het was een halvemaanvormige rij vrijstaande huizen, die in de jaren negentig gebouwd waren in de traditionele stijl van East Neuk. De gepleisterde muren, met pannen gedekte puntdaken en trapgevels waren kenmerkend voor de lokale architectuurstijl en de huizen waren karakteristiek genoeg om onopvallend op te gaan in hun omgeving. De huizen stonden een kleine kilometer landinwaarts vanaf het vissersdorp St Monans en waren ideaal voor jonge mensen die de meer traditionele huizen niet konden betalen, die gekocht werden door nieuwkomers die iets bijzonders wilden om hun oude dag in door te brengen of ze wilden verhuren aan vakantiegangers.

Het huis van Graham Macfadyen was een van de kleine typen. Twee woonkamers, twee slaapkamers, dacht Lawson. Geen garage, maar een oprit die groot genoeg was voor twee middenklasse auto's. Op dit moment stond er een zilverkleurige VW Golf. Lawson parkeerde op straat en liep het pad op. De broekspijpen van zijn doordeweekse pak wapperden om zijn benen in de stevige bries van de Firth of Forth. Hij belde aan en wachtte ongeduldig. Hij zou niet in zo'n sombere omgeving willen wonen, dacht hij. In de zomer was het waarschijnlijk wel mooi, maar op een koude novemberavond was het grimmig en grijs.

De deur ging open en hij zag een man van eind twintig staan. Gemiddelde lengte, tengere bouw, dacht Lawson automatisch. Een bos donker haar, van dat golvende haar dat bijna onmogelijk in model te houden is. Blauwe diepliggende ogen, brede jukbeenderen en een volle, bijna vrouwelijke mond. Geen strafblad, wist hij nadat hij zijn achtergrond had nagetrokken. Maar veel te jong om zelf bij de zaak Rosie Duff betrokken te zijn geweest. 'Meneer Macfadyen?' zei Lawson.

De man knikte. 'U moet adjunct-hoofdcommissaris Lawson zijn. Moet ik u zo noemen?'

Lawson glimlachte geruststellend. 'Dat is niet nodig. Meneer Lawson is voldoende.'

Macfadyen stapte achteruit. 'Komt u binnen.'

Lawson volgde hem door een smalle gang naar een keurige woonkamer. Een driedelig bankstel van bruin leer stond tegenover een tv, waarnaast een videorecorder en een dvd-speler stonden. In kasten aan beide kanten stonden videobanden en dvd-doosjes. Het enige andere meubelstuk in de kamer was een kast die glazen bevatte en verscheidene flessen whisky. Maar dat zag Lawson pas later. Wat onmiddellijk in het oog sprong, was de enige wandversiering. Een sfeervolle foto van 50 bij 75 centimeter die meteen te herkennen was voor iedereen die bij de zaak Rosie Duff betrokken was geweest. Hij was genomen terwijl de zon laag aan de hemel stond en toonde de lange grafstenen van de Pictische begraafplaats, waar ze stervend was gevonden. Lawson stond als aan de grond genageld. Macfadyens stem bracht hem terug naar het heden.

'Kan ik u iets te drinken aanbieden?' vroeg hij. Hij stond net voor de deuropening, stil als een prooi die gevangen is in de blik van de jager.

Lawson schudde zijn hoofd, net zozeer om het beeld van zich af te zetten als om het aanbod af te wijzen. 'Nee, bedankt,' zei hij. Hij ging zitten met de zelfverzekerdheid van een ervaren politieman.

Macfadyen kwam de kamer verder in en ging in de leunstoel tegenover hem zitten. Lawson wist niet wat hij aan hem had, en vond dat een beetje verwarrend. 'In uw brief zei u dat u wat informatie hebt over de zaak Rosemary Duff,' begon hij voorzichtig.

'Dat klopt.' Macfadyen boog zich iets naar voren. 'Rosie Duff was mijn moeder.'

20

December 2003

Het gekannibaliseerde tijdmechanisme van een videorecorder, een verfblik, een kwart liter benzine, stukken lont. Niets opmerkelijks, niets dat niet te vinden is in elke verzameling huishoudelijke rommel in elke willekeurige kelder of tuinschuur. Onschuldig genoeg.

Alleen als het op een bepaalde manier gecombineerd wordt. Dan wordt het iets wat niets met het huishouden te maken heeft.

Het tijdmechanisme bereikte de ingestelde datum en tijd; een vonk sprong over en deed de benzinedamp ontbranden. Het deksel van het blik knalde de lucht in en besproeide de omringende papierrommel en houtkrullen met brandende benzine. Een operatie uit het boekje, perfect en dodelijk.

Vlammen vonden vers voedsel in rollen oud tapijt, halflege verfblikken, de gelakte romp van een bootje. Fiberglas en motorbrandstof, tuinmeubelen en spuitbussen veranderden in toortsen en vlammenwerpers en het vuur werd intenser. Brandende stukken schoten de lucht in, als bij een goedkoop vuurwerk.

Boven dat alles verzamelde zich rook. Terwijl het vuur beneden in de duisternis bulderde, trokken de dampen door het huis, aanvankelijk langzaam en daarna toenemend in intensiteit. De eerste dampen waren onzichtbaar, een dunne nevel die door vloerplanken trok en omhoogzweefde op stromen hete lucht. Ze waren genoeg om de slapende man onrustig aan het hoesten te maken, maar niet scherp genoeg om hem te wekken. De rook die volgde, werd waarneembaar, nevelige schimmen die griezelig waren in de vlekken maanlicht die door de ramen zonder gordijnen vielen. Ook de geur werd waarneembaar, een waarschuwing voor wie er acht op kon slaan. Maar de rook had het reactievermogen van de slapende man al aangetast. Als iemand hem aan zijn schouder had geschud, had hij misschien kunnen opstaan en naar het raam en zijn belofte van veiligheid kunnen strompelen. Maar hij kon zichzelf niet meer helpen. Slaap ging over in bewusteloosheid. En spoedig zou de bewusteloosheid plaatsmaken voor de dood.

Het vuur knetterde en vonkte, stuurde rode en gouden komeetstaarten de lucht in. Hout kreunde en stortte neer op de grond. Het was ongeveer zo spectaculair en pijnloos als moord kan zijn.

Ondanks de door airconditioning gestuurde warmte van zijn kantoor rilde Alex Gilbey. Grijze lucht, grijze dakleien, grijze steen. De rijp die de daken aan de overkant van de straat bedekte, was gedurende de dag nauwelijks afgenomen. Ze hadden ofwel een fantastische isolatie aan de overkant, of de temperatuur was die decemberdag niet boven het vriespunt gekomen. Hij keek omlaag naar Dundas Street. Uitlaatgassen van het verkeer wolkten omhoog als de geesten van eerdere kerstdagen, wat de straten naar het stadscentrum nog meer verstopte dan anders. Mensen van buiten de stad die kerstinkopen wilden doen, maar niet beseft hadden dat het vinden van een parkeerplaats in het centrum van Edinburgh in de weken voor de feestdagen moeilijker was dan het vinden van het goede cadeau voor een veeleisend tienermeisje.

Alex keek weer naar de lucht. Loodgrijs en laag dreigde die met sneeuw met de subtiliteit van een tv-reclame voor de januari-uitverkoop van een meubelzaak. Hij werd nog neerslachtiger. Tot nu toe was het dit jaar behoorlijk goed gegaan. Maar als het sneeuwde bleef er van zijn vastberadenheid niets over en zonk hij weg in zijn gebruikelijke eindejaarssomberheid. Juist vandaag kon hij de sneeuw niet gebruiken. Precies vijfentwintig jaar geleden was er iets op zijn pad gekomen dat sindsdien elke Kerstmis in een maalstroom van pijnlijke herinneringen had veranderd. Geen goede wil van de mensen kon de sterfdag van Rosie Duff uit Alex' hoofd verwijderen.

Hij moest de enige fabrikant van wenskaarten zijn, dacht hij, die de meest winstgevende periode van het jaar haatte. In de kantoren verderop zou het telefoonteam nu de laatste bestellingen opnemen van groothandelaren die hun voorraad wilden aanvullen en de gelegenheid gebruiken om de bestellingen voor Valentijnsdag, moederdag en Pasen door te geven. Het magazijnpersoneel zou zich beginnen te ontspannen in de wetenschap dat de grootste drukte voorbij was en de gelegenheid waarnemen om de successen en mislukkingen van de afgelopen paar weken op een rijtje te zetten. En op de boekhoudafdeling zou bij uitzondering worden geglimlacht. De cijfers van dit jaar waren bijna acht procent hoger dan die van het vorige jaar, voor een deel dankzij de nieuwe serie kaarten die Alex zelf had ontworpen. Hoewel het bijna tien jaar geleden was dat hij zijn brood met zijn pennen en inkt had verdiend, wilde Alex zo nu en dan nog een bijdrage aan het assortiment leveren. Het werkte uitstekend om de rest van het team bij de les te houden.

Maar hij had die kaarten in april ontworpen, toen de schaduw van het verleden niet over hem heen hing. Het was raar zoals die neerslachtigheid samenhing met de feestdagen. Zodra de kerstversierselen met Driekoningen weer teruggingen naar de opslag, verdween de schaduw van Rosie Duff en was zijn geest weer helder en niet bezwaard door herinneringen. Dan kon hij weer plezier in het leven hebben. Tot dan zou hij gewoon moeten volhouden.

Hij had in de loop der jaren verschillende strategieën uitgeprobeerd om het uit zijn hoofd te kunnen zetten. Op haar tweede sterfdag had hij zich bezat. Hij wist nog steeds niet wie hem destijds bij zijn zit-slaapkamer in Glasgow had afgeleverd, noch in welk café hij uiteindelijk terecht was gekomen. Maar het enige dat hij daarmee had bereikt, was dat hij maar niet wakker kon worden uit de paranoïde dromen waarin hij klam van het zweet Rosies spottende glimlach en gemakkelijke lach in een krankzinnige caleidoscoop aan zich voorbij zag trekken.

Het jaar erna had hij een bezoek gebracht aan haar graf op de Westelijke Begraafplaats in St Andrews, aan de rand van de stad. Hij had gewacht tot het donker werd, om te voorkomen dat iemand hem zou herkennen. Hij had zijn anonieme, aftandse Ford Escort zo dicht mogelijk bij het hek geparkeerd, een tweedpet laag over zijn voorhoofd getrokken en zijn kraag opgezet en was zo de vochtige schemering in geslopen. Het probleem was dat hij niet precies wist waar Rosie was begraven. Hij had alleen foto's van de begrafenis op de voorpagina van de plaatselijke krant gezien, en het enige dat hij daaruit had kunnen opmaken, was dat het ergens aan de achterkant van het kerkhof moest zijn.

Hij sloop, als een engerd voor zijn gevoel, met gebogen hoofd tussen de grafstenen door met de wens dat hij een zaklamp had meegebracht, tot hij besefte dat er geen betere manier was geweest om de aandacht op zichzelf te vestigen. Er kwam wat licht van de straatlantaarns toen ze aangingen, net genoeg om de meeste inscripties te kunnen lezen. Alex had op het punt gestaan het op te geven toen hij het graf eindelijk vond, in een beschutte hoek, helemaal tegen de muur aan.

Het was een eenvoudig zwart blok graniet. De letters waren er in goud ingezet en zagen er nog net zo nieuw uit als op de dag waarop ze waren gehouwen. Aanvankelijk had Alex zijn toevlucht gezocht in zijn rol als kunstenaar en had hij het graf gezien als een zuiver esthetisch object. In die zin voldeed het. Maar hij had zich niet lang kunnen verbergen voor de betekenis van de woorden die hij alleen als vormen in de steen had willen zien: 'Rosemary Duff. Geboren 25 mei 1959. Wreed aan ons ontrukt op 16 december 1978. Een geliefde dochter en zuster voor altijd voor ons verloren. Moge zij rusten in vrede.' Alex herinnerde zich dat de politie een collecte had georganiseerd om de grafsteen te betalen. Die moest flink wat hebben opgeleverd om zo'n lange tekst erop te kunnen zetten, dacht hij, terwijl hij nog steeds zijn best deed om niet te denken aan wat de woorden betekenden.

Een ander element dat hij onmogelijk kon negeren, was het assortiment bloemstukken dat zorgvuldig aan de voet van de steen was geplaatst. Er moesten minstens tien bossen bloemen en bloemstukken zijn geweest, een aantal ervan in de lage vazen die bloemisten voor dat doel verkochten. De rest lag op het gras, als een krachtige herinnering aan de vele harten waarin Rosie Duff nog steeds een plaats had.

Alex knoopte zijn jas open en haalde er de witte roos uit die hij had meegebracht. Hij zat op zijn hurken om hem onopvallend bij de andere bloemen te leggen toen hij de schrik van zijn leven kreeg. De hand op zijn schouder kwam uit het niets. Het natte gras had de voetstappen onhoorbaar gemaakt en hij was zo in beslag genomen door zijn gedachten dat zijn intuïtie hem niet had gewaarschuwd.

Alex tolde rond en weg van de hand, gleed uit op het gras en viel op zijn rug in een misselijkmakende nabootsing van die decembernacht drie jaar eerder. Hij kromp ineen in de verwachting een schop of een klap te krijgen doordat degene die hem gestoord had besefte wie hij was. Hij was volledig onvoorbereid op de bezorgde vraag van een stem die hem aansprak met de bijnaam die nooit door anderen was gebruikt dan door zijn beste vrienden.

'Hé, Gilly, gaat het?' Sigmund Malkiewicz stak een hand uit om Alex overeind te helpen. 'Ik wilde je niet laten schrikken.'

'Jezus, Ziggy, wat dacht je dan dat je zou doen als je op een donker kerkhof op me af sluipt?' protesteerde Alex terwijl hij op eigen kracht overeind krabbelde.

'Het spijt me.' Met een ruk van zijn hoofd gebaarde hij naar de roos. 'Mooi. Ik kan nooit bedenken wat gepast zou zijn.'

'Ben je hier eerder geweest?' Alex klopte zijn kleren af en draaide zich om naar zijn oudste vriend. Ziggy zag er spookachtig uit in het schemerlicht; zijn bleke huid leek van binnenuit te gloeien.

Hij knikte. 'Alleen op elke sterfdag. Maar ik heb jou niet eerder gezien.'

Alex haalde zijn schouders op. 'Ik ben hier voor het eerst. Ik probeer alles om het uit mijn hoofd te kunnen zetten, begrijp je.'

'Ik denk niet dat het me ooit zal lukken.'

'Mij ook niet.' Zonder nog een woord te zeggen, draaiden ze zich om en liepen terug naar de ingang, ieder van hen verzonken in zijn eigen pijnlijke herinneringen. In een stilzwijgende overeenkomst hadden ze nadat ze van de universiteit waren gekomen nooit meer gesproken over de gebeurtenis die hun leven zo diepgaand had veranderd. De schaduw was er altijd, maar die werd onderling niet meer erkend. Misschien kwam het door het vermijden van die gesprekken die geen oplossing boden dat hun vriendschap zo sterk was gebleven. Nu Ziggy te maken had met het helse rooster van een arts-assistent in Edinburgh zagen ze elkaar niet zo vaak meer, maar als ze een avond samen op stap gingen, was de oude vertrouwelijkheid nog net zo sterk aanwezig.

Bij het hek gekomen, stond Ziggy stil en zei: 'Zin in een biertje?'

Alex schudde zijn hoofd. 'Als ik begin, stop ik niet meer. En dit is niet de plaats waar jij en ik dronken moeten worden. Er lopen hier nog te veel mensen rond die denken dat wij ongestraft hebben gemoord. Nee, ik ga terug naar Glasgow.'

Ziggy omhelsde hem stevig. 'We zien elkaar op oudejaarsavond, hè? Het plein, middernacht?'

'Ja. We zullen er zijn. Lynn en ik.'

Ziggy knikte. Hij begreep alles wat in die paar woorden gelegen was. Hij stak zijn hand op in een gemaakte groet en liep de vallende duisternis in.

Sinds die keer was Alex niet meer naar het graf gegaan. Het had niet geholpen, en bovendien was dat niet de manier waarop hij Ziggy wilde tegenkomen. Het was te pijnlijk, te geladen met gebeurtenissen die ze niet tussen hen wilden laten komen.

In elk geval hoefde hij niet in het geheim te lijden, zoals dat volgens hem voor de anderen gold. Lynn had van het begin af aan alles geweten over de dood van Rosie Duff. Ze waren sinds die winter bij elkaar. Hij vroeg zich weleens af of dat het was wat het hem mogelijk had gemaakt om van haar te houden: dat zijn grootste geheim tussen hen beiden nooit een geheim was geweest.

Het was moeilijk om niet te denken dat de omstandigheden van die nacht hem beroofd hadden van een andere toekomst. Het was zijn persoonlijke last, een smet op de herinnering die hem voor zijn gevoel voor altijd bezoedeld had. Niemand zou zijn vriend willen zijn als hij wist wat er in zijn verleden lag, welke verdenkingen nog steeds op hem rustten in de hoofden van heel veel mensen. Maar Lynn wist het en hield desondanks van hem.

Ze had het in de loop der jaren op vele manieren laten zien. Over twee maanden zou ze, hoopten ze, het kind krijgen waar ze allebei al zo lang naar verlangden. Ze hadden allebei met kinderen willen wachten tot ze gesetteld zouden zijn, en toen het zover was, had het ernaar uitgezien dat ze te lang hadden gewacht. Ze hadden het drie jaar geprobeerd en hadden al een afspraak gemaakt bij de vruchtbaarheidskliniek toen Lynn zomaar ineens zwanger was geworden. Het voelde als de eerste nieuwe start die hij in vijfentwintig jaar had gehad.

Alex wendde zich af van het raam. Zijn leven ging veranderen. En misschien kon hij loskomen van de greep van het verleden, als hij echt zijn best zou doen. En vanavond zou hij beginnen. Hij zou een tafel bespreken in het restaurant op het dak van het Museum van Schotland. Hij zou Lynn mee uit nemen voor een bijzonder etentje, in plaats van thuis te gaan zitten somberen.

Hij wilde net de telefoon pakken, toen die overging. Geschrokken zat Alex er een ogenblik dommig naar te staren voordat hij de hoorn opnam. 'Alex Gilbey.'

Het duurde even voor hij de stem aan de andere kant met de eigenaar ervan kon verbinden. Geen vreemde, maar ook niet iemand van wie hij ooit een telefoontje had verwacht, laat staan op deze middag. 'Alex, met Paul. Paul Martin.' De herkenning werd bemoeilijkt door de duidelijke agitatie van de beller.

Paul. Ziggy's Paul. Een deeltjesfysicus, wat dat ook mocht zijn, met de bouw van een rugbyspeler. De man die de afgelopen tien jaar Ziggy's gezicht aan het stralen had gemaakt. 'Hé, Paul. Dit is een verrassing.'

'Alex, ik weet niet hoe ik dit moet zeggen...' Pauls stem begaf het even. 'Ik heb slecht nieuws.'

'Ziggy?'

'Hij is dood, Alex. Ziggy is dood.'

Alex schudde bijna de telefoon heen en weer, alsof hij Pauls woorden door een defect verkeerd zou hebben begrepen. 'Nee,' zei hij. 'Nee, dat moet een vergissing zijn.'

'Was het maar waar,' zei Paul. 'Het is geen vergissing, Alex. Het huis is vannacht afgebrand. Tot op de grond. Mijn Ziggy... hij is dood.'

Alex staarde zonder iets te zien naar de muur. Ziggy speelde gitaar, neurieden zijn hersenen onzinnig.

Niet meer.

21

Hoewel hij de halve dag naast zijn initialen de datum op allerlei papieren had gekrabbeld, was James Lawson er volledig in geslaagd om de betekenis ervan niet tot zich door te laten dringen. Toen kwam hij bij een verzoek van rechercheur Parhatka om toestemming voor een DNA-test op een verdachte in het onderzoek waar hij mee bezig was. De combinatie van de datum en het onderzoek in het kader van de onopgeloste zaken maakte dat het kwartje viel. Hij kon er niet meer omheen. Het was de vijfentwintigste sterfdag van Rosie Duff.

Hij vroeg zich af hoe Graham Macfadyen ermee om zou gaan, en de herinnering aan hun ongemakkelijke gesprek maakte dat hij verschoof op zijn stoel. Aanvankelijk had hij er geen geloof aan kunnen hechten. Er was nooit sprake geweest van een kind in het onderzoek naar Rosies dood. Familieleden noch vrienden hadden ooit ook maar op zo'n geheim gezinspeeld. Maar Macfadyen had volgehouden.

'U moet geweten hebben dat ze een kind had,' had hij gezegd. 'De patholoog moet het gemerkt hebben bij de lijkschouwing.'

Lawson zag meteen de sukkelige dokter Kenneth Fraser voor zich. Hij was al half met pensioen geweest toen de moord plaatsvond en rook meestal meer naar whisky dan formaline. Het meeste werk dat hij gedurende zijn lange loopbaan had verricht, was eenvoudig geweest; hij had weinig ervaring gehad met moord, en Lawson herinnerde zich dat Barney Maclennan zich had afgevraagd of hij er niet iemand met wat meer actuele ervaring bij had moeten halen. 'Het is nooit ontdekt,' zei hij, en hij onthield zich van verder commentaar.

'Dat is ongelooflijk,' zei Macfadyen.

'Misschien was het bewijsmateriaal versluierd door de wond.'

'Ik neem aan dat dat mogelijk is,' zei Macfadyen weifelend. 'Ik ging ervan uit dat u van mijn bestaan op de hoogte was, maar dat het nooit was gelukt mij op te sporen. Ik heb altijd geweten dat ik geadopteerd was,' zei hij. 'Maar ik vond dat ik moest wachten tot mijn adoptieouders overleden waren voordat ik op zoek zou gaan naar mijn biologische moeder. Mijn vader is drie jaar geleden gestorven. En mijn moeder... nou, ze zit in een tehuis. Ze heeft Alzheimer. Het zal haar niets meer uitmaken. Dus ben ik een paar maanden geleden met mijn onderzoek begonnen.' Hij liep de kamer uit en was vrijwel meteen terug met een blauwe kartonnen map. 'Kijk maar,' zei hij terwijl hij hem aan Lawson overhandigde.

De politieman voelde zich alsof hem een pot nitroglycerine in de hand was gedrukt. Het vage gevoel van walging dat hem bekroop, begreep hij niet helemaal, maar hij liet zich er daardoor niet van weerhouden de map open te slaan. De papieren in de map waren chronologisch geordend. Eerst kwam de brief van Macfadyen waarin hij om inlichtingen verzocht. Lawson keek de papieren door en nam de strekking van de correspondentie in zich op. Hij kwam bij een geboortebewijs en bekeek het. Daar, op de plaats voor de naam van de moeder, zag hij vertrouwde informatie staan. Rosemary Margaret Duff. Geboortedatum 25 mei 1959. Beroep van de moeder: zonder werk. Waar de naam van de vader hoorde te zijn, stond 'onbekend' als de rode letter op de jurk van een puriteinse. Maar het adres was hem onbekend.

Lawson keek op. Macfadyens handen klemden zich zo strak om de armleuningen van zijn stoel dat zijn knokkels eruitzagen als kiezelsteentjes onder gespannen latex. 'Livingstone House, Saline?' vroeg hij.

'Het staat er allemaal in. Een huis van de Schotse Kerk waar jonge vrouwen die in moeilijkheden waren geraakt naar toe gestuurd werden om hun kind te krijgen. Het is nu een kindertehuis, maar toen werden vrouwen erheen gestuurd om hun schande voor de buren te verbergen. Ik heb de vrouw weten te vinden die toen directrice was van het huis. Ina Dryburgh. Ze is in de zeventig nu, maar ze heeft alles nog prima op een rijtje. Ze was bijzonder bereidwillig om met me te praten, wat me verbaasde. Ik had gedacht dat het moeilijker zou zijn. Maar ze zei dat het veel te lang geleden was om nog iemand kwaad te kunnen doen. Laat de doden de doden begraven, dat schijnt haar filosofie te zijn.'

'Wat heeft ze je verteld?' Lawson boog zich naar voren, nieuwsgierig naar het geheim dat op wonderbaarlijke wijze een uitgebreid moordonderzoek had weerstaan.

De jongeman ontspande zich licht nu hij serieus genomen leek te worden. 'Rosie raakte in verwachting toen ze vijftien was. Ze vond de moed om het aan haar moeder te vertellen toen ze ongeveer drie maanden heen was, voordat iemand iets had gemerkt. Haar moeder handelde snel. Ze ging naar de dominee, en hij heeft haar in contact gebracht met Livingstone House. Mevrouw Duff heeft de volgende dag de bus genomen om met mevrouw Dryburgh te praten. Ze stemde ermee in om Rosie op te nemen, en stelde voor dat mevrouw Duff in de omgeving zou vertellen dat Rosie naar een tante was gegaan die net geopereerd was en wel wat hulp met de kinderen kon gebruiken. Rosie vertrok dat weekend uit Strathkinness en ging naar Saline. De rest van de zwangerschap is ze onder de hoede van mevrouw Dryburgh geweest.' Macfadyen slikte moeizaam.

'Ze heeft me nooit vastgehouden. Ze heeft me nooit gezien. Ze had een foto, dat was alles. Ze deden de dingen anders toen. Ik werd dezelfde dag nog bij haar weggehaald en aan mijn ouders gegeven. En aan het eind van de week was Rosie terug in Strathkinness alsof er niets was gebeurd. Mevrouw Dryburgh zei dat ze nooit meer iets van Rosie had vernomen tot ze haar naam hoorde op het tv-nieuws.' Hij liet een korte, scherpe zucht horen.

'En toen vertelde ze mij dat mijn moeder al vijfentwintig jaar dood was. Vermoord. En dat er nooit iemand voor was opgepakt. Ik wilde contact zoeken met mijn familie. Ik ontdekte dat mijn beide grootouders overleden waren. Maar ik heb blijkbaar twee ooms.'

'Je hebt nog geen contact met ze gehad?'

'Ik wist niet of ik contact moest zoeken. En toen zag ik het artikel in de krant over de heropening van onopgeloste moordzaken en besloot eerst een gesprek met u te hebben.'

Lawson staarde naar de vloer. 'Tenzij ze erg veranderd zijn sinds de tijd dat ik hen kende, zou ik zeggen dat je het beter kunt laten rusten.' Hij voelde dat Macfadyen naar hem keek en hief zijn hoofd op. 'Brian en Colin gedroegen zich heel beschermend ten opzichte van Rosie. Ze hadden ook nogal losse handen. Het zou me niet verbazen als ze jouw verhaal zouden beschouwen als een smet op haar nagedachtenis. Ik denk niet dat je een gelukkige familiehereniging kunt verwachten.'

'Ik dacht, nou... dat ze me misschien zouden zien als iemand in wie Rosie voortleefde.'

'Ik zou er niet op rekenen,' zei Lawson resoluut.

Macfadyen leek niet overtuigd en zei koppig: 'Maar stel dat deze informatie uw nieuwe onderzoek helpt. Dan zien ze het misschien anders, denkt u niet? Ze willen vast wel dat de moordenaar eindelijk gepakt wordt.'

Lawson haalde zijn schouders op. 'Eerlijk gezegd zie ik niet hoe dit ons zou kunnen helpen. Je bent bijna vier jaar voor de dood van je moeder geboren.'

'Maar stel dat ze nog contact had met mijn vader. Stel dat dat iets met de moord te maken heeft.'

'Er was in het verleden geen enkele aanwijzing voor zo'n soort langdurige relatie. In het jaar voor haar dood had ze een paar relaties gehad, geen van alle serieus. Maar dat liet geen ruimte voor iemand anders.'

'Maar stel dat hij weg was gegaan en terug is gekomen. Ik heb de krantenartikelen over de moord gelezen en er werd gesuggereerd dat ze een relatie had, maar niemand wist met wie. Misschien is mijn vader teruggekomen en wilde ze niet dat haar ouders wisten dat ze weer omging met de jongen die haar zwanger had gemaakt.' Macfadyen sprak op dringende toon.

'Het is een mogelijkheid, denk ik. Maar als niemand wist wie de vader van haar kind was, helpt het ons nog niet.'

'Maar jullie wisten toen niet dat ze een kind had. Ik wed dat jullie nooit gevraagd hebben met wie ze vier jaar voor de moord een relatie had. Misschien kenden haar broers mijn vader.'

Lawson zuchtte. 'Ik ga je geen valse hoop geven, Macfadyen. Om te beginnen wilden Colin en Brian Duff niets liever dan dat we Rosies moordenaar zouden vinden.' Hij telde de punten op zijn vingers af. 'Als de vader van Rosies kind nog in de buurt was geweest of weer was komen opdagen, kun je er vergif op innemen dat ze schreeuwend dat we hem moesten arresteren bij ons hadden aangeklopt. En als we het dan niet hadden gedaan, hadden ze waarschijnlijk zelf zijn benen gebroken. Minstens.'

Macfadyen perste zijn lippen op elkaar. 'Dus u gaat deze aanwijzing niet verder onderzoeken?'

'Als het mag neem ik deze map mee om een kopie te laten maken voor de rechercheur die verantwoordelijk is voor de zaak van je moeder. Het kan geen kwaad om het in ons onderzoek mee te nemen en misschien hebben we er iets aan.'

Even flitste er iets van triomf in Macfadyens ogen, alsof hij een grote overwinning had behaald. 'Dus u gelooft wat ik zeg, dat Rosie mijn moeder was?'

'Het ziet ernaar uit. Hoewel we het uiteraard zelf nog zullen natrekken.'

'Dus u wilt een bloedmonster van mij?'

Lawson fronste zijn wenkbrauwen. 'Een bloedmonster?'

Macfadyen sprong ineens energiek overeind. 'Wacht even,' zei hij, en hij liep de kamer weer uit. Hij kwam terug met een dik boek dat openviel op de plaats waar de rug gebarsten was. 'Ik heb alles gelezen wat ik over de moord op mijn moeder heb kunnen vinden,' zei hij terwijl hij Lawson het boek toestak.

Lawson keek naar het omslag. *Wegkomen met moord: De grootste onopgeloste zaken van de twintigste eeuw.* Rosie Duff had vijf bladzijden gekregen. Lawson nam ze snel door en was onder de indruk van de nauwgezetheid van de schrijvers. Het bracht onbehaaglijk scherp het vreselijke moment terug waarop hij Rosies lichaam in de sneeuw had zien liggen. 'Ik begrijp het nog niet,' zei hij.

'Er staat in dat er spermasporen gevonden zijn op haar lichaam en op haar kleren. Dat de politie ondanks het primitieve niveau van het technisch onderzoek in die tijd heeft kunnen vaststellen dat drie van de vier studenten die haar gevonden hebben mogelijke kandidaten voor de spermalozing waren. Maar met de mogelijkheden die er nu zijn, kan mijn DNA toch met het DNA in het sperma vergeleken worden? Jullie kunnen vaststellen of het sperma van mijn vader was.'

Lawson begon zich te voelen alsof hij door de spiegel was gestapt. Dat Macfadyen alles over zijn vader te weten wilde komen, was heel begrijpelijk. Maar in die obsessie zo ver te gaan dat hem schuldig kunnen verklaren aan moord beter was dan hem niet vinden, was ongezond. 'Als we met iemand gaan vergelijken, zal het niet met jou zijn, Graham,' zei hij zo vriendelijk als hij kon. 'Het zou met de vier jongens zijn naar wie in dit boek wordt verwezen. De jongens die haar gevonden hebben.'

Macfadyen zei scherp: 'U zei "als".'

'Als?'

'U zei "áls we gaan vergelijken". Alsof het nog maar de vraag is.'

Verkeerde boek. Het was beslist *Alice in Wonderland.* Lawson voelde zich als iemand die voorover in een diepe, donkere tunnel is gevallen, die geen vaste grond meer onder zijn voeten had. Zijn lage rugpijn kwam kloppend in actie. Bij sommige mensen reageerden pijntjes en kwaaltjes op het weer; Lawsons grote beenzenuw was een acute barometer van stress. 'Dit is bijzonder gênant voor ons,' zei hij, zich terugtrekkend achter het scherm van formaliteit. 'Ergens in de afgelopen vijfentwintig jaar is het bewijsmateriaal van de moord op je moeder zoekgeraakt.'

Op Macfadyens gezicht verscheen een uitdrukking van woedend ongeloof. 'Hoe bedoelt u, zoekgeraakt?'

'Precies wat ik zeg. Het bewijsmateriaal is drie keer verhuisd. De eerste keer toen het politiebureau in St Andrews naar een andere plek ging. Daarna is het naar het centrale magazijn op het hoofdbureau gegaan. Kortgeleden hebben we een nieuw magazijn in gebruik genomen. En op een gegeven moment zijn de zakken met jouw moeders kleren erin zoekgeraakt. Toen we ze wilden ophalen, lagen ze niet op de plaats waar ze hadden moeten liggen.'

Macfadyen zag eruit alsof hij iemand in elkaar wilde timmeren. 'Hoe heeft dat kunnen gebeuren?'

Lawson kromp ineen onder de uitdrukking van woeste minachting van de jongeman. 'We zijn niet onfeilbaar.'

Macfadyen schudde zijn hoofd. 'Dat is niet de enige verklaring. Iemand kan het materiaal met opzet hebben verwijderd.'

'Waarom zou iemand dat doen?'

'Nou, dat is wel duidelijk. De moordenaar wil niet dat het nu nog gevonden wordt, nietwaar? Iedereen is op de hoogte van DNA.

Toen de politie aankondigde dat oude zaken opnieuw zouden worden onderzocht, moet hij geweten hebben dat hij gevaar liep.'

'Het bewijsmateriaal lag achter slot en grendel in het politiemagazijn. En er is nooit een inbraak gemeld.'

Macfadyen snoof. 'Hij hoefde misschien niet in te breken. Hij hoefde misschien alleen maar genoeg geld onder de juiste neus te houden. Iedereen heeft zijn prijs, zelfs politiemensen. Je kunt de krant nauwelijks openslaan of de televisie aanzetten zonder bewijs van corruptie bij de politie te zien. Misschien moet u nagaan of een van uw mensen ineens ruim in de slappe was zit.'

Lawson voelde zich ongemakkelijk. Macfadyens redelijkheid was verdwenen en had plaatsgemaakt voor een paranoia die voorheen onzichtbaar was geweest. 'Dat is een bijzonder ernstige beschuldiging,' zei hij. 'En er is geen enkele grond voor. Geloof me, wat er ook gebeurd mag zijn met het bewijsmateriaal in deze zaak, het is voortgekomen uit een menselijke fout.'

Macfadyen wierp hem een opstandige blik toe. 'En dat is het dan? Het gaat gewoon in de doofpot?'

Lawson probeerde een verzoenende uitdrukking op zijn gezicht te brengen. 'We hoeven niets in een doofpot te stoppen, Graham. Ik kan je verzekeren dat de rechercheur die de leiding heeft over de zaak het magazijn laat doorzoeken. Het is mogelijk dat we het materiaal terugvinden.'

'Maar niet erg waarschijnlijk,' zei hij zwaar.

'Nee,' beaamde Lawson, 'niet erg waarschijnlijk.'

Er gingen een paar dagen voorbij voordat James Lawson in de gelegenheid was om maatregelen te nemen op basis van zijn moeilijke gesprek met de onwettige zoon van Rosie Duff. Hij had even met Karen Pirie gesproken, maar ze was somber en pessimistisch geweest over de kans dat het bewijsmateriaal nog gevonden zou worden. 'Een speld in een hooiberg,' had ze gezegd. 'Ik heb al drie zoekgeraakte zakken met bewijsmateriaal gevonden. Als de burgers wisten...'

'Laten we zorgen dat dat niet gebeurt,' zei Lawson grimmig.

Karen had er geschrokken uitgezien. 'O god, ja.'

Lawson had gehoopt dat de fout met het bewijsmateriaal in de zaak Duff vergeten zou worden, maar die hoop was vervlogen door zijn eigen onvoorzichtigheid met Macfadyen. En nu zou hij het allemaal weer moeten bekennen. Als ooit bekend zou worden dat hij deze informatie voor de familie verborgen had gehouden, zou zijn naam alle voorpagina's halen. En daar schoot niemand iets mee op.

Strathkinness was in die vijfentwintig jaar nauwelijks veranderd, besefte Lawson toen hij de auto voor Caberfeidh Cottage parkeerde. Er stonden een paar nieuwe huizen, maar het dorp had zich grotendeels verzet tegen de mooie woorden van de projectontwikkelaars. Verbazingwekkend eigenlijk, dacht hij. Met die uitzichten was het een voor de hand liggende lokatie voor een of ander landelijk hotel dat zich zou richten op golfers. Hoezeer de inwoners ook mochten zijn veranderd, het was nog steeds een eenvoudig dorp.

Hij duwde het hek open en zag dat de voortuin net zo goed onderhouden was als in de tijd dat Archie Duff nog leefde. Misschien tartte Brian de onheilsprofeten en veranderde hij in zijn vader. Lawson belde aan en wachtte.

De man die de deur opende, zag er goed uit. Lawson wist dat hij halverwege de veertig was, maar Brian Duff zag er tien jaar jonger uit. Zijn huid had de gezonde glans van een man die veel buiten is, zijn korte haar toonde weinig tekenen van terugtrekking en zijn T-shirt onthulde een brede borst met nauwelijks een miniem laagje vet over de strakke buik. Hij gaf Lawson het gevoel dat hij oud was. Brian bekeek hem van top tot teen en zei toen met een minachtende uitdrukking op zijn gezicht: 'O, jij bent het.'

'Het achterhouden van bewijsmateriaal kan beschouwd worden als belemmering van de rechtsgang. En dat is een misdrijf.' Lawson was niet van plan zich onmiddellijk in het nauw te laten drijven door Brian Duff.

'Ik weet niet wat je wilt, maar ik heb me al twintig jaar netjes gedragen. Je heb het recht niet om aan mijn deur te komen en me een beetje te gaan beschuldigen.'

'Ik heb het over meer dan twintig jaar geleden, Brian. Ik heb het over de moord op je zuster.'

Brian Duff vertrok geen spier. 'Ik heb gehoord dat je je carrière roemvol wilt eindigen, dat je je ondergeschikten aan het werk hebt gezet om jouw oude mislukkingen goed te maken.'

'Je kunt het moeilijk mijn mislukkingen noemen. Ik was nog een gewone agent in die tijd. Mag ik binnenkomen of voeren we dit gesprek op straat, zodat iedereen kan meegenieten?'

Duff haalde zijn schouders op. 'Ik heb niets te verbergen. Kom maar binnen.'

Het huis was vanbinnen verbouwd. De ruime en pastelkleurige woonkamer getuigde van het werk van iemand met oog voor stijl. 'Ik heb je vrouw nooit ontmoet,' zei Lawson terwijl hij Duff naar een moderne keuken volgde, die twee keer zo groot was geworden door een serreachtige aanbouw.

'Dat zal waarschijnlijk zo blijven. Het zal nog wel een uurtje duren voor ze thuis is.' Duff deed de koelkast open en haalde er een blikje bier uit. Hij trok het lipje open en leunde tegen het fornuis. 'Wat bedoel je? Bewijsmateriaal achterhouden?' Zijn aandacht was ogenschijnlijk op het blikje gericht, maar Lawson voelde dat Duff zo oplettend was als een kat in een vreemd pakhuis.

'Jullie hebben het geen van allen ooit over Rosies zoon gehad,' zei hij.

De abrupte opmerking bracht geen merkbare reactie teweeg. 'Omdat het niets met de moord te maken had,' zei Duff terwijl hij onrustig zijn schouders spande.

'Denk je niet dat dat onze beslissing had moeten zijn?'

'Nee, dat was iets persoonlijks. Het was jaren daarvoor gebeurd. De jongen met wie ze toen iets had, woonde niet eens meer in de buurt. En niemand behalve de familie wist iets van het kind. Hoe had dat iets met haar dood te maken kunnen hebben? We wilden niet dat haar naam door het slijk zou worden gehaald, zoals gebeurd zou zijn als jullie het hadden geweten. Jullie zouden een soort slet van haar hebben gemaakt die gekregen had wat ze verdiende. Jullie hadden alles gebruikt om het feit te verbergen dat jullie je werk niet goed deden.'

'Dat is niet waar, Brian.'

'Ja, dat is wel waar. Jullie zouden het aan de kranten hebben gelekt. En die hadden Rosie in de dorpshoer veranderd. Zo was ze niet, en dat weet je.'

Lawson gaf dat met een vage grimas toe. 'Dat weet ik. Maar jullie hadden het ons moeten vertellen. Het had van betekenis kunnen zijn voor het onderzoek.'

'Jullie hadden toch niets gevonden.' Duff nam een grote slok van zijn bier. 'Hoe ben je erachter gekomen na al die tijd?'

'Rosies zoon heeft een socialer geweten dan jij. Hij heeft ons benaderd nadat hij het verhaal over de heropening van de zaak in de krant had gelezen.'

Deze keer kwam er een reactie. Duff verstijfde en het blikje bleef halverwege zijn mond hangen. Hij zette het met een klap op het aanrecht. 'Jezus,' vloekte hij. 'Waar heb je het over?'

'Hij heeft de vrouw opgespoord die directrice was van het huis waar Rosie het kind heeft gekregen. Zij heeft hem over de moord verteld. Hij wil de moordenaar van zijn moeder net zo graag vinden als jij.'

Duff schudde zijn hoofd. 'Dat betwijfel ik. Weet hij waar Colin en ik wonen?'

'Hij weet dat jij hier woont. Hij weet dat Colin een huis in Kingsbarns heeft, hoewel hij meestal in de Golf zit. Hij zegt dat hij jullie via de burgerlijke stand heeft opgespoord. Wat waarschijnlijk waar is. Waarom zou hij liegen? Ik heb hem gezegd dat ik het niet erg waarschijnlijk achtte dat je hem zou willen ontmoeten.'

'Daar heb je in elk geval gelijk in. Het was misschien anders geweest als jullie de moordenaar hadden opgesloten. Maar ík wil in elk geval niet herinnerd worden aan dat deel van Rosies leven.' Hij wreef met de rug van zijn hand in zijn oog. 'En, gaan jullie nu eindelijk die studenten oppakken?'

Lawson verplaatste zijn gewicht naar zijn andere voet. 'We weten niet of zij het hebben gedaan, Brian. Ik heb altijd gedacht dat het een buitenstaander is geweest.'

'Hou toch op met die flauwekul. Je weet dat ze erbij betrokken waren. Je moet ze opnieuw onder de loep nemen.'

'We doen ons best. Maar het ziet er niet veelbelovend uit.'

'Jullie hebben DNA nu. Dat moet toch helpen? Jullie hadden toch sperma op haar kleren?'

Lawson wendde zijn blik af. Zijn oog viel op een magneethouder op de koelkast die gemaakt was van een foto. Rosie Duff keek hem met een stralende glimlach aan en hij voelde een diepe steek van schuld. 'Er is een probleem,' zei hij, al bang voor wat er zou komen.

'Wat voor probleem?'

'Het bewijsmateriaal is zoek.'

Duff duwde zich rechtop en stond gespannen op de bal van zijn voeten. 'Jullie zijn het bewijsmateriaal kwijt?' Zijn ogen vonkten van de woede die Lawson zich herinnerde van vroeger.

'Ik heb niet gezegd dat we het kwijt zijn. Ik zei dat het zoek is. Het ligt niet waar het zou moeten liggen. We doen ons uiterste best om het te vinden en ik hoop dat dat lukt. Maar op dit moment zitten we vast.'

Duff balde zijn vuisten. 'Dus die vier rotzakken hebben nog steeds niets te vrezen?'

Een maand later, en ondanks zijn zogenaamde ontspannen visvakantie, weergalmde de herinnering aan Duffs woede nog steeds in Lawsons borst. Hij had sindsdien niets meer van Rosies broer gehoord. Maar haar zoon had regelmatig gebeld. En hun terechte boosheid maakte dat Lawson zich dubbel bewust was van de noodzaak van een oplossing. Rosies sterfdag maakte de druk nog groter. Met een zucht schoof hij zijn stoel achteruit en liep naar de kamer van het team.

22

Alex staarde naar de ingang van zijn oprit alsof hij hem nooit eerder had gezien. Hij had geen enkele herinnering aan de rit uit Edinburgh, over de Forthbrug en naar North Queensferry. Verdwaasd reed hij de oprit op en parkeerde aan de andere kant van het geplaveide gedeelte, zodat er dichter bij het huis genoeg ruimte was voor Lynns auto.

Het vierkante stenen huis stond op een hoge, steile oever, dicht bij de massieve pijlers van de spoorbrug. Zo dicht bij de zee was de sneeuw in een vergeefs gevecht gewikkeld met de zoute lucht. De sneeuwbrij op de grond was verraderlijk en Alex gleed tussen de auto en de voordeur een paar keer bijna uit. Het eerste dat hij deed, nadat hij zijn voeten had geveegd en de deur had dichtgegooid tegen de elementen, was Lynn op haar mobieltje bellen en een boodschap achterlaten dat ze voorzichtig moest zijn wanneer ze thuiskwam.

Hij wierp een blik op de staande klok terwijl hij door de hal liep en deed overal waar hij kwam het licht aan. Hij was niet vaak thuis op een doordeweekse dag in de winter terwijl er eigenlijk nog daglicht moest zijn, maar de wolken hingen zo laag vandaag dat het later leek dan het was. Het zou nog minstens een uur duren voordat Lynn thuiskwam. Hij had behoefte aan gezelschap, maar tot die tijd zou hij het moeten doen met het soort gezelschap dat uit een fles kwam.

In de eetkamer schonk hij zich een cognac in, niet te veel waarschuwde hij zichzelf. Dronken worden zou het erger maken, niet beter. Hij pakte zijn glas, liep naar de grote serre die een panoramisch uitzicht bood op de Firth of Forth en ging daar in de grijze schemering zitten zonder zich bewust te zijn van de scheepslichten die op het water schitterden. Hij had geen idee hoe hij met het nieuws van die middag moest omgaan.

Niemand haalt de zesenveertig zonder iemand te verliezen. Maar Alex had meer geluk gehad dan de meeste andere mensen. Goed, toen hij in de twintig was, was hij naar alle vier de begrafenissen van zijn grootouders geweest. Maar dat verwachtte je bij mensen die in de zeventig en tachtig waren, en het was in alle vier de gevallen een dood geweest die de nog levenden als een 'verlossing' hadden gezien. Zijn beide ouders en zijn schoonouders leefden nog. En tot vandaag had dat ook gegolden voor zijn echte vrienden. Hij was het dichtst in contact met de dood gekomen toen vier jaar geleden zijn hoofddrukker was omgekomen bij een auto-ongeluk. Alex had getreurd om de dood van een man die hij graag had gemogen en die belangrijk in de zaak was geweest, maar hij had niet echt verdriet gevoeld.

Dit was anders. Ziggy had meer dan dertig jaar deel uitgemaakt van zijn leven. Ze hadden alle belangrijke overgangsriten gedeeld; ze waren de toetssteen geweest voor elkaars herinneringen. Zonder Ziggy voelde hij zich losgeslagen van zijn eigen geschiedenis. Alex dacht terug aan hun laatste ontmoeting. Lynn en hij waren aan het eind van de zomer twee weken in Californië geweest. Ziggy en Paul hadden zich bij hen gevoegd om drie dagen te gaan wandelen in Yosemite. De hemel was schitterend blauw geweest en het zonlicht had de verbazingwekkende bergen in een scherp reliëf gezet, had elk detail zo duidelijk gemaakt als de zure ets op een metalen plaat. Op hun laatste avond samen waren ze door het land naar de kust gereden en hadden daar een hotel op een steile oever genomen dat uitkeek op de Atlantische Oceaan. Na het eten hadden Alex en Ziggy zich met zes flesjes bier van de kleine plaatselijke brouwerij teruggetrokken in een bubbelbad en zichzelf gefeliciteerd met het feit dat ze hun leven zo goed op orde hadden. Ze hadden over Lynns zwangerschap gepraat en Alex had zich verheugd in Ziggy's duidelijke blijdschap.

'Mag ik de peetvader worden?' had hij gevraagd terwijl hij met zijn amberkleurige bierflesje tegen dat van Alex klonk.

'Ik denk niet dat we het laten dopen,' zei Alex. 'Maar als onze ouders ons zover weten te brengen, zou ik niemand weten die ik liever peetvader zou laten zijn.'

'Je zult er geen spijt van krijgen,' zei Ziggy.

En Alex wist dat hij dat niet zou hebben gekregen. Geen seconde. Maar dat zou nu nooit meer gebeuren.

De volgende ochtend waren Ziggy en Paul vroeg vertrokken voor de lange rit terug naar Seattle. Ze hadden in het parelachtige licht van de dageraad op de veranda van hun huisje gestaan en elkaar ten afscheid omhelsd. Ook iets dat nooit meer zou gebeuren.

Wat was het laatste dat Ziggy uit het raampje van hun terreinwagen had geroepen op het moment dat ze wegreden? Iets over Lynn en dat hij aan al haar wensen moest toegeven om vast te oefenen voor het ouderschap. Hij kon zich de woorden niet precies herinneren, noch wat hij ten antwoord had geroepen. Maar het was kenmerkend voor Ziggy geweest dat zijn laatste woorden over de zorg voor iemand anders waren gegaan. Want Ziggy was altijd degene geweest die zorgde.

In elke groep bevindt zich iemand die zich ontpopt als de rots in de branding, die de bescherming geeft die de zwakkere leden van de stam de kans biedt hun eigen kracht te ontwikkelen. Voor de Laddies fi' Kirkcaldy was dat altijd Ziggy geweest. Niet doordat hij zich bazig gedroeg of alles wilde bedisselen. Hij had alleen een natuurlijke gave gehad voor die rol en de andere drie hadden voortdurend geprofiteerd van Ziggy's vermogen om de dingen op een rijtje te zetten. Zelfs toen ze volwassen waren, had Alex zich altijd tot Ziggy gewend wanneer hij een klankbord nodig had. Toen hij de grote stap had overwogen om een goedbetaalde baan op te zeggen en zijn eigen bedrijf te beginnen, hadden ze een weekend in New York gezeten en alle voors en tegens de revue laten passeren, en Ziggy's vertrouwen in zijn capaciteiten was, als Alex eerlijk was, doorslaggevender geweest dan Lynns overtuiging dat hij het kon.

Nog iets dat nooit meer zou gebeuren.

'Alex?' De stem van zijn vrouw onderbrak zijn verdoofde mijmeringen. Hij was zo in gedachten verzonken geweest, dat hij haar auto niet had gehoord, noch het geluid van haar voetstappen. Hij draaide zich half om naar de vage geur van haar parfum.

'Waarom zit je in het donker? En waarom ben je zo vroeg thuis?' Er was niets beschuldigends in haar stem, alleen bezorgdheid.

Alex schudde zijn hoofd. Hij wilde het nieuws niet vertellen.

'Er is iets gebeurd,' zei Lynn terwijl ze de afstand tussen hen overbrugde en zich in de stoel naast hem liet vallen. Ze legde een hand op zijn arm. 'Alex, wat is er?'

Bij het geluid van haar verontruste stem kwam er een abrupt einde aan de verdoving van de schok. Er ging een brandende pijn door hem heen die hem een ogenblik de adem benam. Hij keek in Lynns ongeruste ogen en kromp ineen. Zonder een woord te zeggen legde hij zijn hand zachtjes op de ronding van haar buik.

Lynn legde haar hand op de zijne. 'Alex... vertel me wat er is.'

Zijn stem klonk hem vreemd in de oren: een schorre, gebroken schaduw van zijn normale stem. 'Ziggy,' wist hij uit te brengen. 'Ziggy is dood.'

Lynns mond ging open. Een frons van ongeloof ontstond. 'Ziggy?'

Alex schraapte zijn keel. 'Het is waar,' zei hij. 'Er is brand geweest. Bij hem thuis. 's Nachts.'

Lynn huiverde. 'Nee. Niet Ziggy. Dat moet een vergissing zijn.'

'Geen vergissing. Paul belde me. Hij heeft het verteld.'

'Hoe kan dat? Ziggy en hij sliepen in hetzelfde bed. Hoe kan Ziggy dood zijn als er niets met Paul is?' Lynns stem klonk luid. Haar ongeloof galmde door de serre.

'Paul was er niet. Hij gaf een gastcollege op Stanford.' Alex sloot zijn ogen bij de gedachte eraan. 'Hij is vanmorgen teruggevlogen. Is vanaf het vliegveld rechtstreeks naar huis gereden. Hij trof de brandweer en de politie bij de puinhopen van hun huis aan.'

Stille tranen schitterden in Lynns wimpers. 'Dat moet... o, god. Ik kan het niet geloven.'

Alex vouwde zijn armen voor zijn borst. 'Je denkt er niet aan dat de mensen van wie je houdt zo kwetsbaar zijn. Het ene moment zijn ze er, het volgende zijn ze weg.'

'Hebben ze enig idee wat er gebeurd is?'

'Ze hebben tegen Paul gezegd dat ze het nog niet weten. Maar ze hebben hem een paar behoorlijk scherpe vragen gesteld, zei hij. Hij denkt dat het er misschien verdacht uitziet, dat ze het een beetje te toevallig vinden dat hij niet thuis was.'

'O god, arme Paul.' Lynns vingers wrongen zich bezorgd in haar schoot. 'Ziggy verliezen is al verschrikkelijk genoeg. Maar ook nog de politie op zijn nek hebben... Arme, arme Paul.'

'Hij vroeg of ik het aan Weird en Mondo wilde vertellen.' Alex schudde zijn hoofd. 'Ik heb het nog niet gekund.'

'Ik zal Mondo bellen,' zei Lynn. 'Maar straks. Hij zal het tenslotte niet van iemand anders horen.'

'Nee, ik moet hem bellen. Ik heb Paul beloofd...'

'Hij is mijn broer, ik ken hem. Maar Weird, dat zul jij moeten doen. Ik denk niet dat ik ertegen kan als ik te horen zou krijgen dat Jezus op dit moment van me houdt.'

'Ik weet het. Maar iemand moet het hem vertellen.' Alex glimlachte bitter. 'Hij zal waarschijnlijk willen preken op de begrafenis.'

Lynn zag er ontsteld uit. 'O nee. Dat mag je niet laten gebeuren.'

'Dat weet ik.' Alex boog zich naar voren en pakte zijn glas. Hij dronk de laatste druppels cognac. 'Weet je welke dag het is?'

Lynn verstijfde. 'Godallemachtig.'

De eerwaarde Tom Mackie legde de hoorn terug op de haak en streelde het verzilverde kruis dat op zijn purperen, zijden soutane lag. Zijn Amerikaanse gemeente vond het prachtig om een Britse predikant te hebben, en omdat ze toch geen onderscheid konden maken tussen Schots en Engels, bevredigde hij hun verlangen naar vertoon met de pracht en praal van het anglicisme. Het was ijdelheid, dat erkende hij, maar onschadelijke ijdelheid.

Zijn secretaresse was al naar huis en de eenzaamheid van zijn lege kamer bood hem de ruimte voor zijn verwarde emotionele reactie op de schok van Ziggy Malkiewicz' dood zonder zich goed te moeten houden voor de buitenwereld. Hoewel er geen gebrek was aan cynische manipulatie in de manier waarop Weird met de praktijk van zijn ambt omging, waren zijn godsdienstige overtuigingen diep en oprecht. En in zijn hart wist hij dat Ziggy een zondaar was, onherroepelijk besmet door zijn homoseksualiteit. In Weirds fundamentalistische universum was er op dat punt geen ruimte voor twijfel. De bijbel was duidelijk in zijn verbod op deze zonde en zijn afschuw ervan. Verlossing zou moeilijk zijn geweest, zelfs als Ziggy oprecht berouw zou hebben gehad, maar voor zover Weird wist, was Ziggy gestorven zoals hij had geleefd, zijn zonde nog steeds enthousiast omhelzend. De wijze waarop hij gestorven was, zou ongetwijfeld terug te voeren zijn op zijn zondige levenswijze. Het verband zou duidelijker zijn geweest als de Heer hem bezocht had met de plaag van aids. Maar Weird had in zijn hoofd een scenario geschapen waarin de schuld gelegd zou worden bij Ziggy's eigen riskante keuze. Misschien had een of ander los contact gewacht tot Ziggy sliep om hem te beroven en had hij daarna brand gesticht om zijn misdaad te verhullen. Misschien hadden ze marihuana gerookt en was een smeulende joint de oorzaak van de brand geweest.

Maar hoe het ook gebeurd mocht zijn, Ziggy's dood drukte Weird stevig met zijn neus op het feit dat het mogelijk was de zonde te haten en tegelijkertijd van de zondaar te houden. Hij kon niet om het feit heen dat die vriendschap hem in zijn jeugd steun had gegeven, toen zijn wilde geest hem blind had gemaakt voor het licht. Zonder Ziggy was hij niet door zijn puberteit heen gekomen zonder in ernstige moeilijkheden te zijn geraakt. Of erger.

Zonder dat hij het wilde, speelde zijn geheugen een film voor hem af. Winter 1972. Het jaar van hun examens. Alex had zich de kunst meester gemaakt om in auto's te kunnen inbreken zonder het slot te beschadigen. Er was een soepele metaalstrip en veel behendigheid voor nodig. Ze konden daardoor anarchistisch zijn zonder echt misdadig te worden. De gang van zaken was simpel. Een paar onwettige Carlsberg Specials in het Havencafé en dan op stap, de nacht in. Ze kozen een stuk of vijf willekeurige auto's uit tussen het café en het busstation. Alex wurmde zijn metalen strip in het autoportier en knipte het slot open. Dan kroop Ziggy of Weird in de auto en krabbelde hun boodschap aan de binnenkant van de voorruit. Met een rode lippenstift die van tevoren gestolen was bij Boots, de drogist, en wat heel moeilijk schoon te maken was. Ze schreven het refrein op van Bowies 'Laughing Gnome'. Ze kregen er altijd de slappe lach van.

Dan deden ze het autoportier weer zorgvuldig op slot en gingen er giechelend als gekken vandoor. Het was een spel dat zowel belachelijk als briljant was.

Op een avond was Weird achter het stuur van een Ford Escort gekropen. Terwijl Ziggy schreef, klikte hij de asbak open en keek verrukt naar een reservesleutel. In de wetenschap dat diefstal niet op de agenda stond en dat Ziggy erin zou slagen hem van zijn lol te beroven, had Weird gewacht tot zijn vriend uit de auto was gestapt. Toen stopte hij de sleutel in het contactslot en startte de auto. Hij deed de lichten aan en zag de geschokte gezichten van de andere drie. Eigenlijk had hij zijn vrienden alleen maar willen verrassen. Maar toen was het tot hem doorgedrongen dat hij meer kattenkwaad kon uithalen en had hij zich laten meeslepen. Hij had nog nooit gereden, maar kende de theorie en had vaak genoeg naar zijn vader gekeken om ervan overtuigd te zijn dat hij het kon. Hij zette de auto gierend in de versnelling, haalde de handrem eraf en kwam hortend en stotend in beweging.

Hij reed hink-stapspringend de parkeerplaats af en ging in de richting van de uitgang die hem op de Prom zou brengen, de drie kilometer lange boulevard die langs de zeemuur liep. De straatlantaarns waren een oranje waas, de rode letters van de boodschap werden donker op de voorruit terwijl hij krakend naar hogere versnellingen denderde. Hij moest zo hard lachen dat hij het stuur amper recht kon houden.

Voor hij het wist was hij aan het eind van de Prom gekomen. Hij rukte het stuur naar rechts en wist de auto op de een of andere manier onder controle te houden terwijl hij de bocht langs de busgarage nam. Gelukkig waren er weinig auto's op de weg doordat de meeste mensen op een koude, vriesachtige februari-avond liever thuisbleven. Hij zette zijn voet op het gaspedaal en schoot Invertiel Road op, onder de spoorbrug door en langs Jawbanes Road.

Zijn snelheid was zijn ondergang. Terwijl de weg naar een bocht naar links klom, raakte Weird een met ijs bedekte plas en tolde rond. De tijd verminderde zijn snelheid en Weird maakte in een trage wals een draai van 360 graden. Hij rukte aan het stuur, maar dat leek het alleen maar erger te maken. Een steile, grasachtige heuvel doemde recht voor hem op en ineens lag de auto op zijn zij en sloeg hij tegen de deur, waarbij de draaiknop van het raam in zijn ribben smakte.

Hij had geen idee hoe lang hij daar lag, verdwaasd en in pijn, luisterend naar het tik, tik waarmee de afgeslagen motor afkoelde in de avondlucht. Ineens verdween de deur boven zijn hoofd en zag hij de geschrokken gezichten van Alex en Ziggy. 'Ongelooflijke idioot!' schreeuwde Ziggy zodra hij besefte dat Weird er min of meer heelhuids van af gekomen was.

Op de een of andere manier had hij zich omhoog weten te werken en hadden zij hem eruit gehesen, schreeuwend van pijn toen zijn gebroken ribben protesteerden. Hij lag hijgend op het bevroren gras en elke ademhaling sneed als een mes door hem heen. Het duurde een minuut of zo voordat het tot hen doordrong dat een Austin Allegro op de weg achter het wrak van de Escort was gestopt. Zijn lichten sneden door de duisternis en wierpen vreemde schaduwen.

Ziggy had hem overeind getrokken en van de helling afgesleept. 'Verdomde idioot,' bleef hij herhalen terwijl hij hem op de achterbank van de Allegro zette. Door een waas van pijn hoorde hij de onderhandelingen.

'Wat doen we nu?' vroeg Mondo.

'Alex rijdt jullie terug naar de Prom en jullie zetten deze auto weer op de plaats waar hij stond. Dan gaan jullie naar huis. Oké?'

'Maar Weird is gewond,' protesteerde Mondo. 'Hij moet naar het ziekenhuis.'

'Ja, goed idee. Laten we overal bekendmaken dat hij een autoongeluk heeft gehad.' Ziggy boog zich naar binnen in de auto en hield zijn hand voor Weirds gezicht. 'Hoeveel vingers, idioot?'

Weird concentreerde zich door zijn verdwazing heen. 'Twee,' kreunde hij.

'Zie je? Hij heeft niet eens een hersenschudding. Niet te geloven. Ik dacht altijd al dat hij beton tussen zijn oren had. Het zijn alleen zijn ribben, Mondo. Het enige dat het ziekenhuis zou doen is hem wat pijnstillers geven.'

'Maar hij heeft ontzettend veel pijn. Wat moet hij zeggen als hij thuiskomt?'

'Dat is zijn probleem. Hij kan zeggen dat hij van een trap is gevallen. Zoiets.' Hij boog zich weer naar binnen. 'Je zult gewoon op je tanden moeten bijten, idioot.'

Met een vertrokken gezicht duwde Weird zich rechtop. 'Dat lukt me wel.'

'En wat ga jij doen?' vroeg Alex terwijl hij achter het stuur van de Allegro ging zitten.

'Ik geef jullie vijf minuten om weg te komen. Dan steek ik de auto in brand.'

Het was dertig jaar later en Weird kon zich de geschokte uitdrukking op Alex' gezicht nog herinneren. 'Wát?'

Ziggy wreef met zijn hand over zijn gezicht. 'Hij is bezaaid met onze vingerafdrukken. Ons handelsmerk staat op de voorruit. Toen we alleen maar op voorruiten krabbelden, maakte de politie geen werk van ons. Maar nu is er een gestolen auto die in de prak gereden is. Dacht je dat ze dat nog als een grap zouden zien? We moeten hem in de fik steken. Hij is toch total loss.'

Er viel niets tegen in te brengen. Alex startte de motor en reed zonder te haperen weg op zoek naar een zijweg om te kunnen keren. Pas dagen later dacht Weird eraan om te vragen: 'Waar heb je leren rijden?'

'Op het strand in Barra, vorig jaar zomer. Mijn neef heeft het me geleerd.'

'En hoe heb je de Allegro gestart zonder sleutels?'

'Heb je de auto niet herkend?'

Weird schudde zijn hoofd.

'Hij is van "Sammy" Seale.'

'De leraar metaalbewerking?'

'Precies.'

Weird grinnikte. Het eerste dat ze tijdens metaalbewerking hadden gemaakt, was een magnetisch doosje dat je op het chassis van een auto kon zetten om er reservesleutels in te bewaren. 'Wat een geluk.'

'Een geluk voor jou, sufferd. Ziggy zag hem.'

Het had heel anders kunnen aflopen, dacht Weird. Zonder de reddingsactie van Ziggy was hij in hechtenis genomen en had hij een strafblad gehad, en dat zou grote invloed hebben gehad op zijn leven. In plaats van hem voor de gevolgen van zijn eigen stommiteit te laten opdraaien, had Ziggy een manier gevonden om hem te redden. En hij had daarbij zelf een risico genomen. Een auto in brand steken was nogal wat voor een in principe oppassende, ambitieuze jongen. Maar Ziggy had geen moment geaarzeld.

Dus moest Weird nu iets terugdoen, voor deze gunst en vele andere. Hij zou op Ziggy's begrafenis spreken. Hij zou berouw en vergiffenis preken. Het was te laat om Ziggy te redden, maar met Gods genade zou hij misschien weer een onwetende ziel kunnen redden.

23

Wachten was een van de dingen waar Graham Macfadyen goed in was. Zijn adoptievader was een hartstochtelijk amateur-ornitholoog geweest en in zijn jeugd had de jongen soms lang de tijd moeten doden tussen twee waarnemingen door van vogels die de moeite waard waren om de verrekijker voor naar de ogen te brengen. Hij had al vroeg geleerd stil te zitten om niet te maken te krijgen met de gemene kant van zijn vaders sarcasme. Schuldgevoel deed net zoveel pijn als een afranseling, en Macfadyen deed alles wat in zijn beperkte vermogen lag om beide te mijden. Het geheim, had hij al snel geleerd, was zich goed te kleden voor het weer. Dus als hij het grootste deel van de dag sneeuwbuien en koude noordelijke windvlagen moest verduren, voelde hij zich toch goed in zijn donzen parka, zijn waterafstotende met fleece gevoerde broek en zijn stevige wandelschoenen. Hij was bijzonder dankbaar voor de zitstok die hij had meegenomen, want in zijn waarnemingspost kon hij anders alleen op grafstenen zitten. En dat zou niet van goede manieren getuigen.

Hij had vrij genomen van zijn werk. Hij had ervoor moeten liegen, maar dat moest dan maar. Hij wist dat hij mensen in de steek liet, dat door zijn afwezigheid een belangrijke deadline niet werd gehaald. Maar sommige dingen waren belangrijker dan een contractueel vastgelegde datum halen. En niemand zou iemand die zo gewetensvol was als hij ervan verdenken te veinzen. Liegen was net als stilzitten en in de omgeving opgaan, iets waar hij goed in was. Hij dacht niet dat Lawson ook maar de geringste twijfel had gekoesterd toen hij zei dat hij van zijn adoptie-ouders had gehouden. God wist dat hij het geprobeerd had. Maar hun emotionele afstandelijkheid in combinatie met hun voortdurende afkeuring en teleurstelling had zijn gevoelens van genegenheid uitgeput en hem gevoelloos en eenzaam gemaakt. Met zijn echte moeder zou het heel anders zijn geweest, daar was hij van overtuigd. Maar de kans om daar nog achter te komen was hem ontzegd, en hij had niets anders overgehouden dan de fantasie om iemand daarvoor te laten boeten. Hij had zoveel verwacht van zijn gesprek met Lawson, maar de incompetentie van de politie had de grond onder zijn voeten vandaan gerukt. Dat de voor de hand liggende weg voor hem gesloten was, betekende echter niet dat hij zijn doel zou opgeven. Hij had dat geleerd van jarenlang computerprogramma's schrijven.

Hij wist niet zeker of zijn wake iets zou opleveren, maar hij had de drang gevoeld om hierheen te gaan. Als het niet zou werken, zou hij een andere manier vinden om te krijgen wat hij wilde. Hij was kort na zevenen gekomen en naar het graf gelopen. Hij was er eerder geweest en had zich teleurgesteld gevoeld toen het hem niet dichter bij de moeder bleek te brengen die hij nooit had gekend. Deze keer legde hij de discrete bloemenhulde aan de voet van de steen en liep toen naar het uitkijkpunt dat hij bij zijn laatste bezoek had gevonden. Hij zou grotendeels verborgen zijn achter een grote gedenksteen voor een voormalig gemeenteraadslid, maar had een duidelijk uitzicht op Rosies laatste rustplaats.

Er zou iemand komen, hij was er zeker van geweest. Maar nu, terwijl de wijzers van zijn horloge naar zeven uur bewogen, begon hij te twijfelen. Lawson kon de pot op met zijn verhaal dat hij beter uit de buurt van zijn ooms kon blijven. Hij zou contact met ze maken. Hij was ervan uitgegaan dat een benadering op zo'n betekenisvolle plek hun vijandigheid zou wegnemen en hen in staat zou stellen om hem te zien als iemand die, net als zij, het recht had om beschouwd te worden als deel van Rosies familie. Maar het begon er nu naar uit te zien dat hij zich had vergist. De gedachte maakte hem kwaad.

Net op dat moment zag hij een donkere gedaante bij de graven. Even later bleek het een man te zijn, die met kwieke pas over het pad in zijn richting kwam. Macfadyen ademde scherp in.

Met zijn hoofd omlaag tegen het weer verliet de man het pad en liep zelfverzekerd tussen de graven door. Toen hij dichterbij kwam, zag Macfadyen dat hij een klein boeket bloemen bij zich had. De man begon langzamer te lopen en op anderhalve meter van Rosies grafsteen stond hij stil. Hij boog zijn hoofd en bleef zo een poosje staan. Toen hij zich bukte om de bloemen neer te leggen, liep Macfadyen door de sneeuw die zijn voetstappen dempte op hem af.

De man kwam overeind en zette een stap naar achteren, waardoor hij tegen Macfadyen aanbotste. 'Wat zullen we...' riep hij uit terwijl hij zich vliegensvlug omdraaide.

Macfadyen stak zijn handen in een verzoenend gebaar omhoog. 'Het spijt me. Ik wilde u niet laten schrikken.' Hij duwde de capuchon van zijn parka naar achteren om er minder angstaanjagend uit te zien.

De man keek hem fronsend aan, zijn hoofd scheef gehouden, en staarde aandachtig naar zijn gezicht. 'Ken ik je?' vroeg hij, op een toon die net zo strijdlustig was als zijn houding.

Macfadyen aarzelde geen moment. 'Ik denk dat u mijn oom bent,' zei hij.

Lynn liet Alex alleen om te bellen. Haar verdriet voelde als een harde, ongemakkelijke steen in haar borst. Ze liep afwezig naar de keuken en sneed op de automatische piloot kippenvlees in blokjes, die ze in een gietijzeren schaal deed, samen met wat grof gesneden ui en paprika. Ze goot er wat kant-en-klare saus over, voegde er een scheut witte wijn aan toe en zette de schaal in de oven. Zoals gewoonlijk was ze vergeten hem voor te verwarmen. Ze prikte wat stoofaardappelen in met een vork en legde ze op het rooster boven de schaal. Alex zou zijn gesprek met Weird nu toch wel achter de rug hebben, dacht ze. Ze kon het gesprek met haar broer niet langer uitstellen.

Als ze erover nadacht, leek het Lynn een beetje vreemd dat, ondanks de bloedverwantschap, ondanks haar minachting voor Weirds soort hel en verdoemenis, Mondo degene was die het meest afstand had genomen van de anderen van het oorspronkelijke viertal. Ze dacht vaak dat hij, als hij haar broer niet was geweest, volledig uit Alex' beeld zou zijn verdwenen. Geografisch was hij het meest dichtbij. Maar aan het eind van hun studietijd leek hij alle banden met zijn jeugd en studententijd te willen verbreken.

Hij was de eerste geweest die het land uitging. Na hun afstuderen was hij naar Frankrijk gegaan om carrière te maken in de academische wereld. In de drie daaropvolgende jaren was hij nauwelijks in Schotland terug geweest en zelfs niet naar de begrafenis van hun grootmoeder gekomen. Ze betwijfelde dat hij de moeite zou hebben genomen om naar haar bruiloft met Alex te komen als hij inmiddels niet terug was geweest in Groot-Brittannië. Hij doceerde aan de Universiteit van Manchester. Steeds als Lynn de reden voor zijn afwezigheid probeerde te ontdekken, had hij het onderwerp gemeden. Hij was altijd goed geweest in dingen mijden, haar grote broer.

Lynn, die zelf stevig verankerd was gebleven in haar verleden, begreep niet waarom iemand zijn persoonlijke geschiedenis achter zich zou willen laten. Het was tenslotte niet alsof Mondo een vreselijke kindertijd of afschuwelijke jeugd had gehad. Natuurlijk, hij was altijd een beetje een zacht ei geweest, maar toen hij eenmaal bevriend was geraakt met Alex, Weird en Ziggy, had hij een bolwerk tegen de bullebakken gehad. Ze herinnerde zich hoe ze de vier jongens had benijd om hun hechte vriendschap, de moeiteloze manier waarop ze zich altijd wisten te vermaken. Hun vreselijke muziek, hun lichte rebellie, de manier waarop ze zich niets hadden aangetrokken van de mening van hun leeftijdgenoten. Het leek haar ontzettend masochistisch om zo'n vriendschap de rug toe te keren.

Hij was altijd zwak geweest, dat wist ze. Als er moeilijkheden dreigden, was Mondo vertrokken. Des te meer reden, vond Lynn, om de vriendschap in stand te houden die hem in zoveel opzichten had geholpen. Ze had Alex gevraagd wat hij ervan dacht en hij had zijn schouders opgehaald. 'Dat laatste jaar in St Andrews was zwaar. Misschien wil hij er gewoon niet meer aan herinnerd worden.'

Dat kon kloppen. Ze kende Mondo goed genoeg om te weten hoe schuldig en beschaamd hij zich had gevoeld na de dood van Barney Maclennan. Hij had de spottende opmerkingen moeten verduren van bullebakken in de cafés, die hem aanraadden het goed te doen als hij zich weer eens van kant wilde maken. Hij had de persoonlijke kwelling moeten doormaken van de wetenschap dat zijn egoïstische gedrag iemand anders het leven had gekost. Hij had in therapie gemoeten en was daar grotendeels herinnerd aan dat verschrikkelijke moment waarop een schreeuw om aandacht veranderd was in de ergste nachtmerrie. Ze nam aan dat de aanwezigheid van de andere drie hem alleen maar herinnerde aan dingen die hij wilde vergeten. Ze wist ook dat, hoewel hij het nooit had gezegd, Alex de knagende verdenking dat Mondo meer van de dood van Rosie Duff wist dan hij had verteld nooit helemaal van zich af had kunnen zetten. Maar het sloeg natuurlijk nergens op. Als een van hen in staat was geweest om op die bepaalde avond dat bepaalde misdrijf te plegen, was het Weird. Hij was zo stoned als een garnaal geweest van een combinatie van drank en drugs en gefrustreerd dat zijn capriolen in de Land Rover de meisjes minder geïmponeerd hadden dan hij had gehoopt. Die plotselinge bekering van hem had haar altijd verbaasd.

Maar wat de echte redenen ook mochten zijn, ze had haar broer wel gemist in die ruim twintig jaar. Toen ze jonger was, had ze zich altijd voorgesteld dat hij met een meisje zou trouwen dat haar beste vriendin zou worden, dat ze een nog hechtere band zouden krijgen door de komst van kinderen, dat ze een van die gezellige grote families zouden worden die vlak bij elkaar wonen. Maar niets daarvan was uitgekomen. Na een serie half serieuze relaties was Mondo ten slotte met Hélène getrouwd, een Franse studente die tien jaar jonger was dan hij en nauwelijks de moeite nam om haar minachting te verbergen voor iedereen die niet met hetzelfde gemak als zij over Foucault of mode kon discussiëren. Ze toonde openlijk haar minachting voor Alex omdat hij de handel had verkozen boven de kunst. Lynn werd behandeld met een lauw enthousiasme vanwege haar carrière als restaurateur van schilderijen. Net als Alex en zij waren ze tot nu toe kinderloos, maar Lynn vermoedde dat dat hun keuze was en dat het zo zou blijven.

Ze nam aan dat de afstand het doorgeven van het nieuws op de een of andere manier gemakkelijker zou maken. Toch was het opnemen van de hoorn een van de moeilijkste dingen die ze ooit had gedaan. Nadat hij twee keer was overgegaan, werd de telefoon opgenomen door Hélène. 'Hallo, Lynn. Wat leuk om van je te horen. Ik geef je David,' zei ze, en haar bijna perfecte Engels was een verwijt op zich. Voordat Lynn ook maar een waarschuwing kon laten horen voor de reden van haar telefoontje, was Hélène verdwenen. Het duurde even, maar toen klonk de vertrouwde stem van haar broer in haar oor.

'Lynn,' zei hij. 'Hoe is het met je?' Alsof het hem interesseerde.

'Mondo, ik ben bang dat ik slecht nieuws heb.'

'Toch niet onze ouders?' onderbrak hij haar voordat ze nog iets had kunnen zeggen.

'Nee, het gaat goed met ze. Ik heb mam gisteravond nog gesproken. Dit zal wel een beetje een schok voor je zijn. Alex heeft vanmorgen een telefoontje uit Seattle gekregen.' Lynn voelde een brok in haar keel bij de gedachte. 'Ziggy is dood.' Stilte. Ze wist niet of het stilte was van de schok of van onzekerheid over het passende antwoord. 'Het spijt me,' zei ze.

'Ik wist niet dat hij ziek was,' zei Mondo ten slotte.

'Hij was niet ziek. Het huis is vannacht in brand gevlogen. Ziggy lag te slapen. Hij is bij de brand omgekomen.'

'Wat verschrikkelijk. Jezus. Arme Ziggy. Hoe is dat mogelijk. Hij was altijd zo voorzichtig.' Hij maakte een raar geluid, bijna als gesnuif van het lachen. 'Als iemand van ons in vlammen had moeten opgaan, had ik eerder aan Weird gedacht. Die kreeg altijd ongelukken. Maar Ziggy?'

'Ik weet het. Het is moeilijk te geloven.'

'God. Arme Ziggy.'

'Ik weet het. We hebben het zo leuk gehad met Paul en hem toen we in september in Californië waren. Het voelt zo onwerkelijk.'

'En Paul. Is hij ook dood?'

'Nee, hij was die nacht niet huis. Toen hij terugkwam was het huis afgebrand en Ziggy dood.'

'God. Dan zal hij wel verdacht worden.'

'Ik denk dat dat wel het laatste is waar hij op dit moment mee zit,' zei Lynn kortaf.

'Nee, je begrijpt me verkeerd. Ik bedoel alleen dat het het allemaal nog erger voor hem maakt. Jezus, Lynn, ik weet wat het is om door iedereen voor een moordenaar te worden aangezien,' vuurde Mondo terug.

Er volgde een korte stilte waarin ze allebei kalmer werden. 'Alex gaat erheen voor de begrafenis,' bood Lynn als een olijftak aan.

'O, ik denk niet dat mij dat lukt,' zei Mondo haastig. 'We gaan over een paar dagen naar Frankrijk. We hebben de vlucht al geboekt en alles. Bovendien heb ik de laatste jaren niet zo'n hechte band met Ziggy gehad als Alex en jij.'

Lynn staarde ongelovig naar de muur. 'Jullie met z'n vieren waren als bloedbroeders. Is dat niet een kleine verstoring van je reisplannen waard?'

Het bleef lang stil. Toen zei Mondo: 'Ik wil niet gaan, Lynn. Dat betekent niet dat ik niet om Ziggy gaf. Maar ik vind begrafenissen vreselijk. Ik zal Paul natuurlijk schrijven. Waarom zou ik de halve wereld over reizen voor een begrafenis die me alleen maar van streek zal maken? Ziggy zal er niet door terugkomen.'

Lynn voelde zich plotseling uitgeput. Ze was blij dat zij de last van dit pijnlijke gesprek van Alex' schouders had genomen. Het ergste was nog dat ze ondanks alles kon meeleven met haar overgevoelige broer. 'Niemand zou willen dat je van streek raakt,' zuchtte ze. 'Goed, ik moet ophangen, Mondo.'

'Wacht even, Lynn,' zei hij. 'Is Ziggy vandaag gestorven?'

'Vroeg in de ochtend, ja.'

Een scherp inzuigen van adem. 'Dat is griezelig. Weet je dat het vandaag precies vijfentwintig jaar geleden is dat Rosie Duff stierf?'

'Wij waren het niet vergeten. Ik ben verbaasd dat jij het je herinnert.'

Hij lachte bitter. 'Dacht jij dat ik de dag kon vergeten waarop mijn leven werd verpest? Hij staat in mijn geheugen gegrift.'

'Ja, nou, dan zul je in elk geval Ziggy's sterfdag onthouden,' zei

Lynn wrevelig toen het tot haar doordrong dat het Mondo weer eens was gelukt om de zaken zo te draaien dat het allemaal om hem ging. Soms zou ze echt willen dat je familiebanden kon beëindigen.

Lawson keek woedend naar de telefoon terwijl hij de hoorn op de haak legde. Hij had tien minuten het gezeur moeten aanhoren van het plaatselijke parlementslid dat de nieuwe hoofdverdachte van Phil Parhatka vertegenwoordigde over de mensenrechten van dat stuk tuig. Lawson had willen schreeuwen: en hoe zit het met de mensenrechten van de arme kerel die hij vermoord heeft? Maar hij was gelukkig zo verstandig geweest om zijn ergernis niet te laten merken. In plaats daarvan had hij sussende geluiden gemaakt en besloten een gesprekje te hebben met de ouders van de dode man om ervoor te zorgen dat zij hun parlementslid eraan zouden herinneren dat zijn loyaliteit bij de slachtoffers hoorde te liggen en niet bij de daders. Toch kon hij Phil Parhatka beter even waarschuwen om op zijn tellen te passen.

Hij keek op zijn horloge en zag verbaasd hoe laat het al was. Hij kon op weg naar buiten net zo goed even langs de teamkamer lopen voor het geval Phil nog aan het werk was.

Maar de enige die er op dit late tijdstip nog was, was Robin Maclennan. Hij zat met gefronst voorhoofd van concentratie een map met getuigenverklaringen door te nemen. In het schijnsel van zijn bureaulamp leek hij bijna griezelig veel op zijn broer. Lawson huiverde onwillekeurig. Het was alsof hij een geest zag, maar een geest die een tiental jaar ouder was geworden sinds hij het laatst op aarde had rondgelopen.

Lawson schraapte zijn keel en Robin keek op, en de illusie verdween toen diens eigen manieren de gelijkenis met zijn broer overvleugelden. 'Hallo,' zei hij.

'Je bent nog laat bezig,' zei Lawson.

Robin haalde zijn schouders op. 'Diane is met de kinderen naar de film. Ik kan net zo goed hier zitten als in een leeg huis.'

'Ik weet wat je bedoelt. Ik heb dat gevoel ook vaak sinds Marian gestorven is vorig jaar.'

'Is je zoon niet thuis?'

Lawson snoof. 'Mijn zoon is tweeëntwintig nu, Robin. Michael is van de zomer afgestudeerd. Economie. En nu werkt hij als motorkoerier in Sydney, Australië. Ik vraag me weleens af waarvoor ik in godsnaam zo hard heb gewerkt. Zin in een biertje?'

Robin zag er lichtelijk verbaasd uit. 'Ja, oké,' zei hij terwijl hij de map dichtsloeg en opstond.

Ze besloten naar een klein café aan de rand van Kirkcaldy te gaan, wat voor beiden daarna nog maar een klein stukje rijden naar huis betekende. Het was er druk. Een luid geroezemoes nam het op tegen de selectie van kersthits die rond die tijd van het jaar onontkoombaar leek. Slierten engelenhaar sierden de flessenbar en een opzichtige kerstboom van glasvezel leunde dronken tegen het ene uiteinde van de bar. Terwijl Wizzard wenste dat het elke dag kerst zou zijn, haalde Lawson twee biertjes en twee whisky's en vond Robin een relatief rustig tafeltje in de verste hoek van het café. Robin keek een beetje geschrokken naar de twee glazen die voor zijn neus stonden. 'Dank u,' zei hij voorzichtig.

'Vergeet de rang, Robin. Voor vanavond, oké?' Lawson nam een grote slok van zijn bier. 'Eerlijk gezegd was ik blij dat je er nog was. Ik had zin om wat te drinken vanavond en ik had geen zin om alleen te drinken.' Hij keek hem nieuwsgierig aan. 'Weet je welke dag het vandaag is?'

Robins uitdrukking werd voorzichtig. 'Het is 16 december.'

'Volgens mij kun je er nog meer over zeggen.'

Robin pakte zijn whisky en sloeg hem in één keer achterover. 'Het is vijfentwintig jaar geleden dat Rosie Duff werd vermoord. Wil je dat van me horen?'

'Ik dacht wel dat je het wist.' Daarna wist geen van beiden nog iets te zeggen, dus dronken ze een paar minuten in een ongemakkelijke stilte.

'Hoe ver is Karen ermee?' vroeg Robin.

'Ik denk dat jij dat beter weet dan ik. De baas hoort de dingen altijd het laatst. Zo gaat het toch?'

Robin glimlachte grimmig. 'Niet in dit geval. Karen is nauwelijks op het bureau de laatste tijd. Ze lijkt al haar tijd in het magazijn door te brengen. En als ze aan haar bureau zit, ben ik de laatste met wie ze wil praten. Net als alle anderen geneert ze zich om over Barneys grote mislukking te praten.' Hij nam zijn laatste slok bier en stond op. 'Nog een keer hetzelfde?'

Lawson knikte. Toen Robin terugkwam, zei hij: 'Is dat hoe jij het ziet? Barneys grote mislukking?'

Robin schudde ongeduldig zijn hoofd. 'Zo zag Barney het. Ik herinner me die kerst. Ik had hem nog nooit zo gezien. Hij vond dat hij alles fout had gedaan. Het was zijn schuld, vond hij, dat er niemand gearresteerd was. Hij was ervan overtuigd dat hij iets over het hoofd zag, iets heel belangrijks. Het vrat aan hem.'

'Ik herinner me dat hij het heel persoonlijk opvatte.'

'Dat kun je wel zeggen.' Robin staarde in zijn whisky. 'Ik wilde helpen. Ik ben alleen bij de politie gegaan omdat Barney een soort god voor me was. Ik wilde net als hij worden. Ik vroeg om overplaatsing naar St Andrews om aan het onderzoek mee te doen. Hij wees het af.' Hij zuchtte. 'Ik denk nog steeds dat het misschien niet gebeurd was als ik erbij was geweest.'

'Je had hem niet kunnen redden, Robin,' zei Lawson.

Robin sloeg zijn tweede whisky achterover. 'Dat weet ik. Maar ik vraag het me toch af.'

Lawson knikte. 'Barney was een geweldige politieman. Moeilijk te evenaren. En de manier waarop hij gestorven is... ik was er ziek van. Ik heb altijd gevonden dat we Davey Kerr hadden moeten aanklagen.'

Robin keek verbaasd op. 'Hem aanklagen? Op grond waarvan? Een zelfmoordpoging is geen misdrijf.'

Lawson zag er geschrokken uit. 'Maar... Je hebt gelijk, Robin. Wat bezielt me?' stamelde hij. 'Vergeet maar wat ik zei.'

Robin boog zich naar voren. 'Vertel me wat je wilde zeggen.'

'Niets. Echt niet.' Lawson probeerde zijn verwarring te verbergen door een slok te nemen. Hij verslikte zich en hoestte en de whisky liep over zijn kin.

'Je wilde iets zeggen over de manier waarop Barney is gestorven.' Robins ogen nagelden Lawson aan zijn stoel.

Lawson veegde zijn mond af en zuchtte. 'Ik dacht dat je het wist.'

'Wat wist?'

'Dood door schuld, dat zou de aanklacht tegen Davey Kerr zijn geweest.'

Robin fronste zijn wenkbrauwen. 'Dat had je nooit kunnen waarmaken. Kerr wilde niet over de rand vallen, het was een ongeluk. Hij wilde alleen maar aandacht trekken, niet echt zelfmoord plegen.'

Lawson zag er ongemakkelijk uit. Hij schoof zijn stoel naar achteren en zei: 'Je hebt nog een whisky nodig.' Deze keer kwam hij terug met een dubbele. Hij ging zitten en keek Robin aan. 'Jezus,' zei hij zacht. 'Ik weet dat we besloten hebben om het stil te houden, maar ik was ervan overtuigd dat jij het wel had gehoord.'

'Ik weet nog steeds niet waar je het over hebt,' zei Robin met intense aandacht. 'Maar ik vind dat ik een verklaring verdien.'

'Ik stond vooraan aan het touw,' zei Lawson. 'Ik heb het met mijn eigen ogen gezien. Toen we ze omhoogtrokken, raakte Kerr in paniek en schopte Barney van zich af.'

Op Robins gezicht verscheen een ongelovige uitdrukking. 'Wil je zeggen dat Kerr hem terug heeft geduwd in de zee om zijn eigen hachie te redden? Hoe komt het dat ik dat nu pas hoor?'

Lawson haalde zijn schouders op. 'Ik weet het niet. Toen ik de commissaris vertelde wat ik gezien had, was hij geschokt. Maar hij zei dat het geen zin had om er werk van te maken. De officier van justitie zou hem nooit hebben vervolgd. De verdediging zou hebben aangevoerd dat ik onder de omstandigheden nooit kon hebben gezien wat ik zag. Dat we wraakzuchtig waren omdat Barney gestorven was toen hij Kerr wilde redden. Dat we hem alleen met dood door schuld wilden opzadelen omdat we Kerr en zijn vrienden niet konden pakken voor de moord op Rosie Duff. Dus besloten ze het niet bekend te maken.'

Robin pakte zijn glas op, en zijn hand trilde zo erg dat het tegen zijn tanden kletterde. Alle kleur was uit zijn gezicht getrokken. Hij zag er grauw en bezweet uit. 'Niet te geloven.'

'Ik weet wat ik gezien heb, Robin. Het spijt me, ik ging ervan uit dat je het wist.'

'Ik hoor dit voor het...' Hij keek om zich heen alsof hij niet begreep waar hij was of hoe hij er gekomen was. 'Het spijt me, ik moet hier weg.' Hij stond abrupt op en liep naar de deur, zonder te letten op de klachten van andere cafébezoekers terwijl hij langs hen heen drong.

Lawson sloot zijn ogen en ademde uit. Bijna dertig jaar bij de politie en nog niet gewend aan het lege gevoel in zijn maag dat het vertellen van slecht nieuws hem gaf.

Onrust knaagde aan zijn ingewanden. Wat had hem bezield om Robin Maclennan na al die jaren de waarheid te vertellen?

24

De wielen van zijn koffer ratelden achter Alex aan toen hij de hal van het vliegveld SeaTac binnenliep. Het viel niet mee om goed te kijken naar de mensen die de passagiers stonden op te wachten, en als Paul niet gezwaaid had, had hij hem misschien gemist. Alex haastte zich naar hem toe en de twee mannen omhelsden elkaar ongegeneerd. 'Bedankt dat je gekomen bent,' zei Paul rustig.

'De groeten van Lynn,' zei Alex. 'Ze wilde heel graag mee, maar...'

'Ik begrijp het. Jullie hebben zo lang op een kind gewacht, je kunt nu geen risico nemen.' Paul nam Alex' koffer van hem over en ging hem voor naar de uitgang. 'Hoe was de vlucht?'

'Het eerste deel, over de oceaan, heb ik grotendeels geslapen. Maar tijdens de tweede vlucht kwam ik maar niet tot rust. Ik kon Ziggy en de brand maar niet uit mijn hoofd zetten. Wat een vreselijke dood.'

Paul keek recht voor zich uit. 'Ik blijf denken dat het mijn schuld is.'

'Hoe zou dat kunnen?' vroeg Alex terwijl hij hem volgde naar het parkeerterrein.

'Je weet dat we de zolder hebben verbouwd? We hadden er een grote slaapkamer met badkamer voor onszelf van gemaakt. We hadden daar een brandtrap naar buiten moeten hebben. Ik was steeds van plan de aannemer te bellen en te vragen of hij die wilde maken, maar er kwam altijd wel iets tussen wat belangrijker was...' Paul stond stil bij zijn terreinwagen en stopte Alex' koffer in de bagageruimte; zijn brede schouders spanden zich tegen zijn geruite jack.

Alex legde zijn hand op Pauls schouder. 'We stellen allemaal dingen uit,' zei hij. 'Je weet dat Ziggy jou de schuld niet zou geven. Het was net zozeer zijn verantwoordelijkheid.'

Paul haalde zijn schouders op en klom achter het stuur. 'Er is een fatsoenlijk motel op zo'n tien minuten van het huis. Ik logeer daar. Ik heb voor jou ook een kamer geboekt, als het goed is. Mocht je liever in de stad logeren, dan kunnen we het veranderen.'

'Nee. Ik ben liever bij jou.' Hij glimlachte zwakjes naar Paul. 'Op die manier kunnen we samen janken, toch?'

'Ja.'

Er viel een stilte toen Paul de snelweg opreed naar Seattle. Ze reden om de stad heen naar het noorden. Het huis van Ziggy en Paul had buiten de stadsgrens gestaan. Het was een houten huis van twee verdiepingen dat tegen een heuvel was gebouwd en adembenemende uitzichten bood op Puget Sound, Possession Sound en, in de verte, Mount Walker. Toen ze er voor het eerst op bezoek waren, dacht Alex dat ze in een hoekje van het paradijs terecht waren gekomen. 'Wacht tot het gaat regenen,' had Ziggy gezegd.

Vandaag was de lucht betrokken, met het heldere licht dat hoog hangende wolken met zich meebrengen. Alex wilde regen; het zou bij zijn stemming passen. Maar het weer leek hem dat genoegen niet te gunnen. Hij staarde uit het raam en ving zo nu en dan een glimp op van de besneeuwde toppen van de Olympics en de Cascades. Aan de kant van de weg lag grijze blubber; ijskristallen glinsterden af en toe wanneer ze het licht vingen. Hij was blij dat zijn eerdere bezoeken alleen in de zomer hadden plaatsgevonden. Het uitzicht was anders genoeg om niet te veel pijnlijke herinneringen op te roepen.

Een paar kilometer voor de afrit naar zijn voormalige huis verliet Paul de snelweg. De weg die ze nu namen liep tussen pijnbomen door naar een hoge, steile oever die uitzicht bood op Whidbey Island. Het motel had gekozen voor de blokhutstijl, wat Alex bespottelijk vond voor een groot gebouw als dat waarin zich de receptie, de bar en het restaurant bevonden. Maar de afzonderlijke huisjes, die in een rij aan de rand van het bos stonden, waren aantrekkelijk. Paul, wiens huisje naast dat van Alex stond, liet hem alleen om uit te pakken. 'Ik zie je over een halfuur in de bar, oké?'

Alex hing zijn pak en overhemd voor de begrafenis op een hangertje en liet de rest van zijn kleren in de koffer. Hij had tijdens de transatlantische vlucht zitten schetsen. Hij scheurde nu het enige vel papier uit waar hij tevreden over was en zette het tegen de spiegel. Ziggy staarde hem in driekwart profiel aan, zijn ogen gerimpeld door een scheve glimlach. Geen slechte gelijkenis zo uit het hoofd, dacht Alex bedroefd. Hij keek op zijn horloge. Bijna middernacht thuis. Lynn zou het niet erg vinden als hij zo laat nog belde. Hij draaide het nummer. Hun korte gesprek verlichtte het verdriet dat hem bijna had overweldigd.

Alex liet de wasbak vollopen met koud water en spatte het tegen zijn gezicht. Hij voelde zich nu iets wakkerder en liep naar de bar waarvan de kerstversierselen ongerijmd leken nu hij zo verdrietig was. Johnny Mathis kweelde zoetig op de achtergrond en Alex wilde de luidsprekers dempen zoals ooit het geluid van paardenhoeven was gedempt in een begrafenisstoet. Hij vond Paul in een zitje met een fles Pyramid-bier. Hij gebaarde naar de barkeeper om hem hetzelfde te brengen en ging tegenover Paul zitten. Nu hij in de gelegenheid was om hem goed te bekijken, zag hij de tekenen van spanning en verdriet. Pauls lichtbruine haar was warrig en ongewassen, zijn blauwe ogen stonden vermoeid en waren roodomrand. Wat baardstoppels onder zijn linkeroor wezen op een ongewone slordigheid van een man die er altijd netjes en verzorgd uitzag.

'Ik heb Lynn gebeld,' zei hij. 'Ze vroeg naar je.'

'Ze heeft een goed hart,' zei Paul. 'Ik heb het gevoel dat ik haar dit jaar veel beter heb leren kennen. Haar zwangerschap leek haar opener te maken.'

'Ik weet wat je bedoelt. Ik dacht dat ze vreselijk bezorgd zou zijn tijdens de zwangerschap. Maar ze is heel ontspannen.' Alex' biertje arriveerde.

Paul hief zijn glas. 'Laten we op de toekomst drinken,' zei hij. 'Op dit moment heb ik niet het gevoel dat die me veel te bieden heeft, maar ik weet dat Ziggy me op mijn lazer zou geven als ik in het verleden zou blijven hangen.'

'Op de toekomst,' echode Paul. Hij nam een slok bier en zei: 'Hoe gaat het met je?'

Paul schudde zijn hoofd. 'Ik geloof dat het nog niet helemaal tot me doorgedrongen is. Er moesten zoveel dingen gebeuren. Mensen op de hoogte stellen, de begrafenis regelen en zo. Dat doet me eraan denken: je vriend Tom, degene die Ziggy Weird noemde? Die komt morgen.'

Het nieuws riep een gemengde reactie bij Alex op. Aan de ene kant verlangde hij naar de schakel met het verleden die Weird zou vormen. Aan de andere kant kreeg hij nog steeds dat ongemakkelijke gevoel wanneer hij terugdacht aan de nacht waarin Rosie Duff was gestorven. Daarnaast was hij bang voor de ergernis die Weird zou veroorzaken als hij op de fundamentalistische homofobische toer zou gaan. 'Hij gaat toch niet preken bij de begrafenis, hè?'

'Nee. We hebben een humanistische dienst. Maar Ziggy's vrienden krijgen de gelegenheid iets over hem te zeggen. Als Tom een praatje wil houden, mag dat.'

Alex kreunde. 'Je weet dat hij een fundamentalistische fanaticus is die hel en verdoemenis preekt?'

Paul glimlachte spottend. 'Hij mag wel uitkijken. Lynchmeutes komen niet alleen in het zuiden voor.'

'Ik zal van tevoren even met hem praten.' Wat net zoveel zou helpen als een takje voor een op hol geslagen trein, dacht Alex.

Gedurende een paar minuten dronken ze zwijgend hun bier. Toen schraapte Paul zijn keel en zei: 'Ik moet je iets vertellen, Alex. Het gaat over de brand.'

Alex keek verbaasd. 'De brand?'

Paul wreef over de brug van zijn neus. 'De brand was geen ongeluk, Alex. Hij is aangestoken. Het was opzet.'

'Weten ze dat zeker?'

Paul zuchtte. 'Vanaf het moment dat het genoeg was afgekoeld, hebben er allemaal branddeskundigen rondgelopen.'

'Maar dat is verschrikkelijk. Wie zou Ziggy zoiets aandoen?'

'Alex, wat de politie betreft ben ik dat.'

'Maar dat is krankzinnig. Je hield van Ziggy.'

'Dat is precies de reden waarom ik de hoofdverdachte ben. Ze kijken toch altijd eerst naar de echtgenoot?' zei Paul op wrange toon.

Alex schudde zijn hoofd. 'Niemand die jullie kende, zou dat ook maar langer dan een seconde overwegen.'

'Maar de politie kende ons niet. En hoe hard ze ook hun best doen om het te verhullen, de meeste politiemannen houden ongeveer net zoveel van homo's als je vriend Tom.' Hij nam een slok bier alsof hij de smaak van zijn gevoelens weg wilde spoelen. 'Ik heb gisteren het grootste deel van de dag op het politiebureau gezeten om vragen te beantwoorden.'

'Ik snap het niet. Je was honderden kilometers weg. Hoe denken ze dat jij het huis in brand hebt gestoken terwijl je in Californië zat?'

'Herinner je je de indeling van het huis?' Alex knikte en Paul vervolgde: 'Ze zeggen dat het vuur begonnen is in de kelder, bij de olietank van de verwarming. Volgens de man van de brandweer ziet het ernaar uit dat iemand blikken verf en benzine naast de tank heeft gezet en er toen papier en hout omheen heeft gestapeld. Wat wij beslist niet gedaan hebben. Maar ze hebben ook de resten gevonden van een brandbom. Een nogal simpele constructie, zeiden ze.'

'Is dat ding niet verwoest bij de brand?'

'Die kerels zijn heel goed in het reconstrueren van wat er bij een brand gebeurt. Op basis van de resten die ze gevonden hebben, denken ze dat het als volgt is gegaan. Ze hebben fragmenten aangetroffen van een gesloten verfblik. Aan de binnenkant van de deksel zaten de overblijfselen van een elektronisch tijdmechanisme. Ze denken dat er in het blik benzine zat of een andere brandstof. Iets dat dampen zou afgeven. Het grootste deel van de ruimte in het blik werd in beslag genomen door de dampen. Toen de tijdklok afging heeft de vonk de damp laten ontbranden, het blik is ontploft en de brandbare vloeistof is op de andere brandbare materialen terechtgekomen. En omdat het een houten huis was, zal het hebben gebrand als een fakkel.' Pauls technische verhaal eindigde en zijn mond begon te trillen. 'Ziggy had geen enkele kans.'

'En ze denken dat jij dat hebt gedaan?' Alex kon het niet geloven. Tegelijkertijd had hij diep medelijden met Paul. Hij wist beter dan wie ook wat de gevolgen konden zijn van ongegronde verdenkingen en de tol die ze eisten.

'Ze hebben geen andere verdachten. Ziggy was niet bepaald een man die vijanden maakte. En ik ben de belangrijkste begunstigde in zijn testament. Daar komt bij dat ik natuurkundige ben.'

'En dat betekent dat je weet hoe je een brandbom moet maken?'

'Dat schijnen ze te denken. Het is een beetje moeilijk om ze uit te leggen wat ik precies doe, maar ze lijken zoiets te denken van: hé, die vent is een wetenschapper. Hij moet weten hoe je mensen opblaast. Als het niet zo verdomd tragisch was, zou ik erom moeten lachen.'

Alex gebaarde naar de barkeeper om hun nog twee biertjes te brengen. 'Dus ze denken dat jij een brandbom hebt geplaatst en toen naar Californië bent vertrokken om een college te geven?'

'Zo lijkt hun brein te werken. Ik dacht dat het feit dat ik drie nachten weg geweest was me vrij zou pleiten, maar kennelijk is dat niet zo. De branddeskundige heeft tegen mijn advocaat gezegd dat de tijdklok die de moordenaar heeft gebruikt tot een week van tevoren kon zijn ingesteld. Dus ben ik nog verdacht.'

'Zou je niet een ontzettend risico hebben genomen? Stel dat Ziggy naar de kelder was gegaan en het had gezien.'

'We kwamen er bijna nooit in de winter. Er stonden allemaal zomerspullen: de boten, de surfplanken, de tuinmeubelen. We bewaarden onze ski's in de garage. En ook dat pleit tegen me. Hoe had iemand anders kunnen weten dat hij rustig in de kelder kon rotzooien?'

Met een handgebaar veegde Alex die opmerking van de tafel. 'Hoeveel mensen gaan in de winter regelmatig naar hun kelder? Ten slotte staat je wasmachine daar niet. Hoe moeilijk was het om daar in te breken?'

'Niet al te moeilijk,' zei Paul. 'Hij was niet opgenomen in het beveiligingssysteem omdat de man die onze tuin bijhoudt in de zomer erin en eruit moest kunnen. Zo hoefde hij de gegevens van het alarmsysteem niet te hebben. Ik denk dat het voor iemand die er echt naar binnen wilde niet al te ingewikkeld was.'

'En elk bewijs van een inbraak is natuurlijk vernietigd door het vuur,' zuchtte Alex.

'Dus je begrijpt dat het er nogal somber voor me uitziet.'

'Maar dat is krankzinnig. Zoals ik al zei weet iedereen die je kent dat je Ziggy nooit kwaad zou doen, laat staan dat je hem zou vermoorden.'

Pauls glimlach bereikte nauwelijks zijn snor. 'Ik ben blij met je vertrouwen, Alex. En ik ben niet van plan hun beschuldigingen ook maar te belonen met een ontkenning. Maar ik wilde dat je zou weten wat er gezegd wordt. Ik weet dat jij begrijpt hoe afschuwelijk het is om verdacht te worden van iets wat je niet hebt gedaan.'

Ondanks de warmte in de knusse bar ging er een rilling door Alex heen. 'Ik zou dat mijn ergste vijand nog niet toewensen, laat staan mijn vriend. Het is een verschrikking. Jezus, Paul, ik hoop dat ze ontdekken wie het gedaan heeft. Voor jou. Wat ons is overkomen heeft mijn leven vergiftigd.'

'Voor Ziggy was dat ook zo. Hij is nooit vergeten hoe snel de mens vijandig kan worden. Het heeft hem echt voorzichtig gemaakt in de manier waarop hij met de wereld omging. Daarom is het allemaal zo krankzinnig. Hij deed zijn uiterste best om mensen niet tot vijand te maken. Niet dat hij alles maar goedvond...'

'Daar kon niemand hem ooit van beschuldigen,' zei Alex instemmend. 'Maar je hebt gelijk. Een vriendelijk antwoord voorkomt woede. Dat was zijn motto. Maar hoe zat het met zijn werk? Ik bedoel, in ziekenhuizen kunnen dingen fout gaan. Kinderen gaan dood, of worden niet beter zoals had gemoeten. Ouders willen iemand de schuld geven.'

'We zijn hier in Amerika, Alex,' zei Paul spottend. 'Artsen nemen geen onnodige risico's. Ze zijn veel te bang om een proces aan hun broek te krijgen. Natuurlijk, Ziggy heeft wel patiënten verloren. En soms waren resultaten niet zoals hij gehoopt had. Maar hij was onder andere zo succesvol als kinderarts doordat hij bevriend raakte met zijn patiënten en hun ouders. Ze vertrouwden hem, en dat was terecht. Want hij was een uitstekend arts.'

'Dat weet ik. Maar soms is alle logica zoek als een kind gestorven is.'

'Zoiets was helemaal niet aan de orde. Als het wel zo was geweest, had ik het geweten. We praatten met elkaar, Alex. Zelfs na tien jaar bespraken we alles nog met elkaar.'

'En collega's? Had hij iemand tegen de haren ingestreken?'

Paul schudde zijn hoofd. 'Dat denk ik niet. Hij had hoge normen, en ik neem aan dat niet iedereen met wie hij werkte daar altijd aan kon voldoen. Maar hij koos zijn mensen behoorlijk zorgvuldig. Er is een geweldige sfeer in de kliniek. Ik geloof niet dat er ook maar iemand rondloopt die hem niet respecteerde. God, die mensen zijn onze vrienden. Ze komen bij ons thuis voor barbecues, we passen op hun kinderen. Zonder Ziggy om de kliniek te leiden, moeten ze zich wel minder zeker voelen van hun toekomst.'

'Als ik je zo hoor was hij perfect,' zei Alex. 'En we weten allebei dat hij dat niet was.'

Deze keer haalde Pauls glimlach zijn ogen. 'Nee, hij was niet perfect. Perfectionistisch misschien. Je werd er weleens gek van. De laatste keer dat we op wintersport gingen, moest ik hem bijna van de berg slepen. Er is één bocht in het parcours die hij maar niet goed kon nemen. Het ging elke keer mis. En dat betekende dat we steeds terug moesten. Maar je vermoordt iemand niet omdat hij hier en daar een beetje te vasthoudend is. Als ik niet meer met Ziggy had willen samenleven, was ik gewoon bij hem weggegaan, begrijp je? Ik had hem niet hoeven te vermoorden.'

'Maar je wilde wel met hem samenleven, daar gaat het om.'

Paul beet op zijn lip en staarde naar de kringen van gemorst bier op de tafel. 'Ik zou alles geven om hem terug te krijgen,' zei hij zacht. Alex gaf hem een ogenblik om zich te vermannen.

'Ze zullen de dader vinden,' zei hij ten slotte.

'Denk je? Ik wou dat ik het met je eens kon zijn. Ik moet steeds denken aan wat jullie al die jaren geleden hebben meegemaakt. Ze hebben nooit ontdekt wie dat meisje vermoord heeft. En daardoor zag iedereen jullie anders.' Hij keek Alex aan. 'Ik ben niet sterk, zoals Ziggy was. Ik weet niet of ik daarmee zou kunnen leven.'

25

Door een waas van tranen probeerde Alex zich te concentreren op de woorden die op het programma van de dienst stonden. Als hem gevraagd was welke muziek op de lijst voor Ziggy's begrafenis hem tot tranen toe zou bewegen, had hij waarschijnlijk gekozen voor 'Rock and Roll Suicide' van Bowie met zijn uiteindelijk tartende ontkenning van eenzaamheid. Maar daar was hij doorheen gekomen, bijna tot verrukking toe geholpen door de levendige beelden van een jeugdige Ziggy die geprojecteerd werden op het grote scherm voor in de zaal van het crematorium. Wat het voor hem gedaan had was de door Brahms toongezette passage uit de brief van Paulus aan de Corinthiërs over geloof, hoop en liefde, gezongen door het Mannelijke Homokoor uit San Francisco. *Wir sehen jetzt durch einen Spiegel in einem dunkeln Worte*; thans zien wij in een spiegel, onduidelijk. De woorden leken pijnlijk toepasselijk. De dingen die hij over Ziggy's dood had gehoord, sloegen nergens op, noch in logisch noch in metafysisch opzicht.

De tranen stroomden over zijn wangen, maar het kon hem niet schelen. Hij was niet de enige in het volle crematorium die huilde, en het feit dat hij ver van huis was, leek hem te bevrijden van zijn normale emotionele gereserveerdheid. Naast hem zat Weird in een smetteloze, gedistingeerde soutane waarin hij er veel meer als een pauw uitzag dan de homo's die Ziggy de laatste eer kwamen bewijzen. Hij huilde uiteraard niet. Zijn lippen bewogen voortdurend. Alex nam aan dat dit geen teken van geestesziekte maar van devotie was, aangezien Weirds hand regelmatig naar het belachelijk opvallende verzilverde kruis op zijn borst ging. Toen hij het voor het eerst zag, op het vliegveld SeaTac, was Alex bijna in lachen uitgebarsten. Weird was zelfverzekerd op hem afgekomen en had zijn koffer neergezet om zijn oude vriend theatraal te omhelzen. Alex merkte hoe glad zijn huid aanvoelde en vermoedde plastische chirurgie.

'Het is goed dat je gekomen bent,' zei Alex terwijl hij hem voorging naar de huurauto die hij die ochtend had opgehaald.

'Ziggy was mijn oudste vriend, samen met Mondo en jij. Ik weet dat we allemaal een verschillende richting zijn uitgegaan, maar niets zou dat kunnen veranderen. Het leven dat ik nu leid, heb ik voor een deel te danken aan onze vriendschap. Ik zou een erg slechte christen zijn als ik dat de rug zou toekeren.'

Alex wist niet precies hoe het kwam dat alles wat uit Weirds mond kwam, klonk alsof het voor publieke consumptie bestemd was. Altijd als hij iets zei, was het alsof er een onzichtbare geloofsgemeenschap aan zijn lippen hing. Ze hadden elkaar in de afgelopen twintig jaar maar een paar keer ontmoet, maar het was elke keer hetzelfde geweest. De Schijnheilige Jezus had Lynn hem genoemd toen ze hem voor het eerst bezochten in het kleine stadje in Georgia waar hij zijn ambt uitoefende. De bijnaam leek nog net zo toepasselijk als toen.

'En hoe is het met Lynn?' vroeg Weird terwijl hij zich op de passagiersstoel installeerde en zijn predikantenpak van uitstekende snit gladstreek.

'Zeven maanden zwanger en bloeiend,' zei Alex.

'De Heer zij geloofd! Ik weet hoezeer jullie hiernaar verlangd hebben.' Weirds gezicht lichtte op in een zo te zien oprechte glimlach. Maar hij had zoveel tijd voor de camera's doorgebracht, om zijn boodschap te verkondigen via een lokale televisiezender, dat het moeilijk was om het gespeelde van het echte te onderscheiden. 'Ik dank de Heer voor de zegening van kinderen. De gelukkigste herinneringen die ik heb, zijn van die vijf van mij. De liefde die een man heeft voor zijn kinderen is dieper en zuiverder dan al het andere op de wereld. Alex, ik weet dat je zult genieten van deze verandering in je leven.'

'Dank je, Weird.'

Het gezicht van de eerwaarde vertrok. 'Dat kun je niet maken,' zei hij, terugvallend op een uitdrukking uit hun tienertijd. 'Ik vind dat geen gepaste aanspreekvorm meer tegenwoordig.'

'Het spijt me. Oude gewoonten leer je niet snel af. Je zult altijd Weird voor me zijn.'

'En wie noemt jou tegenwoordig nog Gilly?'

Alex schudde zijn hoofd. 'Je hebt gelijk. Ik probeer eraan te denken, Tom.'

'Dat stel ik op prijs, Alex. En als je het kind wilt laten dopen, zal ik het graag doen.'

'Ik denk niet dat we die kant op zullen gaan. Het wurm mag zelf beslissen als het oud genoeg is.'

Weird tuitte zijn lippen. 'Het is jouw beslissing natuurlijk.' De onderliggende tekst was duidelijk. *Zadel je kind maar op met eeuwige verdoemenis als je dat per se wilt*. Hij keek uit het raam naar het voorbijglijdende landschap. 'Waar gaan we heen?'

'Paul heeft een huisje voor je besproken in het motel waar wij logeren.'

'Is dat dicht bij de plaats van de brand?'

'Ongeveer tien minuten ervandaan. Hoezo?'

'Ik zou daar graag eerst heen gaan.'

'Waarom?'

'Ik wil een gebed zeggen.'

Alex ademde luidruchtig uit. 'Prima. Luister, er is iets wat je moet weten. De politie denkt dat het brandstichting was.'

Weird boog zwaarwichtig zijn hoofd. 'Daar was ik al bang voor.'

'Meen je dat? Hoezo?'

'Ziggy heeft een gevaarlijke weg gekozen. Wie weet wat voor iemand hij in huis heeft gehaald. Wie weet wat voor beschadigde ziel hij tot wanhopige daden heeft gedreven.'

Alex sloeg met zijn vuist op het stuur. 'Godallemachtig, Weird. Ik dacht dat de bijbel zegt: "Oordeelt niet, opdat gij niet beoordeeld zult worden"? Wie denk je verdomme wel dat je bent, om met die flauwekul aan te komen zetten? Wat voor vooroordelen je ook over Ziggy's manier van leven mag hebben, ik zou ze onmiddellijk uit mijn hoofd zetten. Ziggy en Paul waren monogaam. Ze hebben in de afgelopen tien jaar geen van beiden seks met iemand anders gehad.'

Weird liet een minachtend glimlachje zien, dat Alex in de verleiding bracht hem een dreun te verkopen. 'Je geloofde altijd al alles wat Ziggy zei.'

Alex wilde geen ruzie. Hij diende hem scherp van repliek met de woorden: 'Wat ik je probeer duidelijk te maken, is dat de politie het idiote idee heeft gekregen dat Paul de brand heeft gesticht. Dus probeer een beetje rekening met hem te houden, hè?'

'Waarom vind je het zo'n idioot idee? Ik weet niet veel van de manier waarop de politie werkt, maar ik heb gehoord dat de meeste moorden die niet met bendes te maken hebben door echtgenoten worden gepleegd. En aangezien je me gevraagd hebt een beetje rekening met hem te houden, moet ik Paul maar beschouwen als Ziggy's echtgenoot, nietwaar? Als ik een politieman was, zou ik het plichtsverzuim vinden als ik die mogelijkheid niet zou overwegen.'

'Best. Dat is hun werk. Maar wij zijn Ziggy's vrienden. Lynn en ik hebben veel tijd met hen doorgebracht in de loop der jaren. En geloof me, dat is nooit een relatie geweest die in de richting van moord ging. Jij herinnert je toch hoe het is om verdacht te worden van iets wat je niet hebt gedaan. Stel je eens voor hoeveel erger dat is als de dode degene is van wie je hield. Daar heeft Paul op dit moment mee te maken. En hij verdient onze steun, niet de politie.'

'Goed, goed,' mompelde Weird ongemakkelijk; zijn façade viel even weg toen de herinnering opleefde aan de primitieve angst die hem destijds in de armen van de kerk had gedreven. Tijdens de rest van de reis hield hij zich rustig en staarde uit het zijraampje naar het voorbijglijdende landschap om Alex' incidentele blikken in zijn richting te mijden.

Alex nam de vertrouwde afslag van de snelweg en reed in westelijke richting naar het voormalige huis van Ziggy en Paul. Zijn maag verkrampte toen hij de smalle verharde weg opdraaide die tussen de bomen door liep. Zijn fantasie was al op hol geslagen met beelden van de brand. Maar toen hij de laatste bocht nam en zag wat er over was van het huis, wist hij dat zijn voorstellingsvermogen jammerlijk ontoereikend was geweest. Hij had een zwart, verbrand omhulsel verwacht. Maar dit was bijna totale vernietiging.

Sprakeloos liet Alex de auto langzaam tot stilstand komen. Hij stapte uit en zette een paar aarzelende stappen naar de ruïne. Tot zijn verbazing hing de brandlucht er nog en vulde zijn keel en zijn neus. Hij staarde naar de verkoolde resten voor hem en kon zijn herinnering aan het huis nauwelijks in verband brengen met deze puinhoop. Een paar zware balken staken in vreemde hoeken omhoog, maar verder was vrijwel niets herkenbaar. Het huis moest in vlammen zijn opgegaan als een brandende fakkel die in pek was gedoopt. De bomen die het dichtst bij het huis stonden, waren ook door de brand verwoest. Hun vervormde geraamtes staken sterk af tegen de zee en de eilanden erachter.

Hij merkte nauwelijks dat Weird langs hem heen liep. Met gebogen hoofd stond de eerwaarde stil bij het afzetlint dat de uitgebrande puinhoop omringde. Toen wierp hij zijn hoofd achterover en zijn dikke bos zilveren haar glinsterde in het licht. 'O Heer,' begon hij, met een stem die sonoor klonk in de openlucht.

Alex probeerde het giechelende lachje dat in zijn borst omhoogkwam binnen te houden. Hij wist dat het voor een deel een nerveuze reactie was op de intense emotie die de ruïne in hem opwekte. Maar hij kon het niet helpen. Niemand die Weird ooit uit zijn dak had zien gaan op drugs of na sluitingstijd in een goot had zien kotsen, kon deze vertoning serieus nemen. Hij draaide zich om en liep terug naar de auto. Hij trok het portier met een klap achter zich dicht om zich af te sluiten van de holle frasen die Weird aan het spuien was tegen de wolken. Hij kwam in de verleiding om weg te rijden en de predikant aan de elementen over te laten. Maar Ziggy had Weird – of een van de anderen, trouwens – nooit in de steek gelaten. En het beste dat Alex op dit moment voor Ziggy kon doen, was dat vertrouwen in ere houden. Dus wachtte hij.

Hij zag een aantal levendige beelden voor zich verschijnen. Ziggy slapend in bed, een plotseling oplaaiende vlam, de vurige tongen likkend aan het hout, rook deinend door vertrouwde kamers, Ziggy licht bewegend terwijl de verraderlijke dampen zijn luchtpijp binnendrongen, de wazige vorm van het huis wankelend achter een nevel van hitte en rook, en Ziggy, bewusteloos, midden in de vlammenzee. Het was bijna ondraaglijk, en Alex probeerde de beelden wanhopig uit zijn hoofd te krijgen. Hij wilde een beeld van Lynn oproepen, maar kon het niet vasthouden. Hij wilde daar weg, het maakte niet uit waarheen, als hij zich maar op een ander uitzicht kon richten.

Na ongeveer tien minuten kwam Weird terug naar de auto en bracht een vlaag koude lucht mee. 'Brrr,' zei hij. 'Ik ben er nooit van overtuigd geraakt dat de hel heet is. Als het aan mij lag, maakte ik hem kouder dan een diepvrieskist.'

'Je kunt vast wel een woordje met God wisselen als je in de hemel komt. Is het goed als we nu naar het motel gaan?'

De reis leek Weirds behoefte aan Alex' gezelschap bevredigd te hebben. Toen hij zich eenmaal in het motel had geïnstalleerd, vertelde hij dat hij een taxi had gebeld om hem naar Seattle te brengen. 'Ik heb een collega hier die ik even wil bezoeken.' Hij sprak met Alex af voor de volgende ochtend om naar de begrafenis te gaan en hij leek vreemd ingehouden. Toch was Alex bang voor wat Weird zou gaan zeggen op de begrafenis.

Brahms stierf weg en Paul liep naar de lessenaar. 'We zijn hier bijeen omdat Ziggy iets speciaals voor ons betekende,' zei hij, duidelijk vechtend om zijn stem onder controle te houden. 'Al zou ik de hele dag spreken, dan nog zou ik niet de helft kunnen overbrengen van wat hij voor mij betekende. Dus zal ik dat niet eens proberen. Maar als een van jullie herinneringen aan Ziggy heeft die hij met ons wil delen, zullen we ze allemaal graag willen horen.'

Bijna voordat hij uitgesproken was, stond een oudere man op

uit de voorste rij en liep stijf naar het spreekgestoelte. Toen hij zich naar hen omdraaide, begreep Alex wat het begraven van een kind van iemand eiste. Karel Malkiewicz leek te zijn gekrompen. Zijn brede schouders waren gebogen en zijn donkere ogen lagen diep in hun kassen. Hij had Ziggy's vader, die nu weduwnaar was, al enkele jaren niet gezien, maar de verandering was deprimerend. 'Ik mis mijn zoon,' zei hij, zijn Poolse accent nog hoorbaar achter het Schots. 'Hij heeft me zijn hele leven trots gemaakt. Zelfs als kind al gaf hij om anderen. Hij was altijd ambitieus, maar niet op zoek naar persoonlijke roem. Hij wilde de beste zijn die hij kon zijn omdat hij op die manier het beste kon betekenen voor zijn medemensen. Ziggy heeft zich nooit veel aangetrokken van wat anderen van hem dachten. Hij zei altijd dat hij beoordeeld zou worden op wat hij deed, niet op de meningen van anderen. Ik ben blij jullie hier allemaal te zien vandaag, want dat vertelt me dat jullie dat van hem begrepen.' De oude man nam een slokje water uit een glas op de lessenaar. 'Ik hield van mijn zoon. Misschien heb ik hem dat niet vaak genoeg gezegd. Maar ik hoop dat hij het wist toen hij stierf.' Hij boog zijn hoofd en liep terug naar zijn plaats.

Alex kneep in de brug van zijn neus in een poging zijn tranen binnen te houden. Een voor een kwamen Ziggy's vrienden en collega's naar voren. Sommigen zeiden weinig meer dan dat ze heel veel van hem gehouden hadden en hem vreselijk zouden missen. Anderen vertelden anekdotes uit hun vriendschap, waarvan vele warm en grappig waren. Alex wilde opstaan en iets zeggen, maar hij was bang dat zijn stem hem in de steek zou laten. Toen kwam het moment dat hij gevreesd had. Alex kreunde inwendig.

Toen hij hem met grote passen naar het spreekgestoelte zag lopen, vroeg Alex zich af hoe Weird zijn presentatie in de loop der jaren had weten te veranderen. Ziggy was altijd degene geweest met charisma, Weird de onhandige slungel die altijd het verkeerde zei, het verkeerde deed, de verkeerde toon vond. Maar hij had zijn les goed geleerd. Een vallende speld zou geklonken hebben als het laatste bazuingeschal toen Weird zich klaarmaakte om te gaan spreken.

'Ziggy was mijn oudste vriend,' zei hij met dreunende stem. 'Ik vond dat hij misleid was in de weg die hij koos. Hij vond mij een dwaas. Misschien zelfs een charlatan. Maar dat maakte nooit uit.

De band tussen ons was sterk genoeg om die druk te kunnen dragen. Dat kwam doordat de jaren die we in elkaars gezelschap hebben doorgebracht de zwaarste jaren zijn in het leven van elke man, de jaren waarin hij van kind tot man wordt. Die jaren zijn voor ons allemaal een worsteling waarbij we moeten ontdekken wie we zijn en wat we de wereld te bieden hebben. Sommigen van ons hebben het geluk een vriend als Ziggy te hebben om ons weer op de been te helpen als we fouten hebben gemaakt.'

Alex staarde ongelovig naar hem. Hij kon zijn oren niet geloven. Hij had hel en verdoemenis verwacht en in plaats daarvan hoorde hij onmiskenbaar over liefde spreken. Hij glimlachte, en dat had hij niet verwacht.

'We waren met z'n vieren,' vervolgde Weird. 'De "Laddies fi' Kirkcaldy". We ontmoetten elkaar op de eerste dag op de middelbare school en er gebeurde iets magisch. Er ontstond een band. We deelden onze diepste angsten en grootste triomfen met elkaar. Jarenlang waren we de slechtste band ter wereld, en dat kon ons niets schelen. In elke groep krijgt iedereen zijn rol. Ik was de kluns. De dwaas. Degene die altijd te ver ging.' Hij haalde even berustend zijn schouders op. 'Sommigen vinden misschien dat ik dat nog ben. Ziggy is degene geweest die me gered heeft van mezelf. Ziggy heeft me weerhouden van zelfvernietiging. Hij behoedde me voor de ergste uitwassen van mijn persoonlijkheid tot ik een grotere Verlosser vond. Maar zelfs toen liet Ziggy me nog niet los.

We hebben elkaar niet vaak gezien in de afgelopen jaren. Onze levens waren te vol van het heden. Maar dat betekende niet dat we het verleden afschreven. Ziggy was voor mij in vele opzichten nog steeds een toetssteen. Ik zal niet doen alsof ik instemde met alle keuzes die hij maakte. Ik zou een hypocriet zijn als ik zou doen alsof dat wel zo was. Maar hier, vandaag, is dat alles niet belangrijk. Waar het nu om gaat, is dat mijn vriend dood is, en dat met zijn dood een licht uit mijn leven is verdwenen. Niemand van ons kan het zich veroorloven om het licht te verliezen. Dus treur ik vandaag om het heengaan van een man die mijn weg naar verlossing zoveel gemakkelijker heeft gemaakt. Het enige dat ik voor Ziggy kan doen, is proberen hetzelfde te betekenen voor iedereen die mijn pad kruist in nood. Als ik iemand van jullie vandaag kan helpen, aarzel dan niet om jezelf aan mij bekend te maken. Voor Ziggy.' Weird keek met een gelukzalige glimlach om zich heen. 'Ik dank de Heer voor het geschenk van Sigmund Malkiewicz. Amen.'

Oké, dacht Alex. Aan het eind had hij zijn oude ik weer laten zien. Maar Weird had Ziggy op zijn eigen manier geëerd. Toen zijn vriend weer naast hem ging zitten, pakte Alex zijn hand en kneep erin. En Weird liet hem niet los.

Toen het afgelopen was, liep iedereen naar buiten en stond stil om Paul en Karel Malkiewicz de hand te drukken. Er scheen een zwak zonnetje en ze lieten zich met de stroom meevoeren langs de bloemenhulde. Ondanks Pauls verzoek om, afgezien van de familie, geen bloemen te sturen, lagen er tientallen boeketten en kransen. 'Hij kon ons allemaal het gevoel geven dat we familie waren,' zei Alex bij zichzelf.

'We waren bloedbroeders,' zei Weird zacht.

'Dat was goed, wat je daar zei.'

Weird glimlachte. 'Het was niet wat je verwacht had, hè? Ik zag het aan je gezicht.'

Alex zei niets. Hij boog zich voorover om een kaartje te lezen. *Lieve Ziggy, de wereld is te groot zonder jou. Liefs van al je vrienden van de kliniek*. Hij bekeek de andere kaartjes en stond even stil bij de laatste krans. Hij was klein en discreet, een dichte cirkel van witte rozen en rozemarijn. Alex las het kaartje en fronste zijn wenkbrauwen. *Ter herinnering aan Rosemary*.

'Zie je dat?' vroeg hij aan Weird.

'Smaakvol,' zei Weird goedkeurend.

'Vind je het niet een beetje... Ik weet niet. Vreemd?'

Weird fronste zijn voorhoofd. 'Ik denk dat je spoken ziet. Het is een volkomen toepasselijk eerbetoon.'

'Weird, hij is gestorven op de vijfentwintigste sterfdag van Rosie Duff. Dit kaartje is niet ondertekend. Vind je het niet een beetje zwaar?'

'Alex, dat ligt achter ons.' Weird spreidde zijn handen in een gebaar dat de rouwenden omvatte. 'Denk je echt dat hier iemand is behalve wij die de naam Rosie Duff ook maar kent? Het is alleen een beetje theatraal, wat nauwelijks verbazingwekkend is als je de mensen ziet die hier zijn.'

'Ze hebben de zaak heropend, weet je.' Alex kon net zo koppig zijn als Ziggy als hij in de stemming was.

'Dat wist ik niet,' zei Weird verbaasd.

'Ik las het in de krant. In het licht van de nieuwe technologische mogelijkheden, DNA en zo, onderzoeken ze alle onopgeloste moorden opnieuw.'

Weirds hand ging naar zijn kruis. 'De Heer zij geprezen.'

Verbaasd zei Alex: 'Je bent niet bang dat alle oude leugens weer naar boven komen?'

'Waarom? We hebben niets te vrezen. Misschien wordt onze naam gezuiverd.'

Alex zag er ongerust uit. 'Ik wou dat ik dacht dat het zo gemakkelijk zou zijn.'

Met een scherpe zucht van ergernis duwde dr. David Kerr zijn laptop weg. Hij had geprobeerd het eerste ontwerp van een artikel over hedendaagse Franse poëzie bij te schaven, maar hoe langer hij naar het scherm keek hoe minder de woorden hem zeiden. Hij zette zijn bril af, wreef in zijn ogen en probeerde zichzelf ervan te overtuigen dat hij alleen maar last had van de vermoeidheid van het eind van het schooljaar. Maar hij wist dat hij zichzelf voor de gek hield.

Hoe hard hij ook zijn best deed om er niet aan te denken, hij kon niet om het besef heen dat Ziggy, terwijl hij wat met zijn tekst zat te klungelen, een halve aardbol van hem verwijderd, door vrienden en familie naar zijn laatste rustplaats werd gebracht. Hij had er geen spijt van dat hij niet was gegaan; Ziggy vertegenwoordigde een deel van zijn geschiedenis dat zo ver van hem afstond dat het bijna in een ander leven leek thuis te horen, en hij had het gevoel dat hij zijn oude vriend niet zoveel verschuldigd was dat het opwoog tegen al het gedoe van een reis naar Seattle. Maar het nieuws van zijn dood had herinneringen teruggebracht die David Kerr zo diep had begraven dat ze zelden aan de oppervlakte kwamen om hem lastig te vallen. Het waren geen prettige herinneringen.

Toch pakte hij de telefoon, die overging, zonder een of ander voorgevoel op. 'Dr. Kerr?' De stem kwam hem niet bekend voor.

'Ja. Met wie spreek ik?'

'Inspecteur Robin Maclennan van de recherche van Fife.' Hij sprak langzaam en duidelijk, als een man die weet dat hij een slok meer op heeft dan goed voor hem is.

Onwillekeurig huiverde David. Hij had het ineens zo koud alsof hij weer in de Noordzee lag. 'En waarom belt u mij?' vroeg hij, zich verbergend achter agressiviteit.

'Ik ben lid van het team dat oude onopgeloste moordzaken opnieuw onderzoekt. U hebt er misschien over gelezen in de krant?'

'Dat is geen antwoord op mijn vraag,' zei David kortaf.

'Ik wil graag met u praten over de omstandigheden van de dood van mijn broer. Inspecteur Barney Maclennan.'

David schrok. Hij was sprakeloos door de directe benadering. Hij was altijd bang geweest voor dit moment, maar na bijna vijfentwintig jaar had hij zichzelf ervan overtuigd dat het nooit zou komen.

'Bent u er nog?' vroeg Robin. 'Zoals ik al zei, wil ik met u praten over...'

'Ik heb u verstaan,' zei David scherp. 'Ik heb u niets te zeggen. Nu niet, nooit niet. Zelfs niet als u me zou arresteren. Jullie hebben mijn leven één keer kapotgemaakt. Ik geef jullie niet de kans het nog eens te doen.' Hij gooide de hoorn op de haak. Hij haalde hijgend adem en zijn handen beefden. Hij sloeg zijn armen om zich heen en hield zichzelf vast. Wat was er gaande? Hij had niet geweten dat Barney Maclennan een broer had. Waarom had hij zo lang gewacht om David te confronteren met die verschrikkelijke middag? En waarom kwam hij er nu mee? Toen hij over die onopgeloste zaken begon, was David ervan overtuigd geweest dat Maclennan over Rosie Duff wilde praten, wat al genoeg reden was geweest om kwaad te worden. Maar Barney Maclennan? De politie van Fife had toch niet na vijfentwintig jaar besloten om er toch een moordzaak van te maken?

Hij huiverde weer en staarde de nacht in. De fonkelende lichtjes van de kerstbomen in de huizen langs de staat leken als duizend ogen naar hem terug te kijken. Hij sprong overeind en rukte de gordijnen van zijn studeerkamer dicht. Toen leunde hij tegen de muur, met gesloten ogen en bonzend hart. David Kerr had zijn best gedaan om het verleden te begraven. Hij had alles gedaan wat in zijn vermogen lag om het ver van zijn deur te houden. Dat was duidelijk niet genoeg geweest. Er restte hem maar één keuze. De vraag was of hij het lef had die te maken.

26

Het licht uit de studeerkamer werd plotseling verduisterd door zware gordijnen. De man die het zag, fronste zijn wenkbrauwen. Dit was een doorbreking van de routine. Dat beviel hem niet. Hij vroeg zich af wat die verandering had veroorzaakt. Maar ten slotte werd alles weer normaal. Beneden ging het licht uit. Hij kende het patroon nu. Er zou een lamp aangaan in de grote slaapkamer aan de voorzijde van de villa in Bearsden. Dan zou de vrouw van David Kerr in silhouet voor het raam verschijnen. Ze zou de zware gordijnen dichttrekken die alles behalve het zwakste lichtschijnsel vanbinnen zouden uitsluiten. Bijna tegelijkertijd zou een rechthoek van licht op het garagedak vallen. De badkamer, nam hij aan. David Kerr bezig met zijn bedtijdrituelen. Net als Lady Macbeth zou hij zijn handen nooit schoon krijgen. Ongeveer twintig minuten later zou het licht in de slaapkamer uitgaan. Vanavond zou er niets meer gebeuren.

Graham Macfadyen draaide de contactsleutel om en reed de nacht in. Hij begon gevoel te krijgen voor het leven van David Kerr, maar hij wilde nog zoveel meer weten. Waarom had hij bijvoorbeeld niet gedaan wat Alex Gilbey had gedaan en een vliegtuig naar Seattle genomen. Dat was ongevoelig. Hoe was het mogelijk dat je niet de laatste eer bewees aan iemand die niet alleen een van je oudste vrienden was, maar ook je medeplichtige bij moord?

Tenzij er sprake was van vervreemding natuurlijk. Mensen hadden het weleens over dieven die ruzie kregen. Hoeveel logischer was dat dan niet voor moordenaars. Voor zo'n breuk moest tijd en afstand nodig zijn geweest. Er was niets te merken geweest in de onmiddellijke nasleep van hun misdaad. Hij wist dat nu, dankzij zijn oom Brian.

De herinnering aan dat gesprek bleef maar door zijn hoofd spelen, als een geestelijke rozenkrans waarvan de beweging zijn vastberadenheid versterkte. Het enige dat hij gewild had, was zijn ouders vinden; hij had nooit verwacht verteerd te worden door deze zoektocht naar een hogere waarheid. Maar hij werd erdoor verteerd. Anderen zouden het afdoen als een obsessie, maar dat was kenmerkend voor mensen die niets begrepen van toewijding en de noodzaak van gerechtigheid. Hij was ervan overtuigd dat zijn moeders rusteloze schim naar hem keek, hem aanspoorde om te doen wat gedaan moest worden. Het was het laatste waar hij aan dacht voor de slaap hem overmande en het eerste wanneer hij wakker werd. Iemand zou ervoor boeten.

Zijn oom was niet bepaald blij geweest met hun ontmoeting op het kerkhof. Aanvankelijk dacht Macfadyen dat de oudere man hem in elkaar zou slaan. Hij had zijn handen tot vuisten gebald en zijn hoofd gebogen als een stier die de aanval inzet.

Macfadyen had zich niet laten intimideren. 'Ik wil alleen over mijn moeder praten,' zei hij.

'Ik heb je niks te vertellen,' zei Brian Duff.

'Ik wil gewoon weten hoe ze was.'

'Ik dacht dat Jimmy Lawson je verteld had dat je bij me uit de buurt moest blijven.'

'Is Lawson bij u geweest om over mij te praten?'

'Zo belangrijk ben je nou ook weer niet. Hij kwam bij me om over het nieuwe onderzoek naar de moord op mijn zuster te praten.'

Macfadyen knikte begrijpend. 'Dus hij heeft u verteld over het zoekgeraakte bewijsmateriaal?'

Duff knikte. 'Ja.' Zijn handen ontspanden zich en hij wendde zijn blik af. 'Stelletje oenen.'

'Als u niet over mijn moeder wilt praten, wilt u dan in elk geval vertellen wat er gebeurd is toen ze vermoord werd? Ik wil het graag weten. En u hebt het meegemaakt.'

Duff herkende vasthoudendheid als hij het zag. Het was tenslotte een trekje dat deze vreemde gemeen had met zijn broer en hem. 'Je bent zeker niet van plan me met rust te laten?' zei hij zuur.

'Nee, dat ben ik niet van plan. Luister, ik verwacht niet met open armen in mijn biologische familie verwelkomd te worden. Ik weet dat jullie waarschijnlijk vinden dat ik er niet bij hoor. Maar ik heb het recht om te weten waar ik vandaan kom en wat er met mijn moeder is gebeurd.'

'Als ik met je praat, ga je dan weg en laat je ons dan met rust?'

Macfadyen dacht hier een ogenblik over na. Het was beter dan niets. En misschien kon hij een beetje door Brian Duffs verdediging heen breken, zodat de deur voor de toekomst op een kier zou staan. 'Oké,' zei hij.

'Ken je de Lammas Bar?'

'Ik ben er een paar keer geweest.'

Duffs wenkbrauwen gingen omhoog. 'Ik zie je daar over een halfuur.' Hij draaide zich op zijn hakken om en liep met grote stappen weg. Terwijl de duisternis zijn oom opslokte, voelde Macfadyen opwinding als gal in zijn keel oprijzen. Hij was al zo lang op zoek naar antwoorden, en het vooruitzicht er eindelijk een paar te krijgen was hem bijna te veel.

Hij haastte zich terug naar zijn auto en reed rechtstreeks naar de Lammas Bar, waar hij een hoektafel vond waar ze rustig konden praten. Zijn ogen dwaalden rond, en hij vroeg zich af hoeveel er veranderd was sinds Rosie achter de bar had gewerkt. Het zag ernaar uit dat de tent begin jaren negentig een opknapbeurt had gehad, maar te oordelen naar het versleten schilderwerk en de in het algemeen deprimerende sfeer was het nooit een populair café geworden.

Macfadyen was halverwege zijn biertje toen Brian Duff de deur openduwde en recht naar de bar liep. Hij was duidelijk een bekende, want het barmeisje pakte al een glas voordat hij had besteld. Gewapend met een groot glas bier voegde hij zich bij Macfadyen aan de tafel. 'Zo,' zei hij, 'hoeveel weet je?'

'Ik heb in de krantenarchieven gekeken. En er stond iets over de zaak in een boek met waargebeurde misdrijven dat ik gevonden heb. Maar daar heb ik alleen kale feiten uitgehaald.'

Zonder zijn ogen ook maar een moment van Macfadyen af te nemen, nam Duff een grote slok bier. 'Feiten, misschien. De waarheid, nee? Want je mag mensen geen moordenaars noemen tenzij dat eerst door een jury is gezegd.'

Macfadyens hart begon sneller te slaan. Het klonk alsof zijn vermoedens klopten. 'Wat bedoelt u?' vroeg hij.

Duff haalde diep adem en blies langzaam uit. Hij wilde dit gesprek duidelijk niet voeren. 'Ik zal je het verhaal vertellen. De avond waarop ze gestorven is, had Rosie hier gewerkt. Achter de bar. Soms gaf ik haar een lift naar huis, maar die avond niet. Ze zei dat ze naar een feestje ging, maar in feite had ze een afspraak met iemand na sluitingstijd. We wisten allemaal dat ze iets met iemand had, maar ze wilde niet vertellen wie het was. Ze had zo haar geheimen, Rosie. Maar Colin en ik dachten dat ze haar mond hield over haar vriendje omdat ze dacht dat wij hem niet zouden goedkeuren.' Duff krabde aan zijn kin. 'We waren misschien een beetje hardhandig als het om Rosies welzijn ging. Nadat ze zwanger was geworden... nou, laat ik zeggen dat we niet wilden dat ze iets met een of andere mislukkeling kreeg.

Maar goed, na sluitingstijd is ze weggegaan en niemand heeft gezien met wie ze had afgesproken. Het lijkt alsof ze urenlang van het aardoppervlak verdwenen is geweest.' Hij pakte zijn glas zo stevig vast dat zijn knokkels wit werden. 'Om ongeveer vier uur 's nachts hebben vier studenten die na een feestje dronken naar huis zwalkten haar liggend in de sneeuw op Hallow Hill gevonden. De officiële versie was dat ze over haar struikelden.' Hij schudde zijn hoofd. 'Maar de plek waar ze lag, daar vond je haar niet per ongeluk. Dat is het eerste punt wat je moet onthouden.

Ze had één steekwond in haar buik. Maar het was een vreselijke wond. Diep en lang.' Duffs schouders gingen beschermend omhoog. 'Ze is doodgebloed. De moordenaar heeft haar omhooggedragen door de sneeuw en haar daar achtergelaten als een zak stront. Dat is het tweede punt wat je moet onthouden.' Zijn stem was gespannen en afgemeten door de emotie die hem vijfentwintig jaar later nog steeds in zijn greep had.

'Ze zeiden dat ze waarschijnlijk verkracht was. Ze zeiden dat het misschien gewoon ruwe seks was geweest, maar dat heb ik nooit geloofd. Rosie had haar lesje geleerd. Ze sliep niet met de jongens met wie ze uitging. De politie deed het voorkomen alsof ze Colin en mij wat dat betreft wat op de mouw had gespeld. Maar wij hebben gepraat met een paar van de jongens met wie ze uit was geweest en ze zwoeren dat ze nooit seks met haar hadden gehad. En ik geloof ze, want we hebben ze niet zachtzinnig aangepakt. Natuurlijk, ze rotzooiden wel wat. Afzuigen, vingeren. Maar ze wilde niet met ze naar bed. Dus moet ze verkracht zijn. Er zat sperma op haar kleren.' Hij liet een kwaad, ongelovig gesnuif horen. 'Niet te geloven dat dat stelletje niksnutten het bewijsmateriaal is kwijtgeraakt. Dat was alles wat ze nodig hadden. Een DNA-test zou de rest hebben gedaan.' Hij dronk nog wat bier. Macfadyen wachtte, gespannen als een jachthond die zijn prooi ruikt. Hij zweeg om de betovering niet te verbreken.

'Dat is dus met mijn zuster gebeurd. En wij wilden weten wie haar dat had aangedaan. De politie had geen enkel idee. Ze hebben even naar de vier studenten gekeken die haar gevonden hadden, maar ze hebben ze nooit onder druk gezet. In dit stadje wil niemand de universiteit tegen de haren instrijken. Toen was het nog erger.

De volgende namen moet je onthouden: Alex Gilbey, Sigmund Malkiewicz, David Kerr, Tom Mackie. Die vier hebben haar gevonden. Die vier zaten onder haar bloed, maar met een zogenaamd legitiem excuus. En waar waren ze gedurende die ontbrekende vier uur? Ze waren op een feestje. Een of ander feest van dronken studenten, waar ze niet op elkaar letten. Ze kunnen een tijdje weg geweest zijn zonder dat iemand het in de gaten had. Wie weet, misschien zijn ze daar niet langer geweest dan een halfuur aan het begin en een halfuur aan het eind. Bovendien hadden ze een Land Rover ter beschikking.'

Macfadyen reageerde geschrokken. 'Dat heb ik nergens gelezen.'

'Nee, dat zal wel niet. Ze hadden een Land Rover gestolen van een van hun medestudenten. Ze hebben er die nacht in rondgereden.'

'Waarom zijn ze daar niet voor aangeklaagd?' vroeg Macfadyen.

'Goeie vraag. En een vraag waar we nooit antwoord op hebben gekregen. Waarschijnlijk om wat ik eerder zei. Niemand wilde de universiteit tegen de haren instrijken. Misschien wilde de politie zich niet met zo'n klein vergrijp bezighouden als ze de grote misdaad niet konden bewijzen. Dat had een nogal zielige indruk gemaakt.'

Hij zette zijn glas neer en tikte de punten op zijn vingers af. 'Ze hebben dus geen echt alibi. Ze hadden het perfecte voertuig om met een lijk in een sneeuwstorm rond te rijden. Ze kwamen vaker in dit café. Ze kenden Rosie. Colin en ik waren van mening dat studenten een stelletje schooiers waren die gebruik maakten van meisjes als Rosie en ze dumpten zodra ze iemand tegenkwamen die geschikt was als echtgenote, en zij wist dat, dus had ze het ons nooit laten weten als ze uitging met een student. Een van die studenten gaf toe dat hij Rosie voor dat feestje had uitgenodigd. En van wat ik gehoord heb, kon het sperma op Rosies kleren afkomstig zijn van Sigmund Malkiewicz, David Kerr of Tom Mackie.' Hij ging achterover zitten, een ogenblik uitgeput van zijn intense verhaal.

'Er waren geen andere verdachten?'

Duff haalde zijn schouders op. 'Alleen de mysterieuze vriend. Maar dat kan, zoals ik al zei, heel goed een van die vier zijn geweest. Jimmy Lawson had het belachelijke idee dat ze door een of andere gestoorde kon zijn opgepikt voor een satanisch ritueel. Dat ze daarom op die plek was achtergelaten. Maar daar is nooit enig bewijs voor gevonden. Bovendien, hoe zou hij haar gevonden hebben? Ze zal met dat weer echt niet door de straten hebben gelopen.'

'Wat denkt u dat er die nacht is gebeurd?' Macfadyen moest het vragen.

'Ik denk dat ze iets had met een van die vier. Ik denk dat hij het zat was dat hij niet kreeg wat hij wilde. Ik denk dat hij haar verkracht heeft. Jezus, misschien hebben ze dat alle vier gedaan, ik weet het niet. Toen ze beseften wat ze gedaan hadden, wisten ze dat ze goed in de puree zaten als ze haar zouden laten gaan. Dat zou het eind van hun studie hebben betekend, het eind van hun prachtige toekomst. Dus hebben ze haar vermoord.' Het bleef lang stil.

Macfadyen was de eerste die weer sprak. 'Ik heb nooit geweten naar welke drie het sperma verwees.'

'Dat is nooit bekend geworden. Maar het klopt wel. Een van mijn vrienden ging met een meisje dat bij de politie werkte. Ze was een burger, maar ze wist wat er gaande was. Met wat ze van die vier wisten, was het misdadig dat de politie het er gewoon bij liet zitten.'

'Zijn ze nooit gearresteerd?'

Duff schudde zijn hoofd. 'Ze zijn ondervraagd, maar dat is alles. Nee, die lopen nog steeds rond. Zo vrij als vogeltjes.' Hij leegde zijn glas. 'Zo, je weet nu wat er gebeurd is.' Hij schoof zijn stoel naar achteren alsof hij weg wilde gaan.

'Wacht,' zei Macfadyen op dringende toon.

Duff wachtte even, ongeduldig.

'Waarom hebt u er nooit iets aan gedaan?'

Duff schoot naar achteren alsof hij een klap had gekregen. 'Wie zegt dat we er nooit iets aan hebben gedaan?'

'Nou, u zei net dat ze nog steeds rondlopen, zo vrij als vogeltjes.'

Duff zuchtte zo diep dat de bierlucht in zijn adem over Macfadyen heen spoelde. 'We konden niet veel doen. We hebben er een paar aan de tand gevoeld, maar de politie kwam erachter. Ze waarschuwden ons min of meer dat als er iets met een van die vier zou gebeuren, wij degenen waren die achter de tralies terecht zouden komen. Als het alleen om Colin en mij was gegaan, hadden we ons daar niets van aangetrokken. Maar we konden het onze moeder niet aandoen. Na wat ze al had meegemaakt. Dus hebben we het er verder bij laten zitten.' Hij beet op zijn lip. 'Jimmy Lawson heeft altijd gezegd dat deze zaak niet gesloten zou worden. Op een dag, zei hij, zou de moordenaar van Rosie krijgen wat hij verdiende. En ik dacht echt dat dat moment nu aangebroken was, met dat nieuwe onderzoek.' Hij schudde zijn hoofd. 'Stommeling die ik ben.' Deze keer stond hij op. 'Ik heb me aan mijn woord gehouden. Ik verwacht van jou hetzelfde. Blijf uit de buurt van mij en mijn familie.'

'Nog één vraag. Alstublieft.'

Duff aarzelde, zijn hand op de rugleuning van zijn stoel, één stap verwijderd van ontsnapping. 'Wat?'

'Mijn vader? Wie was mijn vader?'

'Dat kun je beter niet weten, jongen. Het was een hopeloze niksnut.'

'Toch wil ik het graag weten. De helft van mijn genen is van hem gekomen.' Macfadyen zag de onzekerheid in Duffs ogen. Hij zette hem onder druk. 'Geef me de naam van mijn vader en u ziet me nooit meer terug.'

Duff haalde zijn schouders op. 'Hij heet John Stobie. Hij is drie jaar voordat Rosie doodging naar Engeland verhuisd.' Hij draaide zich om en liep weg.

Macfadyen zat een tijdje voor zich uit te staren zonder nog aan zijn bier te denken. Een naam. Iets om de zoektocht te beginnen. Hij had eindelijk een naam. Maar meer dan dat. Hij had een rechtvaardiging voor de beslissing die hij genomen had nadat James Lawson de incompetentie van de politie had toegegeven. De namen van de studenten waren geen nieuws voor hem geweest. Ze hadden in de krantenverslagen van de moord gestaan. Hij was al maanden op de hoogte van hun namen. Alles wat hij gelezen had, had zijn wanhopige behoefte versterkt om iemand te vinden die hij de schuld kon geven van wat er met zijn moeder was gebeurd. Toen hij op zoek was gegaan naar de verblijfplaats van de vier mannen die hem, naar zijn overtuiging, beroofd hadden van de kans om zijn echte moeder ooit te leren kennen, had hij tot zijn teleurstelling ontdekt dat ze alle vier een succesvol, fatsoenlijk en gerespecteerd leven leidden. Dat was geen gerechtigheid.

Hij had onmiddellijk een zoekopdracht op het internet gegeven om alle informatie over die vier te pakken te krijgen. En toen Lawson met zijn onthulling was gekomen, had dat Macfadyen alleen maar gesterkt in zijn beslissing dat ze hun straf moesten ondergaan. Als de politie van Fife hen geen rekenschap kon laten afleggen, moest er een andere manier worden gevonden om ze te laten boeten.

De ochtend na de ontmoeting met zijn oom, was Macfadyen al vroeg wakker. Hij was nu al een week niet op zijn werk geweest. Hij was uitmuntend in het schrijven van computerprogramma's, en dat was het enige wat hem een ontspannen gevoel gaf. Maar dezer dagen werd hij alleen maar ongeduldig van het idee voor een scherm te zitten en met de ingewikkelde structuren van zijn huidige project bezig te zijn. Vergeleken met de dingen die nu door zijn hoofd spookten, leek al het andere onbelangrijk en zinloos. Niets in zijn leven had hem op deze zoektocht voorbereid, en hij had beseft dat het alles van hem eiste, niet alleen wat over was na een dag op het computerlab. Hij was naar de huisarts gegaan en had geklaagd dat hij last had van stress. Het was niet helemaal een leugen, en hij was overtuigend genoeg geweest om vrij te krijgen tot na nieuwjaar.

Hij kroop zijn bed uit en strompelde naar de badkamer met het gevoel dat hij minuten in plaats van uren had geslapen. Hij keek nauwelijks in de spiegel en merkte dus de schaduwen onder zijn ogen of zijn ingevallen wangen niet op. Hij had dingen te doen. Zijn moeders moordenaars leren kennen was belangrijker dan eraan denken om goed te eten.

Zonder de tijd te nemen om zich aan te kleden of ook maar koffie te maken, liep hij rechtstreeks naar zijn computerkamer. Hij klikte met de muis een van zijn computers aan. Een knipperende boodschap in de hoek van het scherm waarschuwde hem dat er post was. Hij riep het scherm op. Twee berichten. Hij opende het eerste bericht. David Kerr had een artikel gepubliceerd in het laatste nummer van een academisch tijdschrift. Wat flauwekul over een Franse schrijver waar Macfadyen nog nooit van had gehoord. Het interesseerde hem geen hol. Maar er bleek wel uit dat hij zijn zoekopdracht goed had opgezet. David Kerr was nu niet direct een ongewone naam en tot hij de zoekopdracht verfijnd had, had hij elke dag tientallen hits gekregen. Wat alleen maar irritant was geweest.

Het volgende bericht was veel interessanter. Het verwees hem naar de website van de *Seattle Post Intelligencer*. Terwijl hij het artikel las, verscheen er langzaam een glimlach op zijn gezicht.

VOORAANSTAAND KINDERARTS STERFT BIJ VERDACHTE BRAND

De oprichter van de prestigieuze Fife Kliniek is omgekomen bij een vermoedelijke brandstichting in zijn huis in King County. Dokter Sigmund Malkiewicz, zowel bij zijn patiënten als zijn collega's bekend als dokter Ziggy, is omgekomen in de vuurzee die zijn afgezonderd liggende huis in de vroege uren van gisterochtend in de as heeft gelegd.

Drie brandweerauto's waren ter plaatse, maar de vlammen hadden het grootste deel van het houten huis al verwoest. Brandweercommandant Jonathan Ardiles zei: 'Het huis stond al grotendeels in brand toen wij gewaarschuwd werden door de dichtstbijzijnde buren van dokter Malkiewicz. We konden weinig meer doen dan voorkomen dat het vuur zich naar het nabije bos zou verspreiden.'

Rechercheur Aaron Bronstein liet vandaag weten dat de politie de brand als verdacht beschouwt. Hij zei: 'Deskundigen van de brandweer onderzoeken de zaak. Verder kunnen we in dit stadium nog niets melden.'

Dokter Malkiewicz, 45, geboren en opgegroeid in Schotland, werkte al langer dan vijftien jaar in Seattle. Hij was kinderarts in King County General voordat hij negen jaar geleden zijn eigen kliniek opzette. Hij had naam gemaakt op het gebied van kinderoncologie, met een specialisatie in de behandeling van leukemie.

Dokter Angela Redmond, die in de kliniek samenwerkte met dokter Malkiewicz, zei: 'We zijn allemaal diep geschokt door het tragische nieuws. Dokter Ziggy was zijn patiënten zeer toegewijd. Iedereen die hem kende zal hier ontdaan van zijn.'

De woorden dansten voor zijn ogen. Hij voelde een vreemde mengeling van blijdschap en frustratie. Met wat hij nu van het sperma wist, leek het terecht dat Malkiewicz als eerste gestorven was. Macfadyen was teleurgesteld dat de verslaggever niet slim genoeg was geweest om de smerige bijzonderheden van Malkiewicz' leven op te diepen. Uit het artikel kwam Malkiewicz naar voren als een soort Moeder Teresa, maar Macfadyen wist dat de werkelijkheid anders was. Misschien moest hij de journalist een e-mail sturen om hem op een paar punten te corrigeren.

Maar dat was misschien toch niet zo'n goed idee. Het zou moeilijker zijn om de moordenaars in de gaten te houden als ze wisten dat iemand geïnteresseerd was in wat er vijfentwintig jaar eerder met Rosie Duff was gebeurd. Nee, voorlopig kon hij zijn plannen beter voor zich houden. Maar hij kon wel nagaan hoe het met de begrafenis zat en daar een puntje scoren, als ze het zouden opmerken. Het kon geen kwaad om ze een beetje ongerust te maken, om ze een beetje te laten lijden. Ze hadden anderen genoeg leed bezorgd in de loop der jaren.

Hij keek op zijn computer hoe laat het was. Als hij nu wegging, kon hij op tijd in North Queensferry zijn om Alex Gilbey op te pikken op weg naar diens werk. Een ochtend in Edinburgh, en dan zou hij doorrijden naar Glasgow om te zien wat David Kerr deed. Maar eerst was het tijd om aan de zoektocht naar John Stobie te beginnen.

Twee dagen later had hij Alex naar het vliegveld gevolgd en hem zien inchecken voor een vlucht naar Seattle. Ze waren vijfentwintig jaar verder en de moord vormde nog steeds een band tussen hen. Hij had verwacht dat David Kerr er ook zou zijn. Maar er was geen spoor van hem te bekennen geweest. En toen hij haastig naar Glasgow was gereden om na te gaan of hij zijn prooi misschien had gemist, had hij Kerr in een collegezaal gevonden waar hij gewoon aan het werk was.

Dat was gevoelloos!

27

Alex was nooit gelukkiger geweest om de landingslichten van het vliegveld van Edinburgh te zien. Regen geselde de raampjes van het vliegtuig, maar dat kon hem niet schelen. Hij wilde weer thuis zijn, rustig naast Lynn zitten, zijn hand op haar buik, het leven daarbinnen voelen. De toekomst. Net als alle andere dingen die door zijn hoofd gingen, bracht die gedachte hem bij Ziggy's dood. Een kind dat zijn beste vriend nooit zou zien, nooit in zijn armen zou houden.

Lynn wachtte hem op in de aankomsthal. Ze zag er moe uit, dacht hij. Hij wou dat ze gestopt was met werken. Het geld hadden ze tenslotte niet nodig. Maar ze had erop gestaan om tot de laatste maand door te werken. 'Ik wil mijn zwangerschapsverlof gebruiken om tijd met de baby door te brengen,' had ze gezegd, 'niet met op de baby zitten wachten.' Ze was nog steeds vast van plan om na zes maanden weer aan het werk te gaan, maar Alex vroeg zich af of dat zou veranderen.

Hij zwaaide en liep haastig naar haar toe. Toen waren ze in elkaars armen en omklemden elkaar alsof ze weken in plaats van dagen gescheiden waren geweest. 'Ik heb je gemist,' mompelde hij in haar haar.

'Ik heb jou ook gemist.' Ze lieten elkaar los en terwijl ze naar het parkeerterrein liepen, liet Lynn haar arm door de zijne glijden. 'Gaat het een beetje?'

Alex schudde zijn hoofd. 'Niet echt. Ik voel me leeg. Letterlijk. Alsof er een gat in mijn binnenste zit. God mag weten hoe Paul deze dagen door moet komen.'

'Hoe is het met hem?'

'Het is alsof hij stuurloos is. Het organiseren van de begrafenis gaf hem iets om mee bezig te zijn, om niet aan zijn verlies te denken. Maar gisteravond, toen iedereen naar huis was, was hij als een dolende ziel. Ik weet niet hoe hij hier doorheen moet komen.'

'Heeft hij veel steun?'

'Ze hebben een heleboel vrienden. Hij zal niet eenzaam zijn. Maar als het er echt op aankomt, ben je alleen, nietwaar?' Hij zuchtte. 'Ik besefte daardoor wat een geluksvogel ik ben. Dat ik jou heb, en de baby op komst. Ik weet niet wat ik zou doen als jou iets overkwam, Lynn.'

Ze gaf een kneepje in zijn arm. 'Het is heel begrijpelijk dat je zo denkt. Door de manier waarop Ziggy gestorven is, voelen we ons allemaal kwetsbaar. Maar mij zal niets overkomen.'

Ze kwamen bij de auto en Alex ging achter het stuur zitten. 'Op naar huis,' zei hij. 'Niet te geloven dat het morgen al kerstavond is. Ik verlang zo naar een rustige avond thuis, alleen wij met z'n tweeën.'

'Ah,' zei Lynn terwijl ze de riem om haar dikke buik vastmaakte.

'O nee. Niet je moeder, hè? Niet vanavond.'

Lynn grinnikte. 'Nee. niet mijn moeder. Maar bijna net zo erg. Mondo is hier.'

Alex fronste zijn wenkbrauwen. 'Mondo? Ik dacht dat hij in Frankrijk zou zitten.'

'De plannen zijn veranderd. Ze zouden een paar dagen naar Hélènes broer in Parijs gaan, maar zijn vrouw heeft griep. Dus hebben ze hun vlucht veranderd.'

'Maar waarom is hij hier, bij ons?'

'Hij zegt dat hij wat dingen te doen had in Fife, maar ik denk dat hij zich schuldig voelt omdat hij niet met je meegegaan is naar Seattle.'

Alex snoof. 'Ja, hij was altijd goed in schuldgevoel nadat het gebeurd was. Maar het weerhield hem er nooit van om de dingen te doen waar hij zich schuldig over ging voelen.'

Lynn legde haar hand op zijn been. Er was niets seksueels in het gebaar. 'Je hebt hem nooit echt vergeven, hè?'

'Ik geloof het niet, nee. Het is wel min of meer vergeten. Maar als de dingen samenkomen, zoals in de afgelopen week... Nee, ik denk niet dat ik hem ooit vergeven heb. Voor een deel omdat hij mij in moeilijkheden bracht al die jaren geleden, alleen om zichzelf vrij te pleiten bij de politie. Als hij Maclennan niet verteld had dat ik Rosie wel leuk vond, waren we volgens mij niet zo serieus als verdachten beschouwd. Maar wat ik hem vooral niet kan vergeven is die stomme stunt die Maclennan het leven heeft gekost.'

'Denk je dat Mondo zich daar niet schuldig over voelt?'

'En terecht. Maar als hij niet de belangrijkste bijdrage had geleverd aan het feit dat we als verdachten werden gezien, had hij zich nooit zo belachelijk hoeven aan te stellen. En ik had het laatste jaar op de universiteit niet te maken gekregen met mensen die me overal waar ik kwam nawezen. Ik kan er niets aan doen, maar wat mij betreft was Mondo daar verantwoordelijk voor.'

Lynn deed haar tas open en pakte wat geld voor de tolbrug. 'Ik denk dat hij dat altijd geweten heeft.'

'Misschien is dat de reden waarom hij zo zijn best heeft gedaan om zo ver mogelijk van ons weg te komen.' Alex zuchtte. 'Het spijt me dat jij daar last van hebt gehad.'

'Doe niet zo raar,' zei ze. Ze gaf hem de munten terwijl ze de toegangsweg voor de Forthbrug opreden, waarvan de grootse bocht het mooiste uitzicht bood op de drie ijzeren kraagliggers van de spoorbrug die de riviermond overspande. 'Dat is zijn pech, Alex. Ik wist toen ik met je trouwde dat Mondo zich daar nooit bij op zijn gemak zou voelen. Ik vind nog steeds dat ik de goede keuze heb gemaakt. Ik heb liever jou als het middelpunt van mijn leven dan mijn grote neurotische broer.'

'Het spijt me dat het allemaal zo gelopen is, Lynn. Ik geef nog steeds om hem, weet je. Ik heb heel wat goede herinneringen waar hij deel van uitmaakt.'

'Dat weet ik. Dus probeer daar vanavond aan te denken als je zin krijgt om hem te wurgen.'

Alex draaide het raampje open en rilde van de regenvlaag die de zijkant van zijn gezicht raakte. Hij overhandigde het tolgeld en gaf weer gas. Het verlangen naar huis werd sterker, zoals altijd wanneer hij Fife naderde. Hij keek op de dashboardklok. 'Hoe laat verwacht je hem?'

'Hij is er al.'

Alex trok een gezicht. Geen tijd om even bij te komen. Geen plek om zich te verstoppen.

Rechercheur Karen Pirie vluchtte de beschutting van het portiek van het café in en duwde dankbaar de deur open. Een vlaag warme, muffe lucht met de geuren van oud bier en rook spoelde over haar heen. Het was de geur van ontspanning. Op de achtergrond speelde *Tourist* van St Germain. Mooie cd. Ze strekte haar hals om te zien of ze iemand herkende onder de gasten op deze vroege avond. Bij de bar ontdekte ze Phil Parhatka, gebogen over een glas bier en een zakje chips. Ze drong zich tussen de gasten door en trok een kruk naast hem. 'Een Bacardi Breezer voor mij,' zei ze terwijl ze hem een por in zijn ribben gaf.

Phil kwam in actie en wist de aandacht van de vermoeide barkeeper te trekken. Hij bestelde en ging tegen de bar hangen. Phil was altijd liever in gezelschap dan alleen, bracht Karen zichzelf in herinnering. Niemand was verder verwijderd van het tv-cliché van de eenzame politieman die in z'n eentje tegen het kwaad ten strijde trok. Hij was niet wat je noemt het middelpunt van het feestje, maar hij wilde wel bij het gezelschap zijn. En ze vond het helemaal niet erg om zijn gezelschap te zijn. Er was altijd een kans dat hij zou merken dat ze een vrouw was. Zodra haar drankje gekomen was, nam ze een flinke slok. 'Dat is beter,' hijgde ze. 'Dat had ik nodig.'

'Dorstig werk, al die dozen met bewijsmateriaal doorzoeken. Ik had je hier niet verwacht vanavond. Ik dacht dat je rechtstreeks naar huis zou gaan.'

'Nee, ik moest terug naar het bureau om een paar dingen op de computer te checken. Knap vervelend, maar het was niet anders.' Ze nam nog een slok en boog zich samenzweerderig naar haar collega. 'En je raadt nooit wie ik neuzend in mijn dossiers aantrof.'

'Adjunct-hoofdcommissaris Lawson,' zei Phil, zonder ook maar te doen alsof hij aan het raden was.

Karen ging geërgerd rechtop zitten. 'Hoe wist je dat?'

'Niemand anders kan het ook maar een moer schelen waar we

mee bezig zijn. Bovendien zit hij jou meer op je nek dan alle anderen sinds het onderzoek is heropend. Hij lijkt het nogal persoonlijk te nemen.'

'Nou, hij was toen de eerste politieman die op de plaats van de moord kwam.'

'Ja, maar toen was hij een gewone agent. Het was niet zijn zaak of zoiets.' Hij schoof de chips naar Karen toe en dronk zijn eerste glas leeg.

'Dat weet ik. Maar hij zal zich er wel meer mee verbonden voelen dan met de andere zaken die heropend zijn. Maar goed, het was grappig om hem met mijn dossiers te betrappen. Om deze tijd is hij meestal allang naar huis. Ik dacht dat hij een rolberoerte kreeg toen ik iets tegen hem zei. Hij ging er zo in op dat hij me niet had horen binnenkomen.'

Phil pakte zijn nieuwe biertje en nam een slok. 'Een tijdje geleden heeft hij de broer opgezocht, toch? Om hem te vertellen over de fout met het bewijsmateriaal?'

Karen schudde met haar vingers, alsof er iets viezigs aanzat en ze zichzelf daarvan wilde bevrijden. 'Ik kan je wel zeggen dat ik dat met liefde aan hem overliet. Ik had dat gesprek niet graag willen voeren. "Hallo, meneer. Het spijt me maar we zijn het bewijsmateriaal kwijt dat ons eindelijk naar de moordenaar van uw zuster zou hebben geleid. Nou ja, kan gebeuren." ' Ze trok een gezicht. 'En hoe gaat het bij jou?'

Phil haalde zijn schouders op. 'Ik weet het niet. Ik dacht dat ik iets gevonden had, maar dat lijkt ook weer een doodlopende weg te zijn. Bovendien heb ik het plaatselijke parlementslid op mijn nek en die gaat maar door over de mensenrechten. Wat een ellende.'

'Heb je een verdachte?'

'Ik heb er drie. Wat ik niet heb, is fatsoenlijk bewijs. Ik wacht nog steeds tot het lab terugkomt met het DNA. Dat is de enige echte kans die ik heb om er verder mee te komen. En jij? Wie denk je dat Rosie Duff heeft vermoord?'

Karen spreidde haar handen. 'Kies maar. Een van de vier.'

'Denk je echt dat het een van de studenten is die haar gevonden hebben?'

Karen knikte. 'Alles wat we hebben, wijst in die richting. En er is nog iets.' Ze zweeg, wachtend op het verzoek.

'Oké, Sherlock. Ik speel mee. Wat is er nog meer?'

'Het psychologische aspect. Of het nu een rituele moord of een seksuele moord was, de psychologen vertellen ons dat dit soort moorden nooit op zichzelf staat. Eraan voorafgaand mag je een paar pogingen verwachten.'

'Net als bij Peter Sutcliffe?'

'Precies. Die is niet van de ene dag op de andere in de moordenaar van Yorkshire veranderd. En dat brengt me mooi bij mijn volgende punt. Seksmoordenaars zijn een beetje als mijn oma. Ze herhalen zichzelf.'

Phil kreunde. 'O, geweldig.'

'Niet klappen, gewoon betalen. Ze herhalen zichzelf omdat ze klaarkomen op de moord zoals anderen op porno. Maar goed, mijn punt is dat we nergens anders in Schotland een teken van deze speciale moordenaar hebben gezien.'

'Misschien is hij verhuisd.'

'Misschien. En misschien hebben wij een toneelstukje opgevoerd gekregen. Misschien was het helemaal niet zo'n soort moordenaar. Misschien hebben onze jongens, of een ervan, Rosie verkracht en zijn ze in paniek geraakt. Ze willen geen levende getuige. Dus vermoorden ze haar. Maar ze doen het voorkomen als het werk van een gestoorde seksmaniak. Ze kwamen helemaal niet klaar op de moord, dus is er nooit sprake geweest van herhaling.'

'Jij denkt dat een stel aangeschoten jongens de zaak zo nuchter kunnen aanpakken terwijl ze met een dood meisje zitten?'

Karen sloeg haar benen over elkaar en streek haar rok glad. Ze zag dat hij keek en voelde zich warm worden op een manier die niets met witte rum te maken had. 'Dat is de vraag, hè?'

'En wat is het antwoord?'

'Als je hun verklaringen leest, is er één die eruit springt. Die van de student medicijnen, Malkiewicz. Hij hield zijn hoofd erbij op de plaats van de misdaad en zijn verklaring is behoorlijk klinisch. Uit de vingerafdrukken bleek dat hij de laatste was die in de Land Rover had gereden. En van hen vieren was hij een van de drie met bloegroep O. Het kan zijn sperma zijn geweest.'

'Het is een mooie theorie.'

'En hij verdient nog een drankje, volgens mij.' Deze keer bestelde Karen een rondje. 'Het probleem met theorieën,' vervolgde ze toen ze een nieuw glas had, 'is dat je bewijs nodig hebt om ze te ondersteunen. En dat bewijs heb ik niet.'

'Hoe zit het met het onwettige kind? Heeft hij niet ergens een vader? Misschien heeft die het gedaan.'

'We weten niet wie het was. Brian Duff houdt zijn mond erover. Ik heb nog niet met Colin kunnen praten. Maar Lawson heeft me de tip gegeven dat het ene John Stobie kan zijn geweest. Hij is ongeveer in die tijd verhuisd.'

'Het is mogelijk dat hij teruggekomen is.'

'Daar was Lawson naar op zoek in het dossier. Hij wilde weten of ik met die aanwijzing al verder was gekomen.' Karen haalde haar schouders op. 'Maar zelfs als hij teruggekomen is, waarom zou hij Rosie hebben vermoord?'

'Misschien was hij nog steeds gek op haar en wilde ze niets meer van hem weten.'

'Dat denk ik niet. We hebben het over een jongen die uit de stad weg is gegaan omdat Brian en Colin hem onder handen hadden genomen. Hij komt niet op me over als de held die terugkeert om zijn verloren liefde op te eisen. Maar we onderzoeken alles. Ik heb een verzoek gestuurd naar onze wapenbroeders in de plaats waar hij nu woont. Ze gaan een praatje met hem maken.'

'Juist ja. Hij zal nog weten waar hij vijfentwintig jaar geleden was op een bepaalde decemberavond.'

Karen zuchtte. 'Ik weet het. Maar de mensen die hem gaan ondervragen, krijgen in elk geval een beeld van hem. Ik wed nog steeds op Malkiewicz, alleen of met zijn vrienden. Zo, genoeg over het werk. Heb je nog zin in iets Indiaas voordat de kalkoen en de spruitjes ons te pakken nemen?'

Zodra Alex de serre binnenkwam, sprong Mondo overeind en gooide daarbij bijna zijn glas rode wijn om. 'Alex,' zei hij, een tikje nerveus.

Hoe snel gaan we terug in de tijd als we uit ons dagelijks leven worden gehaald en in gezelschap zijn van degenen die ons verleden mee hebben gevormd, dacht Alex, verbaasd over de gedachte.

Mondo, daar was hij van overtuigd, was zelfverzekerd en bekwaam als het om zijn werk ging. Hij had een mondaine vrouw die van cultuur hield en met wie hij culturele en mondaine dingen deed waar Alex alleen maar naar kon raden. Maar geconfronteerd met de vertrouweling uit zijn jeugd was hij ineens weer die gespannen tiener die kwetsbaarheid uitstraalde en behoefte had aan hulp. 'Hallo, Mondo,' zei Alex vermoeid terwijl hij zich in de stoel tegenover hem liet zakken en zichzelf een glas wijn inschonk.

'Goeie vlucht gehad?' De glimlach was op de rand van smekend.

'Die bestaan niet. Ik ben heelhuids thuisgekomen, en dat is het beste wat je kunt zeggen over elke vlucht. Lynn is met het eten bezig. Ze komt zo.'

'Het spijt me dat ik hier vanavond kom binnenvallen, maar ik moest naar Fife om iemand te spreken en morgen gaan we naar Frankrijk en dit was de enige mogelijkheid...'

Het spijt je helemaal niet, dacht Alex. Je wilt alleen ten koste van mij je geweten sussen. 'Jammer dat je niet eerder wist dat je schoonzus griep had. Dan had je mee kunnen gaan naar Seattle. Weird was er ook.' Alex' stem klonk zakelijk, maar hij wilde dat zijn woorden zouden aankomen.

Mondo ging rechtop zitten in zijn stoel en weigerde Alex aan te kijken. 'Ik weet dat je vindt dat ik erheen had moeten gaan.'

'Dat vind ik, ja. Ziggy is tien jaar lang een van je beste vrienden geweest. Hij heeft risico's voor je genomen. Of eigenlijk heeft hij dat voor ons allemaal gedaan. Ik wilde hem die erkenning geven en ik vind dat jij dat ook had moeten doen.'

Mondo haalde zijn hand door zijn haar. Het was nog steeds weelderig en krullend, hoewel er nu zilver in te zien was. Het gaf hem het uiterlijk van een buitenlander onder de gewone Schotse mannen. 'Nou ja. Ik ben gewoon niet zo goed in dat soort dingen.'

'Je was altijd al erg gevoelig.'

Mondo wierp hem een geërgerde blik toe. 'Ik vind gevoeligheid een positieve eigenschap, geen negatieve. En ik ga me er niet voor verontschuldigen.'

'Dan moet je ook gevoelig zijn voor alle redenen waarom ik kwaad op je ben. Oké, ik kan misschien begrijpen dat je ons allemaal mijdt alsof we een besmettelijke ziekte hebben. Je wilde zo ver mogelijk weg van alles wat je zou herinneren aan de moord op Rosie Duff en de dood van Barney Maclennan. Maar hier had je bij moeten zijn, Mondo. Hier had je echt bij moeten zijn.'

Mondo pakte zijn glas en omklemde het alsof het hem kon redden van dit pijnlijke moment. 'Je hebt waarschijnlijk gelijk, Alex.'

'Waarom ben je hier?'

Mondo wendde zijn blik af. 'Ik denk dat het nieuwe onderzoek dat de politie van Fife doet naar de moord op Rosie Duff een heleboel dingen terugbrengt. Ik besefte dat ik dit niet gewoon kon negeren. Ik wilde praten met iemand die die tijd begreep. En wat Ziggy voor ons allemaal betekend heeft.' Tot Alex' verbazing waren Mondo's ogen ineens vochtig. Hij knipperde verwoed, maar de tranen biggelden over zijn wangen. Hij zette zijn glas neer en sloeg zijn handen voor zijn gezicht.

Toen drong het tot Alex door dat ook hij niet immuun was voor het verleden. Hij wilde overeind springen en zijn armen om Mondo heen slaan. Zijn vriend schokte van de inspanning om zijn tranen de baas te worden. Maar de oude argwaan kwam opzetten en hij hield zich in.

'Het spijt me, Alex,' snikte Mondo. 'Het spijt me heel erg.'

'Wat spijt je?' vroeg Alex zacht.

Met betraande ogen keek Mondo op. 'Alles. Alle verkeerde en domme dingen die ik heb gedaan.'

'Dat maakt het niet zoveel duidelijker,' zei Alex, en zijn stem klonk vriendelijker dan de spottende woorden.

Op Mondo's gezicht verscheen een gekwetste uitdrukking. Hij was eraan gewend geraakt dat zijn tekortkomingen zonder commentaar of kritiek werden geaccepteerd. 'Waar ik het meest spijt van heb is die toestand met Barney Maclennan. Wist jij dat zijn broer aan die oude zaak werkt?'

Alex schudde zijn hoofd. 'Hoe moet ik dat weten? Trouwens, hoe weet jij het?'

'Hij heeft me opgebeld. Hij wilde over Barney praten. Ik heb opgehangen.' Mondo zuchtte diep. 'Het is verleden tijd, toch? Oké, ik heb iets stoms gedaan, maar ik was nog heel jong. Jezus, als ik gepakt was voor moord, zou ik nu weer vrij zijn. Waarom kunnen ze ons niet met rust laten?'

'Wat bedoel je, als je gepakt was voor moord?' vroeg Alex.

Mondo verschoof in zijn stoel. 'Bij wijze van spreken. Dat is alles.' Hij leegde zijn glas. 'Ik moest maar weer eens gaan,' zei hij terwijl hij opstond. 'Ik loop wel even langs Lynn om haar gedag te zeggen.' Hij drong zich langs Alex, die hem verbijsterd nakeek. Hij wist niet waar Mondo voor gekomen was, maar het zag er niet naar uit dat hij het gevonden had.

28

Het was niet gemakkelijk geweest om een waarnemingspunt te vinden dat een goed uitzicht bood op het huis van Alex Gilbey. Maar Macfadyen had volgehouden en was onder de massieve ijzeren kraagliggers van de spoorbrug over rotsen en langs bossen ruw gras geklauterd. Ten slotte had hij de perfecte plek gevonden, in elk geval voor als het donker was. Overdag zou hij daar vreselijk zichtbaar zijn, maar Gilbey was bij daglicht nooit thuis. Als het eenmaal donker was, was Macfadyen onzichtbaar in de diepe schaduwen van de brug en keek hij recht omlaag in de serre waar Gilbey en zijn vrouw 's avonds bijna altijd zaten om van hun schitterende uitzicht te genieten.

Het was niet eerlijk. Als Gilbey de prijs voor zijn daden had betaald, zou hij nu nog achter de tralies zitten of het soort waardeloze leven leiden van de meeste ex-gevangenen. Een armoedig flatje temidden van junks en kleine criminelen, met een trap die naar pis en kots stonk, meer verdiende hij niet. Niet dat prachtige huis met zijn spectaculaire uitzicht en driedubbel glas om het geluid van de treinen buiten te houden die de hele dag en een groot deel van de nacht over de brug denderden. Macfadyen wilde dat allemaal van hem afnemen om hem te laten begrijpen wat hij gestolen had toen hij had deelgenomen aan de moord op Rosie Duff.

Maar dat moest nog even wachten. Vandaag hield hij de wacht. Hij was die dag al in Glasgow geweest, waar hij geduldig gewacht had tot iemand die boodschappen deed de parkeerplaats zou verlaten, die, wist hij uit ervaring, hem een uitstekend uitzicht gaf op de parkeerplaats van Kerr op het terrein van de universiteit. Toen zijn prooi kort na vier uur naar buiten was gekomen, had Macfadyen verbaasd gemerkt dat hij niet naar Bearsden ging. In plaats daarvan waren ze naar de snelweg gereden die dwars door Glasgow kronkelde, waarna ze dwars door het land koers hadden gezet naar Edinburgh. Toen Kerr was afgeslagen naar de Forthbrug, had Macfadyen begrijpend geglimlacht. Het zag ernaar uit dat de samenzweerders elkaar toch zouden ontmoeten.

Zijn voorspelling bleek uit te komen. Maar niet meteen. Kerr verliet de autoweg aan de noordzijde van de riviermond en in plaats van naar North Queensferry te rijden, sloeg hij af naar het moderne hotel dat een prachtig uitzicht bood vanaf de hoge zandstenen oever van de riviermond. Hij parkeerde zijn auto en haastte zich naar binnen. Toen Macfadyen het hotel nog geen minuut later binnenliep, was er geen spoor meer van zijn prooi te bekennen. Hij was niet in de bar of het restaurant. Macfadyen liep gehaast door de ruimtes heen en weer, en zijn verontruste bewegingen trokken de nieuwsgierige aandacht van zowel personeel als gasten. Maar Kerr was nergens te zien. Woedend dat hij de man kwijt was geraakt, stormde Macfadyen weer naar buiten en sloeg met zijn vlakke hand op het dak van zijn auto. Jezus, zo hoorde het niet te gaan. Waar was Kerr mee bezig? Had hij doorgekregen dat hij gevolgd werd en zijn achtervolger bewust van zich afgeschud? Macfadyen draaide zich snel om. Nee, Kerrs auto stond er nog.

Wat was er gaande? Het was duidelijk dat Kerr een afspraak met iemand had en dat ze niet gezien wilden worden. Maar wie kon dat zijn? Was het mogelijk dat Alex Gilbey uit de VS terug was gekomen en besloten had zijn medesamenzweerder op neutraal terrein te ontmoeten om hun gesprek voor zijn vrouw verborgen te houden? Hoe moest hij daarachter komen? Zachtjes vloekend stapte hij weer in zijn auto en richtte zijn blik op de ingang van het hotel.

Hij hoefde niet lang te wachten. Ongeveer twintig minuten nadat Kerr het hotel was binnengegaan, liep hij terug naar zijn auto. Deze keer reed hij naar North Queensferry. Dat beantwoordde één vraag. Wie hij daar ook gesproken had, het was niet Gilbey geweest. Macfadyen bleef op de hoek van de straat stilstaan en zag Kerrs auto Gilbeys oprit oprijden. Tien minuten later nam hij zijn plaats in onder de brug, dankbaar dat het niet meer zo hard regende. Hij bracht zijn sterke verrekijker naar zijn ogen en richtte hem op het huis beneden. De serre werd alleen verlicht door een zwak schijnsel dat vanbinnen kwam, maar verder kon hij niets zien. Hij bewoog de verrekijker langs de muur en vond het rechthoekige verlichte vlak van de keuken.

Hij zag Lynn Gilbey lopen, een fles rode wijn in haar hand. Een paar minuten gebeurde er niets. Toen gingen de lampen in de serre aan. David Kerr volgde de vrouw naar binnen en ging zitten, terwijl zij de fles opende en twee glazen inschonk. Hij wist dat ze broer en zus waren. Zes jaar na de dood van Rosie was Gilbey met haar getrouwd, toen hij zevenentwintig en zij eenentwintig was. Hij vroeg zich af of zij wist waar haar broer en haar man bij betrokken waren geweest. Op de een of andere manier betwijfelde hij het. Er zou wel een web van leugens om haar heen gesponnen zijn, leugens die ze graag had willen geloven. Net als de politie de leugens had geloofd. Ze hadden het allemaal maar wat graag achter zich gelaten. Nou, hij zou dat niet een tweede keer laten gebeuren.

En nu was ze zwanger. Gilbey zou vader worden. Het maakte hem razend dat hun kind het voorrecht zou hebben zijn ouders te kennen, gewenst zou zijn en liefde zou krijgen in plaats van dat het met verwijten en schuldgevoel zou opgroeien. Kerr en zijn vrienden hadden hem die kans al die jaren geleden ontnomen.

Er werd niet veel gepraat daarbeneden, merkte hij. Dat kon twee dingen betekenen. Ze hadden zo'n hechte band dat ze de stilte niet met gebabbel hoefden te vullen. Of er was een afstand tussen hen die door koetjes en kalfjes niet overbrugd kon worden. Hij vroeg zich af wat het was, maar het was onmogelijk na te gaan van deze afstand. Na een minuut of tien keek de vrouw op haar horloge en stond op. Met haar ene hand op haar rug en de andere op haar buik liep ze de serre uit, het huis in. Toen ze tien minuten later nog niet terug was, begon hij zich af te vragen of ze het huis was uitgegaan. Natuurlijk. Gilbey zou terugkeren van de begrafenis. Hij zou een afspraak hebben met Kerr om verslag te doen. Ze zouden de vragen doornemen die opgekomen waren door de mysterieuze dood van Malkiewicz. De moordenaars herenigd.

Hij hurkte neer en haalde een thermosfles uit zijn rugzak. Sterke, zoete koffie om hem wakker en energiek te houden. Niet dat hij het nodig had. Sinds hij de mannen in de gaten hield die hij verantwoordelijk achtte voor de dood van zijn moeder, leek er een krachtig vuur in hem te branden. En wanneer hij 's avonds in zijn bed viel, sliep hij dieper dan hij sinds zijn kindertijd ooit had gedaan. Het bewees des te meer, als hij al bewijs nodig had, dat hij de juiste weg had gekozen.

Er ging ruim een uur voorbij. Kerr bleef maar opstaan en heen en weer benen, liep zo nu en dan terug het huis in en kwam vrijwel meteen weer terug. Hij voelde zich niet op zijn gemak, dat was duidelijk. Toen kwam ineens Gilbey binnen. Er werden geen handen geschud, en Macfadyen begreep al snel dat dit geen gemakkelijke, ontspannen ontmoeting was. Zelfs door de verrekijker kon hij zien dat geen van beide mannen van het gesprek genoot.

Toch had hij niet verwacht Kerr in elkaar te zien storten. Het ene moment was er niets aan de hand, het volgende was hij in tranen. Het daaropvolgende gesprek leek intens maar duurde niet lang. Kerr stond plotseling op en drong langs Gilbey heen. Wat er ook tussen hen mocht zijn voorgevallen, ze waren er geen van beiden gelukkig mee.

Macfadyen aarzelde even. Moest hij hier op wacht blijven staan? Of moest hij Kerr volgen? Zijn voeten bewogen al voordat hij zich ervan bewust was een beslissing te hebben genomen. Gilbey zou nergens heen gaan. Maar David Kerr had zijn patroon nu één keer doorbroken. Hij zou het misschien opnieuw doen.

Hij rende terug naar zijn auto en was net bij de hoek toen Kerr de rustige zijstraat uitreed. Vloekend dook Macfadyen achter het stuur, startte de motor en reed met gierende banden weg. Maar hij had zich geen zorgen hoeven te maken. Kerrs zilverkleurige Audi stond nog voor de kruising met de autoweg te wachten tot hij rechts af kon slaan. In plaats van naar de brug en naar huis te rijden, ging hij de M90 op in noordelijke richting. Er was niet veel verkeer en Macfadyen kon hem moeiteloos volgen. Binnen twintig minuten had hij er een behoorlijk goed idee van waar zijn prooi naartoe ging. Hij was langs Kirkcaldy en het huis van zijn ouders gereden en had de Standing Stone-weg naar het oosten genomen. Het moest St Andrews zijn.

Toen ze aan de rand van het stadje kwamen, ging Macfadyen wat dichter achter hem rijden. Hij wilde Kerr nu niet kwijtraken. De knipperlichten van de Audi gaven links aan en hij reed naar de Botanische Tuinen. 'Je kunt niet wegblijven, hè?' mompelde Macfadyen. 'Je kunt haar niet met rust laten.'

Zoals hij verwacht had, reed de auto naar Trinity Place. Macfadyen parkeerde op de hoofdweg en liep snel de rustige straat in. Er brandde licht achter de gesloten gordijnen, maar verder was er geen teken van leven te bespeuren. De Audi stond aan het eind van de doodlopende straat, de zijlichten nog brandend. Macfadyen liep erlangs en zag dat de bestuurdersstoel leeg was. Hij nam het pad dat rond de voet van de heuvel liep en vroeg zich af hoe vaak de vier studenten over datzelfde pad waren gelopen voor de avond waarop ze hun fatale beslissing namen. Toen hij omhoogkeek naar links, zag hij wat hij had verwacht. Kerr stond, afgetekend tegen de nacht, met gebogen hoofd op de rand van de heuvel. Macfadyen ging langzamer lopen. Het was vreemd hoe alles bleef samenwerken om hem te sterken in zijn overtuiging dat de vier mannen die zijn moeders lichaam hadden gevonden veel meer van haar dood wisten dan ze ooit gedwongen waren geweest toe te geven. Hoe had de politie het al die jaren geleden zo kunnen laten afweten? Zoiets voor de hand liggends te verprutsen, tartte elk geloof. Hij had in een paar maanden tijd meer in het belang van de gerechtigheid gedaan dan de politie met al haar middelen en mankracht in vijfentwintig jaar. Maar goed dat hij het niet van Lawson en zijn getrainde apen liet afhangen om zijn moeder te wreken.

Misschien had zijn oom gelijk gehad en hadden ze te veel ontzag voor de universiteit gehad. Of misschien had hij dichter bij de waarheid gezeten toen hij de politie van corruptie beschuldigde. Maar hoe het ook mocht zijn, ze leefden nu in een andere wereld. De oude onderdanigheid was verdwenen. Niemand was nog bang van de universiteit. En de mensen begrepen nu dat de politie ook oneerlijk kon zijn. Dus kwam het nog steeds op individuele personen zoals hij aan om voor gerechtigheid te zorgen.

Terwijl hij hem gadesloeg, rechtte Kerr zijn schouders en liep terug naar zijn auto. Nog een notitie in het grootboek van de schuld, dacht Macfadyen. Nog een steen in de muur.

Alex ging op zijn zij liggen en keek hoe laat het was. Tien voor drie. Nog maar vijf minuten later dan toen hij voor het laatst had gekeken. Het was zinloos. Zijn lichaam was gedesoriënteerd door de vlucht en de verandering van tijdzones. Als hij bleef proberen in slaap te komen, zou hij alleen maar Lynn wakker maken. En haar slaappatroon was al zo verstoord door de zwangerschap dat hij dat risico niet wilde nemen. Alex glipte onder het dekbed uit en rilde een beetje toen hij de koude lucht op zijn huid voelde. Hij pakte zijn ochtendjas, liep de slaapkamer uit en deed de deur zachtjes achter zich dicht.

Wat een rotdag was het geweest. Afscheid nemen van Paul op het vliegveld had als verraad gevoeld, en zijn begrijpelijke verlangen naar Lynn en naar huis als egoïsme. Op het eerste deel van de terugreis had hij krap in een stoel bij een wand zonder raampje gezeten, naast een vrouw die zo enorm was dat Alex ervan overtuigd was dat ze de hele rij stoelen mee zou nemen als ze probeerde op te staan. Op het tweede stuk waren de omstandigheden wat beter geweest, maar hij was toen al te moe geweest om nog te kunnen slapen. Gedachten aan Ziggy hadden hem gekweld en zijn hart gevuld met spijt over alle gelegenheden die hij in de afgelopen twintig jaar had gemist. En in plaats van een rustige avond met Lynn had hij daarna te maken gekregen met Mondo's emotionele uitbarsting. Straks zou hij naar zijn werk moeten, maar hij wist al dat hij nergens goed voor zou zijn. Zuchtend liep hij naar de keuken en zette de ketel op. Misschien zou een kop thee hem kalmeren en slaperig maken.

Met de kop in zijn hand liep hij langzaam door het huis en raakte vertrouwde voorwerpen aan alsof het talismannen waren die zijn veiligheid konden waarborgen. Op een gegeven moment stond hij in de kinderkamer en leunde op de wieg. Dit was de toekomst, hield hij zichzelf voor. Een toekomst die de moeite waard was, een toekomst die hem de mogelijkheid bood om iets meer van zijn leven te maken dan geld verdienen en uitgeven.

De deur ging open en Lynn stond afgetekend tegen het warme licht van de gang. 'Ik heb je toch niet wakker gemaakt?' vroeg hij.

'Nee, dat heb ik helemaal zelf gedaan. Jetlag?' Ze liep naar binnen en legde een arm om zijn middel.

'Ik denk het.'

'En Mondo maakte het niet makkelijker, hè?'

Alex knikte. 'Dat had ik er liever niet bij gehad.'

'Ik denk niet dat hij daar ook maar even aan heeft gedacht. Mijn egoïstische broer denkt dat we allemaal voor hem op de aardbol rondlopen. Ik heb geprobeerd van hem af te komen.'

'Dat geloof ik meteen. Hij is altijd goed geweest in niet horen wat hij niet wilde horen. Maar hij is niet slecht, Lynn. Zwak en egocentrisch, dat wel. Maar niet kwaadwillig.'

Ze wreef haar hoofd tegen zijn schouder. 'Het komt doordat hij zo knap is. Hij was zo'n mooi kind dat hij overal waar hij kwam door iedereen werd verwend. Toen we klein waren haatte ik hem erom. Hij werd geadoreerd, een kleine Donatello-engel. Hij betoverde mensen. En dan keken ze naar mij en dan zag je de verbijstering. Hoe kan zo'n schoonheid als hij zo'n gewoon zusje hebben?'

Alex grinnikte. 'En toen veranderde het lelijke eendje zelf in een schoonheid.'

Lynn porde hem in zijn ribben. 'Een van de dingen die ik altijd zo leuk van je vond is je vermogen om overtuigend te liegen over totaal onbelangrijke dingen.'

'Ik lieg niet. Ergens rond je veertiende hield je op gewoon te zijn en werd je bloedmooi. Geloof me, ik ben een kunstenaar.'

'Meer een voddenkoopman. Nee, als het om het uiterlijk ging, heb ik altijd in Mondo's schaduw gestaan. Ik heb daar de laatste tijd over nagedacht. De dingen die mijn ouders gedaan hebben die ik niet wil herhalen. Als ons kind een schoonheid wordt, wil ik daar geen hele toestand van maken. Ik wil dat ons kind zelfvertrouwen krijgt, maar niet dat soort bewondering dat Mondo vergiftigd heeft.'

'Daar zul je mij niet tegen in horen gaan.' Hij legde een hand op haar gezwollen buik. 'Hoor je dat, Junior? Je krijgt het niet te hoog in je bol, hè?' Hij boog zich en gaf Lynn een zoen op haar hoofd. 'De dood van Ziggy heeft me bang gemaakt. Het enige dat ik wil is mijn kind zien opgroeien met jou aan mijn zij. Maar het is allemaal zo broos. Het ene moment ben je er, het volgende ben je dood. Alle dingen die Ziggy niet heeft kunnen afmaken, en nu blijven ze onafgemaakt. Ik wil niet dat dat mij overkomt.'

Lynn pakte zachtjes de kop thee uit zijn hand en zette hem op de commode. Ze trok hem in haar armen. 'Niet bang zijn,' zei ze. 'Het komt allemaal goed.'

Hij wilde haar geloven. Maar hij was nog te dicht bij zijn eigen sterfelijkheid om helemaal overtuigd te zijn.

Een enorme geeuw maakte Karen Piries kaken aan het kraken terwijl ze op de zoemer wachtte die aangaf dat de deur van het slot ging. Toen die klonk, duwde ze de deur open, liep de hal door en knikte naar de bewaker toen ze langs zijn kamer kwam. God, wat had ze een hekel aan dat magazijn. Kerstavond, de hele wereld maakte zich op voor de feestdagen en waar was zij? Ze had het gevoel dat haar leven uit niets anders meer bestond dan deze gangpaden tussen archiefdozen met hun ingepakte inhoud die meelijwekkende verhalen vertelde over misdrijven die gepleegd waren door domme, onaangepaste en jaloerse mensen. Maar ergens in deze ruimte, daar was ze van overtuigd, lag het bewijsmateriaal dat haar onopgeloste zaak zou openbreken.

Het was niet de enige kant die haar onderzoek kon opgaan. Ze wist dat ze op een gegeven moment alle getuigen opnieuw zou moeten ondervragen. Maar ze wist ook dat het concrete bewijs de sleutel vormde bij dit soort oude zaken. Met de moderne forensische technieken was het mogelijk dat bewijsstukken overtuigend genoeg waren om getuigenverklaringen grotendeels overbodig te maken.

Nou klonk dat wel mooi, dacht ze, maar er stonden honderden dozen in het magazijn. En ze zou ze een voor een moeten doorzoeken. Tot nu had ze ongeveer een kwart gedaan. Het enige positieve resultaat was dat haar armspieren sterker werden van het dozen de trappen op en af sjouwen. In elk geval had ze vanaf morgen tien heerlijke vrije dagen, een tijd waarin de enige dozen die ze zou openen iets aantrekkelijkers zouden bevatten dan de overblijfselen van misdaad.

Ze wisselde een groet uit met de dienstdoende agent en wachtte tot hij de deur had geopend van een draadkooi die de kasten met dozen omsloot. Het beveiligingsprotocol was nog het ergst van dit werk. Voor elke doos golden dezelfde regels. Ze moest hem uit de kast halen en op de tafel zetten waar de dienstdoende agent haar kon zien. Ze moest het nummer van de zaak in het logboek schrijven en dan haar naam en nummer invullen en de datum op het vel papier dat op de deksel was bevestigd. Pas dan mocht ze de doos openen en de inhoud doornemen. Als ze tot de conclusie was gekomen dat hij niet het materiaal bevatte waar ze naar zocht, moest ze hem terugzetten en de hele geestdodende routine herhalen. Deze monotonie werd alleen doorbroken wanneer een andere politiefunctionaris verscheen om de inhoud van een van de dozen te bekijken. Maar dit respijt was gewoonlijk van korte duur omdat ze altijd het geluk hadden precies te weten waar de gezochte spullen zich bevonden.

Er was geen eenvoudige manier om het sneller te doen. In het begin had Karen gedacht dat de zoektocht het gemakkelijkst zou zijn als ze eerst alles zou doorzoeken wat oorspronkelijk uit St Andrews afkomstig was. De dozen werden gerangschikt op de chronologische nummers van de zaken. Maar het proces waarbij alle bewijsstukken van alle politiebureaus uit de regio in een centraal magazijn bijeen waren gebracht, had ervoor gezorgd dat de dozen uit St Andrews door de hele verzameling verspreid waren. Dus kon ze dat idee wel vergeten. Ze was begonnen met alles te doorzoeken van 1978. Maar dat had niets interessants opgeleverd, behalve een stanleymes dat bij een zaak uit 1987 hoorde. Toen had ze de jaren aan beide kanten daarvan genomen. Het verkeerd geplaatste voorwerp dat ze deze keer had gevonden, was de gymschoen van een kind, een overblijfsel van de nooit opgeloste verdwijning van een tienjarige jongen in 1969. Al snel was ze zover dat ze vreesde datgene waar ze naar zocht over het hoofd te zien doordat ze afgestompt raakte door het werk zelf. Ze wipte het lipje van een blikje Irn-Bru light, nam een slok die haar smaakpapillen aan het gillen maakte en begon: 1980. Derde plank. Ze sleepte haar uitgeputte lichaam naar de trap, die nog op de plaats stond waar ze hem de vorige dag had achtergelaten. Ze klom de trap op, trok de doos van de plank die ze nodig had en daalde voorzichtig de aluminium treden af.

Bij de tafel gekomen deed ze het papierwerk en verwijderde toen het deksel. Geweldig. De inhoud zag eruit als de winkeldochters van een kringloopwinkel. Ze haalde bedrijvig een voor een de zakken eruit en controleerde of het nummer van de zaak Rosie Duff op het etiket stond. Een spijkerbroek. Een vuil T-shirt. Een damesslipje. Een panty. Een beha. Een geruit shirt. Niets had ook maar iets met haar te maken. De laatste zak leek een damesvest te bevatten. Karen haalde hem eruit, zonder iets te verwachten.

Ze wierp een vluchtige blik op het etiket. Toen knipperde ze; ze kon haar ogen niet geloven. Ze controleerde het nummer nog een keer. Omdat ze zichzelf niet vertrouwde, haalde ze haar notitieboekje uit haar tas en vergeleek het nummer op de omslag met het nummer op de zak die ze stevig in haar hand hield.

Er was geen vergissing mogelijk. Karen had haar eerste kerstcadeau gevonden.

29

Januari 2004, Schotland

Hij had gelijk gehad. Er was een patroon. Het was onderbroken door de feestdagen, en dat had hem kribbig gemaakt. Maar nu nieuwjaarsdag achter de rug was, was de oude routine terug. De vrouw ging elke donderdagavond op stap. Hij zag haar omlijst door licht toen de voordeur van de villa in Bearsden openging. Even later gingen de koplampen van de auto aan. Hij wist niet waar ze heen ging en het kon hem niet schelen. Het enige waar het om ging, was dat ze zich voorspelbaar had gedragen en haar man alleen had gelaten in het huis.

Hij ging ervan uit dat hij zo'n vier uur had om zijn plan uit te voeren. Maar hij dwong zichzelf geduld te oefenen. Het was dom om nu een risico te nemen. Hij kon beter wachten tot mensen zich hadden geïnstalleerd voor de avond en voor de tv hingen. Maar niet te lang. Hij wilde niet bij zijn ontsnapping tegen iemand aan lopen die zijn aristohond aan het uitlaten was voor zijn laatste plasje van de dag. Suburbia, zo voorspelbaar als een koekoeksklok. Hij stelde zichzelf gerust in een poging zijn bezorgdheid te bedwingen.

Met bonzend hart bij het vooruitzicht van wat er ging gebeuren, zette hij de kraag van zijn jas op tegen de kou. Er was geen plezier in wat voor hem lag, alleen noodzaak. Hij was niet een of andere gestoorde moordenaar die het om de kick deed. Alleen een man die deed wat hij moest doen.

David Kerr verwisselde een dvd en ging weer in zijn leunstoel zitten. Op donderdagavonden gaf hij zich over aan zijn min of meer geheime ondeugd. Wanneer Hélène met haar vriendinnen op stap was, hing hij in een stoel voor de tv om naar de Amerikaanse series te kijken die zij afdeed als 'pulp'. Vanavond had hij twee afleveringen van *Six feet under* gezien en nu drukte hij op de afstandsbediening om een van zijn favoriete afleveringen uit de eerste serie van *The West Wing* te bekijken. Hij had net het grandioze crescendo van het herkenningsdeuntje meegeneuried toen hij van beneden het geluid van brekend glas dacht te horen. Zonder er bewust bij na te denken, berekenden zijn hersenen de coördinaten en gaven door dat het van de achterkant van het huis was gekomen. De keuken misschien.

Hij zat met een ruk rechtop en drukte het geluid van de tv weg. Meer glasgerinkel en hij sprong overeind. Wat was dat in godsnaam? Had de kat iets omgegooid in de keuken? Of was er een onheilspellender verklaring?

David keek om zich heen naar iets dat hij als wapen kon gebruiken. Er was niet veel om uit te kiezen, aangezien Hélène een soort minimalist was waar het de inrichting van het huis betrof. Hij greep een zware kristallen vaas, waarvan de hals smal genoeg was om goed in zijn hand te passen. Met bonzend hart en gespitste oren liep hij op zijn tenen de kamer door. Hij dacht een soort knerpend geluid te horen, als van glas dat vermorzeld wordt onder voeten. Naast zijn angst kwam nu woede in hem op. Een of andere inbreker of junk probeerde zijn huis binnen te komen op zoek naar geld voor een fles drank of een zakje heroïne. Zijn instinct zei hem de politie te bellen en af te wachten. Maar hij was bang dat het te lang zou duren voor ze er waren. Geen enkele zichzelf respecterende inbreker zou genoegen nemen met wat hij in de keuken vond; hij zou waarschijnlijk op zoek gaan naar een grotere buit en David kon niet anders doen dan de inbreker tegemoet treden. Bovendien, wist hij, zou het toestel in de keuken een klik laten horen als hij hier de telefoon opnam en dat zou zijn bedoeling verraden. Dat zou degene die zijn huis probeerde te plunderen echt kwaad maken. Hij kon beter een directe benadering proberen. Hij had ergens gelezen dat de meeste inbrekers lafaards zijn. Nou, misschien kon de ene lafaard een andere schrik aanjagen.

David haalde diep adem om rustig te worden en opende de deur van de woonkamer op een kier. Hij keek door de hal naar de keuken, maar de keukendeur was dicht en hij had geen idee wat erachter gebeurde. Maar nu hoorde hij de onmiskenbare geluiden van iemand die daar rondliep. Het gerammel van bestek toen een la werd opengetrokken. De klap waarmee een kastdeur dichtging.

Het was mooi geweest. Hij was niet van plan hier te blijven staan terwijl iemand de boel overhoophaalde. Hij liep regelrecht de hal door en gooide de keukendeur open. 'Wat is hier aan de hand, verdomme?' schreeuwde hij in het donker. Hij bracht zijn hand naar het lichtknopje, maar toen hij het licht aanknipte gebeurde er niets. In het zwakke schijnsel dat vanbuiten kwam, zag hij glas glinsteren op de vloer bij de open achterdeur. Maar er was niemand te zien. Waren ze alweer weg? Het haar in zijn nek en op zijn blote armen stond recht overeind van angst. Onzeker zette hij een stap naar voren, het donker in.

Van achter de deur kwam een waas van beweging. David draaide zich vliegensvlug om terwijl zijn aanvaller op hem in beukte. Hij had een indruk van gemiddelde lengte, gemiddelde bouw, gezicht verborgen achter een skimasker. Hij voelde een stomp in zijn maag, niet hard genoeg om dubbel te klappen, meer een stoot dan een stomp. De inbreker deed zwaar ademend een stap naar achteren. Tegelijkertijd drong het tot David door dat de man een lang mes in zijn hand had en voelde hij een hete pijnscheut door zijn ingewanden gaan. Hij bracht zijn hand naar zijn buik en vroeg zich dommig af waarom het warm en nat aanvoelde. Hij keek omlaag en zag dat het wit van zijn T-shirt opgeslokt werd door een donkere vlek die zich verspreidde. Zijn eerste reactie was ongeloof. 'Je hebt me gestoken,' zei hij.

De inbreker zei niets. Hij bracht zijn arm naar achteren en stootte opnieuw met het mes. Deze keer voelde David het diep in zijn lichaam snijden. Zijn benen begaven het en hij zakte hoestend naar voren. Het laatste dat hij zag was een paar versleten sportschoenen. Van een afstand hoorde hij een stem. Maar de geluiden die de stem maakte, wilden geen samenhang vormen in zijn hoofd. Een wirwar van lettergrepen waar hij niets mee kon. Terwijl hij het bewustzijn verloor, bedacht hij dat het jammer was.

Toen om tien over halftwaalf de telefoon ging, verwachtte Lynn de stem van Alex te horen, die zich wilde verontschuldigen omdat het zo laat was geworden en haar wilde vertellen dat hij op dat moment het restaurant verliet waar hij een gesprek had gehad met een potentiële klant uit Gotenburg. Ze was niet voorbereid op het vreselijke gejammer dat haar tegemoet kwam zodra ze de telefoon op het nachtkastje opnam. Het was een vrouwenstem, onsamenhangend maar duidelijk van streek. Dat was alles wat ze er aanvankelijk van kon maken.

Bij de eerste hap naar adem kwam Lynn ertussen. 'Met wie spreek ik?' vroeg ze ongerust en bang.

Meer paniekerige snikken. Toen, eindelijk, iets wat bekend klonk. 'Met mij... Hélène. Lieve god, Lynn, dit is verschrikkelijk, verschrikkelijk.' Haar stem begaf het en Lynn hoorde een onsamenhangend gebrabbel in het Frans. 'Hélène? Wat is er aan de hand? Wat is er gebeurd?' Schreeuwend probeerde Lynn nu door het verwarde gestamel heen te komen. Ze hoorde een diepe zucht.

'Het is David. Ik denk dat hij dood is.'

Lynn begreep de woorden, maar ze kon de betekenis niet bevatten. 'Waar heb je het over? Wat is er gebeurd?'

'Ik kom net thuis en hij ligt op de keukenvloer en overal is bloed en hij ademt niet. Lynn, wat moet ik doen? Ik denk dat hij dood is.'

'Heb je een ambulance gebeld? De politie?' Onwerkelijk. Dit was onwerkelijk. Dat ze daaraan kon denken op een moment als dit verbijsterde Lynn.

'Ik heb ze gebeld. Ze zijn onderweg. Maar ik moest met iemand praten. Ik ben bang, Lynn. Ik ben zo bang. Ik begrijp het niet. Dit is verschrikkelijk. Ik denk dat ik gek word. Hij is dood, mijn David is dood.'

Deze keer drongen de woorden tot haar door. Lynn had het gevoel dat een koude hand haar borst omklemde en haar ademhaling belemmerde. Zo hoorde het niet te gaan. Je hoorde niet de telefoon op te pakken in de verwachting dat het je man was om dan te horen dat je broer dood was. 'Dat weet je niet,' zei ze hulpeloos.

'Hij ademt niet. Ik kan geen hartslag voelen. En er is zoveel bloed. Hij is dood, Lynn. Ik weet het. Hoe moet ik zonder hem verder?'

'Al dat bloed... is hij aangevallen?'

'Wat kan er anders gebeurd zijn?'

Lynn voelde een hevige angst opkomen. 'Ga het huis uit, Hélène. Wacht buiten op de politie. Hij kan nog in huis zijn.'

Hélène gilde. 'O god. Denk je dat dat mogelijk is?'

'Ga naar buiten. Bel me later, als de politie er is.' De verbinding werd verbroken. Lynn lag verstijfd in bed. Ze had Alex nodig. Maar Hélène had hem meer nodig. In een waas belde ze hem op zijn mobieltje. Toen hij opnam, kwamen de achtergrondgeluiden van een lawaaiig restaurant ongerijmd en bizar op Lynn over. 'Alex,' zei ze. Even wilde er niets anders uit haar mond komen.

'Lynn? Ben jij dat? Is er iets? Is alles goed met je?' Zijn ongerustheid was voelbaar.

'Met mij is alles goed. Maar ik heb net een afschuwelijk telefoongesprek met Hélène gehad. Alex, ze zei dat Mondo dood is.'

'Wacht even, ik kan je niet goed horen.'

Ze hoorde het geluid van een stoel die naar achteren geschoven werd en een paar seconden later nam het lawaai af. 'Dat is beter,' zei Alex. 'Ik kon niet verstaan wat je zei. Wat is er aan de hand?'

Lynn voelde dat ze haar zelfbeheersing verloor. 'Alex, je moet onmiddellijk naar Mondo's huis. Hélène heeft net gebeld. Er is iets verschrikkelijks gebeurd. Ze zegt dat Mondo dood is.'

'Wát?'

'Ik weet het, het is onvoorstelbaar. Ze zegt dat hij in de keuken op de vloer ligt en dat er overal bloed is. Ga er alsjeblieft heen en kijk wat er aan de hand is.' De tranen liepen nu over haar wangen.

'Hélène is daar? Thuis? En ze zegt dat Mondo dood is? Godallemachtig.'

Lynn slikte een snik in. 'Ik kan het ook niet bevatten. Alsjeblieft, Alex, ga erheen en kijk wat er gebeurd is.'

'Oké, oké, ik ga meteen. Misschien is hij alleen gewond. Misschien vergist ze zich.'

'Ze klonk niet alsof ze twijfelde.'

'Juist, nou, Hélène is geen arts. Hé, hou je taai. Ik bel je zodra ik er ben.'

'Ik kan het niet geloven.' De tranen verstikten haar nu en ze praatte hortend.

'Lynn, je moet proberen kalm te blijven. Alsjeblieft.'

'Kalm? Hoe kan ik kalm blijven? Mijn broer is dood.'

'Dat weten we nog niet. Lynn, de baby. Pas goed op jezelf. Wat er ook gebeurd is, Mondo is er niet bij gebaat als jij helemaal overstuur raakt.'

'Ga erheen, Alex!' schreeuwde Lynn.

'Ik ben al onderweg.' Ze hoorde Alex voetstappen en het gesprek werd verbroken. Ze had hem nooit méér nodig gehad dan nu. En ze wilde in Glasgow zijn, bij haar broer zijn. Wat er ook tussen hen gebeurd was, hij was door bloed met haar verbonden. Ze had Alex' opmerking niet nodig gehad om te weten dat ze bijna acht maanden zwanger was. Ze was niet van plan iets te doen wat haar baby in gevaar kon brengen. Zacht kreunend terwijl ze haar tranen wegveegde, probeerde Lynn zo gemakkelijk mogelijk te gaan liggen. Alstublieft, God, laat Hélène zich vergissen.

Alex kon zich niet herinneren ooit harder te hebben gereden. Het was een wonder dat hij Bearsden bereikte zonder blauwe zwaailichten in zijn achteruitkijkspiegel te hebben gezien. Gedurende de hele rit bleef hij zichzelf voorhouden dat het een vergissing moest zijn. Hij weigerde de gedachte toe te laten dat Mondo dood zou zijn. Niet zo vlak na Ziggy. Natuurlijk, er kon sprake zijn van een afschuwelijk toeval. Dat kwam voor. Het was het onderwerp van gruwelijke verhalen in roddelkranten en op sensatie beluste tv-programma's. Maar zulke dingen overkwamen andere mensen. Tot nu toe, tenminste.

Zijn vurige hoop werd de bodem ingeslagen zodra hij de rustige straat inreed waar Mondo en Hélène woonden. Voor het huis stonden drie politieauto's dwars over de straat. Op de oprit stond een ambulance. Geen goed teken. Als Mondo nog leefde, zou de ambulance allang met blauwe zwaailichten en loeiende sirene naar het dichtstbijzijnde ziekenhuis zijn gereden.

Alex zette zijn auto achter de eerste politiewagen en rende naar het huis. Een potige agent in een fluorescerend geel jack hield hem aan het eind van de oprit tegen. 'Kan ik u helpen?' zei hij.

'Het is mijn zwager,' zei Alex terwijl hij langs hem heen probeerde te dringen. De agent greep zijn armen en belemmerde de doorgang. 'Laat me alsjeblieft door. David Kerr... ik ben met zijn zuster getrouwd.'

'Het spijt me, meneer. Op dit moment mag niemand naar binnen. Er is hier een moord gepleegd.'

'En Hélène, zijn vrouw. Waar is ze? Ze heeft mijn vrouw gebeld.'

'Mevrouw Kerr is binnen. Ze is ongedeerd.'

Alex liet zichzelf verslappen. De agent verzwakte zijn greep. 'Luister, ik weet niet precies wat er gebeurd is, maar ik weet wel dat Hélène mijn steun nodig heeft. Kunt u uw baas niet bellen, zodat ik naar binnen kan?'

De agent leek te twijfelen. 'Zoals ik al zei, meneer. Er is een moord gepleegd.'

Frustratie siste door Alex' hoofd. 'En dit is de manier waarop u de slachtoffers behandelt? Ze afzonderen van hun familie?'

Met een berustende houding bracht de agent zijn radio naar zijn mond. Hij wendde zich half af, ervoor zorgend dat hij de toegang tot het huis nog steeds blokkeerde, en mompelde iets in de radio. Die kraakte als antwoord. Na een kort, gedempt gevoerd gesprek draaide de agent zich weer om naar Alex. 'Kunt u zich legitimeren, meneer?'

Ongeduldig haalde Alex zijn portefeuille te voorschijn en trok zijn rijbewijs eruit. Dankbaar dat hij een van de nieuwere had gekozen, met een foto, overhandigde hij het. De agent keek ernaar en gaf het met een beleefd knikje terug. 'U mag naar het huis gaan, meneer. Een van mijn collega's van de recherche zal u opwachten bij de deur.'

Alex drong langs hem heen. Zijn benen voelden vreemd, alsof zijn knieën van iemand waren die niet goed wist hoe ze werkten. Toen hij bij de deur kwam, zwaaide die open en liet een vrouw van in de dertig vermoeide, cynische ogen over hem heen glijden alsof ze zijn uiterlijk in haar geheugen wilde prenten. 'Meneer Gilbey?' zei ze, en ze stapte achteruit om hem in de hal te laten.

'Dat klopt. Wat is er gebeurd? Hélène heeft mijn vrouw gebeld, ze leek te denken dat Mondo dood was.'

'Mondo?'

Alex zuchtte, ongeduldig over zijn eigen dommigheid. 'Een bijnaam. We zijn al bevriend sinds onze schooltijd. David. David Kerr. Zijn vrouw zei dat hij dood was.'

De vrouw knikte. 'Het spijt me u te moeten zeggen dat meneer Kerr dood is verklaard.'

Jezus, dacht hij. Wat een manier om het te vertellen. 'Ik begrijp het niet. Wat is er gebeurd?'

'Het is nog te vroeg om te zeggen,' zei ze. 'Het ziet ernaar uit dat hij steekwonden heeft opgelopen. Er zijn sporen van een inbraak aan de achterkant van het huis. Maar u zult begrijpen dat het in dit stadium nog niet allemaal duidelijk is.'

Alex wreef met zijn handen over zijn gezicht. 'Dat is verschrikkelijk. Jezus, arme Mondo. Hoe kan zoiets gebeuren?' Hij schudde verdoofd en verbijsterd zijn hoofd. 'Het voelt zo onwerkelijk. Jezus.' Hij haalde diep adem. Hij zou later met zijn gevoelens moeten omgaan. Dit was niet waarom Lynn hem gevraagd had erheen te gaan. 'Waar is Hélène?'

De vrouw opende de deur naar binnen. 'Ze is in de woonkamer. Komt u binnen.' Ze stapte opzij en sloeg Alex gade terwijl hij haar passeerde en rechtdoor liep naar de kamer die uitkeek op de voortuin. Hélène had hem altijd de salon genoemd, en er ging een steekje van schuldgevoel door hem heen vanwege al die keren dat Lynn en hij haar bespot hadden om dat soort pretenties. Hij duwde de deur open en liep naar binnen.

Hélène zat op de rand van een van de grote roomkleurige banken, in elkaar gedoken als een oude vrouw. Toen hij binnenkwam, keek ze op met ogen die gezwollen poelen van verdriet waren. Haar lange, donkere haar hing warrig rond haar gezicht en verdwaalde plukken plakten aan haar mondhoek. Haar kleren waren gekreukeld, een parodie op haar normale Parijse elegantie. Ze strekte smekend haar handen naar hem uit. 'Alex,' zei ze met een schorre, gespannen stem.

Hij liep naar haar toe, ging naast haar zitten en sloeg zijn armen om haar heen. Hij kon zich niet herinneren dat hij Hélène ooit zo dicht tegen zich aan had gehouden. Hun normale begroeting bestond uit een hand die licht op een arm werd gelegd, een luchtkus op elke wang. Hij merkte verbaasd hoe gespierd haar lichaam voelde, en was nog verbaasder dat hij dat opmerkte. Door de schok werd hij een vreemde voor zichzelf, begon hij langzaam te beseffen. 'Ik vind het zo erg,' zei hij. Hij wist hoe zinloos de woorden waren, maar was niet in staat ze niet uit te spreken.

Uitgeput door het verdriet, leunde Hélène tegen hem aan. Alex werd zich ineens bewust van een vrouwelijke agent die discreet in de hoek zat. Ze moest een stoel uit de eetkamer hebben gehaald, dacht hij terwijl dat nergens op sloeg. Dus geen privacy voor Hélène, ondanks haar afschuwelijke verlies. Er was niet veel voor nodig om te bedenken dat ze met dezelfde wantrouwige blikken te maken zou krijgen die zich na de dood van Ziggy op Paul hadden gericht, hoewel dit meer weg had van een verschrikkelijk verkeerd gelopen inbraak.

'Ik heb het gevoel dat ik in een nachtmerrie zit. En ik wil alleen maar wakker worden,' zei Hélène vermoeid.

'Je bent nog in shock.'

'Ik weet niet wat ik ben. Of waar ik ben. Alles lijkt onwerkelijk.'

'Ik kan het ook niet geloven.'

'Hij lag daar gewoon,' zei Hélène zacht. 'Onder het bloed. Ik raakte zijn hals aan om te controleren of er een hartslag was. Maar weet je, ik was zo voorzichtig zijn bloed niet op me te krijgen. Is dat niet vreselijk? Hij lag daar dood op de grond en het enige waar ik aan kon denken was de manier waarop ze verdachten van jullie vieren hadden gemaakt, alleen omdat jullie geprobeerd hadden een stervend meisje te helpen. Dus wilde ik geen bloed van mijn David op me hebben.' Haar vingers verscheurden krampachtig een papieren zakdoekje. 'Dat is vreselijk. Ik kon mezelf er niet toe brengen hem vast te houden omdat ik aan mezelf dacht.'

Alex kneep in haar schouder. 'Dat is begrijpelijk. Met wat we weten. Maar niemand kan denken dat dit iets met jou te maken heeft.'

Hélène maakte een scherp geluid achter in haar keel en ze keek naar de politievrouw. *'On parle français, oui?'*

Wat moest dit voorstellen? *'Ça va,'* antwoordde Alex terwijl hij zich afvroeg of zijn vakantie-Frans voldoende zou zijn voor wat Hélène hem wilde vertellen. *'Mais lentement.'*

'Ik zal het niet te moeilijk maken,' zei ze in het Frans. 'Ik heb je advies nodig. Begrijp je?'

Alex knikte. 'Ja, dat begrijp ik.'

Hélène huiverde. 'Ik kan niet geloven dat ik daar nu aan denk, maar ik wil niet de schuld hiervan krijgen.' Ze omklemde zijn hand. 'Ik ben bang, Alex. Ik ben de buitenlandse vrouw. Ik ben de verdachte.'

'Dat denk ik niet.' Hij probeerde geruststellend te klinken, maar zijn woorden leken over Hélène heen te spoelen zonder een spoor achter te laten.

Ze knikte. 'Alex, er is iets dat me in een slecht daglicht kan plaatsen. Heel slecht. Ik ging één keer per week alleen uit. David dacht dat ik met een paar Franse vriendinnen op stap ging.' Hélène kneep het papieren zakdoekje tot een stijve bal. 'Ik loog tegen hem, Alex. Ik heb een geliefde.'

'Ah,' zei Alex. Het was te veel, na het nieuws dat die avond al had gebracht. Hij wilde Hélènes vertrouweling niet zijn. Hij had haar nooit gemogen en hij vond het niet nodig dat ze haar geheimen aan hem zou toevertrouwen.

'David wist er niets van. O god, ik wou nu dat ik het nooit had gedaan. Ik hield van hem, weet je. Maar hij had zoveel aandacht nodig. En dat was zwaar. En een tijdje geleden heb ik een vrouw ontmoet, in alle opzichten anders dan David. Het was niet mijn bedoeling dat het daarop uit zou lopen, maar we kregen een seksuele relatie.'

'Ah,' zei Alex weer. Zijn Frans was niet goed genoeg om te vragen hoe ze dat Mondo had kunnen aandoen, hoe ze kon beweren van een man te houden die ze consequent had bedrogen. Bovendien was het geen goed idee om voor de ogen van een politieagente ruzie te gaan maken. Je hoefde geen vreemde taal te spreken om intonatie en lichaamstaal te begrijpen. Hélène was niet de enige die het gevoel had in een nachtmerrie te zitten. Een van zijn oudste vrienden was vermoord en zijn weduwe bekende een lesbische relatie? Hij kon dat nu niet aan. Dit soort dingen overkwamen mensen als hem niet.

'Ik was vanavond bij haar. Als de politie erachter komt, zullen ze denken: aha, ze heeft een minnares, dus hebben ze het samen gedaan. Maar zo is het niet. Jackie is nooit een bedreiging voor mijn huwelijk geweest. Mijn liefde voor David was niet ineens over omdat ik met iemand anders sliep. Dus moet ik de waarheid vertellen? Of moet ik mijn mond houden en hopen dat ze er niet achter komen?'

Ze trok zich iets terug zodat ze haar ongeruste blik op Alex' ogen kon richten. 'Ik weet niet wat ik moet doen en ik ben echt bang.'

Alex had het gevoel dat de werkelijkheid hem ontglipte. Waar was ze verdomme mee bezig? Was dit een soort grotesk spel van leugens en probeerde ze hem aan haar kant te krijgen? Was ze echt zo onschuldig als hij aannam? Hij worstelde om het Frans te vinden waarmee hij kon uitdrukken wat hij wilde zeggen. 'Ik weet het niet, Hélène. Ik denk niet dat ik de persoon ben aan wie je dat moet vragen.'

'Ik heb je advies nodig. Je hebt zelf in deze situatie gezeten. Je weet hoe het kan zijn.'

Alex haalde diep adem en wenste dat hij ergens anders was. 'En je vriendin, die Jackie? Is ze bereid voor je te liegen?'

'Ze wil net zomin in het verdachtenbankje komen als ik. Ja, ze zal bereid zijn te liegen.'

'Wie weet het?'

'Van ons?' Ze haalde haar schouders op. 'Niemand, denk ik.'

'Maar dat weet je niet zeker?'

'Dat weet je nooit zeker.'

'In dat geval zou ik de waarheid vertellen. Want als ze er later achter komen, ziet het er veel erger uit.' Alex wreef weer over zijn gezicht en wendde zijn blik af. 'Niet te geloven dat we dit gesprek voeren terwijl Mondo nauwelijks dood is.'

Hélène trok zich terug. 'Ik weet dat je me waarschijnlijk ongevoelig vindt, Alex. Maar ik heb de rest van mijn leven om te huilen om de man die ik liefhad. En ik hield van hem, vergis je niet. Maar op dit moment wil ik voorkomen dat ik verantwoordelijk word gesteld voor iets dat niets met mij te maken heeft. Juist jij zou dat moeten begrijpen.'

'Prima,' zei Alex, die weer op het Engels overging. 'Heb je het al aan Sheila en Adam verteld?'

Ze schudde haar hoofd. 'De enige die ik gesproken heb is Lynn. Ik wist niet wat ik tegen zijn ouders zou moeten zeggen.'

'Wil je dat ik het voor je doe?' Maar voordat Hélène antwoord kon geven, klonk het vrolijke gepiep van Alex' mobieltje uit zijn zak. 'Dat zal Lynn zijn,' zei hij terwijl hij het uit zijn zak haalde en naar het nummer in het schermpje keek. 'Hallo?'

'Alex?' Lynn klonk dodelijk ongerust.

'Ik ben hier bij Hélène,' zei hij. 'Ik weet niet hoe ik je dit moet zeggen. Ik vind het zo erg, maar Hélène had gelijk. Mondo is dood.

Het ziet ernaar uit dat iemand ingebroken heeft...'

'Alex,' onderbrak Lynn hem. 'Ik ga bevallen. De weeën begonnen vlak nadat ik je straks aan de telefoon had. Ik dacht dat het vals alarm was, maar ze komen nu elke drie minuten.'

'Jezus.' Hij sprong overeind en keek paniekerig om zich heen.

'Niet in paniek raken. Het is heel normaal.' Lynn gilde van pijn. 'Dat was er weer een. Ik heb een taxi gebeld. Hij kan er elk moment zijn.'

'Wat... wat...'

'Kom zo snel mogelijk naar het Simpson. Ik zie je op de kraamafdeling.'

'Maar, Lynn, het is te vroeg.' Alex wist eindelijk iets zinnigs te zeggen.

'Het komt door de schok, Alex. Dat gebeurt soms. Maar het gaat goed met me. Niet bang zijn. Ik wil dat je niet bang bent. Ik wil dat je in je auto stapt en voorzichtig naar Edinburgh rijdt. Alsjeblieft?'

Alex haalde diep adem. 'Ik hou van je, Lynn. Van jullie allebei.'

'Dat weet ik. Ik zie je straks.'

De verbinding werd verbroken en Alex keek hulpeloos naar Hélène. 'De weeën zijn begonnen,' zei ze effen.

'De weeën zijn begonnen,' echode Alex.

'Dan moet je gaan.'

'Jij moet niet alleen zijn.'

'Ik heb een vriendin die ik kan bellen. Jij moet bij Lynn zijn.'

'Waardeloze timing,' zei Alex. Hij stopte het mobieltje terug in zijn zak. 'Ik kom terug zodra het kan.'

Hélène stond op en klopte hem op zijn arm. 'Ga, Alex. Laat me weten wat er gebeurt. Bedankt dat je gekomen bent.'

Hij rende de kamer uit.

30

In de door natriumlicht bevlekte duisternis van de stad begonnen vuile strepen grijs te verschijnen. Alex hing op een koude bank bij het Simpson Memorial Paviljoen en de tranen prikten op zijn wangen. Niets in zijn leven had hem voorbereid op een nacht als deze. Hij was door zijn vermoeidheid heen naar een toestand gegaan waarin hij het gevoel had dat hij nooit meer zou slapen. De emotionele overbelasting was van dien aard dat hij niet meer wist wat hij voelde.

Hij had geen enkele herinnering aan de rit terug van Glasgow naar Edinburgh. Hij wist dat hij op een gegeven moment zijn ouders had gebeld en had een vage herinnering aan een geagiteerd gesprek met zijn vader. Hij was overmand geweest door angstgevoelens. Er waren zoveel dingen die verkeerd konden gaan. Er waren zoveel dingen waarvan hij niets wist maar die mis konden gaan, daar was hij zeker van, met een baby die na vierendertig weken wordt geboren. Hij wou dat hij Weird was en kon vertrouwen op iets minder feilbaars dan de medische beroepsgroep. Wat moest hij in godsnaam zonder Lynn? Wat moest hij in godsnaam met een kind zonder Lynn? Wat moest hij in godsnaam met Lynn zonder een kind? De voortekenen konden niet slechter zijn: Mondo dood in het mortuarium van een of ander ziekenhuis, hij zelf niet waar hij moest zijn op de belangrijkste avond van zijn leven.

Hij had zijn auto ergens op het parkeerterrein van de Royal Infirmary achtergelaten en was er bij de derde poging in geslaagd de ingang van de kraamafdeling te vinden. Zwetend en hijgend was hij bij de receptie verschenen, dankbaar dat de kraamverpleegsters zoveel hadden meegemaakt dat een gespannen, ongeschoren, onzin uitkramende man niet opviel.

'Mevrouw Gilbey? We hebben haar rechtstreeks naar de verloskamer gebracht.'

Alex probeerde zich op de aanwijzingen te concentreren en herhaalde ze binnensmonds terwijl hij door de gangen liep. Hij drukte op de intercom van de toegangsdeur en keek ongerust in de lens van de videocamera in de hoop dat hij er meer als een aanstaande vader dan als een ontsnapte krankzinnige uitzag. Na wat voor zijn gevoel een eeuwigheid duurde, zoemde de deur open en strompelde hij naar binnen. Hij wist niet precies wat hij had verwacht, maar niet deze verlaten ontvangstruimte en griezelige stilte. Op dat moment verscheen een verpleegster uit een van de gangen die naar alle kanten uitwaaierden. 'Meneer Gilbey?' zei ze.

Alex knikte verwoed. 'Waar is Lynn?' vroeg hij.

'Komt u maar mee.'

Hij volgde haar door de gang. 'Hoe is het met haar?'

'Ze maakt het goed.' Ze stond even stil, haar hand op de deurkruk. 'We hebben u nodig om haar wat tot rust te brengen. Ze is een beetje van streek. We hebben wat dalingen gehad in de hartslag van het kind.'

'Wat betekent dat? Is het goed met de baby?'

'U hoeft zich geen zorgen te maken.'

Hij haatte het als artsen of verpleegsters dat zeiden. Het voelde altijd als een regelrechte leugen. 'Maar het is veel te vroeg. Ze is nog maar vierendertig weken heen.'

'Probeert u zich geen zorgen te maken. Ze zijn hier in goede handen.'

De deur ging open en Alex werd geconfronteerd met een tafereel dat in geen enkel opzicht overeenkwam met de dingen die ze geoefend hadden bij de zwangerschapscursus. Je kon moeilijk iets bedenken dat verder afstond van de droom van een natuurlijke geboorte die Lynn en hij hadden gehad. Drie vrouwen in operatiekleding liepen bedrijvig rond. Naast het bed stond een monitor met een elektronisch beeld, en een vierde vrouw in een witte jas stond het te bestuderen. Lynn lag op haar rug, benen uit elkaar en haar dat tegen haar hoofd lag geplakt van het zweet. Haar gezicht was donkerrood en vochtig, haar ogen waren wijdopen en er lag een gekwelde uitdrukking in. Het dunne ziekenhuishemd plakte aan haar lichaam. De slang van een infuus naast het bed verdween onder haar. 'Godzijdank ben je er,' hijgde ze. 'Alex, ik ben bang.'

Hij liep haastig naar haar toe en reikte naar haar hand. Ze greep hem stevig vast. 'Ik hou van je,' zei hij. 'Je doet het prima.'

De vrouw in de witte jas keek naar hem. 'Hallo, ik ben dokter Singh,' zei ze. Ze voegde zich bij de vroedvrouw aan het voeteneind van het bed. 'Lynn, we maken ons een beetje bezorgd over de hartslag van de baby. Het gaat niet zo snel als we zouden willen. We moeten misschien een keizersnede overwegen.'

'Als de baby er maar uitkomt,' kreunde Lynn.

Ineens was er sprake van een verhoogde activiteit. 'De baby zit vast,' zei een verpleegster. Dokter Singh keek even naar de monitor.

'De hartslag daalt,' zei ze. Toen ging alles te snel voor Alex om bij te houden terwijl hij Lynns klamme hand omkneld hield. Vreemde zinnen drongen tot hem door. 'Meteen naar de operatiekamer. Breng een catheter in. Toestemmingsformulier.' Toen was het bed in beweging, ging de deur open en liep iedereen door de gang naar de operatiekamer.

De wereld veranderde in een waas van bedrijvigheid. De tijd leek afwisselend heel snel en heel langzaam te gaan. Toen, terwijl Alex bijna niet meer durfde te hopen, de magische woorden: 'Het is een meisje. U hebt een dochter.'

Tranen sprongen in zijn ogen en hij draaide zich om naar zijn dochter. Met bloed besmeurd en paars, angstwekkend bewegingloos en stil. 'O god,' zei hij. 'Lynn, het is een meisje.' Maar Lynn was te ver heen om het te merken.

Een verpleegster wikkelde haastig een deken om de baby en haastte zich weg. Alex stond op. 'Is het goed met haar?' Hij werd uit de operatiekamer gebracht en voelde zich verdoofd. Wat gebeurde er met de baby? Leefde ze wel? 'Wat is er aan de hand?' vroeg hij.

De vroedvrouw glimlachte. 'Met uw dochter gaat het prima. Ze ademt zelf, wat altijd de grote zorg is bij te vroeg geboren kinderen.'

Alex zakte in een stoel en sloeg zijn handen voor zijn gezicht. 'Als het maar goed met haar gaat,' zei hij door zijn tranen heen.

'Ze is flink. Ze weegt vier pond en 240 gram, wat goed is. Meneer Gilbey, ik heb al heel wat te vroeg geboren baby's op de wereld geholpen en dat kleine meisje van u is een van de sterksten die ik heb gezien. U kunt haar nog niet vasthouden, maar omdat ze op eigen kracht ademt kan dat morgen misschien al wel.'

'En Lynn?' vroeg hij, en hij voelde zich plotseling schuldig omdat hij het niet eerder had gevraagd.

'Ze naaien haar nu dicht. Ze heeft het zwaar gehad. Als ze weer op de zaal komt, zal ze moe en verward zijn. Ze zal van streek zijn omdat ze haar baby niet bij zich heeft. Dus moet u sterk zijn voor haar.' Verder kon hij zich niets herinneren behalve dat bepalende moment waarop hij in het doorzichtige bedje had gekeken en zijn dochter voor het eerst ontmoette. 'Mag ik haar aanraken?' vroeg hij vervuld van ontzag. Haar kleine hoofdje leek zo kwetsbaar, haar oogjes waren dichtgeknepen en haar donkere haar plakte aan haar schedel.

'Geef haar uw vinger maar om vast te houden,' instrueerde de vroedvrouw hem.

Hij had aarzelend zijn vinger uitgestoken en de gerimpelde huid op de rug van haar handje gestreeld. Haar piepkleine vingertjes openden zich en grepen hem stevig vast. En Alex was verkocht.

Hij had bij Lynn gezeten tot ze wakker werd en haar verteld over hun wonderbaarlijke dochter. Toen had Lynn, bleek en uitgeput, gehuild. 'Ik weet dat we afgesproken hadden haar Ella te noemen, maar ik wil haar Davina noemen. Naar Mondo,' zei ze.

Het raakte hem als een stomp in zijn maag. Sinds hij bij het ziekenhuis was gekomen, had hij er geen moment meer aan gedacht. 'O god,' zei hij, en zijn schuldgevoel vrat aan zijn vreugde. 'Dat is een goed idee. O Lynn, ik weet niet wat ik moet zeggen. Het loopt allemaal door elkaar.'

'Ga naar huis. Ga even slapen.'

'Ik moet wat mensen bellen. Ze op de hoogte stellen.'

Lynn klopte hem op zijn hand. 'Dat kan wachten. Je moet eerst slapen. Je ziet er zo moe uit.'

Dus was hij weggegaan met de belofte later terug te komen. Hij was niet verder gekomen dan de ingang van het ziekenhuis toen hij besefte dat hij de kracht niet had om naar huis te rijden. Nog niet. Hij had de bank gevonden en had zich erop laten zakken terwijl hij zich afvroeg hoe hij de volgende paar dagen door moest komen. Hij had een dochter, maar zijn armen waren nog leeg. Hij had weer een vriend verloren en kon nog niet nadenken over de betekenis daarvan. En ergens moest hij de kracht vandaan halen om Lynn te steunen. Tot nu toe had hij altijd een beetje door het leven gedobberd in de wetenschap dat hij Ziggy of Lynn had als het er echt op aan zou komen.

Voor het eerst sinds Alex volwassen was, voelde hij zich afschuwelijk alleen.

James Lawson hoorde het nieuws van David Kerrs dood toen hij de volgende ochtend naar zijn werk reed. Terwijl het tot hem doordrong, kon hij een grimmig glimlachje van voldoening niet weerstaan. Het had lang geduurd, maar de moordenaar van Barney Maclennan had eindelijk zijn verdiende loon gekregen. Toen dacht hij met een ongemakkelijk gevoel aan Robin en aan het motief dat hij hem gegeven had. Hij reikte naar de autotelefoon. Zodra hij op het hoofdbureau was, liep hij naar de kamer van het team dat de onopgeloste zaken onderzocht. Robin Maclennan was gelukkig de enige die er al was. Hij stond bij het koffiezetapparaat te wachten tot het hete water door de gemalen koffie in de kan eronder was gelopen. Het apparaat maakte Lawsons stappen onhoorbaar en Robin schrok toen zijn baas ineens zei: 'Heb je het nieuws gehoord?'

'Welk nieuws?'

'David Kerr is vermoord.' Met samengeknepen ogen keek Lawson onderzoekend naar de rechercheur. 'Gisteravond. Thuis.'

Robins wenkbrauwen gingen omhoog. 'Dat meen je niet.'

'Ik hoorde het op de radio. Ik heb Glasgow gebeld om te controleren of het onze David Kerr was, en kijk eens aan, hij was het.'

'Wat is er gebeurd?' Robin wendde zich af en schepte suiker in een kop.

'Op het eerste gezicht leek het een verkeerd afgelopen inbraak. Maar toen zagen ze dat hij twee steekwonden had. We weten dat de gemiddelde inbreker misschien één keer uithaalt met een mes, maar daarna neemt hij de benen. Deze wilde er zeker van zijn dat David Kerr het niet zou kunnen navertellen.'

'Dus, wat wil je zeggen?' vroeg Robin terwijl hij de kan met koffie pakte.

'Ik zeg het niet, de politie van Strathclyde zegt het. Ze kijken naar andere mogelijkheden. Zoals zij het formuleerden.' Lawson wachtte, maar Robin zei niets. 'Waar was je gisteravond, Robin?'

Robin keek Lawson kwaad aan. 'Wat bedoelt u daarmee?'

'Rustig maar. Ik beschuldig je nergens van. Maar laten we wel wezen, als iemand een motief had om Davey Kerr te vermoorden, ben jij het wel. Ik weet dat je zoiets niet zou doen. Ik sta aan jouw kant. Ik zorg alleen dat je niet verdacht kunt worden, dat is alles.' Hij legde geruststellend een hand op Robins arm. 'Heb je een alibi?'

Robin haalde een hand door zijn haar. 'Jezus, nee. Dianes moeder was jarig en ze is met de kinderen naar Grangemouth geweest. Ze waren pas na elf uur terug. Dus ik was alleen thuis.' Hij fronste ongerust zijn voorhoofd.

Lawson schudde zijn hoofd. 'Dat ziet er niet goed uit, Robin. Het eerste dat ze gaan vragen is waarom jij niet mee bent gegaan naar Grangemouth.'

'Ik kan niet met mijn schoonmoeder opschieten. Nooit gekund. Dus gebruikt Diane mijn werk als een excuus als ik niet op kom dagen. Maar het was niet de eerste keer. Het was niet zo dat ik er onderuit probeerde te komen om naar Glasgow te rijden en Davey Kerr te vermoorden, godallemachtig.' Hij perste zijn lippen op elkaar. 'Elke andere avond zou er niets aan de hand zijn. Maar gisteravond... Verdomme. Als ze ook maar iets horen fluisteren over wat Kerr met Barney heeft gedaan, kan ik het wel vergeten.'

Lawson pakte een kop en schonk zichzelf koffie in. 'Ze zullen het niet van mij horen.'

'U weet hoe het hier gaat. Eén groot roddelcircuit. Het wordt vast bekend. Ze gaan in Davey Kerrs verleden graven en iemand zal zich herinneren dat mijn broer gestorven is toen hij hem probeerde te redden na een zelfmoordpoging. Als het uw zaak was, zou u dan niet met Barneys broer willen praten? Voor het geval dat hij vond dat het tijd was om de rekening te vereffenen? Zoals ik al zei: ik kan het wel vergeten.' Robin beet op zijn lip en wendde zich af.

Lawson legde meelevend een hand op zijn arm. 'Weet je wat. Als iemand uit Strathclyde iets vraagt, was je met mij samen.'

Robin reageerde geschokt. 'U gaat voor me liegen?'

'We gaan allebei liegen. Omdat we allebei weten dat jij niets te maken hebt gehad met de dood van Davey Kerr. Bekijk het eens zo: we besparen de politie tijd. Op die manier zullen ze geen tijd en energie verspillen aan een onderzoek naar jou terwijl ze op zoek moeten zijn naar de moordenaar.'

Robin knikte aarzelend. 'Dat is waar, maar...'

'Robin, je bent een uitstekende politieman. Je bent een goed mens. Anders zou ik je niet in mijn team hebben. Ik geloof in je en ik wil niet dat je goede naam door de modder wordt gehaald.'

'Dank u voor uw vertrouwen.'

'Dat zit wel goed. Laten we zeggen dat ik bij je langs ben gegaan en dat we een paar biertjes hebben gedronken en een paar spelletjes poker hebben gespeeld. Je hebt zo'n twintig pond van me gewonnen en ik ben rond elf uur weggegaan. Wat vind je daarvan?'

'Prima.'

Lawson glimlachte, klonk met zijn kop tegen die van Robin en liep weg. Dat was het kenmerk van leiderschap, geloofde hij. Uitzoeken wat je teamleden nodig hebben en het in orde maken voordat ze ook maar weten dát ze het nodig hebben.

Die avond was Alex weer op weg, terug naar Glasgow. Hij was uiteindelijk thuisgekomen, waar de telefoon roodgloeiend stond. Hij had met de grootouders van beide kanten gesproken. Zijn ouders leken zich bijna te schamen voor hun blijdschap in het licht van wat er in Glasgow was gebeurd. Lynns vader en moeder waren bijna onsamenhangend geweest, volkomen van de kaart door de dood van hun enige zoon. Het was nog veel te vroeg voor hen om enige troost te putten uit de geboorte van hun eerste kleinkind. Het nieuws dat de baby op de couveuseafdeling lag, leek nog een reden voor verdriet en vrees. Na de twee telefoontjes was Alex niet meer gewoon doodmoe maar een soort zombie. Hij had hun vrienden en collega's een simpel berichtje gemaild van Davina's geboorte, had toen de stekker van de telefoon uit de muur getrokken en was in bed gerold.

Toen hij wakker werd, kon hij niet geloven dat hij maar drie uur onder zeil was geweest. Hij voelde zich zo opgefrist alsof hij het klokje rond had geslapen. Hij had zich gedoucht en geschoren, snel een broodje gegeten en zijn digitale camera gepakt en was teruggegaan naar Edinburgh. Hij vond Lynn in een rolstoel op de couveuseafdeling, waar ze dolgelukkig naar hun dochter zat te kijken. 'Is ze niet prachtig?' had ze onmiddellijk gevraagd.

'Natuurlijk is ze prachtig. Heb je haar al mogen vasthouden?'

'Het was het mooiste moment van mijn leven. Maar ze is zo klein, Alex. Het is alsof je lucht vasthoudt.' Ze wierp hem een ongeruste blik toe. 'Het komt toch wel goed met haar, hè?'

'Natuurlijk. Gilbeys zijn vechters.' Ze pakte zijn hand, wilde dat hij gelijk zou hebben.

Toen keek Lynn hem bezorgd aan. 'Ik schaam me zo, Alex. Mijn broer is dood en ik denk alleen maar aan Davina, hoe mooi en hoe geweldig ze is.'

'Ik begrijp precies wat je bedoelt. Ik ben in de zevende hemel en dan word ik ineens herinnerd aan wat er met Mondo is gebeurd en sta met een schok weer met beide benen op de grond. Ik weet niet hoe we hier doorheen moeten komen.'

Aan het eind van de middag had ook Alex zijn dochter in zijn armen gehouden. Hij had tientallen foto's gemaakt en haar trots aan zijn ouders laten zien. Adam en Sheila Kerr hadden de reis niet aangekund en hun afwezigheid herinnerde Alex eraan dat hij niet eeuwig kon verwijlen in de verrukkingen van het nieuwe ouderschap. Toen een broeder Lynn haar avondeten bracht, stond hij op. 'Ik moet terug naar Glasgow,' zei hij. 'Ik moet kijken of het goed gaat met Hélène.'

'Dat is jouw verantwoordelijkheid niet,' protesteerde Lynn.

'Dat weet ik, maar ze heeft ons gebeld,' bracht hij haar in herinnering. 'Haar eigen familie is ver weg. Ze heeft misschien hulp nodig met het regelen van dingen. Bovendien ben ik het Mondo verplicht. Ik ben geen erg goede vriend voor hem geweest, de afgelopen jaren, en dat kan ik niet meer goedmaken. Maar hij maakte deel uit van mijn leven.'

Lynn keek met een verdrietige glimlach naar hem op, tranen glinsterden in haar ogen. 'Arme Mondo. Ik blijf maar denken aan het eind en hoe bang hij moet zijn geweest. En te moeten sterven zonder de kans te hebben gehad om het goed te maken met de mensen van wie je houdt... En Hélène, ik kan me niet voorstellen hoe het voor haar moet zijn. Als ik bedenk hoe ik me zou voelen als er iets met jou of Davina zou gebeuren...'

'Er gebeurt niets met mij. Of met Davina,' zei Alex. 'Dat beloof ik.'

Hij dacht nu aan die belofte terwijl hij de kilometers overbrugde tussen vreugde en verdriet. Het viel niet mee om niet overweldigd te worden door de wending die zijn leven de laatste tijd had genomen. Maar hij moest overeind blijven. Er hing nu te veel van hem af.

Toen hij Glasgow naderde, belde hij Hélène. Het antwoordapparaat verwees hem naar haar mobieltje. Vloekend stopte hij aan de kant van de weg om de boodschap opnieuw te beluisteren en het nummer op te schrijven. Toen hij voor de tweede keer overging, nam ze op. 'Alex? Hoe is het met Lynn? Wat is er gebeurd?'

Hij was verbaasd. Hij had Hélène altijd beschouwd als iemand die te veel met Mondo en zichzelf bezig was om belangstelling te tonen voor anderen. Hij was stomverbaasd dat haar bezorgdheid om Lynn en de baby zozeer door haar verdriet heen was gedrongen dat ze daar als eerste naar vroeg. 'We hebben een dochter.' Het waren de grootste woorden die hij ooit had uitgesproken. Hij voelde een brok in zijn keel. 'Omdat ze te vroeg geboren is, ligt ze in de couveuse. Maar het gaat geweldig met haar. En ze is prachtig.'

'Hoe is het met Lynn?'

'Ze heeft pijn. In alle opzichten. Maar ze maakt het goed. En jij? Hoe gaat het met jou?'

'Niet goed. Maar het gaat, denk ik.'

'Luister, ik ben onderweg naar Glasgow. Waar ben je?'

'Het huis is kennelijk nog een plaats delict. Ik mag er morgen pas weer in. Ik logeer bij mijn vriendin, Jackie. Ze woont in Merchant City. Wil je hierheen komen?'

Alex had niet echt zin om de vrouw te ontmoeten met wie Hélène Mondo had bedrogen. Hij overwoog een neutralere ontmoetingsplek voor te stellen, maar vond dat onder de omstandigheden ook nogal harteloos. 'Vertel me hoe ik moet rijden,' zei hij.

Het appartement was gemakkelijk te vinden. Het besloeg de helft van de tweede verdieping van een van de omgebouwde pakhuizen die het kenmerk van succes waren geworden van de alleenstaanden van de stad. De vrouw die de deur opende, leek absoluut niet op Hélène. Haar spijkerbroek was oud en vaal, met scheuren bij de knieën, haar mouwloze T-shirt verkondigde dat ze honderd procent 'babe' was en onthulde spieren waarmee ze zich, dacht Alex, tig keer kon opdrukken zonder ook maar te zweten. Net onder beide biceps bevond zich een ingewikkelde tatoeage van een Keltische armband. Haar korte donkere haar stond stekelig van de gel en de blik die ze hem toewierp was net zo scherp. Haar donkere wenkbrauwen stonden gefronst boven haar grijsblauwe ogen en er lag geen verwelkomende glimlach om haar brede mond. 'Jij moet Alex zijn,' zei ze met een stem waarin haar Glasgowse wortels meteen te horen waren. 'Kom maar binnen.'

Alex volgde haar naar het soort hoge appartement dat nooit de pagina's van de woontijdschriften siert. Vergeet het steriele modernisme, dit was het huis van iemand die precies wist wat ze wilde en hoe ze het wilde. De tegenoverliggende muur was van vloer tot plafond bedekt met boekenkasten, die rommelig volgestouwd waren met boeken, video's, cd's en tijdschriften. Daarvoor stond een multifunctioneel fitnessapparaat, waarnaast nonchalant neergeworpen een paar handhalters lagen. De keukenhoek had het soort rommeligheid van regelmatig gebruik en de zithoek was ingericht met banken die meer comfortabel dan stijlvol waren. Een salontafel was onzichtbaar onder stapels kranten en tijdschriften. Aan de muren hingen grote ingelijste foto's van sportvrouwen, variërend van Martina Navratilova tot Ellen MacArthur. Hélène zat opgekruld in de hoek van een stoffen bank, waarvan de armleuningen getuigden van de aanwezigheid van een kat. Alex liep over de glanzende houten vloer naar zijn schoonzuster, die haar gezicht ophief voor hun gebruikelijke uitwisseling van luchtkussen. Haar ogen waren opgezet en er lagen schaduwen onder, maar verder leek Hélène zichzelf weer onder controle te hebben. 'Fijn dat je gekomen bent,' zei ze. 'En bedankt dat je gekomen bent terwijl je van je dochtertje zou moeten genieten.'

'Zoals ik al zei ligt ze nog in de couveuse. En Lynn is uitgeput. Ik dacht dat ik hier nuttiger zou kunnen zijn. Maar...' Hij glimlachte even naar Jackie. 'Ik zie dat er goed voor je gezorgd wordt.'

Jackie haalde haar schouders op, maar de vijandige uitdrukking verdween geen moment. 'Ik ben journalist, freelance, dus kan ik mijn tijd zelf indelen. Wil je iets drinken? Er is bier, whisky, wijn.'

'Koffie zou heerlijk zijn.'

'We hebben geen koffie meer. Thee ook goed?'

Toch prettig om het gevoel te hebben dat je welkom bent, dacht hij. 'Thee is prima. Melk, geen suiker, alsjeblieft.' Hij ging aan de andere kant van de bank zitten waar Hélène op lag. Haar ogen zagen eruit alsof ze veel te veel had gezien. 'Hoe is het met je?'

Haar oogleden knipperden. 'Ik probeer niets te voelen. Ik wil niet aan David denken, want als ik dat doe heb ik het gevoel dat mijn hart breekt. Ik vind het onvoorstelbaar dat de wereld gewoon doordraait zonder hem. Maar ik moet doorgaan zonder dat ik instort. De politie is vreselijk, Alex. Die trut van een meid die in de hoek zat gisteravond, weet je nog?'

'De politieagente?'

'Ja.' Hélène snoof spottend. 'Ze bleek Frans te hebben gehad op school. Ze heeft dat gesprekje van ons gisteravond verstaan.'

'O verdomme.'

'O verdomme, precies. De rechercheur die de leiding heeft, was hier vanmorgen. Hij sprak eerst met mij, vroeg hoe het met Jackie en mij zat. Hij zei dat liegen zinloos was, want de politieagente had alles verstaan. Dus heb ik hem de waarheid verteld. Hij was heel beleefd, maar ik merkte dat hij ook wantrouwig was.'

'Heb je gevraagd wat er met Mondo gebeurd is?'

'Natuurlijk.' Haar gezicht vertrok van pijn. 'Hij zei dat ze er nog niet veel over konden zeggen. Het glas van de keukendeur was kapot, misschien van een inbreker. Maar ze hebben geen vingerafdrukken gevonden. Het mes waarmee David gestoken is, was er een van een set. Uit het messenblok in de keuken. Hij zei dat het er op het eerste gezicht naar uitziet dat David een geluid heeft gehoord en op onderzoek uit is gegaan. Maar hij benadrukte die woorden, Alex. Op het eerste gezicht.'

Jackie kwam terug met een beker met een afdruk van Marilyn Monroe erop die geleden had onder een vaatwasser. De thee die erin zat had een intens donkere kleur. 'Bedankt,' zei Alex.

Jackie ging op de armleuning van de bank zitten en legde een hand op Hélènes schouder. 'Primitievelingen. De vrouw heeft een minnares, dus moet de vrouw of de minnares wel van de man af willen. Ze kunnen zich geen wereld voorstellen waarin volwassenen ingewikkelder keuzes maken dan dat. Ik probeerde die diender uit te leggen dat je seks met iemand kunt hebben zonder dat je de andere minnaars wilt vermoorden. De klootzak keek me aan alsof ik van een andere planeet kwam.'

Alex was het in dit opzicht met de politieman eens. Het feit dat hij met Lynn getrouwd was, maakte hem niet ongevoelig voor de charmes van andere vrouwen. Maar het maakte wel dat hij daar niets mee deed. Wat hem betrof waren minnaars voor mensen die de verkeerde partner hadden. Hij zou het vreselijk vinden als Lynn op een dag thuis zou komen en zou vertellen dat ze met iemand anders sliep. Hij had ineens even medelijden met Mondo. 'Ik neem aan dat ze geen andere aanwijzingen hebben en zich dus maar op jou richten,' zei hij.

'Maar ik ben het slachtoffer, niet de dader,' zei Hélène bitter. 'Ik heb David geen kwaad gedaan. Maar hoe moet je bewijzen dat je iets niet hebt gedaan? Je weet zelf hoe moeilijk het is om van een verdenking af te komen als de vinger eenmaal in jouw richting wijst. David werd er zo gek van dat hij zelfmoord probeerde te plegen.'

Alex huiverde onwillekeurig bij de herinnering. 'Zo ver zal het niet komen.'

'Daar zal ik verdomme voor zorgen,' zei Jackie. 'Morgen ga ik met een advocaat praten. Ik laat dit niet zomaar gebeuren.'

Hélène zag er ongerust uit. 'Weet je zeker dat dat een goed idee is?'

'Waarom niet?' vroeg Jackie.

'Moet je je advocaat niet alles vertellen?' Hélène wierp Alex een vreemde zijdelingse blik toe.

'Ja, maar die informatie is vertrouwelijk,' zei Jackie.

'Wat is het probleem?' vroeg Alex. 'Is er iets wat je me niet verteld hebt, Hélène?'

Jackie zuchtte en sloeg haar ogen ten hemel. 'Jezus, Hélène.'

'Het is in orde, Jackie. Alex staat aan onze kant.'

Jackie wierp hem een blik toe die zei dat ze hem beter doorhad dan haar minnares.

'Wat heb je me niet verteld?' vroeg hij.

'Dat zijn jouw zaken niet, oké?' zei Jackie.

'Jackie,' protesteerde Hélène.

'Laat maar, Hélène.' Alex stond op. 'Ik hoef hier niet te zijn weet je,' zei hij tegen Jackie. 'Maar ik dacht dat jullie op dit moment alle vrienden konden gebruiken die je kunt krijgen. Vooral bij Mondo's familie.'

'Jackie, vertel het hem,' zei Hélène. 'Anders gaat hij weg met de gedachte dat we inderdaad iets te verbergen hebben.'

Jackie keek boos naar Alex. 'Ik ben gisteravond ongeveer een uur weg geweest. Ik had geen dope meer en we hadden zin in een joint. Mijn dealer is niet het type dat alibi's verstrekt. En zelfs als hij het zou doen, zou de politie hem niet geloven. Dus technisch gezien hadden wij allebei David kunnen vermoorden.'

Alex voelde hoe zijn nekharen overeind gingen staan. Hij herinnerde zich het moment waarop hij zich de vorige avond had afgevraagd of Hélène hem manipuleerde. 'Jullie moeten het aan de politie vertellen,' zei hij kortaf. 'Als ze erachter komen dat je gelogen hebt, zullen ze nooit geloven dat je onschuldig bent.'

'In tegenstelling tot jou, bedoel je?' zei Jackie uitdagend.

De achterliggende vijandigheid die Alex voelde beviel hem niet. 'Ik ben gekomen om te helpen, niet om de voetveeg te zijn,' zei hij scherp. 'Hebben ze iets gezegd over het vrijgeven van het lichaam?'

'De lijkschouwing vindt vanmiddag plaats. Daarna kunnen we de begrafenis regelen, hebben ze gezegd.' Hélène spreidde haar handen. 'Ik weet niet wie ik moet bellen. Wat moet ik doen, Alex?'

'Een begrafenisondernemer vind je wel in de Gouden Gids. Zet een advertentie in de krant en neem contact op met zijn naaste familie en zijn vrienden. Als je dat wilt, kan ik de dingen met de familie regelen.'

Ze knikte. 'Dat zou geweldig helpen.'

Jackie zei spottend: 'Ik denk niet dat ze op contact met Hélène zitten te wachten als ze achter mijn bestaan komen.'

'Dat kunnen we beter vermijden. Mondo's ouders hebben al genoeg te verwerken,' zei Alex ijzig. 'Hélène, je zult de nazit moeten regelen.'

'De nazit?' vroeg Hélène.

'De bijeenkomst na de begrafenis,' vertaalde Jackie.

Hélène sloot haar ogen. 'Ik kan niet geloven dat we hier over catering zitten te praten terwijl mijn David ergens op een schouwtafel ligt.'

'Ja, nou,' zei Alex. Hij hoefde niet te zeggen wat hij dacht; de verantwoordelijkheid hing tussen hen drieën in de lucht. 'Ik moest maar eens teruggaan.'

'Heeft ze al een naam, je dochter?' vroeg Hélène, duidelijk op zoek naar een minder gevaarlijk onderwerp.

Alex wierp haar een omzichtige blik toe. 'We wilden haar Ella noemen. Maar we dachten... nou, Lynn dacht erover haar Davina te noemen. Naar Mondo. Als je er geen bezwaar tegen hebt?'

Hélènes lippen trilden en tranen biggelden over haar wangen. 'O, Alex, het spijt me zo dat we nooit de tijd hebben genomen om beter bevriend te raken met Lynn en jou.'

Hij schudde zijn hoofd. 'Wat? Zodat wij ons ook verraden konden voelen?'

Hélène kromp ineen alsof ze geslagen was. Jackies handen balden zich tot vuisten en ze bewoog zich in Alex' richting. 'Ik denk dat je beter kunt gaan.'

'Dat denk ik ook,' zei Alex. 'Ik zie je op de begrafenis.'

31

Adjunct-hoofdcommissaris Lawson trok de map over het bureau naar zich toe. 'Ik had hier echt iets van verwacht,' zuchtte hij.

'Ik ook,' gaf Karen Pirie toe. 'Ik weet dat ze destijds geen biologische monsters van het vest hebben gehaald, maar ik dacht dat ze met de geavanceerde technieken van nu wel iets zouden vinden wat we konden gebruiken. Sperma of bloed. Maar er is niets, behalve die rare druppeltjes verf.'

'En dat wisten we toen ook al. En het heeft ons toen ook niet geholpen.' Lawson sloeg de map met een laatdunkend gebaar open en nam snel het korte rapport door. 'Het probleem was dat het vest niet bij het lichaam was gevonden. Als ik het me goed herinner, was het over de heg in iemands tuin gegooid.'

Karen knikte. 'Nummer vijftien. Ze hebben het pas gevonden nadat er ruim een week verstreken was. En toen had het inmiddels gesneeuwd, gedooid en geregend, wat ook niet bepaald hielp. Door Rosie Duffs moeder geïdentificeerd als het vest dat ze droeg toen ze die avond uitging. Haar handtas en haar jas zijn nooit gevonden.' Ze raadpleegde de dikke map op haar schoot en bladerde erdoorheen. 'Een bruine, tot over de knie vallende ruime mantel van C&A met een crème met witte pied-de-poule voering.'

'We hebben ze nooit gevonden doordat we niet wisten waar we moesten zoeken. We wisten niet waar ze vermoord was. Nadat ze de Lammas Bar had verlaten, kan ze overal mee naartoe genomen zijn binnen, laten we zeggen, een afstand van een uur met de auto. Over de brug naar Dundee, omlaag door Fife. Overal van Kirriemuir tot Kirkcaldy. Ze kan op een boot vermoord zijn, in een koeienstal, overal. Het enige waar we redelijk zeker van konden zijn, was dat ze niet vermoord was in het huis in Fife Park waar Gilbey, Malkiewicz, Kerr en Mackie woonden.' Lawson schoof het forensisch rapport terug naar Karen.

'Gewoon uit belangstelling... is een van de andere huizen in Fife Park doorzocht?'

Lawson fronste zijn voorhoofd. 'Ik geloof het niet. Hoezo?'

'Ik bedacht dat het gebeurd is tijdens de universitaire vakantie. Veel mensen zullen al weg zijn geweest voor Kerstmis. Het is goed mogelijk dat er huizen in de buurt stonden die verlaten waren.'

'Die zullen op slot zijn geweest. We zouden het gehoord hebben als iemand een inbraak in Fife Park had gemeld.'

'U weet hoe studenten zijn, meneer. Ze lopen bij elkaar in en uit. Het zal niet moeilijk zijn geweest om aan een sleutel te komen. Bovendien zaten die vier in hun laatste jaar. Ze kunnen gemakkelijk een sleutel hebben bewaard van een ander huis waar ze misschien eerder hadden gewoond.'

Lawson wierp Karen een waarderende blik toe. 'Jammer dat je er niet was toen het oorspronkelijke onderzoek plaatsvond. Ik geloof niet dat er ooit in die richting is gezocht. Nu is het te laat natuurlijk. En hoe ver ben je met de zoektocht naar het bewijsmateriaal? Ben je er nog niet mee klaar?'

'Ik heb met kerst en nieuwjaar een paar dagen vrij gehad,' zei ze verdedigend. 'Maar ik heb de avonden doorgewerkt en was gisteravond klaar.'

'Dus dat was het dan? Het harde bewijsmateriaal van de moord op Rosie Duff is spoorloos verdwenen?'

'Daar ziet het naar uit. De laatste die bij de doos is geweest, was inspecteur Maclennan, een week voor zijn dood.'

Lawson zei verontwaardigd: 'Je wilt toch niet suggereren dat Barney Maclennan bewijsmateriaal van een moordzaak achterover zou hebben gedrukt?'

Karen krabbelde snel terug. Ze wist wel beter dan dat ze een politieman zou belasteren die als een held was gestorven. 'Nee, dat bedoel ik niet, meneer. Ik bedoel alleen dat, wat er ook met Rosie Duffs kleren mag zijn gebeurd, er geen officieel papierspoor is om te volgen.'

Hij zuchtte weer. 'Het is waarschijnlijk jaren geleden al gebeurd. Ze zullen wel in de vuilnisbak terecht zijn gekomen. God nog aan toe, je vraagt je toch weleens af... sommige van de mensen die voor ons werken...'

'De andere mogelijkheid is, denk ik, dat Maclennan ze opgestuurd heeft voor verder onderzoek en dat ze ofwel nooit terug zijn gekomen doordat hij er niet meer was om erachteraan te zitten of dat ze terug zijn gestuurd en in een zwart gat zijn verdwenen doordat hij er niet was om de levering in ontvangst te nemen,' suggereerde Karen voorzichtig.

'Er is een minieme mogelijkheid dat dat gebeurd is, neem ik aan. Maar hoe het ook zij, je vindt ze nu niet meer terug.' Lawson trommelde met zijn vingers op het bureau. 'Nou, dat was het dan. Eén onopgeloste zaak die weer in de diepvries gaat. Ik verheug me er ook niet echt op om dat aan de zoon te moeten vertellen. Hij heeft me om de dag gebeld om te vragen hoe het ging.'

'Ik vind het nog steeds ongelooflijk dat de patholoog niet gezien heeft dat ze een kind had gehad,' zei Karen.

'Op jouw leeftijd had ik hetzelfde gezegd,' gaf Lawson toe. 'Maar het was een oude man, en oude mannen maken domme fouten. Ik weet dat nu doordat ik het gevoel heb dat ik zelf in die richting ga. Weet je, ik vraag me weleens af of deze zaak niet van het begin af aan gedoemd is geweest mis te lopen.'

Karen voelde zijn teleurstelling. En ze wist hoe dat stak, want ze voelde het zelf ook. 'Denkt u niet dat het zin heeft om nog een gesprek met de getuigen te voeren? Met de vier studenten?'

Lawson trok een gezicht. 'Dat zal niet meevallen.'

'Wat bedoelt u?'

Lawson trok zijn bureaula open en haalde er een drie dagen oud exemplaar van de *Scotsman* uit. Hij was opengevouwen bij de rouwadvertenties. Hij schoof hem naar haar toe en wees met zijn vinger naar het papier.

KERR, DAVID MCKNIGHT. Hierbij geven wij kennis van de dood van dr. David Kerr van Garden Grove, Bearsden, Glasgow, beminde echtgenoot van Hélène, broer van Lynn en zoon van Adam en Sheila Kerr van Duddingston Drive, Kirkcaldy. De begrafenis vindt aanstaande donderdag om 14.00 uur plaats in het Crematorium van Glasgow, Western Necropolis, Tresta Road. Geen bloemen.

Karen keek verbaasd op. 'Hij kan niet ouder geweest zijn dan zes-, zevenenveertig? Dat is behoorlijk jong om dood te gaan.'

'Je zou beter op het nieuws moeten letten, Karen. De docent van de Universiteit van Glasgow die afgelopen donderdagavond in zijn keuken is doodgestoken door een inbreker?'

'Was dat ónze David Kerr? Degene die ze Mondo noemden?'

Lawson knikte. 'De gekke diamant zelf. Ik heb maandag met de rechercheur gesproken die het onderzoek leidt. Gewoon om er zeker van te zijn dat ik het goed had. Ze zijn blijkbaar helemaal niet overtuigd van de inbraaktheorie. De vrouw ging vreemd.'

Karen trok een gezicht. 'Dat is niet best.'

'Dat kun je wel zeggen. Dus, heb je zin in een ritje naar Glasgow vanmiddag? Ik vind dat we de laatste eer moeten bewijzen aan een van onze verdachten.'

'Denkt u dat de andere drie erbij zullen zijn?'

Lawson haalde zijn schouders op. 'Het waren boezemvrienden, maar dat is vijfentwintig jaar geleden. We merken het wel. Maar ik denk niet dat we vandaag iemand zullen verhoren. We moeten het maar even laten rusten. We willen niet beschuldigd worden van ongevoelig gedrag, nietwaar?'

In het crematorium was alleen nog plaats om te staan. Mondo mocht zichzelf dan hebben afgesneden van familie en oude vrienden, het zag ernaar uit dat hij geen moeite had gehad met het vinden van vervangers. Alex zat op de voorste rij, Lynn ineengedoken naast hem. Ze was twee dagen uit het ziekenhuis en bewoog zich nog als een oude vrouw. Hij had geprobeerd haar over te halen thuis te blijven en te rusten, maar ze wilde absoluut bij de begrafenis van haar enige broer aanwezig zijn. Bovendien, had ze gezegd, zou ze zonder de baby thuis om voor te zorgen alleen maar een beetje rondhangen en piekeren. Dan wilde ze liever bij haar familie zijn. Hij had daar niets tegen in kunnen brengen. Dus zat ze daar en hield de hand van haar in shock verkerende vader vast om hem te troosten, waarbij de vertrouwde rollen van ouder en kind waren omgedraaid. Haar moeder zat daarnaast, haar gezicht bijna verborgen achter de plooien van een witte zakdoek.

Hélène zat verderop in de rij, hoofd gebogen, schouders opgetrokken. Ze zag eruit alsof ze zich in zichzelf had opgesloten, alsof ze een ondoordringbare barrière had opgetrokken tussen zichzelf en de rest van de wereld. Ze was in elk geval zo verstandig geweest om niet aan Jackies arm op de begrafenis te verschijnen. Ze kwam moeizaam overeind toen de predikant het laatste gezang aankondigde.

De sonore opening van de Crimond-toonzetting van psalm 23 bracht een brok in Alex' keel. Het zingen kwam aarzelend op gang terwijl mensen naar de toon zochten en zwol toen aan. Wat een cliché, dacht hij. Hij vond het vreselijk dat hij zo ontroerd was door het traditionele begrafenisgezang. Ziggy's dienst was zoveel oprechter geweest, zoveel meer een hulde aan de man dan deze samengeflanste oppervlakkigheden. Voor zover hij wist, was Mondo nooit in de kerk geweest, behalve voor de traditionele overgangsriten. De zware gordijnen gleden open en de kist begon aan zijn laatste reis.

De flarden van het laatste vers stierven weg toen de gordijnen zich sloten achter de verdwijnende kist. De predikant gaf de laatste zegen en ging toen voor door het middenpad. De familie volgde, Alex als laatste met Lynn zwaar op zijn arm steunend. De meeste gezichten waren een waas, maar halverwege zag hij ineens Weirds slungelige postuur. Ze begroetten elkaar met een kort knikje, toen was Alex voorbij en op weg naar de deuren. Zijn tweede verrassing kwam toen hij bijna buiten was. Hoewel hij James Lawson niet meer in levenden lijve had gezien sinds iedereen hem Jimmy had genoemd, was zijn gezicht hem bekend uit de media. Smakeloos, dacht Alex terwijl hij zijn plaats innam aan het eind van de rij om handen te schudden. Bruiloften en begrafenissen vereisten dezelfde etiquette waarbij mensen bedankt werden voor hun komst.

Er leek geen eind aan te komen. Sheila en Adam Kerr leken totaal verbijsterd. Het was erg genoeg om een kind te moeten begraven dat zo wreed uit het leven was weggerukt zonder ook nog al die condoléances in ontvangst te moeten nemen van mensen die ze nooit eerder hadden gezien en nooit meer zouden zien. Alex vroeg zich af of het troostend voor hen was om zoveel mensen te zien die afscheid waren komen nemen. Voor hem betekende het alleen dat hij besefte hoeveel afstand er tussen Mondo en hem was geweest in de afgelopen jaren. Hij kende bijna niemand.

Weird had gewacht en kwam bijna aan het eind. Hij omhelsde Lynn vriendelijk. 'Ik vind het zo erg voor je,' zei hij. Hij schudde Alex de hand en legde zijn andere hand tegen Alex' elleboog. 'Ik wacht buiten.' Alex knikte.

Ten slotte druppelden de laatste rouwenden naar buiten. Gek, dacht Alex. Geen Lawson. Hij moest door een andere deur zijn weggegaan. Maar goed ook. Hij betwijfelde of hij beleefd had kunnen zijn. Alex leidde zijn schoonfamilie tussen de zwijgende mensen door naar de begrafenisauto. Hij hielp Lynn erin, keek of iedereen gezeten was en zei: 'Ik zie jullie in het hotel. Ik ga kijken of alles hier geregeld is.'

Hij merkte beschaamd dat hij zich een ogenblik opgelucht voelde toen de auto wegreed. Hij had zijn auto hier al eerder neergezet om zijn eigen vervoer te hebben voor het geval iets zijn aandacht nodig zou hebben na de dienst. Diep vanbinnen wist hij dat hij even respijt wilde van het verstikkende verdriet van zijn familie.

Hij voelde een hand op zijn schouder en draaide zich om. 'O, jij bent het,' zei hij, bijna lachend van opluchting toen hij zag dat het Weird was.

'Wie dacht je dan dat het was?'

'Nou, ik zag Jimmy Lawson loerend achterin zitten,' zei Alex.

'Jimmy Lawson? De agent?'

'Adjunct-hoofdcommissaris James Lawson voor jou,' zei Alex terwijl hij van de hoofdingang in de richting liep van de plek waar de bloemen lagen.

'Wat deed hij hier?'

'Zich verkneukelen? Ik weet het niet. Hij heeft de leiding over de heropening van onopgeloste zaken. Misschien wilde hij zijn hoofdverdachten nog eens zien, kijken of we overmand door emotie op onze knieën zouden vallen en bekennen.'

Weird trok een gezicht. 'Al dat katholieke gedoe heeft me nooit aangestaan. We zouden volwassen genoeg moeten zijn om met onze eigen schuldgevoelens om te gaan. Het is Gods taak niet om de lei schoon te vegen zodat we weer kunnen gaan zondigen.' Hij stond stil en draaide zich naar Alex. 'Ik wil je vertellen hoe blij ik ben dat Lynn veilig bevallen is van jullie dochtertje.'

'Dank je, Tom.' Alex grinnikte. 'Zie je? Ik heb het onthouden.'

'Is de baby nog in het ziekenhuis?'

Alex zuchtte. 'Ze is een beetje geel, dus ze houden haar nog een paar dagen. Het is moeilijk. Vooral voor Lynn. Je maakt dat allemaal door en dan kom je met lege handen thuis. En daarbij nog wat er met Mondo is gebeurd...'

'Je vergeet het verdriet als je haar eenmaal thuis hebt, dat verzeker ik je. Ik zal jullie allemaal gedenken in mijn gebeden.'

'O, nou, dát zal helpen,' zei Alex.

'Je zult nog versteld staan,' zei Weird, die weigerde zich voor het hoofd gestoten te voelen omdat Alex dat ook niet had bedoeld. Ze liepen verder en keken naar de bloemenhulde. Een van de rouwenden kwam naar Alex toe en vroeg hem de weg naar het hotel waar het buffet zou plaatsvinden. Toen Alex zich weer omdraaide naar Weird zag hij zijn vriend gehurkt bij een van de kransen zitten. Toen hij hem dicht genoeg genaderd was om te zien wat Weirds aandacht had getrokken, sprong zijn hart op in zijn borst. Hij was precies hetzelfde als de krans die ze in Seattle hadden gezien: een mooie, dichte krans van witte rozen en smalbladige rozemarijn. Weird maakte het kaartje los en kwam overeind. 'Dezelfde boodschap,' zei hij terwijl hij het aan Alex gaf. 'Rozemarijn ter herinnering.'

Alex voelde zijn huid klam worden. 'Dit bevalt me niet.'

'Mij ook niet. Dit is te toevallig, Alex. Ziggy en Mondo sterven allebei onder verdachte omstandigheden... Verdomme, nee, laten we het beest bij de naam noemen. Ziggy en Mondo worden allebei vermoord. En precies dezelfde krans op beide begrafenissen. Met een boodschap die ons alle vier in verband brengt met de onopgeloste moord op een meisje dat Rosemary heette.'

'Dat was vijfentwintig jaar geleden. Als iemand wraak had willen nemen, had hij dat toch al lang geleden gedaan?' zei Alex, die zichzelf hier net zozeer van probeerde te overtuigen als Weird. 'Het is gewoon iemand die ons bang probeert te maken.'

Weird schudde zijn hoofd. 'Jij hebt de afgelopen dagen andere dingen aan je hoofd gehad, maar ik heb erover nagedacht. Vijfentwintig jaar geleden hield iedereen ons in de gaten. Ik ben niet vergeten dat ik in elkaar geslagen werd. Ik ben niet vergeten dat ze Ziggy in de Flessenhals hebben gestopt. Ik ben niet vergeten dat Mondo zo in de war raakte dat hij zelfmoord wilde plegen. Het is pas opgehouden nadat de politie Colin en Brian Duff een flinke waarschuwing had gegeven. Ze moesten ons met rust laten. Jij was degene die me toen vertelde dat Jimmy Lawson zei dat ze er alleen mee opgehouden waren omdat ze hun moeder niet nog meer verdriet wilden doen. Dus misschien hebben ze besloten om te wachten.'

Alex schudde zijn hoofd. 'Maar vijfentwintig jaar? Kun je zo lang wrok blijven koesteren?'

'Dat moet je niet aan mij vragen. Maar er zijn genoeg mensen die Jezus Christus niet als hun verlosser zien, en je weet net zo goed als ik, Alex, dat zulke mensen tot alles in staat zijn. We weten niet wat ze in hun leven hebben meegemaakt. Misschien is er iets gebeurd waardoor het allemaal weer boven is gekomen. Misschien is hun moeder overleden. Misschien heeft het hernieuwde onderzoek naar de moord hun eraan herinnerd dat ze nog een rekening te vereffenen hadden. Misschien denken ze dat ze dat nu veilig kunnen doen. Ik weet het niet. Ik weet alleen dat het er heel erg naar uitziet dat iemand ons te pakken wil nemen. En wie het ook mag zijn, ze hebben tijd en middelen ter beschikking.' Weird keek zenuwachtig om zich heen, alsof zijn wraakengel zich onder de rouwenden zou kunnen bevinden die naar hun auto's liepen.

'Je ziet spoken.' Dit was niet het aspect van Weirds jeugd waaraan Alex op dat moment wilde worden herinnerd.

'Dat denk ik niet. Ik denk dat ik gelijk heb.'

'En wat vind je dat we moeten doen?'

Weird trok zijn jas dicht om zich heen. 'Ik ben van plan morgenochtend op een vliegtuig te stappen en terug te gaan naar de vs. Dan ben ik van plan mijn vrouw en kinderen naar een veilige plaats te sturen. Er zijn genoeg goede christenen die afgezonderd wonen. Niemand zal bij ze in de buurt komen.'

'En jij?' Alex merkte dat hij aangestoken werd door Weirds verdenkingen.

Weird liet zijn oude vertrouwde wolfachtige grijns zien. 'Ik ga in retraite. De gelovigen begrijpen dat hun predikant zich van tijd tot tijd in de wildernis moet terugtrekken om weer in contact te komen met zijn spiritualiteit. Dus dat ga ik doen. Het mooie van tv-dominee zijn, is dat je overal waar je bent een video kunt maken. Dus mijn kudde zal me niet vergeten wanneer ik weg ben.'

'Maar je kunt je niet eeuwig blijven verschuilen. Vroeg of laat zul je weer naar huis moeten.'

Weird knikte. 'Dat weet ik. Maar ik blijf niet stilzitten, Alex. Zodra ik mezelf en mijn gezin uit de vuurlinie heb gebracht, huur ik een privédetective in om uit te zoeken wie die krans naar Ziggy's begrafenis heeft gestuurd. Want als ik dat weet, weet ik naar wie ik op zoek moet.'

Alex ademde scherp uit. 'Je hebt het allemaal al uitgewerkt, hè?'

'Hoe meer ik over die eerste krans nadacht, hoe vreemder ik het vond worden. En God helpt hen die zichzelf helpen, dus heb ik een plan gemaakt.' Weird legde zijn hand op Alex' arm. 'Alex, ik denk dat jij hetzelfde moet doen. Je hebt nu niet meer alleen jezelf om rekening mee te houden.' Hij omhelsde Alex. 'Pas goed op jezelf.'

'Ach, hoe ontroerend,' sprak een ruwe stem.

Weird liet Alex los en draaide zich geschrokken om. Aanvankelijk kon hij de man met het grimmige gezicht die woest naar Alex en hem stond te kijken niet thuisbrengen. Toen wiste het geheugen de jaren uit en stond hij weer angstig en gekweld voor de Lammas Bar. 'Brian Duff,' fluisterde Weird.

Alex keek van de een naar de ander. 'Is dat Rosies broer?'

'Ja, dat klopt.'

De verwarde emoties die Alex al dagen gekweld hadden, gingen over in woede. 'Kom je je verkneukelen?'

'Gerechtigheid. Zo noemen we het toch? De ene moordzuchtige rotzak neemt afscheid van de andere. Ja, ik ben hier om me te verkneukelen.'

Alex dook naar voren, maar werd tegengehouden door Weirds stevige greep om zijn arm. 'Niet doen, Alex. Brian, niemand van ons heeft Rosie ook maar een haar op haar hoofd gekrenkt. Ik weet dat je iemand de schuld wilt geven, maar wij waren het niet. Dat moet je geloven.'

'Dat hoef ik helemaal niet te geloven.' Hij spuugde op de grond. 'Ik hoopte echt dat de politie deze keer een van jullie zou pakken. Aangezien dat niet gaat gebeuren, is dit ook wel goed.'

'Natuurlijk gebeurt dat niet. We hebben je zuster nooit aangeraakt en het DNA-onderzoek zal dat bewijzen,' schreeuwde Alex.

Duff snoof minachtend. 'Welk DNA-onderzoek? Die stomme idioten zijn het DNA-materiaal kwijtgeraakt.'

Alex mond viel open. 'Wat?' fluisterde hij.

'Je hebt het gehoord. Dus jullie zijn nog steeds veilig voor de lange arm van de wet.' Zijn lip krulde grijnzend op. 'Maar dat heeft je maat niet geholpen, hè?' Hij draaide zich op zijn hakken om en liep zonder om te kijken weg.

Weird schudde langzaam zijn hoofd. 'Geloof je hem?'

'Waarom zou hij liegen?' verzuchtte Alex. 'Ik dacht dat we eindelijk echt vrijgesproken zouden worden, weet je? Hoe kunnen ze zo onbekwaam zijn? Hoe hebben ze het enige bewijsmateriaal kwijt kunnen raken dat eindelijk een eind aan al deze ellende zou hebben gemaakt?' Hij zwaaide met zijn arm naar de krans.

'Verbaast het je? Ze hebben met het eerste onderzoek ook bepaald geen eer weten te behalen. Waarom zou het nu anders zijn?' Weird trok aan de kraag van zijn jas. 'Alex, het spijt me maar ik moet gaan.' Ze schudden elkaar de hand. 'Je hoort van me.'

Alex stond daar als vastgenageld, verbijsterd door de snelheid waarmee zijn wereld op zijn kop was gaan staan. Als Brian Duff gelijk had, was dat dan de reden voor deze onheilspellende kransen? En als het zo was, zou de nachtmerrie dan ooit ophouden zolang Weird en hij nog leefden?

Graham Macfadyen zat in zijn stoel en keek toe. De kransen waren een meesterlijke zet geweest. Het was de moeite waard om het meeste uit elke gelegenheid te halen. Hij was niet in Seattle geweest om het effect van de eerste te zien, maar er was geen twijfel aan dat Mackie en Gilbey de boodschap deze keer begrepen hadden. En dat betekende dat er iets aan de hand was. Onschuldige mannen zouden zich niets van zo'n aandenken hebben aangetrokken.

Hun reactie maakte de misselijkmakende parade van huichelachtigheid die hij in het crematorium had moeten aanzien bijna goed. Het was duidelijk dat de predikant David Kerr niet bij leven had gekend, en het was dan ook niet verwonderlijk dat hij hem nu hij dood was zo mooi had schoongewassen. Maar hij was niet goed geworden van de manier waarop iedereen ernstig had geknikt, de flauwekul had geaccepteerd, waarbij hun vrome gezichten deze hypocriete vertoning nog hadden versterkt.

Hij vroeg zich af hoe ze gekeken zouden hebben als hij naar het spreekgestoelte was gelopen en ze de waarheid had verteld. 'Dames en heren, we zijn hier vandaag bijeen om een moordenaar te verbranden. Deze man, die u meende te kennen, maar die zijn hele volwassen leven tegen u heeft gelogen. David Kerr deed alsof hij een fatsoenlijk lid van de samenleving was. Maar in werkelijkheid heeft hij jaren geleden deelgenomen aan de brute verkrachting van en moord op mijn moeder, een daad waarvoor hij nooit is gestraft. Dus als u uw herinneringen aan hem doorbladert, denk daar dan aan.' O ja, dat zou die uitdrukkingen van eerbiedige rouw van hun gezichten hebben geveegd. Hij wou bijna dat hij het had gedaan.

Maar dat zou genotzuchtig zijn geweest. Het was niet passend om je te verkneukelen. Het was beter geweest om in de schaduw te blijven. Vooral omdat zijn oom volkomen onverwachts was komen opdagen om te laten merken wat hij ervan vond. Hij had geen idee wat oom Brian tegen Gilbey en Mackie had gezegd. Maar het had die twee wel met beide benen op de grond gezet. Ze kregen niet meer de kans om te vergeten wat ze ooit hadden gedaan. Ze zouden 's nachts wakker liggen en zich afvragen wanneer het verleden hen eindelijk zou inhalen. Het was een aangename gedachte. Macfadyen zag hoe Alex Gilbey kennelijk diep in gedachten naar zijn auto liep. 'Hij weet niet eens dat ik besta,' mopperde hij. 'Maar ik besta, Gilbey. Ik besta.' Hij startte de motor en ging op pad om rond te hangen bij het begrafenisbuffet. Niet te geloven hoe gemakkelijk het was om het leven van mensen binnen te dringen.

32

Davina ontwikkelde zich uitstekend, vertelde de verpleegster hun. Ze ademde goed zonder zuurstof en haar geelzucht reageerde op de fluorescerende lampen die dag en nacht in haar bedje schenen. Wanneer hij haar in zijn armen hield, kon Alex de neerslachtigheid vergeten die Mondo's begrafenis met zich had meegebracht en de ongerustheid die hij voelde na Weirds reactie op de krans. Het enige dat beter kon zijn dan met zijn vrouw en dochter op de couveuseafdeling zitten, was precies hetzelfde doen in hun eigen woonkamer. Dat had hij tenminste gedacht tot zijn gesprek bij het crematorium.

Alsof ze zijn gedachten kon lezen, keek Lynn op van het voeden. 'Nog een paar dagen en dan mag ze mee naar huis.'

Alex glimlachte en verborg het onbehaaglijke gevoel dat haar woorden hem gaven. 'Ik kan er nauwelijks op wachten,' zei hij.

Toen ze daarna naar huis reden, overwoog hij het onderwerp van de krans en Brian Duffs opmerking ter sprake te brengen. Maar hij wilde Lynn niet ongerust maken, dus hield hij zijn mond. Lynn was uitgeput en ging rechtstreeks naar bed, terwijl Alex een fles uitstekende Shiraz opende die hij bewaard had voor een avond waarop ze zichzelf mochten verwennen. Hij ging met de wijn naar de slaapkamer en schonk een glas voor hen beiden in. 'Ga je me vertellen wat je dwarszit?' vroeg Lynn terwijl hij op het dekbed naast haar ging zitten.

'O, ik moest aan Hélène en Jackie denken. Ik kan het niet helpen, maar ik vraag me af of Jackie iets met de moord op Mondo te maken heeft gehad. Ik zeg niet dat ze hem zelf heeft vermoord, maar ze lijkt mensen te kennen die het wel zouden willen doen, als ze er genoeg geld voor kregen.'

Lynn fronste haar wenkbrauwen. 'Ik wou bijna dat zij het had gedaan. Dat kreng van een Hélène verdient het om te lijden. Hoe kon ze Mondo bedriegen en doen alsof ze de perfecte echtgenote was?'

'Ik denk dat Hélène echt verdriet heeft, Lynn. Ik geloof haar als ze zegt dat ze van hem hield.'

'Waag het niet om haar te verdedigen.'

'Ik verdedig haar niet. Maar hoe het er ook voor mag staan tussen Jackie en haar, ze gaf om hem, dat is duidelijk.'

Lynn tuitte haar lippen. 'Dat zal ik dan van je moeten aannemen. Maar dat is niet wat je dwarszit. Er is iets gebeurd nadat wij het crematorium verlieten en voordat jij in het hotel was. Was het Weird? Heeft hij iets gezegd wat je op de kast heeft gejaagd?'

'Ik zweer bij god dat je een heks bent,' klaagde Alex. 'Maar het was niets. Gewoon Weird, die ergens mee zat.'

'Het moet toch wel iets belangrijks zijn geweest als het zoveel invloed op je heeft terwijl er zoveel andere belangrijke dingen gebeuren. Waarom wil je het me niet vertellen? Is het mannengedoe?'

Alex zuchtte. Hij hield er niet van om dingen voor Lynn te verzwijgen. Hij had nooit geloofd dat onwetendheid een zegen was, niet in een huwelijk dat verondersteld werd gelijkwaardig te zijn. 'Min of meer. Ik wil jou er niet mee lastig vallen, je hebt al genoeg te verwerken.'

'Alex, denk je niet dat het dan juist een welkome afleiding kan zijn?'

'Dit niet, lieverd.' Hij nam een slokje wijn en genoot van het volle aroma. Hij wou dat hij zich alleen maar bewust kon zijn van de heerlijke wijn en alles kon vergeten wat hem pijn deed. 'Sommige dingen kun je beter met rust laten.'

'Waarom kost het me moeite om je te geloven?' Lynn leunde met haar hoofd tegen zijn schouder. 'Kom op, gooi het eruit. Je weet dat je je dan beter zult voelen.'

'Eerlijk gezegd ben ik daar helemaal niet zeker van.' Hij zuchtte weer. 'Ik weet het niet, misschien moet ik het je maar vertellen. Jij bent tenslotte de verstandigste.'

'Wat we geen van beiden ooit over Weird hebben kunnen zeggen,' zei Lynn droog.

Dus vertelde hij haar over de rouwkransen en maakte het zo luchtig als hij kon. Tot zijn verbazing deed Lynn geen enkele poging om het verhaal af te doen als paranoïa van Weird. 'Daarom probeer je jezelf ervan te overtuigen dat Jackie een huurmoordenaar heeft ingeschakeld,' zei ze. 'Dit bevalt me helemaal niet. Weird heeft gelijk om het serieus te nemen.'

'Luister, er kan een heel eenvoudige verklaring voor zijn,' protesteerde Alex. 'Misschien iemand die hen allebei gekend heeft.'

'Met de manier waarop Mondo zichzelf had afgesneden van het verleden? De enige mensen die hen allebei kunnen hebben gekend, moeten uit Kirkcaldy of St Andrews zijn. En iedereen daar wist van Rosie Duff. Zoiets vergeet je niet. Niet als je hen goed genoeg kende om een krans te sturen naar begrafenissen waarbij in de advertenties stond "Geen bloemen",' zei Lynn.

'Maar toch betekent het nog niet dat iemand ons te pakken wil nemen,' zei Alex. 'Oké, iemand wilde een boodschap sturen. Maar dat hoeft nog niet te betekenen dat diezelfde persoon tot twee keer toe koelbloedig heeft gemoord.'

Lynn schudde ongelovig haar hoofd. 'Alex, waar zit je met je hoofd? Ik kan nog geloven dat iemand een boodschap heeft gestuurd die Mondo's overlijdensadvertentie heeft gezien. Dat is in elk geval in het land gebeurd waar Rosie Duff is vermoord. Maar hoe kan iemand op tijd van Ziggy's dood hebben gehoord om bloemen te kunnen sturen tenzij hij er op de een of andere manier bij betrokken was?'

'Ik weet het niet. Maar de wereld is klein tegenwoordig. Misschien had degene die de krans heeft gestuurd contacten in Seattle. Misschien is iemand uit St Andrews daarheen verhuisd en Ziggy in de kliniek tegengekomen. Het is niet bepaald een gewone naam en het is ook niet alsof Ziggy niets voorstelde. Als we met Ziggy en Paul uiteten gingen in Seattle, was er altijd wel iemand die een praatje met hem kwam maken. Mensen vergeten de arts niet die hun kind heeft behandeld. En als het zo gegaan is, is het heel goed mogelijk dat iemand een mailtje naar huis heeft gestuurd toen Ziggy gestorven was. In een stadje als St Andrews zal zulk nieuws zich als een lopend vuurtje hebben verspreid. Dat is toch niet zo vergezocht?' Alex' stem werd steeds luider terwijl hij zich inspande om iets te bedenken waardoor hij Weirds suggestie niet zou hoeven te geloven.

'Het gaat een beetje ver en je zou gelijk kunnen hebben. Maar je kunt het hier niet bij laten. Je kunt niet uitgaan van iets wat misschien mogelijk is. Je moet iets doen, Alex.' Lynn zette haar glas neer en sloeg haar armen om hem heen. 'Je mag geen risico nemen nu Davina elk moment thuis kan komen.'

Alex dronk zijn glas leeg zonder aandacht te schenken aan de kwaliteit van de wijn. 'Wat zou ik moeten doen? Me ergens verstoppen met Davina en jou? Waar zouden we heen moeten? En hoe zou het met de zaak moeten? Ik kan niet zomaar weggaan. Ik moet de kost verdienen, zeker nu we een kind hebben.'

Lynn streelde hem over zijn hoofd. 'Rustig, Alex. Ik suggereer niet dat we er ineens vandoor moeten gaan, zoals Weird. Je zei straks dat Lawson op de begrafenis was. Waarom ga je niet met hem praten?'

Alex snoof. 'Lawson? De man die me erin probeerde te luizen met linzensoep en medeleven? De man die al zo lang met die zaak rondloopt dat hij langskwam om een van ons gecremeerd te zien worden? Denk je dat hij naar me wil luisteren?'

'Lawson mag dan zijn verdenkingen hebben gehad, maar hij heeft wel voorkomen dat je in elkaar werd geslagen.' Alex gleed omlaag over het bed en nestelde zijn hoofd op Lynns buik. Haar gezicht vertrok en ze bewoog opzij. 'Denk aan de wond,' zei ze. Hij schoof terug en ging tegen haar arm liggen.

'Hij zou me midden in mijn gezicht uitlachen.'

'Aan de andere kant neemt hij je misschien serieus genoeg om wat inlichtingen in te winnen. Het is niet in zijn belang om zijn ogen te sluiten voor mensen die het recht in eigen hand nemen, als dat het is. Om te beginnen zou de politie nog slechter overkomen dan nu al het geval is.'

'Het is nog erger dan je denkt,' zei Alex.

'Wat bedoel je?'

'Er gebeurde nog iets anders na de begrafenis. Rosie Duffs broer kwam daar opdagen. Hij zorgde ervoor dat Weird en ik wisten dat hij gekomen was om zich te verkneukelen.'

Lynn was geschokt. 'O Alex. Dat is afschuwelijk. Voor jullie allemaal. Die arme man. Dat hij het na al die tijd nog niet kan laten rusten.'

'Dat is nog niet alles. Hij vertelde dat de politie van Fife het bewijsmateriaal van de moord op Rosie is kwijtgeraakt. Het bewijsmateriaal waarvan wij hoopten dat het DNA ons vrij zou pleiten.'

'Dat meen je niet.'

'Was het maar waar.'

Lynn schudde haar hoofd. 'Nog meer reden om met Lawson te gaan praten.'

'Je denkt dat hij graag wil dat ik het hem onder zijn neus wrijf?'

'Het kan me niet schelen wat Lawson wil. Jij moet weten wat er gaande is. Als er echt iemand achter je aan zit, kan het het besef zijn dat ze toch niet de gerechtigheid krijgen waarop ze hadden gehoopt. Bel Lawson morgenochtend. Maak een afspraak. Dat zal mij in elk geval een beetje geruststellen.'

Alex rolde van het bed af en begon zich uit te kleden. 'Als dat daarvoor nodig is, zal ik het doen. Maar geef mij niet de schuld als hij vindt dat degene die het recht in eigen hand heeft genomen gelijk heeft en besluit mij te arresteren.'

Toen hij belde om een afspraak met adjunct-hoofdcommissaris Lawson te maken, hoorde hij tot zijn verbazing van de secretaresse dat hij die middag al langs kon komen. Hij had genoeg tijd over om eerst een paar uur naar de zaak te gaan, wat hem nog meer het gevoel gaf dat hij het overzicht kwijt was dan hij tevoren had gehad. Hij hield graag een oogje op de dagelijkse zaken, niet omdat hij geen vertrouwen had in zijn personeel, maar omdat hij zich niet op zijn gemak voelde als hij het niet deed. De laatste tijd was hij echter te veel met andere dingen bezig geweest. Hij moest zorgen dat hij weer op de hoogte raakte. Hij kopieerde een stel memo's en rapporten op een cd in de hoop later thuis de tijd te hebben om alles door te nemen. Hij nam een broodje mee om in de auto op te eten en reed terug naar Fife.

De lege kamer waar ze hem heen brachten, was ongeveer twee keer zo groot als zijn eigen kantoor. De voorrechten van rang waren altijd zichtbaarder in de publieke sector, dacht hij terwijl hij naar het grote bureau keek, naar de ingelijste kaart van het graafschap en naar James Lawsons prominent getoonde eervolle vermeldingen. Hij ging in de bezoekersstoel zitten en zag geamuseerd dat die veel lager was dan de stoel aan de andere kant van het bureau.

Hij hoefde niet lang te wachten. De deur achter hem ging open en Alex sprong overeind. De jaren waren Lawson niet gunstig gezind geweest, dacht hij. Zijn huid was gerimpeld en verweerd, met twee rode vlekken op zijn wangen, de gesprongen adertjes die kenmerkend zijn voor een man die ofwel te veel heeft gedronken of te veel tijd blootgesteld is geweest aan de scherpe oostenwind van Fife. Maar hij keek nog slim uit zijn ogen, merkte Alex toen Lawson hem van top tot teen opnam. 'Meneer Gilbey,' zei hij. 'Het spijt me dat u even moest wachten.'

'Dat geeft niet. Ik weet dat u het druk moet hebben. Ik stel het zeer op prijs dat u zo snel tijd voor me hebt.'

Lawson liep langs hem heen zonder hem zijn hand toe te steken. 'Ik ben altijd geïnteresseerd als iemand die deel uitmaakt van een onderzoek me wil spreken.' Hij ging in zijn leren stoel zitten en trok zijn uniformjasje recht.

'Ik zag u bij de begrafenis van David Kerr,' zei Alex.

'Ik moest in Glasgow zijn. Ik heb van de gelegenheid gebruik gemaakt om hem de laatste eer te bewijzen.'

'Ik had niet gedacht dat de politie van Fife Mondo die eer waardig zou achten,' zei Alex.

Lawson maakte een ongeduldig gebaar met zijn hand. 'Ik neem aan dat uw bezoek verband houdt met de heropening van de zaak Rosie Duff?'

'Indirect, ja. Hoe gaat het onderzoek? Is er enige vooruitgang geboekt?'

Lawson leek geïrriteerd door de vragen. 'Ik kan zaken die verband houden met een lopend onderzoek niet bespreken met iemand in uw positie.'

'Wat voor positie is dat precies? U beschouwt me toch niet meer als een verdachte?' Alex was nu moediger dan toen hij eenentwintig was. Hij was niet van plan om zo'n soort opmerking zomaar te accepteren.

Lawson verschoof wat papieren op zijn bureau. 'U was een getuige.'

'En getuigen mogen niet weten wat er gebeurt? U weet de pers snel genoeg te vinden als er ontwikkelingen zijn. Waarom heb ik minder rechten dan een journalist?'

'Over de zaak Rosie Duff praat ik ook niet met de pers,' zei Lawson stijfjes.

'Kan dat zijn omdat u het bewijsmateriaal kwijt bent?'

Lawson wierp hem een lange, harde blik toe. 'Geen commentaar,' zei hij.

Alex schudde zijn hoofd. 'Dat is niet goed genoeg. Na wat wij vijfentwintig jaar geleden hebben doorgemaakt, denk ik dat ik iets beters verdien. Rosie Duff was niet het enige slachtoffer toen, en dat weet u. Misschien wordt het tijd dat ik naar de pers ga en ze vertel dat ik na al die jaren door de politie nog steeds als een misdadiger word behandeld. En als ik dat toch doe, kan ik meteen vertellen dat de politie van Fife het heronderzoek naar de moord op Rosie Duff heeft verknald door het bewijsmateriaal kwijt te raken dat cruciaal was om mij vrij te pleiten en de echte moordenaar wellicht te vinden.'

Lawson voelde zich duidelijk ongemakkelijk door dit dreigement. 'Ik laat me niet zomaar intimideren, meneer Gilbey.'

'Ik ook niet. Niet meer. Wilt u echt alle voorpagina's halen als de diender die inbreuk heeft gemaakt op het laatste afscheid van de rouwende familie van een vermoorde zoon? Een zoon wiens onschuld nog steeds niet bewezen was dankzij de onbekwaamheid van u en uw mensen?'

'Er is geen reden om zo'n houding aan te nemen,' zei Lawson.

'O nee? Ik denk dat er alle reden voor is. U wordt geacht een onopgeloste moordzaak opnieuw te onderzoeken. Ik ben een belangrijke getuige. Ik ben degene die het lichaam heeft gevonden. En toch heeft niemand van de politie van Fife contact met me opgenomen. Erg veel ijver spreekt daar niet uit, nietwaar? En nu ontdek ik dat u zelfs een zak met bewijsmateriaal niet veilig kunt bewaren. Misschien moet ik met de politiefunctionaris praten die de leiding heeft over het onderzoek en niet met een of andere bureaucraat die vooringenomen is door het verleden.'

Lawsons gezicht verstrakte. 'Meneer Gilbey, er is inderdaad een probleem met het bewijsmateriaal. Ergens in de afgelopen vijfentwintig jaar zijn de kleren van Rosie Duff zoekgeraakt. We proberen ze nog steeds terug te vinden, maar tot nu toe hebben we alleen het vest opgespoord dat op enige afstand van de plaats van de moord is gevonden. En daar zat geen biologisch materiaal op. We beschikken niet over de kleren waarop modern forensisch onderzoek had kunnen worden uitgevoerd. Dus zitten we in een impasse. Eerlijk gezegd wilde de functionaris die de leiding heeft over de zaak al met u gaan praten, gewoon om uw oorspronkelijke verklaring door te nemen. Misschien kunnen we dat snel regelen?'

'Godallemachtig,' zei Alex. 'Nu wilt u me eindelijk ondervragen? U snap er echt geen moer van, hè? We zijn nog steeds niet van die verdenking af. Weet u wel dat twee van de vier vermoord zijn in de afgelopen maand?'

Lawson trok zijn wenkbrauwen op. 'Twee?'

'Ziggy Malkiewicz is ook onder verdachte omstandigheden gestorven. Vlak voor Kerstmis.'

Lawson trok een schrijfblok naar zich toe en schroefde de dop van een vulpen. 'Dit is nieuws voor me. Waar is het gebeurd?'

'In Seattle, waar hij de laatste twaalf jaar heeft gewoond. Iemand heeft een brandbom in zijn huis geplaatst. Ziggy is in zijn slaap gestorven. U kunt het navragen bij de politie daar. De enige verdachte die ze hebben is Ziggy's partner, en ik moet u zeggen dat

dat ongeveer zo bespottelijk is als het maar kan.'

'Het spijt me te horen dat meneer Malkiewicz...'

'Dokter Malkiewicz,' onderbrak Alex hem.

'Dokter Malkiewicz,' corrigeerde Lawson zichzelf. 'Maar ik begrijp niet waarom u zou denken dat deze twee sterfgevallen verband houden met de moord op Rosie Duff.'

'Daarom wilde ik u vandaag spreken. Om uit te leggen waarom ik denk dat er een verband is.'

Lawson leunde achterover in zijn stoel en zette zijn vingers tegen elkaar. 'U hebt mijn volledige aandacht, meneer Gilbey. Ik ben in alles geïnteresseerd wat licht kan werpen in deze duistere zaak.'

Alex vertelde hem het verhaal van de kransen. Nu hij hier in het hart van het politiebureau zat, klonk het zwak in zijn oren. Hij voelde Lawsons twijfel over het bureau heen terwijl hij gewicht probeerde te geven aan een zo nietige gebeurtenis. 'Ik weet dat het klinkt alsof ik spoken zie,' besloot hij. 'Maar Tom Mackie is er zo van overtuigd dat hij zijn gezin naar een geheime plaats stuurt en zelf voorlopig ook verdwijnt. Dat doe je niet zomaar.'

Lawson glimlachte zuur. 'O ja. Meneer Mackie. Misschien een beetje te veel drugs gebruikt in de jaren zeventig? Ik geloof dat langdurig druggebruik tot langdurige paranoia kan leiden.'

'U vindt niet dat we dit serieus moeten nemen? Twee van onze vrienden onder verdachte omstandigheden overleden? Twee mannen die een fatsoenlijk leven leidden, zonder criminele contacten? Twee mannen die ogenschijnlijk geen vijanden hadden? En dan duikt bij beide begrafenissen een krans op die regelrecht verwijst naar een moordonderzoek waarin zij beiden als verdachten werden beschouwd?'

'Niemand van jullie is ooit in het openbaar als verdachte genoemd. En we hebben ons best gedaan om jullie te beschermen.'

'Ja, maar zelfs daarna is een van uw mensen gestorven als gevolg van de druk die op ons werd uitgeoefend.'

Lawson ging met een ruk overeind zitten. 'Ik ben blij dat u zich dat herinnert. Want hier in het gebouw is ook niemand het vergeten.'

'Dat geloof ik onmiddellijk. Barney Maclennan was het tweede slachtoffer van de moordenaar. En ik denk dat ook Ziggy en Mondo zijn slachtoffers zijn. Indirect natuurlijk. Volgens mij zijn ze vermoord door iemand die wraak wilde nemen. En als dat inderdaad het geval is, staat mijn naam ook op die lijst.'

Lawson zuchtte. 'Ik begrijp waarom u zo reageert. Maar ik geloof niet dat iemand aan een wraakcampagne tegen jullie vieren is begonnen. Ik kan u zeggen dat de politie in Glasgow veelbelovende aanwijzingen heeft die niets te maken hebben met de moord op Rosie Duff. Toeval komt voor, en dat zijn deze twee sterfgevallen. Toeval, dat is alles. Mensen doen dat soort dingen niet, meneer Gilbey. En ze wachten zeker geen vijfentwintig jaar om het te doen.'

'En Rosies broers? Ze hadden het toen duidelijk op ons voorzien. U hebt me verteld dat u ze gewaarschuwd hebt. Dat u ze ervan hebt overtuigd dat ze hun moeder niet nog meer verdriet moesten doen. Leeft hun moeder nog? Zijn ze van die zorg bevrijd? Is dat misschien de reden waarom Brian Duff op Mondo's begrafenis verscheen om ons lastig te vallen?'

'Meneer en mevrouw Duff zijn allebei overleden nu, dat is waar. Maar ik denk niet dat u iets te vrezen hebt van de Duffs. Ik heb Brian zelf een paar weken geleden gesproken. Ik geloof niet dat hij met wraakzucht rondloopt. En Colin werkt ergens in de Golf. Hij is thuis geweest met Kerstmis, maar was niet in het land toen David Kerr stierf.' Lawson haalde diep adem. 'Hij is met een van mijn collega's getrouwd: Janice Hogg. De ironie wil dat zij meneer Mackie heeft gered toen hij belaagd werd door de Duffs. Toen ze trouwde heeft ze het politiekorps verlaten, maar ik ben er vrij zeker van dat ze haar man niet zal aanmoedigen om op deze schaal de wet te overtreden. Ik denk dat u in dat opzicht gerust kunt zijn.'

Alex hoorde de overtuiging in Lawsons stem, maar het luchtte hem niet echt op. 'Brian was gisteren niet bepaald vriendelijk,' zei hij.

'Nee, dat wil ik wel geloven. Maar laten we wel wezen, Brian noch Colin was wat je noemt een berekenende misdadiger. Als zij besloten hadden om u en uw vrienden te vermoorden, zouden ze waarschijnlijk in een café vol mensen op jullie afgelopen zijn en hadden ze jullie met een geweer overhoop geschoten. Uitgebreide planning was nooit hun stijl,' zei Lawson droog.

'Dus dat betekent in feite dat we geen verdachten hebben,' zei Alex terwijl hij aanstalten maakte om op te staan.

'Niet helemaal,' zei Lawson zacht.

'Wat bedoelt u?' vroeg Alex terwijl ongerustheid hem weer in zijn greep kreeg.

Lawson zag er schuldig uit, alsof hij te veel had gezegd. 'Laat maar, ik zat hardop te denken.'

'Wacht even. U kunt me zo niet afpoeieren. Wat bedoelde u met "niet helemaal"?' Alex boog zich naar voren en zag eruit alsof hij op het punt stond over het bureau te duiken en Lawson bij zijn onberispelijke revers te grijpen.

'Ik had dat niet moeten zeggen. Het spijt me. Ik dacht als een politieman.'

'Daar wordt u toch voor betaald? Kom op, vertel me wat u bedoelde.'

Lawsons ogen schoten heen en weer, alsof hij naar een ontsnappingsroute zocht die hem niet langs Alex zou voeren. Hij streek met zijn hand over zijn bovenlip en haalde diep adem. 'Rosies zoon,' zei hij.

33

Lynn staarde Alex aan zonder het zachte wiegen van haar dochter ook maar een ogenblik te onderbreken. 'Zeg dat nog eens,' zei ze.

'Rosie had een zoon. Daar zijn ze toen niet achter gekomen. Om de een of andere reden heeft de patholoog het bij de lijkschouwing niet ontdekt. Lawson gaf toe dat het een beverige ouwe zak was die van een drankje hield. Maar ter verdediging zei hij ook dat de wond misschien elk spoor daarvan had verhuld. De familie heeft het natuurlijk verzwegen, want ze wisten dat Rosie, als bekend zou worden dat ze een onwettig kind ter wereld had gebracht meteen te boek zou staan als een slechte moeder. Ze zou van onschuldig slachtoffer veranderd zijn in een meid die erom had gevraagd. Ze wilden wanhopig graag hun goede naam beschermen. Dat kun je ze niet kwalijk nemen.'

'Ik neem de familie ook niets kwalijk. Je hoeft maar te denken aan de gemene manier waarop de pers jou behandeld heeft en je weet dat iedereen hetzelfde zou hebben gedaan. Maar hoe komt het dat ze nu van zijn bestaan weten?'

'Volgens Lawson is hij geadopteerd. Vorig jaar besloot hij op zoek te gaan naar zijn biologische moeder. Hij vond de vrouw die directrice was geweest van het huis waar Rosie was ondergebracht toen ze zwanger was en ontdekte dat hij een gelukkige hereniging met haar wel kon vergeten.'

Davina liet een kreetje horen en Lynn stopte met een glimlach naar de baby haar pink in het mondje. 'Dat moet afschuwelijk voor hem zijn geweest. Er moet heel veel moed voor nodig zijn om op zoek te gaan naar je echte moeder. Ze heeft je een keer afgewezen, wie weet waarom, en je loopt de kans voor de tweede keer een klap in je gezicht te krijgen. Maar je moet je wel vastklampen aan de hoop dat ze je met open armen zal ontvangen.'

'Ik weet het. En dan kom je erachter dat iemand je vijfentwintig jaar geleden van die kans heeft beroofd.' Alex boog zich naar voren. 'Mag ik haar even vasthouden?'

'Natuurlijk. Ze is pas gevoed, dus als het goed is slaapt ze een poosje.' Lynn legde zachtjes haar handen onder haar dochter en gaf haar aan Alex alsof ze het waardevolste en meest broze voorwerp ter wereld was. Hij liet zijn hand onder haar kwetsbare nekje glijden en legde haar tegen zijn borst. Davina mummelde wat en kwam toen tot rust. 'En denkt Lawson dat de zoon het op je voorzien heeft?'

'Lawson denkt helemaal niet dat iemand het op me voorzien heeft. Hij denkt dat ik een gestoorde idioot ben die van een mug een olifant maakt. Hij raakte geweldig in verlegenheid toen hij zich dat van Rosies zoon had laten ontvallen en bleef me maar verzekeren dat die jongen geen vlieg kwaad zou doen. Hij heet Graham, trouwens. Lawson wilde me zijn achternaam niet geven. Hij werkt kennelijk in de IT-sector. Rustig, stabiel, heel normaal,' zei Alex.

Lynn schudde haar hoofd. 'Ik begrijp niet dat Lawson dit zo luchtig opneemt. Wie heeft dan volgens hem de kransen gestuurd?'

'Hij weet het niet en het interesseert hem niet. Hij maakt zich alleen maar zorgen omdat de belangrijke herziening van de zaak op niets dreigt uit te lopen.'

'Ze zouden nog geen huishouden kunnen runnen, laat staan een moordonderzoek. Kon hij ook uitleggen hoe ze een hele doos met bewijsmateriaal konden kwijtraken?'

'Ze zijn niet de hele doos kwijt. Ze hebben het vest nog. Dat hebben ze blijkbaar afzonderlijk gevonden. Het was over de muur in iemands tuin gegooid. Ze hebben het na al het andere materiaal onderzocht, waardoor het waarschijnlijk afzonderlijk van de rest was bewaard.'

Lynn fronste haar wenkbrauwen. 'Het is later gevonden? Was er niet iets met een tweede huiszoeking, later bij jullie thuis? Ik kan me vaag herinneren dat Mondo klaagde dat ze weken na de moord jullie huis hadden doorzocht.'

Alex probeerde zich dat te herinneren. 'Nadat ze de eerste keer hadden gezocht... kwamen ze na nieuwjaar terug. Ze schraapten verf van de muren en de plafonds. En ze wilden weten of we soms opnieuw geverfd hadden.' Hij snoof. 'Het idee. En Mondo zei dat hij een van hen over een vest had horen praten. Hij ging ervan uit dat ze op zoek waren naar iets wat een van ons had gedragen. Maar dat was natuurlijk niet zo. Ze hadden het over Rosies vest,' besloot hij triomfantelijk.

'Dus er moet verf op haar vest hebben gezeten,' zei Lynn nadenkend. 'Daarom namen ze monsters.'

'Ja, maar het kwam dus niet overeen met de verf in ons huis. Anders hadden we nog veel dieper in de ellende gezeten.'

'Ik vraag me af of ze een nieuwe analyse hebben gedaan. Heeft Lawson daar iets over gezegd?'

'Niet specifiek. Hij zei dat ze geen van de kleren hebben die geschikt zijn voor moderne forensische analyse.'

'Dat is onzin. Ze kunnen tegenwoordig zoveel met verf doen. Ik krijg nu veel meer informatie van de laboratoria dan nog maar drie jaar geleden. Ze zouden dat moeten onderzoeken. Je moet teruggaan naar Lawson en eisen dat ze er opnieuw naar kijken.'

'Je hebt niets aan een analyse als je niets hebt om het mee te vergelijken. Lawson zal het echt niet meteen doen omdat ik het wil.'

'Je zei toch dat hij de zaak wil oplossen?'

'Lynn, als ze er iets aan konden hebben, hadden ze het wel gedaan.'

Lynn werd ineens rood van boosheid. 'Jezus, Alex, moet je jezelf horen. Ga je gewoon achterover zitten en wachten tot er weer iets verschrikkelijks gebeurt in ons leven? Mijn broer is dood. Iemand is brutaalweg zijn huis binnengekomen en heeft hem vermoord. De enige persoon die je misschien zou kunnen helpen, vindt dat je spoken ziet. Ik wil niet dat je doodgaat, Alex. Ik wil niet dat je dochter opgroeit zonder zich ook maar iets van jou te herinneren.'

'Denk je dat ik dat wil?' Alex drukte zijn dochter tegen zijn borst.

'Laat dan een beetje ruggengraat zien. Als Weird en jij gelijk hebben, heeft degene die Ziggy en Mondo heeft vermoord het ook op jullie voorzien. Jullie komen daar alleen van af door eindelijk Rosies moordenaar te vinden. Als Lawson het niet doet, moet jij het misschien maar proberen. Je hebt de beste motivatie van de wereld in je armen.'

Hij kon het niet ontkennen. Hij was overspoeld door emoties sinds de geboorte van Davina, voortdurend verbijsterd over zijn diepe gevoelens. 'Ik ben een wenskaartenfabrikant, Lynn, geen rechercheur,' protesteerde hij zwak.

Lynn keek hem boos aan. 'En hoe vaak zijn justitiële dwalingen niet tenietgedaan doordat een of andere doorzetter weigerde het erbij te laten zitten?'

'Ik zou niet weten waar ik moet beginnen.'

'Herinner je je die serie over forensische wetenschap op de tv, een paar jaar geleden?'

Alex kreunde. De fascinatie van zijn vrouw voor thrillers op de tv had hem nooit aangestoken. Zijn normale reactie op een twee uur durende tv-film met Frost, Morse of Wexford was een tekenblok pakken en aan ideeën voor wenskaarten gaan werken. 'Vaag,' zei hij.

'Ik herinner me dat een van de forensisch onderzoekers zei dat ze dingen vaak weglaten uit hun rapporten. Sporen die niet geanalyseerd kunnen worden, dat soort dingen. Als de politie er niets aan zal hebben, nemen ze de moeite niet om het erin te zetten. Blijkbaar zou de verdediging het kunnen gebruiken om verwarring te zaaien bij de jury.'

'Ik snap niet hoe dat ons zou moeten helpen. Zelfs als we de oorspronkelijke rapporten in handen zouden weten te krijgen, zouden we nog niet weten wat er is weggelaten.'

'Nee, maar als we degene kunnen opsporen die het onderzoek destijds heeft uitgevoerd, herinnert hij zich misschien iets waar ze toen niets aan hadden maar nu misschien wel. Hij heeft misschien zelfs zijn aantekeningen bewaard.' Haar boosheid was nu opgeslokt door haar enthousiasme. 'Wat denk je?'

'Ik denk dat je hormonen je hersenen hebben aangetast,' zei Alex. 'Denk jij dat Lawson mij gaat vertellen wie destijds het forensisch onderzoek heeft gedaan als ik hem bel?'

'Natuurlijk niet. Haar lip krulde van afkeer. Maar hij zou het aan een journalist vertellen, nietwaar?'

'De enige journalisten die ik ken, zijn journalisten die artikelen over lifestyle schrijven in de weekendbijlagen,' protesteerde Alex.

'Nou, bel ze en vraag naar een collega die misschien kan helpen.' Lynn sprak op besliste toon. Als ze in zo'n stemming was, had het geen zin om tegen haar in te gaan, wist hij. Maar terwijl hij zich neerlegde bij het idee om zijn contacten te bellen, kwam er een vaag idee bij hem op. Hij zou, dacht hij, twee vliegen in één klap kunnen slaan. Het zou natuurlijk ook vreselijk tegen hem kunnen werken. Er was maar één manier om daarachter te komen.

Parkeerterreinen van ziekenhuizen waren uitstekende plekken om iemand in de gaten te houden, dacht Macfadyen. Altijd komende en gaande mensen, anderen die in hun auto zaten te wachten. Goede verlichting, zodat je zeker wist dat je je prooi zag komen en gaan. Niemand lette op je; je kon er uren rondhangen zonder dat iemand argwaan kreeg. Dat was nog eens iets anders dan een gewone straat in een buitenwijk waar iedereen wilde weten wat je daar deed.

Hij vroeg zich af wanneer Gilbey zijn dochter mee naar huis zou nemen. Hij had het ziekenhuis gebeld voor informatie, maar ze waren ontwijkend geweest en hadden alleen gezegd dat de baby het goed maakte. Iedereen die verantwoordelijkheid had voor kinderen was bijzonder veiligheidsbewust tegenwoordig. Hij voelde een overweldigende wrok ten opzichte van Gilbeys kind. Niemand zou dat kind in de steek laten. Niemand zou het afstaan en overlaten aan vreemden. Als vreemden een kind opvoedden, was het voortdurend bang dat het iets zou doen waardoor het willekeurige toorn over zich zou afroepen. Zijn ouders hadden hem niet mishandeld, niet in die zin dat ze hem geslagen hadden. Maar ze hadden hem voortdurend het gevoel gegeven dat hij tekortschoot, dat hij iets fout deed. En ze hadden niet geaarzeld om de schuld van zijn ontoereikendheid bij zijn slechte afkomst te leggen. Maar hij had nog zoveel meer gemist dan tederheid en liefde. De familieverhalen die hij als kind te horen had gekregen, waren de verhalen van anderen, niet de zijne. Hij was een vreemde in zijn eigen geschiedenis.

Hij zou nooit in de spiegel kunnen kijken en een echo van zijn moeders trekken zien. Hij zou zich nooit bewust zijn van die vreemde overeenstemmingen die in families voorkomen wanneer de reacties van een kind gelijk zijn aan die van de ouders. Hij was op drift in een wereld zonder verbanden. De enige echte familie die hij had, wilde hem nog steeds niet.

En nu zou dat kind van Gilbey alles krijgen wat hem was ontzegd, hoewel de vader een van de mensen was die verantwoordelijk waren voor wat hij had verloren. Het knaagde aan Macfadyen, beet diep in de kern van zijn verschrompelde ziel. Het was niet eerlijk. Het verdiende dat veilige, liefdevolle thuis niet dat het zou krijgen.

Het was tijd om plannen te maken.

Weird kuste al zijn kinderen terwijl ze in de gezinswagen stapten. Hij wist niet wanneer hij ze weer zou zien en onder deze omstandigheden afscheid te moeten nemen was hartverscheurend. Maar hij wist dat deze pijn niets voorstelde vergeleken bij wat hij zou voelen als hij niets deed, als hij niet zou handelen en een van hen iets zou overkomen. Met een paar uur rijden waren ze veilig in de bergen, achter de omheining van een evangelische overlevingsgroep waarvan de leider ooit een lekenassistent in Weirds kerk was geweest. Hij betwijfelde dat de federale overheid daar bij zijn kinderen zou kunnen komen, laat staan een wraakzuchtige moordenaar die in zijn eentje opereerde.

Aan de ene kant dacht hij dat hij overdreven reageerde, maar dat was niet de kant waar hij naar wilde luisteren. Na jaren gesprekken met God te hebben gevoerd, had hij weinig twijfel aan zichzelf als het erom ging beslissingen te nemen. Weird nam zijn vrouw in zijn armen en hield haar dicht tegen zich aan. 'Dank je dat je dit serieus neemt,' zei hij.

Ze streek over de zijde van zijn overhemd en mompelde: 'Ik heb je altijd serieus genomen, Tom. Ik wil dat je me belooft dat je net zo goed op jezelf past als op ons.'

'Ik moet nog één telefoontje plegen, dan ben ik hier weg. En als ik wegga, zal ik niet gemakkelijk te volgen of te vinden zijn. We duiken een tijdje onder en vertrouwen op God, en ik weet zeker dat we hier goed doorheen zullen komen.' Hij boog zijn hoofd en kuste haar lang en hard. 'God zij met je.'

Hij stapte achteruit en wachtte terwijl zij instapte en de motor startte. De kinderen zwaaiden ten afscheid, met opgewonden gezichten van de gedachte dat ze een avontuur gingen beleven en niet naar school hoefden. Hij benijdde hen niet, want het was koud in de bergen, maar ze zouden zich wel redden. Hij keek de auto na tot het eind van de straat en haastte zich toen naar binnen.

Een collega in Seattle had hem de naam van een betrouwbare, discrete privédetective gegeven. Weird draaide het mobiele nummer en wachtte. 'Met Pete Makin,' sprak de stem aan de andere kant met het enigszins lijzige accent van het westen.

'Meneer Makin, mijn naam is Tom Mackie. Eerwaarde Tom Mackie. Ik heb uw naam gekregen van eerwaarde Polk.'

'Ik hou wel van een predikant die zijn gelovigen aan werk helpt,' zei Makin. 'Wat kan ik voor u doen, eerwaarde?'

'Ik wil te weten komen wie verantwoordelijk is geweest voor het sturen van een bepaalde krans naar een begrafenis in uw buurt waar ik bij aanwezig was. Is dat mogelijk?'

'Ik denk het wel. Hebt u wat gegevens?'

'Ik weet niet van welke bloemist hij afkomstig was, maar het was een opvallende combinatie. Een ring van witte rozen en rozemarijn. Op het kaartje stond: "Rozemarijn ter herinnering".'

'Rozemarijn ter herinnering,' herhaalde Makin. 'U hebt gelijk, dat is ongewoon. Ik geloof niet dat ik zoiets ooit eerder ben tegengekomen. Degene die hem gemaakt heeft, zal hem zich zeker herinneren. Kunt u me vertellen wanneer en waar de begrafenis plaatsvond?'

Weird gaf hem alle informatie, waarbij hij Ziggy's naam zorgvuldig spelde. 'Hoe lang duurt het voor u iets weet?'

'Dat hangt ervan af. De begrafenisondernemer zal me waarschijnlijk een lijst kunnen geven van de bloemisten waarmee ze gewoonlijk werken. Maar als dat niets oplevert, zal ik een behoorlijk groot gebied moeten afgaan. Dus het kan een paar uur of een paar dagen duren. Als u me zegt waar ik u kan bereiken, houd ik u op de hoogte.'

'Ik zal niet gemakkelijk te bereiken zijn. Ik zal u elke dag bellen, als dat goed is.'

'Dat is prima. Maar ik zal een voorschot nodig hebben voordat ik aan het werk kan gaan, ben ik bang.'

Weird glimlachte spottend. Zelfs een geestelijke werd tegenwoordig niet meer vertrouwd. 'Ik maak het aan u over. Hoeveel hebt u nodig?'

'Vijfhonderd dollar is voldoende.' Makin gaf Weird zijn rekeningnummer. 'Zodra ik het geld ontvangen heb, ga ik aan het werk. Dank u voor de opdracht, eerwaarde.'

Weird legde de hoorn neer en voelde zich vreemd gerustgesteld door het gesprek. Pete Makin had geen tijd verspild. Hij had niet gevraagd waarom hij die informatie nodig had en had ook niet gedaan alsof de opdracht moeilijker was dan hij was. De man was te vertrouwen, dacht Weird. Hij liep naar boven om zich te verkleden. Hij verving zijn predikantenkleding door een gemakkelijk zittende spijkerbroek, een bont katoenen hemd en een zacht leren jack. Zijn tas was al gepakt; het enige dat er nog in moest was de bijbel die op zijn nachtkastje lag. Hij stopte hem in een van de aparte vakken, keek de vertrouwde kamer rond en sloot zijn ogen voor een kort gebed.

Een uur later liep hij het terrein voor langparkeerders af van het vliegveld van Atlanta. Hij was mooi op tijd voor zijn vlucht naar San Diego. Als de avond viel, zou hij de grens over zijn en zich anoniem in een of ander goedkoop motel in Tijuana bevinden. Het was geen omgeving die hij normaal gesproken zou kiezen, wat het nog veiliger maakte.

Wie het ook op hem gemunt mocht hebben, daar zouden ze hem niet vinden.

Jackie keek Alex dreigend aan. 'Ze is hier niet.'

'Dat weet ik. Ik wil jou graag spreken.'

Ze sloeg haar armen over elkaar en snoof. Ze was vandaag gekleed in een leren broek en een strak, zwart T-shirt. In haar wenkbrauw fonkelde een diamant. 'Je komt me waarschuwen zeker.'

'Waarom denk je dat het mij interesseert?' zei Alex koel.

Ze trok haar wenkbrauwen op. 'Je bent een Schot en een man en ze is familie van je.'

'Doe niet zo lichtgeraakt. Luister, ik ben hier omdat ik denk dat we elkaar een plezier kunnen doen.'

Er verscheen een brutale blik in Jackies ogen en terwijl ze haar hoofd scheef hield, zei ze: 'Ik doe het niet met jongens. Had je dat nog niet door?'

Alex draaide zich geërgerd om en wilde weggaan. Had hij hiervoor Lynns woede geriskeerd, vroeg hij zich af. 'Dit is zonde van mijn tijd. Ik dacht dat je misschien wel een suggestie zou willen horen die je helpt om de politie van je nek te krijgen.'

'Wacht even. Waarom zou je mij helpen?'

Hij stond stil, één voet op de trap. 'Niet vanwege je natuurlijke charme, Jackie, maar omdat het mij ook enige gemoedsrust geeft.'

'Hoewel je denkt dat ik je zwager misschien heb vermoord?'

Alex gromde: 'Geloof me, ik zou 's nachts heel wat rustiger slapen als ik dat geloofde.'

Jackie zei stekelig: 'Omdat de pot dan haar verdiende loon had gekregen?'

Alex snauwde geïrriteerd: 'Zou je die vooroordelen van je voor vijf minuten kunnen vergeten? De enige reden waarom ik blij zou zijn als jij Mondo had vermoord, is dat het zou betekenen dat ik veilig ben.'

Ondanks zichzelf nieuwsgierig hield Jackie haar hoofd scheef en zei: 'Dat is een vreemde opmerking.'

'Wil je het op de overloop bespreken?'

Ze gebaarde naar de deur en stapte achteruit. 'Kom maar binnen dan. Hoe bedoel je "veilig"?' vroeg ze, terwijl hij naar de dichtstbijzijnde stoel liep en ging zitten.

'Ik heb een theorie over Mondo's dood. Ik weet niet of je het weet, maar een paar weken geleden is een andere vriend van mij onder verdachte omstandigheden gestorven.'

Jackie knikte. 'Hélène heeft het verteld. Het was iemand met wie David en jij gestudeerd hebben, niet?'

'We zijn samen opgegroeid. Met z'n vieren. We waren al boezemvrienden op school en zijn samen naar de universiteit gegaan. Toen we op een avond terugkwamen van een feestje vonden we een jonge vrouw.'

'Dat weet ik ook,' viel Jackie hem in de rede.

Alex merkte verbaasd wat een opluchting het voor hem was om niet alle bijzonderheden van de nasleep van de moord op Rosie te hoeven vertellen. 'Juist. Dus je kent de achtergrond. Goed, ik weet dat dit krankzinnig zal klinken, maar ik denk dat Mondo en Ziggy dood zijn doordat iemand bezig is Rosie Duff te wreken. Dat is het vermoorde meisje,' voegde hij eraan toe.

'Waarom?' Jackie was een en al aandacht nu: hoofd naar voren, ellebogen op haar knieën. Ze rook een goed verhaal, en dat was genoeg om haar vijandigheid even te vergeten.

'Het lijkt zo onbetekenend,' zei Alex, en hij vertelde haar over de kransen. 'Haar volledige naam was Rosemary,' eindigde hij.

Ze trok haar wenkbrauwen op. 'Dat is griezelig,' zei ze. 'Ik heb nog nooit zo'n soort krans gezien. Het is moeilijk te interpreteren, behalve als verwijzing naar die vrouw. Ik kan me voorstellen dat je het er benauwd van krijgt.'

'De politie niet. Ze gedroegen zich alsof ik een oud vrouwtje was dat bang is in het donker.'

Achter uit Jackies keel klonk een smalend geluid. 'Nou, we weten allebei hoe slim de politie is. En wat denk je dat ik kan doen?'

Alex zag er verlegen uit. 'Lynn heeft het idee dat degene die het op ons gemunt heeft, zal begrijpen dat hij ermee op moet houden als we de echte moordenaar van Rosie van al die jaren geleden weten te vinden. Voordat het te laat is voor de twee van ons die nog over zijn.'

'Dat klinkt logisch. Kun je de politie niet overhalen om de zaak te heropenen? Met de technieken die ze nu hebben...'

'Die zaak is al heropend. De politie van Fife bekijkt alle onopgeloste zaken opnieuw, en dit is er een van. Maar ze lijken vastgelopen te zijn, voornamelijk doordat ze al het fysieke bewijsmateriaal kwijt zijn geraakt. Lynn heeft het idee dat de forensisch onderzoeker die het oorspronkelijke rapport heeft opgesteld, als we die kunnen opsporen, ons misschien meer kan vertellen dan hij erin heeft gezet.'

Jackie knikte begrijpend. 'Soms laten ze dingen weg om de verdediging geen aanknopingspunten te geven. Dus jij wilt dat ik die vent vind en met hem ga praten?'

'Zoiets, ja. Ik dacht dat je misschien zou kunnen doen alsof je een uitgebreid stuk over de zaak wilt schrijven en je daarbij wilt richten op het oorspronkelijke onderzoek. Misschien kun je de politie zover krijgen dat je toegang krijgt tot het materiaal dat ze mij niet zomaar zouden laten zien.'

Ze haalde haar schouders op. 'Het is te proberen.'

'Dus je wilt het doen?'

'Ik zal eerlijk tegen je zijn, Alex. Ik kan niet zeggen dat ik er zoveel belang bij heb om jouw hachje te redden. Maar je hebt gelijk. Ik heb hier ook belang bij. Als we de moordenaar van David kunnen vinden, ben ik niet meer verdacht. Dus zeg het maar, met wie moet ik gaan praten?'

34

Het briefje op het bureau van James Lawson meldde alleen: 'Het team onopgeloste zaken wil u graag zo snel mogelijk spreken.' Het klonk niet alsof er iets rampzaligs was gebeurd. Hij liep naar de teamkamer met een houding van voorzichtig optimisme die onmiddellijk gerechtvaardigd werd door de aanblik van een fles Famous Grouse en een stuk of vijf plastic bekers in de handen van zijn rechercheurs. Hij grinnikte. 'Dit ziet eruit alsof er iets te vieren valt.'

Rechercheur Robin Maclennan stapte naar voren en bood de adjunct-hoofdcommissaris een whisky aan. 'Ik heb net bericht van de politie van Manchester gehad. Ze hebben een paar weken geleden in Rochdale een vent gearresteerd op verdenking van verkrachting. Toen ze het DNA door de computer haalden, kwam er iets uit.'

Lawson bleef als aan de grond genageld staan. 'Lesley Cameron?' Robin knikte.

Lawson pakte de whisky aan en hief zijn beker in een zwijgende toast. Net als dat voor de zaak Rosie Duff gold, zou Lawson nooit de moord op Lesley Cameron vergeten. Ze was een studente aan de universiteit en was op weg naar het huis waar ze woonde verkracht en gewurgd. Net als bij Rosie hadden ze de moordenaar nooit gevonden. De rechercheurs hadden een poosje geprobeerd de twee zaken met elkaar te verbinden, maar daarvoor waren er te weinig overeenkomsten geweest. Het was niet genoeg om gewoonweg te stellen dat er indertijd geen andere zaken die verkrachting en moord betroffen in St Andrews waren geweest. Hij was toen een jonge rechercheur geweest en herinnerde zich de discussie. Persoonlijk had hij nooit in een verband geloofd. 'Ik herinner me de zaak heel goed,' zei hij.

'We hebben DNA-tests op haar kleren gedaan, maar toen was er geen overeenkomst in het systeem te vinden,' vervolgde Robin, wiens gezicht voorheen nooit waargenomen lachrimpels vertoonde. 'Dus heb ik de zaak in de ijskast gezet en ben verder gegaan met latere zedendelinquenten. Dat leverde ook niets op. Maar toen kregen we dat telefoontje uit Manchester. Het ziet ernaar uit dat we een resultaat hebben.'

Lawson gaf hem een klap op zijn schouder. 'Goed werk, Robin. Ga je erheen om hem te verhoren?' vroeg hij.

'Reken maar. Ik kan niet wachten om de uitdrukking op het gezicht van dat stuk tuig te zien als hij hoort waarover ik hem wil ondervragen.'

'Dat is geweldig nieuws,' zei Lawson stralend tegen de rest van het team. 'Je ziet maar. Je hebt maar één gelukstreffer nodig en je hebt een succes geboekt. Hoe gaat het bij de rest? Karen, is er iets uit je zoektocht naar Rosie Duffs ex-vriendje gekomen? Degene van wie we vermoeden dat hij Macfadyens vader is?'

Karen knikte. 'John Stobie. De plaatselijke politie heeft met hem gepraat. En ze hebben ook een soort resultaat gekregen. Stobie blijkt een perfect alibi te hebben. Eind november 1978 heeft hij zijn been gebroken bij een motorongeluk. De avond waarop Rosie werd vermoord, zat hij van dijbeen tot teen in het gips. Hij kan onmogelijk midden in een sneeuwstorm in St Andrews hebben rondgelopen.'

Lawson trok zijn wenkbrauwen op. 'Jezus, je zou denken dat Stobie broze botten heeft. Ik neem aan dat ze zijn medische gegevens hebben gecontroleerd?'

'Stobie heeft ze toestemming gegeven. En hij lijkt de waarheid te hebben verteld. Dus dat kunnen we verder wel vergeten.'

Lawson draaide zich half om, zodat Karen en hij afgesneden waren van de anderen. 'Wat je zegt, Karen.' Hij zuchtte. 'Misschien moet ik Macfadyen de naam van Stobie maar geven. Dan laat hij ons misschien met rust.'

'Valt hij u nog steeds lastig?'

'Een paar keer per week. Ik begin te wensen dat hij nooit te voorschijn was gekomen.'

'Ik moet de andere drie getuigen nog opnieuw ondervragen,' zei Karen.

Lawson trok een gezicht. 'Er zijn er nog maar twee. Malkiewicz is blijkbaar kort voor Kerstmis overleden bij een verdachte brand. En nu David Kerr ook vermoord is, denkt Alex Gilbey dat er ergens een of andere gestoorde knakker rondloopt die het recht in eigen hand heeft genomen en ze een voor een aan het vermoorden is.'

'Wat?'

'Hij is een paar dagen geleden bij me langsgekomen. Het is je reinste paranoia, maar ik wil hem niet aanmoedigen. Dus misschien moet je de getuigenverklaringen maar even laten zitten. Ik zou niet weten wat je er na al die tijd nog aan zou hebben.'

Karen overwoog bezwaar te maken. Niet dat zij iets interessants verwachtte van een gesprek met haar getuigen, maar ze was te vasthoudend als rechercheur om zich gemakkelijk te voelen als ze een bepaalde weg onverkend zou laten. 'Denkt u niet dat hij gelijk zou kunnen hebben? Ik bedoel, het is wel erg toevallig. Macfadyen verschijnt op het toneel, ontdekt dat we weinig hoop hebben om de moordenaar van zijn moeder te pakken te krijgen en twee van de oorspronkelijke verdachten worden vermoord.'

Lawson sloeg zijn ogen ten hemel. 'Je zit te lang in deze onderzoekskamer, Karen. Je begint te hallucineren. Natuurlijk loopt Macfadyen niet als een soort Charles Bronson rond. Het is een fatsoenlijke man met een vaste baan en niet een of andere gestoorde wreker. En we gaan hem niet beledigen door hem te ondervragen over twee moorden die niet eens in ons district hebben plaatsgevonden.'

'Nee, meneer,' zuchtte Karen.

Lawson legde vaderlijk een hand op haar arm. 'Dus laten we Rosie Duff maar even vergeten. We komen er toch niet uit.' Hij liep terug naar de hoofdgroep. 'Robin, is de zus van Lesley Cameron geen profielschetser?'

'Ja, dat klopt. Dr. Fiona Cameron. Ze was een paar jaar geleden betrokken bij de zaak Drew Shand in Edinburgh.'

'Ja, ik weet het weer. Misschien moet je dr. Cameron even bellen. Haar laten weten dat we een verdachte ondervragen. En zorg dat het persbureau het ook weet. Maar pas nadat je dr. Cameron hebt gesproken. Ik wil niet dat ze het in de kranten leest voordat ze het van ons hoort.' Het was duidelijk het einde van het gesprek. Lawson sloeg zijn whisky achterover en liep naar de deur. Op de drempel stond hij stil en draaide zich om. 'Een geweldig resultaat, Robin. Dit maakt een goede indruk naar buiten. Dank je.'

Weird schoof zijn bord opzij. Vettig toeristenvoer, en porties die groot genoeg waren om een heel Mexicaans gezin een dag of twee van te voeden, dacht hij. Hij voelde zich ellendig. Hij vond het vreselijk om uit zijn dagelijkse routine weggerukt te zijn. Alle dingen die zijn leven aangenaam maakten, leken nu een verre droom. Er waren grenzen aan de troost die hij uit zijn geloof kon halen. Het bewijs, als hij het al nodig had, dat hij bij lange na niet aan zijn eigen idealen voldeed.

Toen de kelner de resten van zijn burrito speciaal wegruimde, pakte Weird zijn telefoon en belde Pete Makin. Na een korte begroeting, kwam hij meteen ter zake. 'Hebt u al iets ontdekt?' vroeg hij.

'Alleen in negatieve zin. De begrafenisondernemer heeft me de namen van drie zaken gegeven die normaal voor de bloemen zorgen. Maar geen van hen heeft een krans gemaakt zoals u me beschreven hebt. Ze vonden allemaal dat het een ongebruikelijke krans was, dat het anders was dan normaal. Iets wat ze zich zouden herinneren als zij hem hadden gemaakt.'

'En nu?'

'Nou,' klonk Makins lijzige stem, 'er zijn zo'n vijf of zes bloemisten in de directe omgeving. Ik ga ze allemaal af en kijk of er iets uitkomt. Maar dat kan een dag of twee kosten. Morgen moet ik in de rechtbank zijn, als getuige bij een fraudezaak. Het kan nog tot de volgende dag doorgaan. Maar wees gerust, eerwaarde. Zodra ik weer tijd heb, ga ik hiermee verder.'

'Ik ben blij dat u precies zegt waar het op staat, meneer Makin. Ik bel u over een paar dagen weer om te horen of u iets hebt ontdekt.' Weird stopte zijn telefoon weer in zijn zak. Het was nog niet voorbij. Nog lang niet.

Jackie stopte nieuwe batterijen in haar bandrecorder, keek of ze een paar pennen in haar tas had en stapte uit de auto. Ze was aangenaam verrast geweest door de hulpvaardigheid van de perswoordvoerder van de politie die ze na Alex' bezoek had gebeld.

Ze had haar praatje klaar. Ze schreef een groot tijdschriftartikel waarin ze de methoden wilde vergelijken die de politie vijfentwintig jaar geleden bij een moordonderzoek gebruikte en die nu werden gebruikt. Ze was op het idee gekomen dat ze dat het beste kon doen aan de hand van een van de nieuwe onderzoeken naar oude onopgeloste zaken zoals de politie van Fife die nu uitvoerde. Op die manier zou ze kunnen praten met een rechercheur die volledig op de hoogte was van alle bijzonderheden van de zaak. Ze had benadrukt dat ze er niet opuit was om kritiek te leveren op de politie; het ging haar uitsluitend om de veranderingen in de procedures en de praktijk die voortgekomen waren uit de wetenschappelijke ontwikkelingen en veranderingen in de wet.

De perswoordvoerder had haar de volgende dag teruggebeld. 'U hebt geluk. We hebben een zaak van bijna precies vijfentwintig jaar geleden. En het toeval wil dat onze adjunct-hoofdcommissaris toen de eerste politieman was die op de plaats van de misdaad arriveerde. En hij is bereid u daarover een interview toe te staan. Ik heb ook een ontmoeting voor u geregeld met rechercheur Karen Pirie, die aan de heropende zaak werkt. Ze beschikt over alle gegevens.'

En hier was ze dan, bezig een bres te slaan in het bastion van de politie van Fife. Normaal had Jackie geen last van zenuwen voor een interview. Ze deed het werk al zo lang dat het haar geen angst meer aanjoeg. Ze had met allerlei ondervraagden te maken gehad: mensen die verlegen waren, brutaal, opgewonden, bang, blasé; aandachttrekkers, harde criminelen en onervaren slachtoffers. Maar vandaag voelde ze de adrenaline door haar bloed stromen. Ze had niet gelogen toen ze tegen Alex had gezegd dat zij hier ook belang bij had. Na hun gesprek had ze uren wakker gelegen van de gedachte dat een verdenking in verband met de dood van David Kerr voor haar zeer beschadigend kon zijn. Ze had zich goed voorbereid voor vandaag; ze had zich netjes gekleed en probeerde zo onbedreigend mogelijk over te komen. Bij uitzondering had ze meer gaatjes dan ringen in haar oren.

Het viel niet mee om in adjunct-hoofdcommissaris Lawson de jonge politieagent terug te vinden, dacht ze terwijl ze tegenover hem plaatsnam. Hij zag eruit als iemand die geboren is met alle zorgen van de wereld op zijn schouders, en vandaag leken ze hem bijzonder zwaar te vallen. Hij kon niet veel ouder zijn dan vijftig, maar zag eruit alsof hij meer thuishoorde op de golfbaan dan aan het hoofd van de recherche van Fife. 'Gek idee, dat verhaal van u,' zei hij nadat ze beleefdheden hadden uitgewisseld.

'Niet echt. De mensen vinden zoveel vanzelfsprekend tegenwoordig, als het om politieonderzoek gaat. Het is goed om hen in herinnering te brengen dat we in korte tijd veel verder zijn gekomen. Ik moet uiteraard meer te weten komen dan ik in mijn artikel zal gebruiken. Uiteindelijk gooi je ongeveer negentig procent van je research weg.'

'En waar is het artikel voor?' vroeg hij op gemoedelijke toon.

'Voor *Vanity Fair*,' zei Jackie op besliste toon. Het was altijd beter om te liegen over opdrachten. Het overtuigde mensen ervan dat je hun tijd niet verspilde.

'Nou, ik sta tot u beschikking,' zei hij met geforceerde vrolijkheid terwijl hij zijn handen wijd uiteen spreidde.

'Ik ben u zeer erkentelijk. Ik weet hoe druk u het moet hebben. Kunnen we om te beginnen teruggaan naar december 1978? Hoe raakte u bij de zaak betrokken?'

Lawson ademde zwaar door zijn neus. 'Ik had nachtdienst en zat in de patrouillewagen. Dat betekende dat ik met uitzondering van een paar koffiepauzes de hele nacht op pad was. Ik reed niet de hele nacht rond, begrijpt u.' Een van zijn mondhoeken ging omhoog in een half glimlachje. 'We hadden toen al budgettaire beperkingen. Ik werd geacht niet meer dan zo'n zestig kilometer per dienst te rijden. Dus patrouilleerde ik in het centrum van de stad wanneer de cafés dichtgingen en zocht daarna een rustig plekje op om te parkeren tot ik ergens heen werd gestuurd. Wat niet zo vaak gebeurde. St Andrews was een tamelijk rustig stadje, vooral tijdens de universitaire vakanties.'

'Dat moet behoorlijk saai zijn geweest,' zei ze meelevend.

'Dat kun je wel zeggen. Ik nam altijd een transistorradio mee, maar er was weinig wat de moeite waard was om naar te luisteren. Meestal parkeerde ik bij de ingang van de Botanische Tuinen. Ik vond het prettig daar. Het was een rustige plek, maar je kon binnen een paar minuten overal in de stad zijn. Die nacht was het vreselijk weer. Het had met tussenpozen de hele dag door gesneeuwd en rond middernacht lag er een behoorlijk pak. Als gevolg daarvan was het een rustige avond geweest. Het weer hield de meeste mensen thuis. Toen, rond vier uur, zag ik ineens iemand uit de sneeuw opduiken. Ik stapte uit de auto en dacht eerlijk gezegd heel even dat ik aangevallen werd door een dronken maniak. De jongeman hapte naar adem, zat onder het bloed en had het zweet op zijn gezicht staan. Hij riep dat er een meisje op Hallow Hill lag, dat aangevallen was.'

'U moet geschokt zijn geweest,' zei Jackie aanmoedigend.

'Aanvankelijk dacht ik dat het een grap was van een stel dronken studenten, maar hij hield vol. Hij vertelde dat hij over haar gestruikeld was in de sneeuw en dat ze erg bloedde. Ik besefte al snel dat zijn bezorgdheid echt was en niet gespeeld. Dus meldde ik aan het bureau dat ik op onderzoek uitging na een melding van een gewonde vrouw op Hallow Hill. Ik liet de jongen instappen...'

'Dat was Alex Gilbey, nietwaar?'

Lawson trok zijn wenkbrauwen op. 'U hebt uw huiswerk gedaan.'

Ze haalde haar schouders op. 'Ik heb de krantenartikelen gelezen, dat is alles. Dus u reed met Gilbey naar Hallow Hill? Wat trof u daar aan?'

Lawson knikte. 'Toen we daar kwamen, was Rosie Duff dood. Er waren drie andere jongemannen bij het lichaam. Het werd mijn taak om de plaats van de misdaad te verzekeren en versterking te vragen. Ik belde om versterking van agenten en recherche en bracht de vier getuigen naar beneden, de heuvel af. Ik geef eerlijk toe dat ik helemaal ondersteboven was. Ik had zoiets nog nooit gezien en ik wist op dat moment niet of ik midden in een sneeuwstorm stond met vier moordenaars.'

'Maar als zij het hadden gedaan, was hulp halen toch wel het laatste dat ze hadden gedaan?'

'Dat hoeft niet. Het waren intelligente jongens, die heel goed in staat waren om de boel voor de gek te houden. Ik zag het als mijn taak om niets te zeggen dat op enige verdenking zou wijzen, want ik was bang dat ze er dan vandoor zouden gaan en wij met een nog groter probleem zouden zitten. Ik had er tenslotte geen idee van wie ze waren.'

'Daar bent u dan blijkbaar in geslaagd, want ze hebben gewacht tot uw collega's kwamen. Wat gebeurde er toen? Procedureel, bedoel ik.' Jackie luisterde plichtmatig terwijl Lawson alles vertelde wat er op de plaats van de misdaad was gebeurd tot het moment waarop hij de vier jongemannen had meegenomen naar het politiebureau.

'Hier hield mijn directe betrokkenheid bij de zaak op,' beëindigde Lawson zijn verhaal. 'Al het verdere onderzoek werd uitgevoerd door de recherche. We moesten er mensen van andere korpsen bijhalen, want we hadden zelf het personeel niet voor zo'n soort zaak. Lawson schoof zijn stoel naar achteren. 'Zo, als u het niet erg vindt, laat ik u nu ophalen door rechercheur Pirie. Zij kan de zaak beter met u doornemen dan ik.'

Jackie pakte haar bandrecorder, maar zette hem niet af. 'U hebt een goede herinnering aan die nacht,' zei ze, en ze liet bewondering in haar stem doorklinken.

Lawson drukte op de knop van zijn intercom. 'Wil je Karen vragen hierheen te komen, Margaret?' Hij wierp Jackie het soort glimlach toe dat gestreelde ijdelheid onthult. 'Je moet nauwgezet zijn in dit werk,' zei hij. 'Ik heb altijd zorgvuldig aantekeningen bijgehouden. Maar u moet bedenken dat moord een vrij zeldzame gebeurtenis is in St Andrews. In de tien jaar dat ik daar werkte, is het maar enkele keren voorgekomen. Dus heb ik het natuurlijk onthouden.'

'En u bent nooit in de buurt gekomen van een arrestatie?'

Lawson tuitte zijn lippen. 'Nee. En dat is moeilijk te verwerken voor politiemensen. Alles wees naar de vier jongens die haar gevonden hadden, maar er was nooit meer dan indirect bewijs tegen hen. Door de plaats waar het lichaam gevonden werd, had ik het idee dat het mogelijk te maken had met een soort heidens ritueel. Daar is ook nooit iets uitgekomen en we hebben nooit meer zo'n soort moord in ons gebied gehad. Het spijt me dat Rosie Duffs moordenaar nooit gepakt is. Het is natuurlijk zo dat mannen die zo'n soort misdrijf plegen vaak in herhaling vervallen. Het is dus best mogelijk dat hij voor een andere moord achter de tralies zit.'

Er werd op de deur geklopt en Lawson riep: 'Kom binnen.' De vrouw die binnenliep was het volkomen tegenovergestelde van Jackie. Terwijl de journaliste soepel en beweeglijk was, was Karen Pirie stevig en onelegant. Wat hen verenigde was de intelligentie die ze onmiddellijk bij elkaar herkenden. Lawson stelde hen aan elkaar voor en leidde hen toen vaardig naar de deur. 'Succes met uw artikel,' zei hij en hij sloot de deur stevig achter hen.

Karen liep met Jackie de trap op naar de kamer van het team dat de onopgeloste zaken onderzocht. 'Kom je uit Glasgow?' vroeg ze.

'Geboren en getogen. Het is een geweldige stad. Er wordt geleefd, zoals ze zeggen.'

'Handig voor een journaliste. En hoe ben je geïnteresseerd geraakt in deze zaak?'

Jackie vertelde snel haar bedachte verhaal. Karen leek het aannemelijk te vinden. Ze duwde de deur van de kamer open en ging Jackie voor naar binnen. Jackie keek om zich heen en zag de prikborden met foto's, kaarten en memo's. Een paar mensen die achter computers zaten, keken op toen ze binnenkwamen en gingen toen weer door met hun werk. 'Het is overigens vanzelfsprekend dat alles wat je hier ziet of hoort over lopende en andere zaken strikt vertrouwelijk is. Is dat duidelijk?'

'Ik ben geen misdaadverslaggever. Ik ben niet geïnteresseerd in andere zaken dan die waarvoor ik gekomen ben. Dus niets stiekems, oké?'

Karen glimlachte. Ze had in haar loopbaan al aardig wat journalisten ontmoet en vertrouwde de meesten voor geen cent. Maar deze vrouw leek anders. Waar ze ook opuit was, het was geen sluwe bliksemactie en dan wegwezen. Karen nam Jackie mee naar een lange schragentafel die tegen een muur stond en waar ze het materiaal van het oorspronkelijke onderzoek op had uitgestald. 'Ik weet niet hoeveel details je wilt,' zei ze aarzelend terwijl ze naar de stapel mappen voor hen keek.

'Ik wil graag weten hoe het onderzoek gelopen is. Welke wegen zijn verkend. En natuurlijk' – Jackie toverde een zelfverachtende uitdrukking uit haar trukendoos – 'aangezien dit geen geschiedenis maar journalistiek is, heb ik de namen van de betrokkenen nodig en alle achtergrondinformatie die je over hen hebt. Politiemensen, patholoog, forensisch onderzoekers. Dat soort dingen.' Ze was zo glad dat water van haar afgegleden zou zijn als regen van de veren van een eend.

'Natuurlijk, ik kan je namen geven. Achtergronden een beetje beknopt. Ik was nog maar drie toen deze zaak speelde. En degene die de leiding had over het onderzoek, Barney Maclennan, is in de loop van het onderzoek omgekomen. Dat wist je, neem ik aan?' Jackie knikte. Karen vervolgde: 'De enige van de vroegere betrokkenen die ik ooit heb ontmoet, is David Soanes, de forensisch deskundige. Hij heeft het werk gedaan, hoewel het zijn baas was die het rapport heeft getekend.'

'Waarom was dat?' vroeg Jackie nonchalant terwijl ze haar best deed om niet te laten merken hoe verrukt ze was over het gemak en de snelheid waarmee ze de gewenste informatie kreeg.

'Dat was de normale praktijk. Het hoofd van het lab tekent de rapporten, ook al heeft hij het bewijsmateriaal misschien niet eens gezien. Het maakt indruk op de jury.'

'Daar gaat je getuige-deskundige,' zei Jackie sardonisch.

'Je doet alles wat nodig is om de slechteriken op te sluiten,' zei Karen.

Uit haar vermoeide toon bleek duidelijk dat ze het volkomen overbodig vond om zich te verdedigen voor zo'n vanzelfsprekend standpunt. 'Maar goed, we hadden het in dit geval niet beter kunnen treffen. David Soanes is een van de meest nauwgezette mensen die ik ooit ben tegengekomen.' Ze glimlachte. 'En tegenwoordig is hij degene die de rapporten van anderen ondertekent. David is nu hoogleraar forensische wetenschappen aan de Universiteit van Dundee. Ze doen al ons forensisch onderzoek.'

'Misschien kan ik met hem praten.'

Karen haalde haar schouders op. 'Hij is behoorlijk benaderbaar. Goed, waar zullen we beginnen?'

Twee voornamelijk saaie uren later lukte het Jackie weg te komen. Ze wist meer dan ze ooit had gewild over de procedures bij de politie van Fife aan het eind van de jaren zeventig. Er was niets frustrerenders dan aan het begin van een gesprek de informatie krijgen die je wilt hebben en dan toch te moeten doorgaan om te voorkomen dat je verborgen agenda wordt ontdekt.

Karen had haar natuurlijk niet het oorspronkelijke forensisch rapport laten zien. Maar dat had Jackie ook niet verwacht. Ze had de informatie gekregen die ze wilde. Nu was het aan Alex om er iets mee te doen.

35

Alex keek omlaag in de draagmand. Ze was hier, waar ze thuishoorde. Hun dochter, in hun huis. Losjes in een witte deken gewikkeld, haar gezichtje gerimpeld in slaap, maakte Davina zijn hart aan het zingen. Ze had niet meer dat magere wat hem de eerste dagen van haar leven zo verontrust had. Nu zag ze eruit als elke andere baby en begon haar gezichtje persoonlijkheid te krijgen. Hij wilde haar elke dag van haar leven tekenen om geen enkele nuance te missen van de veranderingen die ze door zou maken.

Ze vulde zijn zintuigen. Als hij zich naar haar overboog en zijn adem inhield, kon hij het zachte geruis van haar ademhaling horen. Zijn neusvleugels trilden bij de onmiskenbare geur van de baby. Alex wist dat hij van Lynn hield, maar deze overweldigende, beschermende hartstocht had hij nooit eerder gevoeld. Lynn had gelijk; hij moest alles doen wat in zijn vermogen lag om zijn dochter te kunnen zien opgroeien. Hij besloot Paul later te bellen, om deze gedenkwaardige avond met hem te delen. Hij zou het ook gedaan hebben als Ziggy nog had geleefd, en Paul verdiende het te weten dat hij nog steeds deel uitmaakte van hun leven.

Het verre geluid van de deurbel onderbrak zijn toegewijde gedachten. Hij raakte zijn slapende dochter even heel licht aan en verliet toen achteruitlopend de kamer. Hij bereikte de voordeur enkele seconden na Lynn, die als door de bliksem getroffen naar Jackie stond te kijken die voor de deur stond. 'Wat doe jij hier?' vroeg ze.

'Heeft Alex niets gezegd,' zei Jackie lijzig.

'Wat gezegd?' zei Lynn nu tegen Alex.

'Ik heb Jackie gevraagd me te helpen,' zei Alex.

'Dat klopt,' zei Jackie meer geamuseerd dan beledigd.

'Je hebt háár gevraagd?' Lynn deed geen poging haar minachting te verbergen. 'Een vrouw die een motief had om mijn broer te vermoorden en het soort contacten om het te laten doen? Alex, hoe kon je dat doen?'

'Ik heb het gedaan omdat zij er ook belang bij heeft. En dat betekende dat ze ons niet zou verraden om de voorpagina te halen,' zei hij in een poging Lynn te kalmeren voordat Jackie nijdig zou worden en weg zou lopen zonder te hebben verteld wat ze ontdekt had.

'Ik wil haar niet in mijn huis hebben,' zei Lynn resoluut.

Alex stak zijn handen omhoog. 'Goed, dan pak ik mijn jas. We gaan naar het café, als je dat goed vindt, Jackie.'

'Prima. Maakt niet uit. Maar jij betaalt.'

Ze liepen zwijgend de lichte helling af naar het café. Alex was niet geneigd zich te verontschuldigen voor Lynns vijandigheid en Jackie had geen zin om er een punt van te maken. Toen ze met een glas rode wijn aan een tafeltje zaten, trok Alex vragend zijn wenkbrauwen op. 'En? Is het gelukt?'

Jackie zag er zelfvoldaan uit. 'Ik heb de naam van de forensisch wetenschapper die het onderzoek in de zaak Rosie Duff heeft gedaan. En het mooie is dat hij nog steeds actief is. Hij is hoogleraar aan Dundee. Hij heet David Soanes en hij is kennelijk verdomd goed.'

'En wanneer kun je hem opzoeken?' vroeg Alex.

'Ik ga hem niet opzoeken, Alex, dat is jouw taak.'

'Mijn taak? Ik ben geen journalist. Waarom zou hij met mij willen praten?'

'Jij bent degene die er belang bij heeft. Je doet een beroep op zijn goedheid en vraagt om alle informatie die hij kan geven om de zaak verder te helpen.'

'Ik weet niet hoe ik een interview moet doen,' protesteerde Alex.

'En waarom zou Soanes me iets vertellen? Hij zal niet willen dat het eruitziet alsof destijds dingen over het hoofd zijn gezien.'

'Alex, je hebt me overgehaald om mijn nek voor je uit te steken, en eerlijk gezegd ben ik nou niet bepaald gesteld op jou of je beledigende, kleingeestige vrouw. Dus ik denk dat jij David Soanes wel zover kunt krijgen dat hij je vertelt wat je wilt weten. Vooral omdat je niet vraagt naar dingen die hij over het hoofd heeft gezien. Je zult vragen naar dingen die niet geschikt waren om verder te onderzoeken en die hij terecht niet in zijn rapport heeft opgenomen. Als hij zijn werk belangrijk vindt, zal hij je willen helpen. Hij zal waarschijnlijk minder geneigd zijn met een journalist te praten, die hem als onbekwaam zou kunnen afschilderen.' Jackie nam een slok wijn, trok een gezicht en stond op. 'Laat me het weten als je iets hebt dat mij vrijpleit.'

Lynn zat in de serre naar de lichten op het water te kijken. Er hing een zwakke krans van vochtige lucht omheen, die ze mysterieuzer maakte dan ze verdienden. Ze hoorde de voordeur dichtvallen en Alex' roep: 'Ik ben thuis.' Maar voordat hij zich bij haar kon voegen, galmde de bel weer. Wie het ook mocht zijn, ze was niet in de stemming.

Mompelende stemmen werden duidelijker naarmate ze dichterbij kwamen, maar ze wist nog steeds niet wie hun meest recente bezoeker was. Toen ging de deur open en stapte Weird naar binnen. 'Lynn,' riep hij, 'ik hoor dat je me een prachtige dochter kunt laten zien.'

'Weird,' riep Lynn met een verbaasd gezicht. 'Je bent de laatste die ik hier verwachtte.'

'Mooi,' zei hij, 'laten we hopen dat iedereen dat denkt.' Hij keek haar bezorgd aan. 'Hou je het een beetje vol?'

Lynn leunde naar achteren in zijn omhelzing. 'Ik weet dat het raar klinkt als je nagaat hoe weinig contact we met Mondo hadden, maar ik mis hem.'

'Natuurlijk mis je hem. We missen hem allemaal. En dat zal altijd zo blijven. Hij was een deel van ons en nu niet meer. De wetenschap dat hij nu bij de Heer is, biedt weinig troost voor wat we verloren hebben.' Ze waren even stil en Lynn maakte zich los uit zijn armen.

'Maar wat doe je hier?' vroeg ze. 'Ik dacht dat je na de begrafenis meteen terug was gegaan naar Amerika.'

'Dat heb ik ook gedaan. Ik heb mijn vrouw en kinderen naar de bergen gestuurd, waar ze veilig zijn voor iedereen die iets met mij te vereffenen heeft. En daarna ben ik zelf verdwenen. Ik ben de grens overgegaan naar Mexico. Lynn, ga nooit naar Tijuana tenzij je een maag van ijzer hebt. Ze hebben het slechtste eten van de hele wereld, maar wat de ziel niet kan verteren is de botsing tussen de extravagante rijkdom van de Verenigde Staten tegenover de verpletterende armoede van die Mexicanen. Ik schaamde me voor mijn geadopteerde landgenoten. Wist je dat de Mexicanen zelfs strepen op hun ezels schilderen, zodat ze op zebra's lijken en de toeristen met ze op de foto kunnen? Daar hebben we ze al toe gedreven.'

'Bespaar ons de preek, Weird. Waar kom je voor?' zei Lynn.

Weird grijnsde. 'Ik was vergeten hoe rechtdoorzee je kunt zijn, Lynn. Goed, ik voelde me behoorlijk ongemakkelijk na Mondo's begrafenis, dus heb ik een privédetective uit Seattle ingehuurd. Ik wilde weten wie die krans naar Ziggy's begrafenis heeft gestuurd. En hij is met een antwoord gekomen. En dat antwoord gaf me een goede reden om weer hierheen te gaan. Bovendien bedacht ik dat dit zo ongeveer de laatste plek is waar iemand die me zoekt me verwacht te vinden. Veel te dicht bij huis.'

Alex sloeg zijn ogen ten hemel. 'Je hebt echt wat theatrale trucs geleerd in de loop der jaren, hè? Ga je ons nog vertellen wat je hebt ontdekt?'

'De man die de kransen heeft gestuurd, woont hier in Fife. St Monans, om precies te zijn. Ik weet niet wie hij is, of welk verband er is tussen hem en Rosie Duff, maar hij heet Graham Macfadyen.'

Alex en Lynn wisselden een ongeruste blik uit. 'Wij weten wie hij is,' zei Alex. 'Of we hebben daar een betrouwbaar vermoeden van.'

Nu was het Weirds beurt om verbaasd en gefrustreerd te zijn. 'Is dat zo? Hoe?'

'Het is de zoon van Rosie Duff,' zei Lynn.

Weirds ogen werden groot. 'Had ze een zoon?'

'Niemand wist toen van zijn bestaan. Hij is bij de geboorte geadopteerd. Hij moet drie of vier zijn geweest toen ze stierf,' zei Alex.

'Lieve hemel,' zei Weird. 'Nou, dat is dan te begrijpen. Ik neem aan dat hij pas kortgeleden over de moord op zijn moeder heeft gehoord.'

'Hij is bij Lawson op bezoek geweest toen de onopgeloste moordzaken heropend werden. Hij was net een paar maanden daarvoor aan de zoektocht naar zijn biologische moeder begonnen.'

'Daar is zijn motief, als hij dacht dat jullie haar hebben vermoord,' zei Lynn. 'We moeten meer te weten komen over die Macfadyen.'

'We moeten te weten komen of hij in de VS was in de week waarin Ziggy stierf,' zei Alex.

'Hoe komen we daarachter?' vroeg Lynn.

Weird hief zijn hand op. 'Delta is in Atlanta gevestigd. Een van mijn gelovigen heeft daar een behoorlijk hoge positie. Hij kan misschien aan passagierslijsten komen. Kennelijk wisselen de luchtvaartmaatschappijen voortdurend dat soort informatie uit. En ik heb het creditcardnummer van Macfadyen, wat de dingen kan versnellen. Ik bel hem straks als dat goed is.'

'Natuurlijk,' zei Alex. Toen hield hij zijn hoofd scheef. 'Is dat Davina die ik hoor?' Hij liep naar de deur. 'Ik haal haar even op.'

'Goed werk, Weird,' zei Lynn. 'Ik heb je nooit voor een methodisch onderzoeker aangezien.'

'Je vergeet dat ik een wiskundige was en een verdomd goeie. Al het andere was gewoon een wanhopige poging om niet op mijn vader te lijken. Wat ik godzijdank heb weten te voorkomen.'

Alex kwam terug met een zachtjes huilende Davina in zijn armen. 'Ik denk dat ze honger heeft.'

Weird stond op en keek naar het kleine bundeltje. 'Och heden,' zei hij met zachte stem. 'Wat een schoonheidje.' Hij keek Alex aan. 'Nu weet je waarom ik zo vastbesloten ben om hier levend uit te komen.'

Van onder de brug volgde Macfadyen het tafereel beneden hem. Het was een bewogen avond geweest. Eerst was de vrouw komen opdagen. Hij had haar bij de begrafenis gezien, had de weduwe Kerr in haar auto zien vertrekken. Hij had hen gevolgd naar een appartement in de Merchant City, en toen, een paar dagen later, had hij Gilbey naar datzelfde appartement gevolgd. Hij vroeg zich af wat het verband was, hoe zij in het ingewikkelde patroon paste. Was ze alleen een vriendin van de familie? Of was ze meer dan dat?

Maar wat ze ook was, ze was kennelijk niet welkom geweest. Gilbey en zij waren naar het café gegaan, maar waren daar amper lang genoeg gebleven om één glas te drinken. En toen Gilbey net thuis was gekomen, was de echte verrassing verschenen. Mackie was terug. Hij had veilig weggestopt moeten zitten in Georgia en voor zijn gelovigen moeten zorgen. Maar daar was hij, terug in Fife, en in gezelschap van zijn medesamenzweerder. Je verliet je huis en omgeving niet tenzij je een goede reden had.

Het was bewijs. Je kon het zien aan de uitdrukkingen op hun gezichten. Dit was geen vrolijke hereniging van vrienden. Dit was geen vreugdevolle bijeenkomst om de thuiskomst uit het ziekenhuis van Gilbeys dochter te vieren. Die twee hadden iets te verbergen, iets dat hen bijeenbracht in deze tijd van crisis. Angst had hen in elkaars baan gebracht. Ze waren doodsbang dat de wraakengel die hun medemoordenaars te pakken had genomen op het punt stond hen met een bezoek te vereren. En ze kropen bij elkaar om zich veilig te voelen.

Macfadyen glimlachte grimmig. De koude hand van het verleden strekte zich onverbiddelijk uit naar Gilbey en Mackie. Die zouden vannacht niet rustig slapen. En zo hoorde het ook. Hij had plannen voor hen. En hoe banger ze nu waren, hoe beter het zou zijn als die plannen tot uitvoering zouden komen.

Ze hadden vijfentwintig jaar rust gehad, wat meer was, veel meer, dan waar zijn moeder ooit van had mogen genieten. Nu was het voorbij.

36

De dag brak somber en grijs aan; het uitzicht van North Queensferry werd belemmerd door een troosteloze zeemist. Ergens in de verte brulde een misthoorn zijn droevige waarschuwing als een koe die om een dood kalf rouwt. Ongeschoren en suf door onderbroken slaap zat Alex met zijn ellebogen op de ontbijttafel geleund naar Lynn te kijken, die Davina voedde. 'Was dat een goede of een slechte nacht?' vroeg hij.

'Ik denk dat het een gemiddelde nacht was,' zei Lynn door een geeuw heen. 'Op deze leeftijd moeten ze om de paar uur gevoed worden.'

'Eén uur, halfvier, halfzeven. Weet je zeker dat het een baby is en geen jan-van-gent?'

Lynn grinnikte. 'Hoe snel verdwijnt de ontluikende liefde,' zei ze plagend.

'Als dat waar was, had ik het kussen over mijn hoofd getrokken en was ik weer gaan slapen in plaats van thee voor jou te zetten en haar luier te verschonen,' zei Alex verdedigend.

'Als Weird hier niet was, zou je in de logeerkamer kunnen slapen.'

Alex schudde zijn hoofd. 'Dat wil ik niet. We zien wel hoe het gaat.'

'Je hebt je slaap nodig. Je hebt een zaak die je moet leiden.'

Alex snoof. 'Je bedoelt als ik niet het halve land doorrijd om met forensisch deskundigen te praten?'

'Ja, dat bedoel ik. Vind je het niet raar dat Weird hier is?'

'Waarom zou ik het raar vinden?'

'Ik vroeg het me af. Ik ben van nature argwanend. Je weet dat ik altijd gedacht heb dat hij de enige van de vier was die Rosie vermoord zou kunnen hebben. Dus ik voel me een beetje ongemakkelijk nu hij zo ineens is komen opdagen.'

Alex leek hier verlegen mee te zijn. 'Dat is toch juist een teken dat hij het niet heeft gedaan. Wat voor motief zou hij kunnen hebben om ons na vijfentwintig jaar te vermoorden?'

'Misschien heeft hij van het nieuwe onderzoek naar de onopgeloste zaken gehoord en was hij bang dat een van jullie vieren alsnog met de vinger naar hem zou wijzen.'

'Je gaat altijd tot het uiterste, hè? Hij heeft haar niet vermoord, Lynn. Hij heeft het niet in zich.'

'Mensen doen verschrikkelijke dingen als ze onder invloed zijn van drugs. Als ik het me goed herinner, was Weird op dat gebied altijd overal voor in. Hij had de Land Rover; zij kende hem waarschijnlijk goed genoeg om zich door hem naar huis te laten brengen. En toen was er ineens die dramatische bekering. Het kan schuldgevoel zijn geweest, Alex.'

Hij schudde zijn hoofd. 'Hij is mijn vriend. Ik zou het geweten hebben.'

Lynn zuchtte. 'Je hebt waarschijnlijk gelijk. Ik laat me weleens meeslepen. Ik ben gewoon erg gespannen. Het spijt me.'

Terwijl ze nog sprak, kwam Weird binnenlopen. Hij had zich gedoucht en geschoren en was een toonbeeld van gezondheid en kracht. Alex wierp één blik op hem en kreunde. 'O god, het is Tijgetje.'

'Dat is een heerlijk bed,' zei Weird terwijl hij om zich heen keek en het koffiezetapparaat ontwaarde. Hij liep de keuken door en begon kastdeurtjes te openen tot hij de bekers had gevonden. 'Ik heb geslapen als een baby.'

'Dat denk ik niet,' zei Lynn. 'Tenzij je elke drie uur huilend wakker bent geworden. Hoor je geen jetlag te hebben?'

'Nooit van mijn leven last van gehad,' zei Weird monter terwijl hij zijn koffie inschonk. 'Zo, Alex, wanneer vertrekken we naar Dundee?'

Alex kwam overeind. 'Ik zal eens gaan bellen om een afspraak te maken.'

'Ben je gek? Wil je die vent de kans geven om nee te zeggen?' zei Weird terwijl hij in de broodtrommel rommelde. Hij haalde er een driehoekig haverbroodje uit en smakte met zijn lippen. 'Mmm, die heb ik jaren niet gegeten.'

'Doe of je thuis bent,' zei Alex.

'Dat doe ik,' zei Weird terwijl hij in de koelkast naar boter en kaas zocht. 'Nee, Alex. Niet bellen. We gaan er gewoon heen en maken duidelijk dat we niet weggaan voordat professor Soanes tijd voor ons heeft gemaakt.'

'Wat? En hem afschrikken?' Alex kon het niet laten om Weirds Amerikaanse accent na te doen, dat trouwens na één nacht al duidelijk Schotser was geworden.

'Ha ha.' Weird had een bord en een mes gevonden en ging aan tafel zitten.

'Denk je niet dat dat hem toch wel een beetje nijdig kan maken?' vroeg Lynn.

'Ik denk dat hij daardoor begrijpt dat het ons menens is,' zei Weird. 'Ik denk dat dat het gedrag is dat je kunt verwachten van twee mannen die voor hun leven vrezen. Dit is niet het moment om beleefd, aardig en gehoorzaam te zijn. Het is tijd om te zeggen: "We zijn echt bang en u kunt ons helpen."'

Alex trok een gezicht. 'Weet je wel zeker dat je met me mee wilt?' De blik die Weird hem toewierp, zou zelfs een puber tot zwijgen hebben gebracht. Alex hief in overgave zijn handen op. 'Oké. Geef me een halfuur.'

Lynn keek hem ongerust na.

'Maak je geen zorgen, Lynn. Ik pas op hem.'

Lynn snoof van het lachen. 'O, alsjeblieft, Weird, laat dat niet mijn enige hoop zijn.'

Hij slikte een mondvol haverbrood door en keek haar aan. 'Ik ben echt niet meer degene die je je herinnert, Lynn,' zei hij ernstig. 'Vergeet de tienerrebellie. Vergeet het overmatige drinken en de drugs. Denk aan het feit dat ik altijd mijn huiswerk maakte en mijn opdrachten op tijd inleverde. Ik leek alleen maar te ontsporen. Achter al die dingen was ik net zo'n fatsoenlijke burger als Alex. Ik weet dat jullie het allemaal lachwekkend vinden om een tv-dominee op je kerstkaartenlijst te hebben staan, en het zijn nog mooie kaarten ook. Maar achter al het vertoon ben ik serieus in wat ik geloof en wat ik doe. Als ik zeg dat ik op Alex pas, kun je erop vertrouwen dat hij zo veilig bij mij is als bij wie dan ook.'

Kalmer, maar zonder dat haar argwaan helemaal verdwenen was, bracht Lynn haar dochter van de ene borst over naar de andere. 'Kijk eens, schatje.' Haar gezicht vertrok bij het nog niet vertrouwde gevoel van de harde kaken die zich om haar tepel klemden. 'Het spijt me, Weird. Het is gewoon moeilijk om de periode uit mijn hoofd te zetten waarin ik je het best heb gekend.'

Hij nam zijn laatste slok koffie en stond op. 'Dat weet ik. Ik zie jou nog steeds als dat gekke kleine meisje dat van David Cassidy droomde.'

'Gemenerik,' zei ze.

'Ik trek me even terug om te bidden,' zei hij. 'Alex en ik kunnen alle hulp gebruiken die we kunnen krijgen.'

De buitenkant van het Old Fleming Gymnasium week zo af van het beeld dat Alex van een forensisch laboratorium had als maar mogelijk was. Het stond weggestopt in een smalle steeg en het Victoriaanse zandsteen was zwaar verkleurd door een eeuw van luchtvervuiling. Het was geen onaantrekkelijk gebouw. Het had maar één verdieping, die mooie grote Italiaansachtige boogramen had. Het zag er alleen niet uit als het onderkomen van geavanceerde forensische wetenschap.

Weird had duidelijk dezelfde indruk. 'Weet je zeker dat het hier is?' vroeg hij, aarzelend aan het begin van de steeg.

Alex gebaarde naar de overkant van de straat. 'Daar is het OTI-café. Volgens de website van de universiteit moesten we daar afslaan.'

'Het ziet er meer uit als een bank dan als een gymnasium of een laboratorium.' Desondanks volgde hij Alex de steeg in.

De receptie gaf ook niet meer duidelijkheid. Een jongeman met een ernstige vorm van psoriasis en gekleed als een beatnik uit de jaren vijftig zat achter een bureau op het toetsenbord van een computer te tikken. Hij gluurde naar hen over het zware zwarte montuur van zijn bril 'Kan ik u helpen?' zei hij.

'We vragen ons af of we professor Soanes even zouden kunnen spreken,' zei Alex.

'Hebt u een afspraak?'

Alex schudde zijn hoofd. 'Nee, maar we zouden het zeer op prijs stellen als hij even tijd voor ons had. Het gaat over een oude zaak waaraan hij heeft gewerkt.'

De jongeman bewoog zijn hoofd vloeiend heen en weer als een Indiase danser. 'Ik denk niet dat dat mogelijk is. Hij heeft het erg druk,' zei hij.

Weird boog zich naar voren. 'Wij ook,' zei hij. 'En waar we het over willen hebben, is een zaak van leven of dood.'

'Hemel,' zei de jongeman. 'De Tommy Lee Jones van Tayside.' Het had beledigend kunnen klinken, maar hij zei het met een geamuseerde bewondering die elke kwaadwilligheid wegnam.

Weird keek hem strak aan. 'We kunnen wachten,' kwam Alex tussenbeide voordat er vijandelijkheden zouden uitbreken.

'Dat zal wel moeten. Hij geeft college op dit moment. Ik zal even naar zijn rooster kijken voor vandaag.' Hij ratelde over het toetsenbord. 'Kunt u om drie uur terugkomen?' vroeg hij na een paar seconden.

Weird zei kwaad: 'En vijf uur in Dundee zien zoet te brengen?'

'Dat is geweldig,' zei Alex terwijl hij Weird een dreigende blik toewierp. 'Kom op, Tom.' Ze lieten hun namen achter, de bijzonderheden van de zaak en Alex' mobiele nummer en gingen weg.

'Je kunt ook de charme zelf zijn,' zei Alex terwijl ze terugliepen naar de auto.

'Maar het is gelukt. Als het aan meneer de Smeker had gelegen, hadden we blij mogen zijn als we hem voor het eind van het trimester hadden kunnen spreken. Goed, wat gaan we de komende vijf uur doen?'

'We zouden naar St Andrews kunnen gaan,' zei Alex. 'We hoeven alleen maar de brug over.'

Weird bleef stokstijf staan. 'Is dat een grap?'

'Nee, ik ben nooit serieuzer geweest. Ik denk dat het geen kwaad kan als we de omgeving nog eens bekijken. We hoeven tenslotte niet bang te zijn dat iemand ons herkent na al die jaren.'

Weirds hand ging naar de plaats op zijn borst waar normaal gesproken zijn kruis hing. Hij ergerde zich aan zichzelf toen zijn hand alleen maar de stof van zijn overhemd vond. 'Oké,' zei hij, 'maar bij de Flessenhals blijf ik uit de buurt.'

Het was een vreemde, verwarrende ervaring om St Andrews binnen te rijden. Om te beginnen hadden ze als student geen auto gehad en hadden het stadje dus nooit vanuit het perspectief van een automobilist gezien. Daarnaast leidde de weg naar het centrum langs gebouwen die er toen niet hadden gestaan. Het betonnen bouwwerk van het Old Course Hotel, de neoklassieke cilinder van het St Andrews Universiteitsmuseum, het Sea Life Centre achter het eeuwig onverbiddelijke Royal & Ancient Clubhouse, de golftempel in eigen persoon. Weird staarde ongemakkelijk uit het raam. 'Het is veranderd.'

'Natuurlijk is het veranderd. Het is bijna een kwart eeuw later.'

'Ik neem aan dat jij vaak genoeg terug bent geweest?'

Alex schudde zijn hoofd. 'Ik ben hier in geen twintig jaar in de buurt geweest.' Hij reed langzaam over The Scores en perste zijn

BMW ten slotte op een parkeerplaats die net verlaten was door een vrouw met een Renault.

Ze stapten zwijgend uit en begonnen de ooit vertrouwde straten door te lopen. Het was, dacht Alex, een beetje hetzelfde als Weird na al die jaren terugzien. De botstructuur was hetzelfde. Je kon hem niet voor iemand anders aanzien of iemand anders voor hem. Maar het oppervlak was anders. Sommige veranderingen waren subtiel, andere grof. En lopen door St Andrews was net zo. Sommige winkels waren nog op dezelfde plek en hadden nog dezelfde gevels. Paradoxaal genoeg waren dat de winkels die niet leken te passen, alsof ze op de een of andere manier waren blijven stilstaan terwijl de rest van de stad met haar tijd was meegegaan. De snoepwinkel was er nog, een monument voor de nationale zin in zoetigheid. Alex herkende het restaurant waar ze hun eerste Chinese maaltijd hadden gegeten, waarvan de smaken vreemd en verwarrend waren geweest voor gehemeltes die verdoofd waren door de gewone stevige pot. Ze waren een viertal geweest destijds, luchthartig en zelfverzekerd, zonder ook maar het geringste gevoel dat er iets onheilspellends in de lucht hing. *En toen waren er nog twee.*

Aan de universiteit viel niet te ontkomen. Een derde van de inwoners van dit stadje met zestienduizend zielen verdiende zijn brood via de universiteit, en als de gebouwen zomaar ineens tot stof waren vergaan, zou er een dorp met grote gaten zijn overgebleven. Studenten haastten zich door de straten, de incidentele, opvallende rode flanellen mantel om de eigenaar geslagen tegen de kou. Het was bijna onvoorstelbaar dat ze ooit hetzelfde hadden gedaan. Ineens kwam er een herinnering bij Alex boven: Ziggy en Mondo die in de kledingzaak hun nieuwe mantels pasten. Alex en Weird hadden genoegen moeten nemen met tweedehands exemplaren, maar ze hadden van de gelegenheid gebruik gemaakt om zich voor een goed doel te misdragen en hadden het geduld van het winkelpersoneel hevig op de proef gesteld. Het voelde allemaal vreemd en ver nu, alsof het geen herinnering maar een film was.

Toen ze de West Port naderden, vingen ze door de stenen bogen van de massieve poort een glimp op van de vertrouwde gevel van de Lammas Bar. Weird bleef op slag staan. 'Dit wordt me te veel. Ik kan hier niet tegen, Alex. Laten we weggaan.'

Alex was niet bepaald ongelukkig met het voorstel. 'Terug naar Dundee, dan?'

'Nee, ik heb een ander idee. Ik ben voor een deel teruggekomen omdat ik die Graham Macfadyen eens even wil spreken over de kransen. St Monans is niet zo ver, toch? Laten we eens gaan kijken wat hij voor verklaring heeft.'

'Het is midden op de dag. Hij zal op zijn werk zijn,' zei Alex terwijl hij sneller ging lopen om Weird bij te houden, die met grote passen terugliep naar de auto.

'We kunnen op z'n minst kijken waar hij woont. En misschien kunnen we teruggaan nadat we professor Soanes hebben gesproken.' Als Weird in deze stemming was, viel er niet tegen hem in te gaan, dacht Alex berustend.

Macfadyen begreep niet waar ze mee bezig waren. Hij had vanaf zeven uur die ochtend bij Gilbeys huis geposteerd en had een warme gloed van tevredenheid gevoeld toen ze met z'n tweeën in de auto waren vertrokken. De samenzweerders waren duidelijk iets van plan. Hij had hen door Fife en naar Dundee gevolgd en toen naar Small's Wynd. Zodra ze het oude zandstenen bouwwerk waren binnengegaan, was hij hen haastig achternagelopen. Op het bord bij de deur stond FACULTEIT FORENSISCHE WETENSCHAPPEN, wat hem deed weifelen. Waar waren ze naar op zoek? Waarom waren ze hier?

Wat het ook mocht zijn, het kostte niet veel tijd. Binnen tien minuten stonden ze weer op straat. Hij raakte ze bijna kwijt op de weg naar de Taybrug, maar had ze weer te pakken toen ze langzaam de weg naar St Andrews opdraaiden. Parkeren was daar een beetje problematisch geweest, en uiteindelijk had hij zijn auto voor iemands oprit gezet.

Hij had ze door het stadje gevolgd. Ze leken geen bepaald doel te hebben. Ze waren een paar keer op hun schreden teruggekeerd en waren door North Street, Market Street en South Street gelopen. Gelukkig was Mackie zo lang dat je hem overal zag en waren ze niet moeilijk te volgen. Toen was het ineens tot hem doorgedrongen dat deze ogenschijnlijk doelloze wandeling hen steeds dichter bij de West Port bracht. Ze gingen naar de Lammas Bar. Ze hadden verdomme het brutale lef om een bezoek te brengen aan de tent waar ze hun oog op zijn moeder hadden laten vallen.

Hoewel het een vochtige, koude dag was, stond het zweet op Macfadyens bovenlip. De aanwijzingen voor hun schuld vermenigvuldigden zich met het uur. Onschuld had hen ver uit de buurt van de Lammas Bar gehouden, onschuld en respect. Maar schuld zou hen er als een magneet naartoe trekken, daar was hij zeker van.

Hij was zo in gedachten verzonken dat hij bijna recht tegen hen aan liep. Ze waren midden op de stoep ineens blijven staan en hij was doorgelopen. Met bonzend hart en afgewend hoofd stapte Macfadyen langs hen heen. Hij dook een winkelportiek in en keek achterom, zijn klamme handen tot vuisten gebald in zijn zakken. Hij kon zijn ogen niet geloven. Ze hadden het niet aangedurfd. Ze hadden de West Port de rug toegekeerd en liepen met grote stappen door South Street terug in de richting waar ze vandaan waren gekomen. Hij moest het bijna op een draven zetten om ze in het oog te houden terwijl ze door een serie kleine straatjes en stegen liepen. Hun keuze voor achterafweggetjes in plaats van de bredere straten leek Macfadyen een schuldig geweten toe te schreeuwen. Gilbey en Mackie verstopten zich voor de wereld, verborgen zich voor de beschuldigende blikken die ze zich in elke straat moesten voorstellen. Tegen de tijd dat hij terug was bij zijn eigen auto, reden ze al in de richting van de kathedraal. Vloekend ging Macfadyen achter het stuur zitten en startte de motor. Hij was bijna achter hen toen het lot hem een gemene klap uitdeelde. Onder aan Kinkell Braes waren wegwerkzaamheden gaande en de ene baan die in gebruik was werd bediend door verkeerslichten. Gilbey schoot er nog net doorheen voordat het licht op rood sprong, alsof hij wist dat hij moest ontsnappen. Als er geen auto tussen hen was geweest, had Macfadyen het risico genomen en was hij door rood gereden. Maar zijn doorgang werd belemmerd door een busje van een bedrijf in reserveonderdelen voor auto's. Hij sloeg woest met zijn vuist op het stuur en wachtte briesend tot de minuten weggetikt waren en het licht weer op groen sprong. Het busje kroop de heuvel op, met Macfadyen in zijn kielzog. Maar hij kon pas kilometers verder inhalen en wist diep vanbinnen dat hij Gilbeys BMW nooit meer te pakken zou krijgen.

Hij had kunnen huilen. Hij had geen idee waar ze naartoe gingen. Niets gedurende hun verbijsterende ochtend bood daar enige aanwijzing voor. Hij overwoog naar huis te gaan, op zijn computers te kijken of er nog nieuws was. Maar dat leek hem zinloos. Het internet zou hem niet vertellen waar Gilbey en Mackie waren.

Het enige waar hij zeker van kon zijn, was dat ze vroeg of laat terug zouden gaan naar North Queensferry. Zichzelf vervloekend om zijn domheid, besloot Macfadyen dat hij net zo goed die kant op kon gaan.

Het moment waarop Graham Macfadyen de afslag passeerde die hem thuis zou hebben gebracht, zaten Weird en Alex voor zijn huis. 'Tevreden?' zei Alex. Weird was al stiekem het pad opgelopen en had zonder resultaat op de deur gebonst. Daarna was hij om het huis heen gelopen en had door de ramen gegluurd. Alex was ervan overtuigd dat de politie, gewaarschuwd door nieuwsgierige buren, elk moment kon komen opdagen. Maar dit was niet het soort wijk waar mensen woonden die de hele dag thuis waren.

'We weten hem nu in elk geval te vinden,' zei Weird. 'Hij lijkt alleen te wonen.'

'Waarom denk je dat?'

Weird keek hem verbaasd aan.

'Niets vrouwelijks?'

'Helemaal niets,' zei Weird. 'Oké, je had gelijk. Het was tijdverspilling.' Hij keek op zijn horloge. 'Laten we op zoek gaan naar een fatsoenlijk café en iets eten. En dan gaan we terug naar het mooie Dundee.'

37

Professor David Soanes was een dikkige prop van een man. Met zijn rode wangen, een rand van krullend wit haar rond een glimmende kale knikker en blauwe glinsterende oogjes vertoonde hij een verwarrende gelijkenis met een gladgeschoren kerstman. Hij leidde Alex en Weird naar een kleine kamer waarin amper plaats was voor zijn bureau en een paar bezoekersstoelen. De kamer was spartaans ingericht, met als enige versiering een certificaat dat Soanes tot een burger van Srebrenica verklaarde. Alex wilde niet nadenken over wat hij misschien had moeten doen om die eer te hebben verdiend.

Soanes gebaarde hen naar de stoelen en installeerde zichzelf achter zijn bureau, waarbij zijn ronde buik tegen de rand drukte. Hij tuitte zijn lippen en keek hen aan. 'Fraser vertelde me dat u over de zaak Rosemary Duff wilt praten,' zei hij na een korte stilte. Zijn stem was rijk en vol als een dickensiaanse kerstpudding. 'Ik heb eerst een paar vragen voor u beiden.' Hij keek even omlaag naar een vel papier. 'Alex Gilbey en Tom Mackie, is dat juist?'

'Dat is juist,' zei Alex.

'En u bent geen journalisten?'

Alex viste een visitekaartje uit zijn zak en gaf het aan hem. 'Ik heb een bedrijf dat wenskaarten maakt. Tom is predikant. We zijn geen journalisten.'

Soanes bekeek het kaartje nauwkeurig en hield het schuin om te kijken of het reliëfwerk echt was. Hij trok één borstelige witte wenkbrauw op. 'Waarom bent u geïnteresseerd in de zaak Rosemary Duff?' vroeg hij abrupt.

Weird boog zich naar voren. 'Wij zijn twee van de vier jongens die haar vijfentwintig jaar geleden stervend in de sneeuw hebben gevonden. U hebt wellicht onze kleren onder uw microscoop gehad.'

Soanes hield zijn hoofd ietsje scheef. De rimpels in zijn ooghoeken verstrakten bijna onwaarneembaar. 'Dat is lang geleden. Waarom bent u hier nu?'

'We denken dat we op iemands zwarte lijst staan,' zei Weird.

Deze keer trok Soanes beide wenkbrauwen op. 'Ik begrijp het niet. Wat heeft dat met mij of Rosemary Duff te maken?'

Alex legde een hand op Weirds arm. 'We waren er die nacht met z'n vieren, en twee van die vier zijn dood. Allebei gestorven in de afgelopen zes weken. Allebei vermoord. Ik weet dat dat toeval kan zijn. Maar bij beide begrafenissen was er een identieke krans met een kaartje waarop stond "Rozemarijn ter herinnering". En wij denken dat die kransen gestuurd zijn door de zoon van Rosie Duff.'

Soanes fronste zijn voorhoofd. 'Ik denk dat u op het verkeerde adres bent, heren. U moet bij de politie van Fife zijn, die momenteel oude zaken waaronder deze opnieuw onderzoekt.'

Alex schudde zijn hoofd. 'Dat heb ik al geprobeerd. Adjunct-hoofdcommissaris Lawson gaf me min of meer te verstaan dat ik volgens hem paranoïde ben. Dat toeval nou eenmaal voorkomt en dat ik weg moest gaan en me geen zorgen moest maken. Maar volgens mij vergist hij zich. Ik denk dat iemand ons aan het vermoorden is omdat hij denkt dat wij de dood van Rosie op ons geweten hebben. En de enige manier die ik kan bedenken om ons van elke verdenking te zuiveren is degene vinden die het echt heeft gedaan.'

Bij het noemen van Lawsons naam gleed er een ondoorgrondelijke uitdrukking over Soanes' gezicht. 'Toch begrijp ik niet helemaal waarom u hier bent. Mijn persoonlijke betrokkenheid bij de zaak is vijfentwintig jaar geleden opgehouden.'

'Het heeft te maken met het feit dat ze het bewijsmateriaal kwijt zijn,' kwam Weird ertussen, die nooit lang zonder het geluid van zijn eigen stem kon.

'Ik denk dat u zich vergist. We hebben kortgeleden nog een bewijsstuk onderzocht. Maar onze tests voor DNA waren negatief.'

'Dat was het vest,' zei Alex. 'Maar de belangrijke dingen, de kleren met bloed en sperma erop, zijn zoekgeraakt.'

Het was duidelijk dat Soanes' belangstelling plotseling gewekt was. 'Ze zijn de oorspronkelijke bewijsstukken kwijtgeraakt?'

'Dat is wat adjunct-hoofdcommissaris Lawson mij heeft verteld,' zei Alex.

Soanes schudde ongelovig zijn hoofd.

'Beangstigend,' zei hij. 'Maar niet geheel verbazingwekkend onder de huidige leiding.' Zijn voorhoofd rimpelde in een afkeurende frons. Alex vroeg zich af wat de politie van Fife nog meer had gedaan dat de goedkeuring van Soanes blijkbaar niet weg kon dragen. 'Tja, zonder het belangrijkste bewijsmateriaal vraag ik me af wat ik nog voor u kan doen.'

Alex haalde diep adem. 'Ik weet dat u de zaak oorspronkelijk hebt onderzocht. En ik heb begrepen dat forensisch deskundigen niet altijd alle gegevens in hun rapporten opnemen. Ik vraag me af of er iets is wat u destijds niet hebt vermeld. Ik denk hierbij vooral aan verf. Want het enige dat ze niet kwijt zijn geraakt is het vest. En nadat ze dat gevonden hadden, kwamen ze naar ons huis om verfmonsters te nemen.'

'En waarom zou ik u over zoiets vertellen, aangenomen dat er zoiets heeft plaatsgevonden? Het is niet bepaald de normale praktijk. We zouden tenslotte kunnen stellen dat u met z'n vieren verdachten waren.'

'We waren getuigen, geen verdachten,' zei Weird kwaad. 'En u zou het moeten doen omdat u, als wij vermoord worden, grote moeite zult hebben om de dingen in het reine te brengen met God en uw geweten.'

'En omdat wetenschappers geacht worden om de waarheid te geven,' voegde Alex eraan toe. *Het is tijd om het erop te wagen*, dacht hij. 'En ik heb het gevoel dat u een man bent die de waarheid serieus neemt. Dit in tegenstelling tot de politie, die over het algemeen alleen een resultaat wil.'

Soanes zette een elleboog op zijn bureau en streek over zijn onderlip, waardoor het binnenste, vochtige, vlezige deel te zien was. Hij keek hen aan alsof hij intens nadacht. Toen ging hij gedecideerd overeind zitten en sloeg de kartonnen map open, het enige andere voorwerp dat op zijn bureau lag. Hij wierp een blik op de inhoud en keek hen toen in hun afwachtende ogen. 'Mijn rapport behandelt voornamelijk bloed en sperma. Het bloed was uitsluitend van Rosie Duff, het sperma werd verondersteld van de moordenaar te zijn. Aangezien degene van wie het sperma afkomstig was een secretor was, konden we diens bloedgroep vaststellen.' Hij bladerde een paar bladzijden verder. 'Er zijn wat vezels gevonden. Van goedkope bruine vloerbedekking en wat antracietgrijze vezels van tapijt dat door verscheidene autofabrikanten in hun middenklasse-auto's wordt gebruikt. Een paar hondenharen die afkomstig bleken te zijn van de springerspaniël van de baas van het café waar ze werkte. Dat alles is volledig behandeld in mijn rapport.'

Hij zag Alex' teleurgestelde blik en glimlachte even. 'En dan zijn er mijn aantekeningen.'

Hij trok er een bundeltje met de hand geschreven papieren uit. Hij keek er even met samengeknepen ogen naar, haalde toen een leesbril met gouden montuur uit zijn vestzak en zette hem op zijn neus. Mijn handschrift is altijd een beetje lastig geweest,' zei hij droog. 'Ik heb hier in jaren niet naar gekeken. Eens kijken, waar zijn we...? Bloed... sperma... modder.' Hij draaide een paar bladzijden om die beschreven waren in een klein, dicht handschrift. 'Haren... Daar is het. Verf.' Hij tikte met zijn vinger op het papier. Hij keek op. 'Wat weet u van verf?'

'Emulsie voor muren, lak voor houtwerk,' zei Weird. 'Dat is wat ik van verf weet.'

Soanes glimlachte voor het eerst. 'Verf bestaat uit drie hoofdbestanddelen. Je hebt de drager, die normaal gesproken een of andere polymeer is. Dat is het vaste spul dat op je overall blijft zitten als je het niet meteen verwijdert. Dan is er het oplosmiddel, gewoonlijk een organische vloeistof. De drager wordt opgelost in de vloeistof om een samenstelling te krijgen die geschikt is voor een kwast of een roller. Het oplosmiddel heeft zelden enige forensische waarde omdat het meestal allang is verdampt. Ten slotte is er het pigment, dat de kleur geeft. Tot de meest gebruikte pigmenten behoren titaniumdioxide en zinkoxide voor wit, ftalocyanines voor blauw, zinkchromaat voor geel en koperoxide voor rood. Maar elke partij verf heeft zijn eigen microscopische samenstelling. Dus is het mogelijk om een verfvlek te analyseren en vast te stellen wat voor soort verf het is. Er zijn hele bibliotheken van verfmonsters waarmee we kunnen vergelijken.

En uiteraard kijken we niet alleen naar de verf zelf, maar ook naar de vlek. Is het een spat? Is het een druppel? Is het een schraapsel?' Hij stak een vinger omhoog. 'Voordat u meer vragen stelt, ik ben geen deskundige op dat gebied. Dat is niet mijn specialisme.'

'U had me zo voor de gek kunnen houden,' zei Weird. 'En wat zeggen uw aantekeningen over de verf op Rosies vest?'

'Uw vriend draait er niet omheen, nietwaar?' zei Soanes tegen Alex, gelukkig meer geamuseerd dan geïrriteerd.

'We weten hoe druk u het hebt,' zei Alex, vanbinnen rillend van zijn vleierij.

Soanes keek weer naar zijn aantekeningen. 'Dat is waar,' zei hij. 'De verf in kwestie was een lichtblauwe alifatische polyurethaanlak. Geen gewone huisverf. Meer het soort verf dat je op een boot vindt of iets wat van fiberglas is gemaakt. We hebben geen rechtstreekse overeenkomsten gevonden, hoewel het enigszins leek op een paar marineverven in onze referentiebibliotheek. Het meest interessant was het profiel van de druppeltjes. Ze hadden de vorm van minuscule tranen.'

Alex fronste zijn wenkbrauwen. 'Wat betekent dat?'

'Het betekent dat de verf niet nat was toen ze op de kleding kwam. Dit waren heel kleine, piepkleine druppels gedroogde verf die zonder enige twijfel op haar kleren waren overgegaan vanaf een oppervlak waarop ze lag. Mogelijk een tapijt.'

'Dus iemand had iets geverfd op de plek waar ze lag? En er was verf op het tapijt gekomen?' vroeg Weird.

'Vrijwel zeker. Maar ik moet nog terugkomen op de vreemde vorm. Als de verf van een kwast was gedruppeld of op het tapijt was gespat, hadden de druppeltjes er anders uitgezien. En alle druppels die we in deze zaak onderzocht hebben, hadden hetzelfde profiel.'

'Waarom hebt u die dingen niet in uw rapport vermeld?' vroeg Alex.

'Omdat we het niet konden verklaren. Het is heel gevaarlijk voor de aanklager om een getuige-deskundige in de getuigenbank te hebben die moet zeggen: "Ik weet het niet." Een goede verdediger zou zorgen dat de vragen over de verf bleven hangen en wat de jury zich het duidelijkst zou herinneren, zou mijn baas zijn geweest die moest toegeven dat hij het antwoord niet had.' Soanes legde zijn papieren terug in de map. 'Dus hebben we het eruit gelaten.'

Nu de enige vraag die echt belangrijk is, dacht Alex. 'Als u dat bewijsmateriaal nu opnieuw zou onderzoeken, zou u dan misschien met een ander antwoord komen?'

Soanes keek hem over zijn leesbril aan. 'Ik persoonlijk? Nee. Maar een forensisch verfdeskundige zou wellicht met een nuttiger analyse kunnen komen. Uw kansen om vijfentwintig jaar later met een overeenkomst te komen zijn uiteraard verwaarloosbaar.'

'Dat is ons probleem,' zei Weird. 'Kunt u het doen? Wilt u het doen?'

Soanes schudde zijn hoofd. 'Zoals ik al zei, ben ik bij lange na geen deskundige op dat gebied. Maar zelfs als ik dat was, zou ik geen onderzoek kunnen laten doen zonder een verzoek van de politie van Fife. En ze hebben niet om een onderzoek naar de verf gevraagd.' Hij sloeg de map met een resoluut gebaar dicht.

'Waarom niet?' vroeg Weird.

'Ik neem aan dat ze het geldverspilling vonden. Zoals ik al zei, is de kans om nu nog een overeenkomst te vinden oneindig klein.'

Alex zakte ontmoedigd achterover in zijn stoel. 'En het zal mij niet lukken om Lawson van gedachten te laten veranderen. Geweldig. Ik denk dat u zojuist mijn doodvonnis hebt getekend.'

'Ik heb niet gezegd dat het onmogelijk is om een paar tests te doen,' zei Soanes vriendelijk. 'Wat ik zei was dat we het hier niet kunnen doen.'

'Hoe kunnen ze het ergens anders doen?' zei Weird opstandig. 'Niemand heeft de monsters.'

Soanes trok weer aan zijn lip. Toen zuchtte hij. 'We hebben hier geen biologische monsters. Maar we hebben de verf nog wel. Ik heb dat gecontroleerd voordat u kwam.' Hij opende de map weer en haalde er een plastic map uit die verdeeld was in zakjes. Daarin zat een tiental microscoopglaasjes. Soanes haalde er drie uit en legde ze naast elkaar op het bureau. Alex zat er gretig naar te staren. Hij kon zijn ogen niet geloven. De verfspikkels leken op kleine vlokjes blauwe sigarettenas.

'Iemand zou deze kunnen analyseren?' vroeg hij, zonder het te durven hopen.

'Natuurlijk,' zei Soanes. Hij haalde een papieren zak uit zijn la, legde deze op de objectglaasjes en schoof ze iets dichter naar Alex en Weird. 'Neem ze maar mee. Als er iets uit zou komen, hebben we nog andere die we afzonderlijk zouden kunnen analyseren. U moet er uiteraard voor tekenen.'

Weirds hand schoot naar voren en sloot zich om de glaasjes. Hij stopte ze voorzichtig in de papieren zak en liet deze in zijn jaszak glijden. 'Dank u,' zei hij. 'Waar moet ik tekenen?'

Terwijl Weird zijn naam onder aan een formulier krabbelde, keek Alex Soanes nieuwsgierig aan. 'Waarom doet u dit?' vroeg hij.

Soanes zette zijn bril af en borg hem zorgvuldig op. 'Omdat ik een hekel heb aan onopgeloste zaken,' zei hij terwijl hij opstond. 'Bijna net zo erg als aan slordig politiewerk. Bovendien moet ik er niet aan denken uw dood op mijn geweten te hebben, als uw theorie juist zou blijken te zijn.'

'Waarom slaan we af?' vroeg Weird toen ze aan de rand van Glenrothes kwamen en Alex zijn richtingaanwijzer naar rechts zette.

'Ik wil Lawson vertellen dat Macfadyen de kransen heeft gestuurd. En ik wil hem proberen over te halen om Soanes de monsters te laten testen die hij heeft.'

'Tijdverspilling,' gromde Weird.

'Niet meer dan teruggaan naar St Monans om op de deur van een verlaten huis te kloppen.'

Weird zweeg verder en liet Alex naar het hoofdbureau van politie rijden. Bij de receptie vroeg Alex Lawson te spreken. 'In verband met de zaak Rosie Duff,' zei hij. Ze werden naar de wachtruimte gedirigeerd, waar ze de aanplakbiljetten zaten te lezen over de coloradokever, vermiste personen en huiselijk geweld. 'Ongelooflijk hoe schuldig je je gaat voelen, alleen maar door hier te zijn,' mompelde Alex.

'Ik niet,' zei Weird. 'Maar ja, ik leg rekenschap af aan een hoger gezag.'

Na een paar minuten verscheen er een stevig gebouwde vrouw. 'Ik ben rechercheur Pirie,' zei ze. 'Ik vrees dat adjunct-hoofdcommissaris Lawson niet beschikbaar is. Maar ik heb de leiding over de zaak Rosemary Duff.'

Alex schudde zijn hoofd. 'Ik wil Lawson spreken. Ik wacht wel.'

'Ik ben bang dat dat niet mogelijk is. Hij heeft een paar dagen verlof.'

'Aan het vissen,' zei Weird spottend.

Karen Pirie, hierdoor overrompeld, zei voordat ze zich kon inhouden: 'Ja, toevallig is dat zo. Loch...'

Weird zag er nog verbaasder uit. 'Echt? Het was maar bij wijze van spreken.'

Karen probeerde haar verwarring te verbergen. 'U bent meneer Gilbey, nietwaar?' zei ze terwijl ze aandachtig naar Alex keek.

'Dat klopt. Hoe weet u...?'

'Ik heb u bij de begrafenis van dr. Kerr gezien. Ik wil u mijn deelneming betuigen.'

'Daarom zijn we hier,' zei Weird. 'We denken dat de moordenaar van David Kerr ook van plan is ons te vermoorden.'

Karen haalde diep adem. 'Adjunct-hoofdcommissaris Lawson heeft me ingelicht over zijn gesprek met meneer Gilbey. En zoals hij u toen heeft gezegd,' vervolgde ze terwijl ze Alex aankeek, 'is er echt geen grond voor uw angst.'

Weird snoof geërgerd. 'En als we u vertellen dat Graham Macfadyen die kransen heeft gestuurd?'

'Kransen?' Karen leek verbaasd.

'Ik dacht dat u zei dat u over het gesprek was ingelicht,' zei Weird uitdagend.

Alex vroeg zich even af hoe Weird met zijn zondaars omging en greep in. Hij vertelde Karen over de vreemde bloemstukken en was blij toen ze het serieus leek te nemen.

'Dat is merkwaardig, dat geef ik toe. Maar het wil nog niet zeggen dat Macfadyen ook mensen aan het vermoorden is.'

'Hoe kan hij anders op de hoogte zijn van de moorden?' vroeg Alex, die oprecht naar een antwoord zocht.

'Dat is de vraag, nietwaar?' zei Weird.

'Hij zal het overlijden van dr. Kerr in de krant hebben gezien. Er is veel aandacht aan besteed. En ik kan me voorstellen dat het niet al te moeilijk is geweest om achter de dood van meneer Malkiewicz te komen. Het internet heeft de wereld heel klein gemaakt,' zei Karen.

Alex voelde de moed weer in zijn schoenen zinken. Waarom verzette iedereen zich zo tegen iets wat hem heel duidelijk leek? 'Maar waarom zou hij de kransen hebben gestuurd als hij ons niet verantwoordelijk houdt voor de dood van zijn moeder?'

'U verantwoordelijk houden is nog lang geen moord,' zei Karen. 'Ik begrijp dat u onder druk staat, meneer Gilbey. Maar niets in uw verhaal geeft mij aanleiding om te denken dat u gevaar loopt.'

Weird liep rood aan. 'Moeten wij tweeën ook nog doodgaan voordat u dit serieus neemt?'

'Heeft iemand u bedreigd?'

Weird zei stuurs: 'Nee.'

'Hebt u telefoontjes gehad waarbij werd opgehangen?'

'Nee.'

'Hebt u gemerkt dat iemand bij uw huis rondhing?'

Weird keek naar Alex, die zijn hoofd schudde.

'Het spijt me, dan kan ik niets voor u doen.'

'Ja, u kunt wel iets doen,' zei Alex. 'U kunt om een nieuwe analyse vragen van de verf die op Rosie Duffs vest is gevonden.'

Karens ogen werden groot van verbazing. 'Hoe weet u van de verf?'

Frustratie maakte Alex' stem scherp. 'We waren getuigen. Verdachten, alleen werden we zo niet genoemd. Denkt u dat we het niet gemerkt hebben toen uw collega's verf van onze muren schraapten en plakband op onze vloerbedekking plakten? Dus, hoe zit het, rechercheur Pirie? Wat vindt u van het idee om nu eens echt te gaan uitzoeken wie Rosie Duff heeft vermoord?'

Gestoken door zijn woorden rechtte Karen haar schouders. 'Dat is precies wat ik de afgelopen maanden geprobeerd heb, meneer Gilbey. En het officiële standpunt is dat een verfanalyse niet kosteneffectief zou zijn, gezien het feit dat het na al deze tijd bijna onmogelijk is om nog na te gaan waar de verf vandaan is gekomen.'

De woede die Alex al dagen had onderdrukt, kwam nu plotseling in hem boven. 'Niet kosteneffectief? Als er ook maar één enkele mogelijkheid is, hoort u die te onderzoeken,' schreeuwde hij. 'Andere dure forensische testen kunt u wel vergeten, nietwaar, nu u het enige bewijsmateriaal kwijt bent geraakt dat eindelijk onze namen had kunnen zuiveren? Hebt u enig idee wat uw collega's ons destijds hebben aangedaan door hun onbekwaamheid? Jullie hebben ons leven besmeurd. Hij is in elkaar geslagen...' Hij wees naar Weird. 'Ziggy is in de Flessenhals gegooid. Het scheelde niet veel of hij was dood geweest. Mondo probeerde zelfmoord te plegen en als gevolg daarvan is Barney Maclennan gestorven. En als Jimmy Lawson niet op het juiste moment was langsgekomen, was ik ook in elkaar getremd. Dus waag het niet om het woord kosteneffectief nog één keer in uw mond te nemen. Doe godverdomme uw werk.' Alex draaide zich op zijn hakken om en liep weg.

Weird bleef staan, zijn ogen strak gericht op Karen Pirie. 'U hoort wat de man zegt,' zei hij. 'Vertel Jimmy Lawson dat hij zijn lijn moet inhalen en ons in leven moet houden.'

38

James Lawson sneed de buik open, stopte zijn hand in de holte en sloot zijn vingers om de glibberige ingewanden. Zijn lippen vertrokken van walging bij het voelen van de gladde organen, een gevoel dat een aanslag was op zijn diepgewortelde netheid. Hij trok de ingewanden naar buiten en zorgde dat bloed en slijm binnen de grenzen bleven van de krant die hij ter voorbereiding had uitgespreid. Toen deed hij de forel bij de andere drie die hij die middag had gevangen.

Geen slechte vangst voor de tijd van het jaar, dacht hij. Hij zou er vandaag twee bakken en de andere in de piepkleine koelkast van de caravan leggen. Ze zouden een goed ontbijt vormen voordat hij de volgende ochtend weer naar zijn werk zou gaan. Hij stond op en zette de pomp aan die de kleine gootsteen van stromend koud water voorzag. Hij nam zich voor om de volgende keer dat hij naar zijn toevluchtsoord aan de oever van Loch Leven ging een paar reserveflessen van twintig liter mee te nemen. Hij had de laatste fles die ochtend in de tank geleegd. Hoewel hij in noodgevallen altijd op de boer kon rekenen die hem de plek verhuurde, wilde hij geen misbruik maken van diens vriendelijkheid. In de twintig jaar dat de caravan hier nu stond, was hij altijd op zichzelf gebleven. Zo wilde hij het nou eenmaal. Alleen hij en de radio en een stapeltje thrillers. Een eigen plek waar hij kon ontsnappen aan de druk van werk en gezinsleven, een plek waar hij nieuwe energie kon opdoen.

Hij opende een blik nieuwe aardappelen, goot ze af en sneed ze in blokjes. Terwijl hij wachtte tot de grote koekenpan heet zou zijn voor de vis en de aardappelen, vouwde hij bedrijvig de krant dicht rond het visafval en stopte hem in een plastic zak. Na het eten zou hij het vel en de graten erbij doen, de handvatten stevig bij elkaar knopen en de zak op de trap van de caravan zetten om hem de volgende ochtend weg te gooien. Niets was erger dan slapen in de stank van de visresten.

Lawson gooide een klont varkensvet in de pan, zag het sissend doorschijnend worden en deed de aardappelen erbij. Hij roerde ze rond en legde toen ze bruin begonnen te worden voorzichtig de twee forellen in de pan, waaraan hij een scheutje citroensap uit een plastic flesje toevoegde. Het vertrouwde gesis en geknetter vrolijkte hem op, de geur als een belofte van de heerlijke maaltijd. Toen alles gaar was, schoof hij het eten op een bord en ging aan tafel zitten om ervan te genieten. Perfecte timing. De vertrouwde herkenningsmelodie van *The Archers* galmde uit de radio terwijl zijn mes onder het knapperige vel van de eerste forel gleed.

Hij was halverwege zijn maaltijd toen hij iets hoorde wat hij niet had moeten horen. Een autoportier sloeg dicht. De radio had het geluid van de naderende auto overstemd, maar het dichtgooien van het portier was luid genoeg om boven het alledaagse verhaal over plattelanders uit te stijgen. Lawson verstijfde even, stak toen zijn hand uit naar de radio en zette hem af. Hij spitste zijn oren om elk geluid van buiten op te vangen. Heimelijk trok hij het gordijn een beetje open. Net achter het hek naar het veld ontwaarde hij een auto. Een kleine tot middelgrote vijfdeursauto dacht hij. Een Golf, een Astra, een Focus. Zoiets. Het was moeilijk om nauwkeuriger te zijn in het donker. Hij bekeek de ruimte tussen het hek en zijn caravan. Geen beweging.

De roffel op de deur maakte dat zijn hart oversloeg. Wie was dat, verdomme? Voor zover hij wist, waren alleen zijn vrouw en de boer op de hoogte van zijn visplek. Hij had hier nooit collega's of vrienden mee naartoe genomen. Als ze waren gaan vissen, had hij hen verderop langs de oever in zijn boot ontmoet, vastbesloten zijn privacy te bewaren.

'Een ogenblik,' riep hij. Hij stond op, liep naar de deur en stopte alleen om zijn vlijmscherpe fileermes in zijn hand te nemen. Er waren genoeg misdadigers die misschien vonden dat ze een rekening met hem te vereffenen hadden, en hij zou zich niet onbeschermd laten verrassen. Hij zette één voet achter de deur en opende hem op een kier.

In de smalle lichtbundel die naar buiten stroomde, stond Graham Macfadyen. Het kostte Lawson een ogenblik om hem te herkennen. Hij was magerder geworden sinds hun laatste ontmoeting. Zijn ogen brandden koortsachtig boven zijn ingevallen wangen en zijn haar was slap en vettig. 'Wat doe jij hier in godsnaam?' vroeg Lawson.

'Ik moet u spreken. Ze zeiden dat u een paar vrije dagen had, dus dacht ik al dat u hier zou zijn.' Macfadyen zei dit op feitelijke toon, alsof het volkomen normaal was dat dat een burger voor de deur stond van de viscaravan van een adjunct-hoofdcommissaris.

'Hoe heb je me hier verdomme gevonden?' vroeg Lawson, verontrust en daardoor agressief.

Macfadyen haalde zijn schouders op. 'Je kunt tegenwoordig overal achter komen. De laatste keer dat u promotie maakte, hebt u een interview gegeven aan *Fife Record*. Het staat op hun website. U zei daarin dat u van vissen houdt en een plek hebt aan Loch Leven. Er zijn niet veel wegen die zo dicht bij het water komen. Ik heb gewoon rondgereden tot ik uw auto zag.'

Er was iets in zijn gedrag dat Lawson beangstigde. 'Dit kan niet,' zei hij. 'Kom maar naar het bureau als je politiezaken wilt bespreken.'

Macfadyen leek geërgerd. 'Dit is belangrijk. Ik wil niet wachten. En ik wil ook niet met iemand anders praten. U begrijpt mijn positie. U bent degene met wie ik moet praten. Ik ben hier nu. Waarom zou u niet naar me luisteren? U moet naar me luisteren, ik ben de man die u kan helpen.'

Lawson wilde de deur dichtdoen, maar Macfadyen hief zijn hand op en drukte ertegenaan. 'Ik blijf hier staan schreeuwen als u me niet binnenlaat,' zei hij. Zijn nonchalante toon paste niet bij de vastberadenheid op zijn gezicht.

Lawson woog de mogelijkheden tegen elkaar af. Hij dacht niet dat Macfadyen gewelddadig zou worden. Hoewel je dat nooit zeker wist. Maar hij had het mes als het nodig zou zijn. Beter om naar de man te luisteren en dan te zorgen dat hij wegging. Hij liet de deur openzwaaien en stapte achteruit zonder zijn ongewenste gast de rug toe te keren.

Macfadyen stapte naar binnen. In een verwarrende afwijking van zijn normale manier van praten, grinnikte hij nu en zei: 'U hebt het hier reuze gezellig gemaakt.' Toen viel zijn oog op de tafel en zei hij verontschuldigend: 'Ik heb u bij uw eten gestoord. Dat spijt me echt.'

'Het geeft niet,' loog Lawson. 'Waar wil je me over spreken?'

'Ze verzamelen zich. Ze kruipen bij elkaar in een poging hun lot te ontlopen,' zei Macfadyen, alsof dat een verklaring was.

'Wie verzamelen zich?' vroeg Lawson.

Macfadyen zuchtte, alsof hij gefrustreerd reageerde op een bijzonder trage leerling. 'De moordenaars van mijn moeder,' zei hij. 'Mackie is terug. Hij logeert bij Gilbey. Het is de enige manier waarop ze zich veilig voelen. Maar ze vergissen zich natuurlijk. Dat zal hen niet beschermen. Ik heb nooit in het lot geloofd, maar het is de enige manier om te beschrijven wat er de laatste tijd met dat viertal is gebeurd. Gilbey en Mackie moeten het ook voelen. Ze moeten wel bang zijn dat hun tijd opraakt, zoals dat ook voor hun vrienden heeft gegolden. En het is natuurlijk ook zo. Tenzij ze de juiste prijs betalen. Dat ze elkaar zo opzoeken... dat is een bekentenis. Dat begrijpt u toch?'

'Je zou weleens gelijk kunnen hebben,' zei Lawson, die voor een verzoenende toon koos. 'Maar het is niet het soort bekentenis dat voor de rechtbank kan worden gebruikt.'

'Dat weet ik wel,' zei Macfadyen ongeduldig. 'Maar ze zijn nu heel kwetsbaar. Ze zijn bang. Het is tijd om die zwakte te gebruiken om een wig tussen hen te drijven. U moet ze nu arresteren en zorgen dat ze de waarheid vertellen. Ik heb hen in de gaten gehouden. Ze kunnen elk moment instorten.'

'We hebben geen bewijs,' zei Lawson.

'Ze zullen bekennen. Wat voor bewijs hebt u verder nog nodig?' Macfadyen bleef Lawson voortdurend aankijken.

'Dat wordt vaak gedacht. Maar volgens de Schotse wet is een bekentenis op zich niet genoeg om iemand te veroordelen. Er moet ondersteunend bewijs zijn.'

'Dat kan niet kloppen,' protesteerde Macfadyen.

'Het is de wet.'

'U moet iets doen. Zorg dat ze bekennen en zoek dan voldoende bewijs voor een veroordeling. Dat is uw taak,' zei Macfadyen, en zijn stem werd luider.

Lawson schudde zijn hoofd. 'Zo werkt het niet. Luister, ik beloof dat ik met Mackie en Gilbey ga praten. Maar meer kan ik niet doen.'

Macfadyen balde zijn rechterhand tot een vuist. 'Het kan u niks schelen, hè? Het kan niemand van de politie iets schelen.'

'Ja, het kan me wel iets schelen,' zei Lawson. 'Maar ik moet me aan de wet houden. En jij ook.'

Macfadyen maakte een vreemd geluid achter in zijn keel, als een hond die in een kippenbotje stikt. 'Ik had gedacht dat u het begreep,' zei hij ijzig terwijl hij de deurknop pakte en de deur opende. De deur zwaaide naar binnen en sloeg tegen de wand.

Toen was hij weg, opgeslokt door de duisternis buiten. De vochtige kilte van de nacht drong de gezellige benauwdheid van de caravan binnen, verhulde de geur van oud geworden eten en verving deze door de scherpe lucht van het moeras. Nog lang nadat Graham Macfadyens auto hortend en stotend achteruit het pad was afgereden, stond Lawson in de deuropening met ogen die donkere poelen van verontrusting waren.

Lynn was hun mogelijkheid om bij Jason McAllister te komen. En ze was niet van plan Davina bij iemand anders te laten, zelfs niet bij Alex. En daardoor was een in principe gemakkelijk ochtendritje naar Bridge of Allen in een enorme onderneming veranderd. Het was niet te geloven wat je allemaal mee moest nemen voor een baby, dacht Alex terwijl hij voor de derde en laatste keer naar de auto liep, deze keer gebukt onder het gewicht van het babystoeltje en Davina. Buggy. Rugzak met luiers, spuugdoekjes, katoenen doekjes, twee verschoningen voor het geval dat. Extra dekentjes, ook voor het geval dat. Een schone trui voor Lynn, want baby's konden ver spugen. De babydraagzak. Hij was bijna verbaasd dat de gootsteen in de keuken had mogen blijven.

Hij bevestigde het babystoeltje aan de veiligheidsriemen op de achterbank en controleerde of het goed vastzat. Hij had zich nog nooit zorgen gemaakt over de sterkte van veiligheidsriemen, maar nu vroeg hij zich af hoe betrouwbaar ze waren bij een botsing. Hij boog zich naar binnen in de auto, trok Davina's wollen mutsje recht, gaf zijn slapende dochter een kus en hield bezorgd zijn adem in toen ze zich bewoog. Alsjeblieft, bad hij, laat haar niet de hele weg naar Bridge of Allan huilen. Hij zou het schuldgevoel niet aankunnen.

Lynn en Weird voegden zich bij hem en ze stapten allemaal in de auto. Een paar minuten later waren ze op de snelweg. Weird tikte hem op zijn schouder. 'Op de snelweg hoor je wat harder te rijden dan zestig kilometer per uur,' zei hij. 'Zo komen we nog te laat.'

Alex onderdrukte zijn bezorgdheid om zijn waardevolle lading en trapte het gaspedaal gehoorzaam wat dieper in. Hij wilde hun onderzoek net zo graag voortzetten als Weird. Jason Mcallister leek precies de man die hen bij hun volgende stap kon helpen. Door Lynns werk als restaurateur van schilderijen voor de nationale musea van Schotland was ze een expert geworden op het gebied van de verfsoorten die kunstenaars in verschillende perioden hadden gebruikt. Voor dat werk moest ze ook haar eigen deskundige zoeken om de monsters van het originele werk te analyseren, zodat zij haar materiaal er zo goed mogelijk aan kon aanpassen. En natuurlijk werd soms getwijfeld aan de echtheid van een kunstwerk. In dat geval moesten de verfmonsters geanalyseerd worden om na te gaan of ze afkomstig waren uit de juiste periode en of ze overeenkwamen met de materialen die door dezelfde schilder waren gebruikt in werken waarvan de echtheid niet betwijfeld werd. De man die zij gevonden had voor de wetenschappelijke kant van het onderzoek was Jason McAllister.

Hij werkte in een particulier forensisch laboratorium in de buurt van de Sirling Universiteit. Zijn werk bestond voornamelijk uit het analyseren van verffragmenten van verkeersongelukken, ofwel voor de politie of voor verzekeringsmaatschappijen. Zo nu en dan had hij een interessant uitstapje naar moord, verkrachting of ernstige geweldpleging, maar dat gebeurde te zelden om voldoende variatie te bieden voor Jasons talenten.

Tijdens een besloten voorvertoning van een tentoonstelling van Poussin had hij Lynn aangesproken en haar verteld dat hij een passie had voor verf. Aanvankelijk had ze gedacht dat die enigszins sullige jongeman te veel pretenties had en deed alsof hij zich verwant voelde met de grote kunst. Toen had ze beseft dat hij precies had bedoeld wat hij had gezegd. Niet meer en niet minder. Wat hem hevig enthousiasmeerde was niet de afbeelding op het doek, maar de structuur van het materiaal waarmee het schilderij was gemaakt. Hij gaf haar zijn kaartje en liet haar beloven dat ze hem zou bellen als ze weer eens een probleem had. Hij verzekerde haar meerdere keren dat hij beter was dan wie ze op dat moment ook gebruikte.

En Jason had geluk gehad die avond. Lynn had genoeg van de pompeuze dwaas met wie ze tot op dat moment had moeten werken. Het was een man van de Edinburgse oude school die vrouwen nog steeds minachtend behandelde. Terwijl hij in feite niet meer was dan een laborant, behandelde hij Lynn alsof ze een ondergeschikte was wier mening er absoluut niet toe deed. Met een grote restauratie voor de boeg had Lynn er al tegen opgezien om weer met hem te moeten werken. Jason leek een geschenk uit de hemel. Hij had haar van het begin af aan met respect behandeld. Als er al een probleem was, was dat nu eerder omgekeerd. Hij had de neiging om tegen haar te praten alsof ze net zo deskundig was als hij, en ze kon zich niet herinneren hoe vaak ze hem had moeten vragen wat langzamer te praten en in een taal die zij kon volgen. Maar dat was oneindig beter dan het alternatief.

Toen Alex en Weird thuisgekomen waren met een zak verfmonsters, had Lynn binnen tien minuten aan de telefoon met Jason gezeten. Zoals ze verwacht had, had hij gereageerd als een kind dat te horen krijgt dat het de zomer in Disneyland mag doorbrengen. 'Morgenochtend vroeg heb ik een afspraak, maar dat moet om tien uur afgelopen zijn.'

Zoals Alex had voorgesteld, had ze gezegd dat ze hem privé zouden betalen. Maar hij had haar aanbod weggewoven. 'Waar zijn vrienden voor?' had hij gevraagd. 'Bovendien zit ik tot aan mijn nek in de autolak. Je voorkomt dat ik doodga van verveling. Kom hierheen, mens.'

Het lab was een verrassend aantrekkelijk modern gebouw van één verdieping dat iets van de snelweg af op eigen terrein stond. De ramen bevonden zich hoog in de bruine bakstenen muren en videocamera's bewaakten alle toegangen. Ze moesten door twee beveiligingsdeuren heen voordat ze de receptie bereikten. 'Ik ben in gevangenissen met minder beveiliging geweest,' merkte Weird op. Wat doen ze hier. Massavernietigingswapens maken?

'Ze doen freelance forensisch onderzoek voor de strafrechter. En voor de verdediging,' legde Lynn uit terwijl ze op Jason wachtten. 'Dus moeten ze alle bewijsmateriaal dat ze hier krijgen veilig kunnen bewaren.'

'Dus ze doen ook DNA en dat soort dingen?' vroeg Alex.

'Hoezo? Twijfel je aan je vaderschap?' zei Lynn plagend.

'Daarmee wacht ik tot ze in een helse puber verandert,' zei Alex. 'Nee, ik ben gewoon nieuwsgierig.'

'Naast verf doen ze DNA en ook haar en vezels,' vertelde Lynn hem. Terwijl ze dat zei, kwam er een potige man aanlopen die een arm rond haar schouders sloeg.

'Je hebt de baby bij je,' zei hij terwijl hij zich bukte om in de draagmand te kijken. 'O, ze is prachtig.' Hij grinnikte omhoog naar Lynn. 'De meeste baby's zien eruit alsof de hond op hun gezicht heeft gezeten, maar deze ziet er echt uit als een klein mensje.' Hij kwam overeind. 'Ik ben Jason,' zei hij en hij keek onzeker van Weird naar Alex.

Ze stelden zich voor. Alex keek naar het Stirling Albion-overhemd, de vrachtbroek met bolstaande zakken en het piekhaar waarvan de punten een gebleekt blond waren dat niet in de natuur voorkomt. Aan de oppervlakte zag Jason eruit alsof hij thuis zou zijn in elke vrijdagavondclub, met een duur flesje bier in zijn hand. Maar zijn ogen waren scherp en oplettend, zijn lichaam kalm en beheerst. 'Kom verder,' zei Jason. 'Ik draag de baby wel,' voegde hij eraan toe terwijl hij zijn hand uitstak. 'Ze is een schoonheid.'

'Dat zeg je misschien niet om drie uur 's nachts,' zei Lynn, duidelijk de trotse moeder.

'Misschien niet. Trouwens, gecondoleerd met je broer,' zei hij met een onbeholpen blik over zijn schouder naar Lynn. 'Dat moet verschrikkelijk zijn geweest.'

'Het is niet gemakkelijk geweest,' zei Lynn terwijl ze Jason door een smalle gang volgden waarvan de muren halfglanzend bleekblauw waren. Aan het eind ging Jason hen voor naar een indrukwekkend laboratorium. In alle hoeken stonden geheimzinnige, glanzende apparaten. De werkbladen waren schoon en opgeruimd en de laborant die door de cilinder van, dacht Alex, een soort futuristische microscoop stond te turen vertrok geen spiertje toen ze bedrijvig binnenliepen. 'Ik heb het gevoel dat ik alleen door te ademen de boel hier al besmet,' zei hij.

'Met verf luistert het niet zo nauw,' zei Jason. 'Als ik met DNA zou werken, zou je beter uit de buurt kunnen blijven. Goed, vertel me precies wat jullie voor me hebben.'

Alex vertelde wat ze de vorige middag van Soanes hadden gehoord. 'Soanes acht de kans niet groot dat we ontdekken waar de verf precies vandaan komt, maar misschien kun jij iets nieuws vertellen aan de hand van de vorm van de druppeltjes,' voegde hij eraan toe.

Jason tuurde naar objectglaasjes. 'Ze lijken ze in goede conditie te hebben gehouden, dat is een voordeel.'

'Wat ga je ermee doen?' vroeg Weird.

Lynn kreunde. 'Ik wou dat je dat niet had gevraagd.'

Jason lachte. 'Let maar niet op haar. Ze doet graag alsof ze er niets van weet. We hebben een aantal technieken die de drager en het pigment analyseren. We gebruiken microspectrofotometrie om de kleur vast te stellen en onderzoeken daarnaast de samenstelling van de verfmonsters. Fourier transforminfraroodspectrometrie, pyrolysegaschromatografie en elektronenmicroscopie. Dat soort dingen.'

Weird zag er verdwaasd uit. 'En wat vertelt je dat?' vroeg Alex.

'Heel veel. Als het een schilfertje is, van welk soort oppervlak het is gekomen. Bij autolak analyseren we de verschillende lagen en we hebben een databank die we kunnen raadplegen om achter het merk, het model en het jaar van fabricage te komen. Met druppeltjes kunnen we ongeveer hetzelfde doen, alhoewel we geen informatie over het oppervlak krijgen doordat de verf nooit op een oppervlak heeft gezeten.'

'Hoe lang gaat dat allemaal duren?' vroeg Weird. 'We hebben namelijk een beetje haast.'

'Ik moet het in mijn eigen tijd doen. Een paar dagen? Ik zal het zo snel mogelijk doen. Maar ik wil wel dat het zo goed mogelijk gebeurt. Als jullie gelijk hebben, zouden we allemaal voor de rechtbank kunnen komen om hierover te getuigen, dus moet het gedegen gebeuren. Jullie krijgen ook een ontvangstbewijs waarin staat dat ik deze monsters van jullie gekregen heb, gewoon voor het geval dat iemand op een gegeven moment iets anders zou gaan beweren.'

'Bedankt, Jason,' zei Lynn. 'Je hebt iets van me te goed.'

Hij grinnikte. 'Daar hou ik van bij een vrouw.'

39

Jackie Donaldson had weleens geschreven over de klop op de deur in de vroege ochtenduren, het duwen naar de wachtende politiewagen, de snelle rit door verlaten straten en het gespannen wachten in een volle ruimte die naar andere mensen smaakte. Het was nooit bij haar opgekomen dat ze het op een dag zou meemaken in plaats van documenteren.

Ze was wakker geworden van het zoemen van de intercom. Ze had gekeken hoe laat het was – 03.47 – en was haar ochtendjas aantrekkend naar de deur gestommeld. Toen rechercheur Darren Heggie zich aankondigde, was haar eerste gedachte dat er iets ergs met Hélène was gebeurd. Ze begreep niet waarom hij eiste op dit uur binnengelaten te worden. Maar ze ging er niet tegen in. Ze wist dat dat tijdverspilling zou zijn.

Heggie was lawaaiig haar appartement binnengekomen, met een vrouw in burger en twee agenten in uniform die enigszins ongemakkelijk achter hem aan schuifelden. Heggie verspilde geen tijd aan koetjes en kalfjes. 'Jacqueline Donaldson, ik arresteer u op verdenking van samenzwering tot moord. U kunt maximaal zes uur in hechtenis worden genomen zonder aangeklaagd te worden en u hebt recht op contact met een advocaat. U hoeft niets anders te zeggen dan uw naam en adres. Begrijpt u de reden voor uw aanhouding?'

Ze snoof even minachtend. 'Ik begrijp dat u het recht hebt. Maar ik begrijp niet waaróm u dit doet.'

Jackie had Heggie op het eerste gezicht al niet gemogen. Zijn puntige kin, zijn varkensoogjes, zijn slecht geknipte haar, zijn goedkope pak en zijn hooghartige houding. Maar bij hun eerdere ontmoetingen was hij beleefd, zelfs enigszins verontschuldigend geweest. Nu was hij een en al bruuske efficiëntie. 'Kleed u aan, alstublieft. De agente zal bij u blijven. Wij wachten buiten.' Heggie draaide zich om en stuurde de twee agenten voor zich uit naar de overloop.

Verward, maar vastbesloten dit niet te laten merken, liep Jackie terug naar de slaaphoek van haar appartement. Ze pakte het eerste het beste T-shirt en een trui uit de la en graaide een spijkerbroek van de stoel. Toen legde ze alles weer neer. Als dit echt misging, kon ze voor een sheriff komen te staan voordat ze tijd had gehad om zich om te kleden. Ze zocht achter in haar klerenkast naar haar enige fatsoenlijke kleren. Toen draaide ze de agente, die weigerde om haar blik ook maar even af te wenden, haar rug toe en kleedde zich aan. 'Ik moet naar de wc,' zei ze.

'Dan moet u de deur openlaten,' zei de vrouw onverstoorbaar.

'Denkt u dat ik omhoogschiet of zo?'

'Het is voor uw eigen veiligheid,' antwoordde ze op verveelde toon.

Jackie deed wat ze moest doen en streek toen haar haar glad met een handje koud water. Ze keek in de spiegel en vroeg zich af wanneer ze dat weer zou kunnen doen. Nu wist ze hoe de mensen over wie ze geschreven had zich hadden gevoeld. En het was afschuwelijk. Haar maag was van streek alsof ze dagen niet geslapen had en haar adem leek in haar keel te blijven steken. 'Wanneer kan ik mijn advocaat bellen?' vroeg ze.

'Als we op het bureau zijn,' was het antwoord.

Een halfuur later zat ze in een klein kamertje met Tony Donatello, een strafrechtadvocaat van de derde generatie die ze al kende sinds haar eerste maanden als journaliste in Glasgow. Ze waren meer gewend elkaar in cafés dan in een cel te ontmoeten, maar Tony was zo vriendelijk daar niet over te beginnen. Hij was ook verstandig genoeg om haar er niet aan te herinneren dat ze de laatste keer dat hij haar vertegenwoordigd had op een politiebureau in het bezit was gekomen van een strafblad. 'Ze willen je ondervragen over de dood van David,' zei hij. 'Maar ik neem aan dat je dat zelf al bedacht hebt.'

'Het is de enige moord waar ik, weliswaar niet direct, bij betrokken ben. Heb je Hélène gebeld?'

Tony liet een droog hoestje horen. 'Ze blijkt ook opgepakt te zijn.'

'Dat had ik zelf kunnen bedenken. Wat is onze strategie?'

'Heb je in het recente verleden iets gedaan wat ze ten onrechte in verband zouden kunnen brengen met de moord op David?'

Jackie schudde haar hoofd. 'Niets. Dit is niet de een of andere smerige samenzwering, Tony. Hélène en ik hebben niets met de moord op David te maken.'

'Jackie, je praat hier niet voor Hélène. Jij bent mijn cliënt en ik houd me bezig met wat jij hebt gedaan. Als er ook maar iets is – een toevallige opmerking, een spottend mailtje, wat dan ook – wat tegen je gebruikt kan worden, zullen we geen vragen beantwoorden. Niet meewerken. Maar als je zeker weet dat je je nergens zorgen over hoeft te maken, zullen we hun vragen beantwoorden. Wat doen we?'

Jackie friemelde aan haar wenkbrauwring. 'Er is één ding dat je moet weten. Ik was niet de hele tijd samen met Hélène. Ik ben ongeveer een uur weggeweest. Ik moest iemand spreken. Ik kan niet zeggen wie het was, maar neem van mij aan dat hij niet geschikt is om een alibi te geven.'

Tony zag er bezorgd uit. 'Dat is niet goed,' zei hij. 'Misschien moet je het maar op "geen commentaar" houden.'

'Dat wil ik niet. Je weet dat dat me verdacht zou maken.'

'Het is jouw beslissing, maar onder de omstandigheden denk ik dat zwijgen dan beter is.'

Jackie dacht goed na. Volgens haar kon de politie niet van haar uitstapje op de hoogte zijn. 'Ik praat met ze,' zei ze ten slotte.

De verhoorkamer bood geen verrassingen voor iemand die bekend is met politieseries. Jackie en Tony zaten tegenover Heggie en de vrouwelijke rechercheur die bij hem was geweest in het appartement. Zo dichtbij rook Heggies aftershave ranzig. Twee cassettes draaiden achter elkaar in het apparaat dat aan het uiteinde van de tafel stond. Toen de formaliteiten achter de rug waren, ging Heggie meteen in de aanval. 'Hoe lang kent u Hélène Kerr?'

'Ongeveer vier jaar. Ik heb haar en haar man ontmoet op een feestje van een gemeenschappelijke vriend.'

'Wat is de aard van uw relatie?'

'We zijn in de eerste plaats en vooral vriendinnen. Daarnaast zijn we zo nu en dan minnaars.'

'Hoe lang bestaat die liefdesrelatie al?' Heggie had een hongerige blik in zijn ogen, alsof de gedachte aan Jackie en Hélène samen in principe net zo bevredigend was als een bekentenis.

'Twee jaar ongeveer.'

'En hoe vaak vond dat plaats?'

'We waren gewoonlijk één avond in de week bij elkaar. Bij die gelegenheden hadden we meestal seks. Maar niet altijd. Zoals ik al zei, is vriendschap het belangrijkste aspect van onze relatie.' Jackie vond het moeilijker dan ze verwacht had om kalm en onbewogen te blijven onder de oordelende blik van haar ondervragers. Maar ze wist dat ze rustig moest blijven; elke uitbarsting zou geïnterpreteerd worden als iets meer dan zenuwen.

'Wist David Kerr dat u met zijn vrouw sliep?'

'Ik geloof van niet.'

'Het moet u geërgerd hebben dat ze bij hem bleef,' zei Heggie.

Een sluwe opmerking, dacht ze. Die bovendien ongemakkelijk dicht bij de waarheid kwam. Jackie wist dat ze het iets dieper vanbinnen niet erg vond dat David Kerr dood was. Ze hield van Hélène en had schoon genoeg van de restjes die haar geliefde haar toewierp. Ze wilde al heel lang veel meer. 'Ik wist van het begin af aan dat ze niet bij haar man weg zou gaan. Dat vond ik prima.'

'Dat kan ik moeilijk geloven,' zei hij. 'Ze wees u af ten gunste van haar man en dat vond u niet moeilijk?'

'Het was geen afwijzing. De regeling die we hadden beviel ons allebei.' Jackie leunde naar voren om haar lichaamstaal openheid te laten uitstralen. 'Het was gewoon leuk. Ik houd van mijn vrijheid. Ik wil niet gebonden zijn.'

'Is dat zo?' Hij keek in zijn aantekeningen. 'Dus de buurvrouw die u beiden heeft horen schreeuwen en vechten omdat ze niet bij haar man weg wilde heeft gelogen?'

Jackie herinnerde zich de ruzie. Er waren er in hun relatie zo weinig geweest dat deze gedenkwaardig was. Een paar maanden eerder had ze Hélène gevraagd mee te gaan naar een verjaardagsfeestje van een vriendin die veertig werd. Hélène had haar ongelovig aangekeken. Het viel buiten de afspraken en hoorde zelfs geen onderwerp van discussie te zijn. Jackies frustraties waren allemaal bovengekomen en er was een verhitte ruzie ontstaan. Er was een abrupt einde aan gekomen toen Hélène gedreigd had weg te gaan en nooit meer terug te komen. Dat vooruitzicht was onverdraaglijk voor Jackie en ze had zich overgegeven. Maar ze was niet van plan ook maar iets daarvan aan Heggie en zijn ondergeschikte te vertellen. 'Dat moet wel,' zei ze. 'Je hoort helemaal niets door de muren van die appartementen.'

'Blijkbaar wel als de ramen openstaan,' zei Heggie.

'Wanneer zou dat verondersteld gesprek hebben plaatsgevonden?' kwam Tony ertussen.

Weer een blik op de aantekeningen. 'Tegen eind november.'

'Wilt u serieus suggereren dat mijn cliënte eind november in Glasgow haar ramen open had staan?' zei hij honend. 'Is dat alles wat u hebt? Roddel en achterklap van nieuwsgierige buren met een te levendige fantasie?'

Heggie wierp hem een lange blik toe en zei toen: 'Uw cliënte heeft een geschiedenis van geweld.'

'Nee, dat heeft ze niet. Ze heeft één veroordeling voor het aanvallen van een politieman toen ze verslag deed van een demonstratie tegen hoofdelijke belasting waar een van uw collega's haar enthousiast maar ten onrechte aanzag voor een van de demonstranten. Dat kun je nauwelijks een geschiedenis van geweld noemen.'

'Ze heeft een politieman in het gezicht gestompt.'

'Nadat hij haar bij haar haren over de grond had gesleept. Als het inderdaad zo'n gewelddadige aanval op een politieman was geweest, zou de sheriff haar dan niet meer hebben gegeven dan zes maanden voorwaardelijk? Als u verder niets hebt, hebt u volgens mij geen reden om mijn cliënte vast te houden.'

Heggie keek hen beiden dreigend aan. 'U was samen met mevrouw Kerr op de avond dat haar man stierf?'

'Dat is juist,' zei Jackie behoedzaam. Hier begon ze op glad ijs te komen. 'Het was onze vaste avond om elkaar te zien. Ze kwam om halfzeven. We hebben vis gegeten die ik ben gaan kopen, we dronken wat wijn en we gingen naar bed. Ze is rond elf uur weggegaan. Zoals gewoonlijk.'

'Kan iemand dat bevestigen?'

Jackie trok haar wenkbrauwen op. 'Ik weet niet hoe het bij u zit, inspecteur, maar als ik de liefde met iemand bedrijf, nodig ik niet de buren daarbij uit. De telefoon is een paar keer overgegaan, maar ik heb niet opgenomen.'

'We hebben een getuige die zegt u rond negen uur die avond naar uw auto te hebben zien lopen,' zei Heggie triomfantelijk.

'Die moet zich in de avond hebben vergist,' zei Jackie. 'Ik was de hele avond samen met Hélène. Is dat weer een andere homohatende buurvrouw die u geholpen hebt om een belastende verklaring af te leggen?'

Tony ging verzitten op zijn stoel. 'U hebt het antwoord van mijn cliënte gehoord. Als u verder niets hebt, stel ik echt voor dit gesprek nu te beëindigen.'

Heggie ademde zwaar. 'Als u me nog even tijd gunt, meneer Donatello, wil ik u met een getuigenverklaring confronteren die we gisteren hebben gekregen.'

'Mag ik die zien?' vroeg Tony.

'Alles op zijn tijd. Denise?'

De andere rechercheur opende een map die ze op haar schoot had gehouden en legde een vel papier voor hem neer. Heggie likte zijn lippen en zei: 'We hebben gisteren een kleine drugsdealer gearresteerd. Hij wilde ons alles geven wat zijn zaak in een wat gunstiger daglicht zou plaatsen. Mevrouw Donaldson, kent u Gary Hardie?'

Jackies hart leek even stil te staan. Wat had dit te betekenen? Het was Gary Hardie niet geweest die ze die avond had bezocht, noch een van zijn maten. 'Ik weet wie dat is,' zei ze om tijd te winnen. Het was nauwelijks een bekentenis; iedereen die in Schotland een krant las of naar de tv keek, zou de naam hebben herkend. Een paar weken eerder was Gary Hardie op sensationele wijze van rechtsvervolging ontslagen door het hooggerechtshof van Glasgow na een van de bekendste moordprocessen die de stad in jaren had meegemaakt. In de loop van het proces was hij een drugsbaron genoemd, een man zonder enig respect voor menselijk leven en een volslagen meedogenloos crimineel meesterbrein. Onder de aanklachten die de jury had gehoord, was de beschuldiging geweest dat hij een huurmoordenaar had ingeschakeld om een concurrent uit de weg te ruimen.

'Hebt u Gary Hardie ooit ontmoet?'

Jackie voelde het zweet op haar rug staan. 'In een zuiver beroepsmatige hoedanigheid, ja.'

'Was dat uw beroep of het zijne?' vroeg Heggie terwijl hij zijn stoel dichter bij de tafel schoof.

Jackie sloeg haar ogen spottend ten hemel. 'Toe nou, inspecteur, ik ben journalist. Het is mijn werk om met mensen te praten die in het nieuws zijn.'

'Hoe vaak hebt u Gary Hardie ontmoet?' ging Heggie door.

Jackie ademde uit door haar neus. 'Drie keer. Ik heb hem een jaar geleden geïnterviewd voor een tijdschriftartikel over de huidige onderwereld van Glasgow. Ik heb hem in afwachting van zijn proces geïnterviewd voor een artikel dat ik na afloop van het proces wilde schrijven. En ik heb een paar weken geleden iets met hem gedronken. Het is belangrijk voor me om mijn contacten te onderhouden. Op die manier krijg ik verhalen die niemand anders krijgt.'

Op Heggies gezicht lag een sceptische uitdrukking. Hij wierp een blik op de verklaring. 'Waar vond die ontmoeting plaats?'

'In Ramblas. Het is een café in...'

'Ik weet waar Ramblas is,' onderbrak Heggie haar. Hij wierp weer een blik op het papier dat voor hem lag. 'Tijdens die ontmoeting is een envelop van eigenaar gewisseld. Van u naar Hardie. Een dikke envelop, mevrouw Donaldson. Wilt u ons vertellen wat er in die envelop zat?'

Jackie probeerde haar schrik te verbergen. Tony, naast haar, kwam in actie en zei haastig: 'Ik wil even met mijn cliënte overleggen.'

'Nee, dat hoeft niet, Tony,' zei Jackie. 'Ik heb niets te verbergen. Toen ik met Gary sprak om de ontmoeting te regelen, vertelde hij dat iemand hem het tijdschriftartikel had laten zien en dat hij de foto die ze gebruikt hadden mooi vond. Hij wilde graag een paar kopieën voor zichzelf. Dus heb ik een paar afdrukken laten maken en die meegenomen naar Ramblas. Als u me niet gelooft, kunt het controleren bij het fotolaboratorium. Ze doen niet veel meer in zwart-wit. Misschien weten ze het nog. Bovendien heb ik er een bon van in mijn dossiermap.'

Tony boog zich naar voren. 'U ziet, inspecteur, niets duisters. Gewoon een journaliste die een goed contact tevreden probeert te houden. Als dat al uw nieuwe materiaal is, hebt u geen reden om mijn cliënte nog langer hier te houden.'

Heggie zag er lichtelijk teleurgesteld uit. 'Hebt u Gary Hardie gevraagd David Kerr te laten vermoorden?' vroeg hij.

Jackie schudde haar hoofd. 'Nee.'

'Hebt u Gary Hardie gevraagd u met iemand in contact te brengen die David Kerr zou willen vermoorden?'

'Nee. Dat is nooit bij me opgekomen.' Jackie hield haar hoofd nu rechtop, kin naar voren, de angst overwonnen.

'U hebt nooit gedacht dat het leven veel aangenamer zou zijn als David Kerr dood was? En hoe gemakkelijk u dat zou kunnen regelen?'

'Wat is dit voor onzin?' Ze sloeg met haar handen op tafel. 'Waarom verspilt u uw tijd met mij terwijl u uw werk zou moeten doen?'

'Ik doe mijn werk,' zei Heggie kalm. 'Daarom bent u hier.'

Tony keek op zijn horloge. 'Niet veel langer meer, inspecteur. U moet mijn cliënte nu arresteren of laten gaan. Dit verhoor is afgelopen.' Hij legde een hand op die van Jackie.

Een minuut lijkt heel lang te duren in een verhoorkamer van de politie. Heggie zweeg en bleef Jackie recht in haar ogen kijken. Toen schoof hij zijn stoel naar achteren. 'Verhoor beëindigd om vijf voor halfzeven. U bent vrij om te gaan,' zei hij met tegenzin. Hij drukte op de knop waarmee hij de bandrecorders uitzette. 'Ik geloof u niet, mevrouw Donaldson,' zei hij terwijl hij opstond. 'Ik denk dat u en Hélène Kerr hebben samengezworen om David Kerr te laten vermoorden. Ik denk dat u haar voor uzelf wilde. Ik denk dat u die avond op pad bent gegaan om uw huurmoordenaar te betalen. En ik ben van plan dat te bewijzen.' Bij de deur keerde hij zich om. 'Dit is nog maar het begin.'

Toen de deur achter de rechercheurs dichtging, sloeg Jackie haar handen voor haar gezicht. 'Godallemachtig,' zei ze.

Tony verzamelde zijn spullen en legde toen een arm om haar schouders. 'Je hebt het goed gedaan. Ze hebben niets.'

'Ik heb mensen op magerder bewijs berecht zien worden. Ze hebben hun tanden hierin gezet. Ze zullen niet ophouden voordat ze iemand gevonden hebben die mij die avond buitenshuis heeft gezien. Jezus. Dat ze Gary Hardie erbij hebben gehaald. Niet te geloven.'

Tony maakte zijn stropdas los en rekte zich uit. 'Ik wou dat je me dat van tevoren had verteld,' zei hij.

'Het spijt me. Ik had geen idee dat ze daarmee zouden komen. Het is bepaald niet zo dat ik dagelijks aan Gary Hardie denk. En hij had hier ook helemaal niets mee te maken. Je gelooft me toch, Tony?' Ze zag er ongerust uit. Als ze haar advocaat niet kon overtuigen, had ze geen enkele kans tegen de politie.

'Wat ik geloof, doet er niet toe. Het gaat om wat zij kunnen bewijzen. En op dit moment hebben ze niets dat door een goede advocaat niet binnen een paar minuten onderuit wordt gehaald.' Hij gaapte. 'Wat een geweldige manier om de nacht door te brengen, hè?'

Jackie stond op. 'Laten we weggaan uit dit stinkhol. Zelfs de lucht voelt vervuild.'

Tony grinnikte. 'Iemand zou Heggie voor zijn volgende verjaardag een fatsoenlijke fles aftershave moeten geven. Ik weet niet wat het was, maar het rook als een loops stinkdier.'

'Er is meer voor nodig dan Paco Rabane om hem lid van het menselijk ras te maken,' zei Jackie smalend. 'Houden ze Hélène hier ook vast?'

'Nee.' Tony haalde diep adem. 'Het is waarschijnlijk een goed idee als jullie elkaar even niet zo vaak zien.'

Jackie wierp hem een blik toe waarin gekwetstheid en teleurstelling lag. 'Waarom niet?'

'Als jullie bij elkaar uit de buurt blijven, is het moeilijker om te bewijzen dat jullie onder één hoedje spelen. Als jullie bij elkaar komen, kan het erop lijken dat jullie strategieën bespreken om jullie verhalen op elkaar af te stemmen.'

'Dat is bespottelijk,' zei ze resoluut. 'We zijn vriendinnen, verdomme. Geliefden. Naar wie ga je anders voor steun en troost? Als we elkaar mijden, ziet het eruit alsof we iets te verbergen hebben. Als Hélène me wil, heeft ze me. Punt uit.'

Hij haalde zijn schouders op. 'Dat is jouw beslissing. Je betaalt voor het advies of je het nu aanneemt of niet. Hij opende de deur en ging haar voor de gang in. Jackie tekende voor de teruggave van haar spullen en ze liepen samen naar de uitgang.

Tony duwde de deuren open die toegang gaven tot de straat en bleef toen stokstijf staan. Ondanks het vroege tijdstip stonden er drie cameramannen en een handjevol journalisten op de stoep. Zodra ze Jackie zagen, klonken de kreten. 'Hé, Jackie, hebben ze je gearresteerd?' 'Hebben je vriendin en jij een moordenaar ingehuurd, Jackie?' 'Hoe voelt het om verdacht te worden van moord, Jackie?'

Het was het soort tafereel waar ze talloze malen deel van had uitgemaakt, maar nooit in deze positie. Jackie had gedacht dat er niets ergers kon zijn dan midden in de nacht uit je bed te worden gehaald door de politie en behandeld te worden als een misdadiger. Nu wist ze dat ze zich had vergist. Verraad, had ze zojuist ontdekt, smaakte oneindig veel bitterder.

40

De duisternis in Graham Macfadyens werkkamer werd verlicht door het spookachtige schijnsel van de monitors. Op de twee schermen die op dit moment niet in gebruik waren, lieten screensavers een diashow zien van beelden die hij in zijn computer had gescand. Korrelige krantenfoto's van zijn moeder, stemmige beelden van Hallow Hill, de grafsteen op Western Cemetery, en de foto's die hij recentelijk in het geheim genomen had van Weird en Alex.

Macfadyen zat achter zijn computer een document samen te stellen. Aanvankelijk was hij van plan geweest een formele klacht wegens niet handelen in te dienen tegen Lawson en zijn medewerkers. Maar een bezoek aan de website van de Schotse overheid had hem de zinloosheid daarvan doen inzien. Elke klacht die hij zou indienen, zou door de politie van Fife zelf worden onderzocht en die onderzoekers zouden niet snel kritiek hebben op het handelen van hun eigen adjunct-hoofdcommissaris. Hij wilde voldoening, niet met een kluitje in het riet worden gestuurd.

Dus had hij besloten het hele verhaal op papier te zetten en kopieën te sturen naar zijn plaatselijke en landelijke parlementsvertegenwoordiger en naar elk groot nieuwsmedium in Schotland. Maar hoe meer hij schreef, hoe meer hij bang begon te worden dat zijn verhaal zou worden afgedaan als weer een samenzweringstheorie. Of erger.

Macfadyen kauwde op de huid rond zijn nagels en dacht na over wat hij moest doen. Hij was klaar met het schrijven van zijn vernietigende kritiek op de politie van Fife, op hun onbekwaamheid en weigering om de aanwezigheid van een paar moordenaars in hun district serieus te nemen. Maar hij had nog iets nodig om de aandacht van de mensen te trekken. Iets wat het onmogelijk zou maken om zijn klacht te negeren of de manier waarop het lot onmiskenbaar met de vinger naar de daders van de moord op zijn moeder had gewezen.

Twee doden hadden genoeg moeten zijn om het resultaat op te leveren waar hij naar snakte. Maar mensen waren zo blind. Ze zagen niet wat overduidelijk was. Na alles wat er gebeurd was, was er nog steeds geen gerechtigheid geschied.

En hij was de enige die nog overgebleven was om te zorgen dat dat wel zou gebeuren.

Het huis begon de sfeer van een toevluchtsoord te krijgen. Alex was gewend aan het leven dat Lynn en hij in de loop der jaren hadden ontwikkeld; gezellige etentjes, wandelingen langs de kust, bezoeken aan tentoonstellingen en bioscopen, af en toe een samenzijn met vrienden. Hij besefte dat heel wat mensen hen saai zouden vinden, maar hij wist wel beter. Hij hield van zijn leven. Hij had begrepen dat de dingen zouden veranderen met de komst van een baby, en hij verwelkomde die verandering met heel zijn hart, ook al wist hij nog niet wat het precies zou inhouden. Waar hij niet op gerekend had, was Weird in de logeerkamer. Noch de komst van Hélène en Jackie, de een van streek en de ander witheet van woede. Hij voelde zich zo onder de voet gelopen, zo geteisterd door de pijn en woede van alle anderen, dat hij niet meer wist wat hij zelf voelde. Hij was verbijsterd geweest toen hij de twee vrouwen op de stoep vond staan, die een veilig heenkomen zochten voor de pers die voor hun beider deur de tenten had opgeslagen. Hoe hadden ze kunnen denken dat ze welkom zouden zijn in zijn huis? Lynns eerste opmerking was geweest dat ze maar een hotel moesten zoeken, maar Jackie had volgehouden dat hun huis de enige plek was waar niemand hen zou zoeken. Net als Weird, dacht hij vermoeid.

Hélène was in tranen uitgebarsten en had zich verontschuldigd voor het feit dat ze Mondo had bedrogen. Jackie had Lynn er krachtig aan herinnerd dat zij een risico had genomen door Alex te helpen. Toch had Lynn volgehouden dat er geen plaats voor hen was in hun huis. Toen was Davina gaan huilen. Lynn had de deur voor hun neus dichtgeslagen en was naar haar kind gerend, en had Alex een blik toegeworpen die weinig goeds beloofde als hij de twee vrouwen binnen zou laten. Weird was langs hem heen geglipt en had hen bereikt toen ze in hun auto stapten. Toen hij een uur later terugkwam, vertelde hij dat hij hen in een hotel in de buurt had ingeschreven onder zijn naam. 'Ze hebben een klein huisje tussen de bomen,' had hij gemeld. 'Niemand weet dat ze daar zijn. Ze redden het wel.'

Door Weirds ogenschijnlijke ridderlijkheid was de avond pijnlijk begonnen, maar hun gemeenschappelijke doel had geleidelijk aan en geholpen door rijkelijk vloeiende wijn hun ongemakkelijke gevoel overwonnen. De drie volwassenen zaten aan de keukentafel, de jaloezieën dicht tegen het duister van de avond, de wijnflessen legend terwijl ze in kringetjes spraken. Maar praten over hun problemen was niet genoeg; er moest iets gebeuren.

Weird wilde een confrontatie met Graham, een verklaring eisen voor de kransen bij de begrafenissen van Ziggy en Mondo. Waarop de andere twee luidkeels hun bezwaren kenbaar maakten; zonder bewijs voor zijn betrokkenheid bij de moorden, zouden ze Macfadyen alleen maar op de hoogte brengen van hun verdenkingen in plaats van een bekentenis van hem los te krijgen.

'Het kan me niet schelen of hij dat weet,' had Weird gezegd. 'Op die manier houdt hij er misschien mee op nu hij nog niet gepakt is en laat hij ons met rust.'

'Of hij houdt ermee op en komt op een gegeven moment met nog subtielere acties terug. Hij heeft geen haast, Weird. Hij heeft zijn hele leven nog de tijd om zijn moeder te wreken,' merkte Alex op.

'En dan gaan we ervan uit dat hij het is en niet Jackies huurmoordenaar die verantwoordelijk is voor Mondo's dood,' zei Lynn.

'Daarom hebben we een bekentenis van Macfadyen nodig,' zei Alex. 'We kunnen niemands naam zuiveren als hij zich terugtrekt in de schaduw.'

Ze joegen achter hun eigen staarten aan en de doodlopende gesprekken werden alleen verlevendigd door het incidentele gehuil van Davina wanneer ze wakker werd en klaar was voor een nieuwe voeding. Nu herleefde het verleden en spraken Alex en Weird over de schade die ze hadden geleden door de kwaadaardige geruchten die hun laatste jaar in St Andrews hadden getekend.

Het was Weird die het er eerst genoeg van had. 'Ik heb wat frisse lucht nodig,' zei hij. 'Ik ben niet van plan om me zo bang te laten maken dat ik de rest van mijn leven achter dichte deuren doorbreng. Ik ga een eindje lopen. Iemand zin om mee te gaan?'

Niemand ging op het aanbod in. Alex stond op het punt te gaan koken en Lynn was bezig Davina te voeden. Weird leende Alex' waxjas en ging op weg naar de oever. Tegen de verwachtingen in waren de wolken die de hele dag de hemel hadden versluierd nu opgetrokken. De lucht was helder, een bijna volle maan hing laag aan de hemel tussen de bruggen. De temperatuur was een aantal graden gedaald en Weird dook in de kraag van de jas toen een koude windvlaag van de Firth kwam waaien. Hij zwenkte af naar de schaduwen onder de spoorbrug. Hij wist dat hij, als hij omhoogklom naar de landtong, een schitterend uitzicht zou hebben over de riviermond naar Inchcolm en de Noordzee daarachter.

Hij voelde zich al beter nu hij buiten was. Een mens was altijd dichter bij God in de openlucht, zonder het gedoe van andere mensen om zich heen. Hij had gedacht dat hij zich had verzoend met het verleden, maar door de gebeurtenissen van de afgelopen paar dagen was hij zich ongemakkelijk bewust geworden van de jongeman die hij ooit was geweest. Weird had er behoefte aan om alleen te zijn, om zijn geloof te herstellen in de veranderingen die hij in zijn leven had doorgemaakt. Tijdens het lopen, bedacht hij hoe ver hij was gekomen, hoeveel lastige ballast hij onderweg had afgeworpen dankzij zijn geloof in de verlossing die zijn godsdienst hem bood. Zijn gedachten werden helderder, zijn hart lichter. Later die avond zou hij de familie bellen. Hij wilde de geruststelling van hun stemmen. Een paar woorden met zijn vrouw en kinderen en hij zou zich voelen als een man die uit een nachtmerrie is ontwaakt. Het zou de praktische situatie niet veranderen, dat wist hij. Maar hij zou beter opgewassen zijn tegen de dingen die de wereld voor hem in petto had.

De wind wakkerde nu aan, bulderde en gierde om zijn hoofd. Hij stond even stil om op adem te komen en was zich bewust van het verre gezoef van verkeer dat over de autobrug reed. Hij hoorde het denderen van een trein die de spoorbrug naderde en boog zijn hoofd achterover om zijn speelgoedachtige voortgang op bijna vijftig meter boven zijn hoofd gade te slaan.

Weird zag noch hoorde de klap die hem in een afschuwelijke parodie op een gebedshouding op zijn knieën bracht. De tweede klap raakte hem in zijn ribben en hij smakte tegen de grond. Hij kreeg een vage indruk van een donkere gedaante met een soort honkbalknuppel voordat zijn verwarde gedachten door een derde klap op zijn schouders overgingen in een duizeling van pijn. Zijn vingers graaiden naar houvast in het ruwe gras terwijl hij buiten bereik probeerde te krabbelen. Een vierde klap raakte hem tegen de achterkant van zijn bovenbenen, waardoor hij op zijn buik viel en ontsnapping onmogelijk was.

Toen, net zo plotseling als het was begonnen, was de aanval voorbij. Zijn gedachten gingen in een flits terug naar vijfentwintig jaar geleden. Door een waas van pijn en duizeligheid was Weird zich vaag bewust van geschreeuw en het ongerijmde geluid van een kleine keffende hond. Hij voelde warme, muffe adem, toen een ruwe natte tong die over zijn gezicht slobberde. Dat hij überhaupt iets kon voelen was zo'n geweldige opluchting dat hij zijn tranen de vrije loop liet. 'Je hebt me behoed voor mijn vijanden,' probeerde hij te zeggen. Toen werd alles zwart.

'Ik ga niet naar het ziekenhuis,' hield Weird vol. Hij had het zo vaak gezegd, dat Alex het als een onomstotelijke bewijs van een hersenschudding begon te beschouwen. Weird zat aan de keukentafel, stijf van de pijn en net zo onbuigzaam wat het onderwerp van medische zorg betrof. Alle kleur was uit zijn gezicht getrokken en van zijn rechterslaap tot op zijn achterhoofd liep een lange striem.

'Volgens mij heb je gebroken ribben,' zei Alex, ook niet voor het eerst.

'Ze leggen er niet eens een knelverband omheen,' zei Weird. 'Ik heb al eens gebroken ribben gehad. Ze geven me alleen pijnstillers en zeggen dat ik ze moet blijven nemen tot ik beter ben.'

'Ik maak me meer zorgen over een hersenschudding,' zei Lynn, die bedrijvig binnenkwam met een beker sterke, zoete thee. 'Drink dit, het is goed tegen shock. En als je weer overgeeft, heb je waarschijnlijk een hersenschudding en brengen we je naar het ziekenhuis in Dunfermline.'

Weird huiverde. 'Nee, niet naar Dunfermline.'

'Zo erg is het niet met hem als hij nog grappen kan maken over Dunfermline,' zei Alex. 'Herinner je je al iets over de aanval?'

'Ik heb helemaal niets gezien voordat ik de eerste klap kreeg. En daarna draaide alles voor mijn ogen. Ik zag een donkere gedaante. Waarschijnlijk een man. Een grote vrouw misschien. En een honkbalpet. Bespottelijk, niet? Ik moest helemaal naar Schotland terug om in elkaar geslagen te worden met een honkbalknuppel.'

'Je hebt zijn gezicht niet gezien?'

'Ik denk dat hij een soort masker droeg. Ik heb niet eens de bleke vorm van een gezicht gezien. En toen raakte ik bewusteloos. Toen ik weer bijkwam, zat je buurman bij me geknield met een doodsbang gezicht. En toen kotste ik over zijn hond.'

Ondanks deze belediging voor zijn Jack Russell had Eric Hamilton Weird overeind geholpen en ondersteund om de paar honderd meter terug naar Alex' huis af te leggen. Hij mompelde iets over het verstoren van een straatrover, had zich met een handgebaar van hun uitgebreide dankbetuigingen afgemaakt en was weer in het donker verdwenen zonder ook maar een whisky uit erkentelijkheid te accepteren.

'Hij vindt ons toch al raar,' zei Lynn. 'Het is een gepensioneerde boekhouder en hij vindt ons maar bohemiens en kunstenaars. Dus wees niet bang, je hebt geen mooie relatie om zeep geholpen. Maar we moeten wel de politie bellen.'

'Laten we tot morgenochtend wachten, dan kunnen we rechtstreeks met Lawson praten. Misschien neemt hij ons nu serieus,' zei Alex.

'Jij denkt dat het Macfadyen was?' vroeg Weird.

'We zijn hier niet in Atlanta,' zei Lynn. 'We zijn hier in een rustig dorpje in Fife. Volgens mij heeft er nog nooit een straatroof plaatsgevonden in North Queensferry. En als je iemand zou willen beroven, zou je dan een grote vent van in de veertig kiezen terwijl er elke avond genoeg gepensioneerden met hun hond langs de oever lopen? Dit was geen willekeur, dit was opzet.'

'Ik ben het ermee eens,' zei Alex. 'Het volgt het patroon van de andere moorden. Het zo doen dat het op iets anders lijkt. Brandstichting, inbraak, straatroof. Als Eric niet op het juiste moment langs was gekomen, zou je nu dood zijn.'

Voordat iemand kon reageren, werd er aan de deur gebeld. 'Ik ga wel,' zei Alex.

Toen hij terugkwam, werd hij gevolgd door een politieagent. ‘Meneer Hamilton heeft de overval gemeld,’ legde Alex uit. ‘Agent Henderson is langsgekomen om een verklaring op te nemen. Dit is meneer Mackie,’ voegde hij eraan toe.

Weird wist een star glimlachje te voorschijn te toveren. ‘Bedankt dat u gekomen bent,’ zei hij. ‘Wilt u gaan zitten?’

‘Als ik even wat bijzonderheden mag noteren,’ zei agent Henderson terwijl hij een notitieboekje pakte en aan de tafel ging zitten. Hij knoopte zijn dikke uniformjas open, maar maakte geen aanstalten om hem uit te trekken. Ze waren waarschijnlijk speciaal getraind om eerder de warmte te verdragen dan de indruk van omvang te verliezen die de jas bood, dacht Alex onzinnig.

Weird gaf hem zijn volledige naam en adres en legde uit dat hij op bezoek was bij zijn oude vrienden Alex en Lynn. Toen hij vertelde dat hij predikant was, reageerde Henderson ongemakkelijk, alsof hij zich ervoor schaamde dat een straatrover in zijn district een geestelijke had afgetuigd. ‘Wat is er precies gebeurd?’ vroeg de agent.

Weird deed verslag van de weinige bijzonderheden die hij zich van de overval kon herinneren. ‘Het spijt me dat ik u niet meer kan vertellen. Het was donker. En ik werd volkomen overrompeld,’ zei hij.

‘Heeft hij niets gezegd?’

‘Nee.’

‘Niet gevraagd om uw geld of portemonnee?’

‘Niets.’

Henderson schudde zijn hoofd. ‘Dit is een slechte zaak. Het is niet iets wat we in het dorp verwachten.’ Hij keek naar Alex. ‘Ik ben verbaasd dat u ons niet zelf hebt gebeld.’

‘We hielden ons meer met Tom bezig en hoe het met hem was,’ kwam Lynn ertussen. ‘We probeerden hem over te halen om naar het ziekenhuis te gaan, maar hij lijkt vastbesloten om het gelaten te accepteren.’

Henderson knikte. ‘Ik denk dat mevrouw Gilbey gelijk heeft, meneer. Het kan geen kwaad om een dokter naar uw verwondingen te laten kijken. Al zou het alleen maar zijn omdat we dan een officieel verslag hebben van het toegebrachte letsel als we de dader te pakken zouden krijgen.’

'Misschien morgenochtend,' zei Weird. 'Ik ben er nu te moe voor.'

Henderson deed zijn notitieboekje dicht en schoof zijn stoel naar achteren. 'We houden u op de hoogte van eventuele ontwikkelingen,' zei hij.

'Er is nog iets anders wat u voor ons kunt doen,' zei Alex.

Henderson keek hem vragend aan.

'Ik weet dat dit raar zal klinken, maar kunt u een kopie van uw rapport naar adjunct-hoofdcommissaris Lawson laten sturen?'

Henderson leek verbijsterd door het verzoek. 'Het spijt me, meneer, ik begrijp niet helemaal...'

'Ik wil u niet zeggen hoe u uw werk moet doen, maar het is een heel lang en ingewikkeld verhaal en we zijn allemaal te moe om daar nu verder op in te gaan. Meneer Mackie en ik hebben contact met adjunct-hoofdcommissaris Lawson over een heel gevoelige zaak, en er is een kans dat dit niet zomaar een straatroof was. Ik wil graag dat hij het rapport krijgt, zodat hij op de hoogte is van wat hier vanavond is gebeurd. Ik neem er morgenochtend sowieso contact met hem over op en het zou helpen als hij het al weet.' Niemand die Alex ooit zijn personeel had zien motiveren om er nog een schepje bovenop te doen, zou verbaasd zijn geweest over zijn kalme zelfverzekerdheid.

Henderson overwoog zijn verzoek, onzekerheid in zijn ogen. 'Het is geen normale procedure,' zei hij aarzelend.

'Dat besef ik. Maar dit is geen normale situatie. Ik beloof u dat u hier geen nadelen van zult ondervinden. Als u liever wacht tot de adjunct-hoofdcommissaris contact met u opneemt...' Alex liet de zin onafgemaakt.

Henderson nam een beslissing. 'Ik zal een kopie naar het hoofdbureau sturen,' zei hij. 'Ik zal erbij aangeven dat het op uw verzoek is.'

Alex liet hem uit. Hij stond op de stoep en keek de politieauto na, die van de oprit de straat opreed. Hij vroeg zich af wie zich daar in het donker verborg, wachtend op zijn kans. Er ging een rilling door hem heen, maar niet van de koude nachtlucht.

41

Kort na zeven uur ging de telefoon. Davina werd er wakker van en Alex schrok. Na de aanval op Weird was ook het allerkleinste geluid zijn bewustzijn binnengedrongen om geanalyseerd en op risico beoordeeld te worden. Er liep iemand rond die Weird en hem in de gaten hield, en al zijn zintuigen waren in hoogste staat van paraatheid. Het gevolg was dat hij nauwelijks had geslapen. Gedurende de nacht had hij Weird horen rondlopen, waarschijnlijk op zoek naar meer pijnstillers. Het was geen normaal nachtelijk geluid en zijn hart was aan het bonzen gegaan voordat hij begreep wat het was.

Hij pakte de telefoon terwijl hij zich afvroeg of Lawson al aan zijn bureau zat en Hendersons rapport had ontvangen. Hij was niet voorbereid op het opgewekte geluid van Jason McAllister. 'Hé, Alex,' begroette de forensisch verfdeskundige hem vrolijk. 'Ik weet dat jonge ouders altijd voor dag en dauw opstaan, dus dacht ik dat je het niet erg zou vinden dat ik zo vroeg bel. Luister, ik heb wat informatie voor je. Ik zou nu langs kunnen komen en je op de hoogte stellen voordat ik naar mijn werk ga. Wat vind je daarvan?'

'Geweldig,' zei Alex zwaar. Lynn duwde het dekbed van zich af, liep slaperig naar de draagmand en tilde haar dochter er met een kreun uit.

'Fantastisch. Ik ben er met een halfuur.'

'Je weet het adres?'

'Natuurlijk. Ik ben een paar keer bij Lynn geweest om dingen te bespreken. Tot straks.' De verbinding werd verbroken en Alex hees zichzelf overeind in bed terwijl Lynn terugkwam met de baby.

'Dat was Jason,' zei Alex. 'Hij komt hierheen. Ik kan beter gaan douchen. Je had me niet verteld dat hij zo'n vreselijk vrolijk ochtendmens is.' Hij boog zich naar zijn dochter en gaf haar een kus op haar hoofdje terwijl Lynn haar aan de borst legde.

'Hij kan een beetje te veel van het goede zijn,' zei Lynn instemmend. 'Ik voed eerst Davina. Dan trek ik mijn ochtendjas aan en kom naar beneden.'

'Ongelooflijk dat hij zo snel resultaat heeft.'

'Hij is net als jij was toen je net met je bedrijf begon. Hij geniet van zijn werk en vindt het niet erg om er veel tijd aan te besteden. En hij wil zijn blijdschap met iedereen delen.'

Alex reikte naar zijn ochtendjas en bleef even staan. 'Was ik zo? Wat een wonder dat je geen scheiding hebt aangevraagd.'

Alex trof Weird in de keuken aan. Hij zag er vreselijk uit. De enige kleur in zijn gezicht was afkomstig van een blauwe plek die zich als schmink rond zijn beide ogen verspreidde. Hij zat daar ongelukkig, met zijn handen rond een beker geslagen. 'Je ziet er beroerd uit,' zei Alex.

'Zo voel ik me ook.' Hij nam een slokje koffie en zijn gezicht vertrok. 'Waarom heb je geen fatsoenlijke pijnstillers?'

'Omdat we er geen gewoonte van maken om in elkaar geslagen te worden,' zei Alex over zijn schouder terwijl hij naar de voordeur liep. Jason kwam opgewonden op de ballen van zijn voeten de keuken binnendansen en deinsde vervolgens op een bijna komische manier achteruit toen hij Weird in het oog kreeg. 'Godallemachtig, man, wat is er met jou gebeurd?'

'Een vent met een honkbalknuppel,' zei Alex kort en bondig. 'We maakten geen grap toen we zeiden dat het een kwestie van leven of dood kon zijn.' Hij schonk Jason koffie in. 'Je bent snel met een resultaat,' zei hij. 'Ik ben onder de indruk.'

Jason haalde zijn schouders op. 'Toen ik er eenmaal aan begonnen was, was het niet zo ingewikkeld. Ik heb de microspectrofotometrie gedaan om de kleur te bepalen en daarna heb ik het door de gaschromatograaf gehaald voor de samenstelling. Maar het kwam niet overeen met iets in mijn databank.'

Alex zuchtte. 'Nou ja, dat verwachtten we al,' zei hij.

Jason stak een vinger omhoog. 'Wacht, Alex. Ik ben geen man zonder middelen. Een paar jaar geleden heb ik op een conferentie een man ontmoet. Hij is de grootste verfexpert van de wereld. Hij werkt voor de FBI en gaat ervan uit dat hij de grootste verfdatabank van het heelal heeft. Dus heb ik hem mijn resultaten laten vergelijken met zijn gegevens, en bingo! We hebben het.' Hij spreidde zijn armen alsof hij applaus verwachtte.

Lynn kwam net op tijd binnenlopen om zijn conclusie te horen. 'En wat is het?' vroeg ze.

'Ik zal jullie niet met de technische specificaties vermoeien. De verf is in de jaren zeventig door een kleine fabrikant in New Jersey gemaakt voor gebruik op fiberglas en bepaalde soorten plastic. De doelmarkt was die van botenbouwers en eigenaren van boten. Het gaf een bijzonder taaie laag die niet snel kraste en niet afbladderde, zelfs niet onder extreme weersomstandigheden.' Hij maakte zijn rugzak open, rommelde erin en haalde er een door de computer gemaakte kleurenkaart uit. Een veeg lichtblauw was met een zwarte merkstift onderstreept. 'Zo zag het eruit,' zei hij terwijl hij het vel papier rond liet gaan. 'Het goede nieuws wat de kwaliteit van de lak betreft, is dat als de plaats van de misdaad op wonderbaarlijke manier bewaard is gebleven, er een kans is dat je nog een vergelijking kunt maken. De verf is voornamelijk verkocht aan de oostkust van de VS, maar is ook geëxporteerd naar Groot-Brittannië en het Caribisch gebied. Het bedrijf is eind jaren tachtig over de kop gegaan, maar waar de verf hier terecht is gekomen weten we niet.'

'Dus er is een kans dat Rosie op een boot is vermoord?' vroeg Alex.

Jason maakte een twijfelachtig smakgeluid met zijn lippen. 'Als dat zo is, moet het een behoorlijk grote boot zijn geweest.'

'Waarom zeg je dat?'

Hij haalde met een zwierig gebaar een paar papieren uit zijn rugzak. 'Hier gaat de vorm van de druppeltjes een rol spelen. Minuscule traantjes, dat is wat we hier hebben. En een of twee hele kleine vezelfragmenten, die wat mij betreft erg op die van een tapijttegel lijken. En dat vertelt me een verhaal. De druppeltjes zijn van een kwast gekomen terwijl daarmee iets beschilderd werd. Het gaat om een erg beweeglijke verf, wat betekent dat die er in piepkleine druppeltjes af is gekomen. Degene die aan het verven was, heeft het waarschijnlijk niet eens gemerkt. Het is typisch het soort heel fijne nevel dat je krijgt als je boven je hoofd werkt, vooral als je je helemaal uitrekt. En omdat er vrijwel geen variatie is in de vorm van de druppeltjes, lijkt het erop dat alle verf boven het hoofd is aangebracht en op gelijke afstand. Dit alles past niet bij het verven van een scheepsromp. Zelfs niet als je de romp ondersteboven had liggen om de binnenkant te verven, want dat zou je niet op een plaats doen waar vloerbedekking ligt. En de druppeltjes zouden in dat geval in grootte variëren omdat een deel van het oppervlak dichter bij je zou zijn, nietwaar?' Hij zweeg en keek om zich heen. Ze schudden allemaal het hoofd, in de ban van zijn enthousiasme.

'Dus wat blijft er over? Als het een boot was, was jullie man misschien het plafond van de hut aan het schilderen. Ik heb wat experimenten gedaan met een verf die er veel op lijkt en moest om dit effect te krijgen vrij hoog boven mijn hoofd reiken. En kleine boten hebben niet zulke hoge plafonds. Daarom denk ik dat jullie man een flinke boot moet hebben gehad.'

'Als het een boot was,' zei Lynn. 'Kan het niet iets anders zijn geweest? Het plafond van een trailer? Of van een caravan?'

'Dat zou kunnen. Maar je hebt waarschijnlijk geen tapijt in een trailer, nietwaar? Het kan een schuur zijn geweest, of een garage. Want verfsoorten die gemaakt zijn voor fiberglas zijn ook behoorlijk goed voor asbest, en dat werd in de jaren zeventig heel wat meer gebruikt.'

'Waar het op neerkomt, is dat het ons niet verder brengt,' zei Weird met teleurstelling in zijn stem.

Het gesprek ging verschillende richtingen uit. Maar Alex luisterde niet meer. Zijn hersenen werkten op volle toeren; er was een gedachtestroom op gang gekomen door wat hij net had gehoord. Er ontstonden verbindingen in zijn hoofd, schakels tussen brokken informatie die ogenschijnlijk niet bij elkaar hoorden, maar die nu tot een keten werden gevormd. Als je eenmaal de ruimte gaf aan de eerste onvoorstelbare gedachte, begonnen de dingen op hun plaats te vallen. De vraag was nu wat hij ermee moest doen.

Hij besefte ineens dat hij even helemaal weg was geweest. Iedereen zat naar hem te kijken, wachtend op een antwoord op een of andere onuitgesproken vraag. 'Wat?' zei hij. 'Sorry, ik was even in gedachten.'

'Jason vroeg of je een officieel rapport van hem wilt,' zei Lynn. 'Zodat je het aan Lawson kunt laten zien.'

'Ja, goed idee,' zei Alex. 'Dat is briljant, Jason. Ik ben onder de indruk.'

Terwijl Lynn Jason ging uitlaten, keek Weird Alex doordringend aan. 'Je hebt een idee, Gilly,' zei hij. 'Ik ken die blik.'

'Nee. Ik pijnigde alleen mijn hersenen om te bedenken of iemand van de Lammas Bar een boot had. Er waren een paar vissers, toch?' Alex wendde zich af en ging druk bezig met het roosteren van brood.

'Nu je het zegt... Daar moeten we Lawson aan herinneren,' zei Weird.

'Ja... Als hij belt kun je dat tegen hem zeggen.'

'Hoezo? Waar ga jij dan heen?'

'Ik moet een paar uur naar kantoor. Ik heb de zaak verwaarloosd de laatste dagen. De dingen lopen niet vanzelf. Ik heb een paar afspraken vanmorgen die ik echt moet nakomen.'

'Moet je wel alleen op pad gaan?'

'Ik heb geen keuze,' zei Alex. 'Maar ik denk dat ik op klaarlichte dag en op de weg naar Edinburgh wel veilig ben. En als het donker wordt ben ik allang terug.'

'Dat is je geraden ook.' Lynn kwam binnen met de ochtendkranten. 'Jackie had blijkbaar gelijk. Ze staan breeduit op de voorpagina's.'

Alex kauwde in gedachten verzonken op zijn toast, terwijl de andere twee de kranten doornamen. Hij pakte zonder dat ze het merkten de kleurenkaart die Jason had achtergelaten en stopte hem in zijn broekzak. Hij maakte van een stilte in het gesprek gebruik om zijn vertrek aan te kondigen. Hij kuste zijn vrouw en slapende dochter en verliet het huis.

Hij reed de BMW de garage uit en de straat op in de richting van de snelweg die hem over de brug naar Edinburgh zou brengen. Maar toen hij bij de rotonde kwam, sloeg hij niet in zuidelijke richting af naar de M90, maar reed in noordelijke richting. Degene die het op hen gemunt had, was nu op zijn terrein gekomen. Hij had geen tijd voor afspraken.

Met een gevoel van opluchting waar ze niet trots op was, stapte Lynn achter het stuur van haar auto. Ze begon zich opgesloten te voelen in haar eigen huis. Ze kon zich zelfs niet in haar studio terugtrekken en haar kalmte herwinnen door aan haar laatste schilderij te werken. Ze wist dat ze niet zou moeten rijden, zo snel na de keizersnede, maar ze moest er even uit. De noodzaak om boodschappen te doen, had het volmaakte excuus geboden. Ze beloofde Weird dat ze iemand van de supermarkt zou vragen om het zware tillen voor haar te doen. Daarna had ze Davina warm ingepakt en in de draagmand gelegd en was ontsnapt.

Ze besloot alles uit haar vrijheid te halen wat erin zat en naar de grote Sainsbury in Kirkcaldy te gaan. Als ze na de boodschappen nog genoeg energie over had, kon ze even bij haar ouders langsgaan. Ze hadden Davina niet meer gezien sinds ze uit het ziekenhuis was gekomen. Misschien zouden ze wat opvrolijken door een bezoekje van hun kleindochter. Ze hadden iets nodig om zich meer op de toekomst dan op het verleden te kunnen richten.

Toen ze bij Halbeath de snelweg verliet, begon het benzinelampje op haar dashboard te branden. Ze wist dat ze nog meer dan genoeg brandstof had om naar Kirkcaldy heen en terug te rijden, maar ze wilde geen enkel risico nemen met de baby in de auto. Ze zette haar knipperlicht aan voor de afslag naar het benzinestation en reed langs de pompen zonder zich bewust te zijn van de auto die haar vanaf North Queensferry had gevolgd.

Lynn gooide de tank vol en haastte zich naar binnen om te betalen. Terwijl ze wachtte op acceptatie van haar creditcard, wierp ze een blik naar buiten.

Even begreep ze niet wat ze zag. Het tafereel buiten was fout, helemaal fout. Toen drong het tot haar door. Lynn gilde en liep half struikelend naar de deur, waarbij haar tas de vloer raakte en zijn inhoud verloor terwijl ze rende.

Een zilverkleurige VW Golf stond, met draaiende motor, de passagiersdeur wijd open, achter haar auto geparkeerd. Ook de passagiersdeur van haar auto stond open en verborg degene die zich naar binnen boog. Terwijl ze de zware deur van het benzinestation opentrok, zag ze een man overeind komen met dik zwart haar dat over zijn ogen viel. Hij hield Davina's draagmand vast. Hij wierp een blik in haar richting en rende naar de andere auto. Davina's gehuil sneed als een mes door de lucht.

Hij gooide de draagmand min of meer op de passagiersstoel van zijn auto en sprong achter het stuur. Lynn was bijna bij hem. Hij gooide de auto in de versnelling en scheurde weg, zijn banden gierend over het asfalt.

Zonder te letten op de pijn van haar half genezen litteken, gooide Lynn zich naar de wild zwenkende auto toen hij langs haar stoof. Maar haar wanhopige vingers kregen niets te pakken waaraan ze zich kon vasthouden en door haar vaart viel ze voorover op haar knieën. 'Nee,' gilde ze terwijl ze met haar vuisten op de grond sloeg. 'Nee!' Ze probeerde op te staan om bij haar auto te komen, om de achtervolging in te zetten. Maar haar benen hielden haar niet en ze zakte uitzinnig van pijn en ongerustheid op de grond.

Verrukt denderde Graham Macfadyen over de A92, weg van het benzinestation. Hij had het gedaan. Hij had de baby. Hij keek even om te controleren of alles in orde was. Het kind was met dat vreselijke geschreeuw gestopt zodra ze op de tweebaansweg waren gekomen. Hij had gehoord dat baby's vaak van autorijden hielden en voor deze leek dat zeker te gelden. De blauwe ogen keken hem kalm en ongeïnteresseerd aan. Aan het eind van de tweebaansweg zou hij achterafweggetjes opgaan om de politie te ontlopen. Dan zou hij stoppen en de draagmand goed vastzetten. Hij wilde nog niet dat er iets met het kind zou gebeuren. Hij wilde Alex Gilbey straffen, en hoe langer de baby in leven was en het kennelijk goed maakte, hoe erger zijn lijden zou zijn. Hij zou de baby net zolang als gijzelaar houden als het hem uitkwam.

Het was zo lachwekkend gemakkelijk geweest. Mensen moesten echt beter op hun kinderen letten. Het was verbazingwekkend dat er niet meer in handen van vreemden vielen.

Nu zouden mensen naar hem luisteren, dacht hij. Hij zou de baby mee naar huis nemen en de deur op slot doen. Een belegering, dat zou het worden. De media zouden in groten getale voor de deur verschijnen en hij zou de kans krijgen om uit te leggen waarom hij zo'n drastische maatregel had moeten nemen. Als ze hoorden hoe de politie van Fife de moordenaars van zijn moeder beschermde, zouden ze begrijpen waarom hij zoiets extreems had gedaan. En als dat nog steeds niet zou werken, nou, dan had hij nog één troef in handen. Hij wierp een blik op de slaperige baby.

Lawson zou het nog betreuren dat hij niet naar hem had geluisterd.

42

Alex had bij Kinross de snelweg verlaten. Hij was dwars door het rustige marktstadje in de richting van Loch Leven gereden. Toen Karen Pirie zich had laten ontvallen dat Lawson aan het vissen was, had ze voor ze er erg in had het woord 'Loch' uitgesproken. En er was maar één Loch in Fife waar een echte visser zijn hengel zou uitwerpen. Alex kon het idee dat bij hem op was gekomen maar niet uit zijn hoofd zetten. Omdat hij diep vanbinnen wist dat geen van hen vieren het had gedaan, en omdat hij zich niet kon voorstellen dat Rosie als een gemakkelijke prooi voor een vreemde in haar eentje in een sneeuwstorm had rondgelopen. Hij had eigenlijk altijd geloofd dat ze vermoord was door haar mysterieuze vriend. En als je van plan was een meisje te verleiden, nam je haar niet mee naar een schuur of een garage. Je nam haar mee naar je huis. En toen had hij zich een losse opmerking herinnerd uit een van de gesprekken van de vorige dag. Het onvoorstelbare was ineens het enige geworden dat logisch was. Rechts van hem doemde als een slapende dinosauriër de dreigende massa van de Bishop op, waardoor hij geen signaal meer had op zijn mobiele telefoon. Alex had een missie en was zich totaal onbewust van wat elders gebeurde. Hij wist precies waar hij naar zocht. Hij wist alleen niet waar hij het kon vinden.

Hij reed langzaam en sloeg elk boederijpad en elke zijweg in die naar de oever van het meer leidde. Boven het oppervlak van het donkergrijze water hing een lichte nevel, die het geluid dempte en zijn zoektocht iets griezeligs gaf waar hij geen behoefte aan had. Alex stopte bij elk hek waar hij kwam, stapte uit de auto en tuurde de velden in om zijn prooi niet te missen. Het hoge gras doorweekte zijn enkels en hij wenste dat hij zich verstandiger had gekleed. Maar hij had niet gewild dat Lynn zou merken dat hij niet naar de zaak maar ergens anders heen ging.

Hij nam de tijd, zocht methodisch de oever van het meer af. Hij sloop bijna een uur op een kleine camping rond, maar vond niet wat hij zocht. Dat verbaasde hem niet echt. Waar hij naar op zoek was, verwachtte hij niet op plaatsen waar het gewone volk kwam.

Rond de tijd dat zijn radeloze vrouw haar eerste verklaring aan de politie gaf, zat Alex in een theehuis langs de weg koffie te drinken en een eigengemaakte scone met boter te besmeren, terwijl hij weer wat warmte in zijn botten probeerde te krijgen na het bezoek aan de camping. Hij had geen er geen flauw benul van dat er iets mis was.

De eerste politieagent die ter plaatse kwam, had een jammerende vrouw aangetroffen met vuil aan haar handen en op de knieën van haar spijkerbroek. De pomphouder stond er hulpeloos en van streek bij terwijl automobilisten kwamen en gefrustreerd weer vertrokken als ze merkten dat ze niet geholpen werden.

'Zorg dat Jimmy Lawson hier komt, nu!' bleef ze maar roepen, terwijl de pomphouder uitlegde wat er gebeurd was.

De politieman had geprobeerd haar eis te negeren en had dringend om assistentie gevraagd. Toen had ze hem bij zijn jas gepakt en hem met speeksel besproeid, terwijl ze maar bleef eisen dat de adjunct-hoofdcommissaris van de recherche zou komen. Hij ging hier niet op in en stelde voor dat ze haar man zou bellen, of een vriendin of wie dan ook.

Lynn duwde hem vol minachting weg en stormde terug naar het benzinestation. Uit haar verspreid liggende bezittingen greep ze haar mobieltje. Ze probeerde Alex' nummer, maar een irritante dienststem liet haar weten dat het nummer niet bereikbaar was. 'Verdomme!' gilde Lynn. Met bevende vingers lukte het haar naar huis te bellen.

Toen Weird opnam jammerde ze: 'Tom, hij heeft Davina. De rotzak heeft mijn dochter.'

'Wat? Wie heeft haar?'

'Dat weet ik niet. Macfadyen, denk ik. Hij heeft mijn baby gestolen.' Nu kwamen de tranen; ze stroomden over haar wangen en verstikten haar.

'Waar ben je?'

'Het benzinestation van Halbeath. Ik stopte alleen om te tanken. Ik was maar een minuut weg...' Lynn stikte in de woorden en liet de telefoon op de grond vallen. Ze zakte op haar hurken en leunde tegen een gebaksvitrine. Ze sloeg haar armen rond haar hoofd en snikte. Ze wist niet hoeveel tijd er voorbij was gegaan toen ze de zachte geruststellende toon van een vrouwenstem hoorde. Ze keek op in het gezicht van een vreemde.

'Ik ben rechercheur Cathy McIntyre,' zei de vrouw. 'Kunt u me vertellen wat er gebeurd is?'

'Hij heet Graham Macfadyen. Hij woont in St Monans,' zei Lynn. 'Hij heeft mijn baby gestolen.'

'Kent u die man?' vroeg McIntyre.

'Nee, ik ken hem niet. Maar hij zit achter mijn man aan. Hij denkt dat Alex zijn moeder heeft vermoord. Maar dat is natuurlijk niet waar. Hij is gestoord. Hij heeft al twee mensen vermoord. Laat hem mijn baby niet vermoorden.' Lynns woorden tuimelden uit haar mond, waardoor ze in de war leek. Ze probeerde diep adem te halen en hikte. 'Ik weet dat ik krankzinnig klink, maar dat ben ik niet. U moet contact opnemen met de adjunct-hoofdcommissaris. James Lawson. Hij weet er alles van.'

Rechercheur McIntyre aarzelde. Dit ging haar bevoegdheden te boven en dat wist ze. Het enige dat ze tot nu toe had gedaan, was alle patrouillerende agenten doorgeven dat ze uit moesten kijken naar een zilverkleurige Golf bestuurd door een man met donker haar. Misschien zou het bellen van de adjunct-hoofdcommissaris haar een vernedering besparen. 'Laat het maar aan mij over,' zei ze terwijl ze naar buiten liep om over haar mogelijkheden na te denken.

Weird zat in de keuken en maakte zich kwaad om zijn onvermogen. Bidden was natuurlijk heel mooi, maar een mens had een veel hoger niveau van innerlijke rust nodig om met gebed iets nuttigs te bereiken. Zijn verbeelding ging met hem op de loop en hij zag beelden voor zich van zijn eigen kinderen in handen van een ontvoerder. Hij wist dat hij niet meer redelijk zou kunnen denken als hij in Lynns schoenen zou staan. Hij moest iets concreets bedenken dat zou kunnen helpen.

Hij had geprobeerd Alex te pakken te krijgen. Maar diens mobieltje werkte niet en op de zaak zeiden ze dat ze hem die ochtend niet hadden gezien of gesproken. Dus Alex stond ook op de lijst van vermisten. Weird was niet echt verbaasd. Hij was ervan overtuigd dat Alex iets van plan was geweest toen hij wegging.

Hij pakte de telefoon, en zijn gezicht vertrok al bij die kleine beweging, en vroeg bij inlichtingen om het nummer van de politie van Fife. Het kostte hem al zijn overredingskracht om bij de secretaresse van Lawson te komen. 'Ik moet de adjunct-hoofdcommissaris echt spreken,' zei hij. 'Het is dringend. Er is een kind ontvoerd en ik heb cruciale informatie,' zei hij tegen de vrouw, die blijkbaar net zo goed was in blokkeren als hij in overreden.

'Meneer Lawson is in vergadering,' zei ze. 'Als u mij uw naam en telefoonnummer geeft, zal ik hem vragen om contact met u op te nemen zodra hij in de gelegenheid is.'

'U bent toch niet doof? Er is een baby ontvoerd die gevaar loopt. Als er iets met dat kind gebeurt kunt u erop rekenen dat ik binnen het uur met de pers en de tv praat om ze te vertellen hoe jullie het hebben laten afweten. Als u me niet nu doorverbindt met Lawson, wordt u de zondebok.'

'Het is niet nodig om zo'n houding aan te nemen, meneer,' zei de vrouw ijzig. 'Hoe was uw naam precies?'

'Eerwaarde Tom Mackie. Hij praat met me, dat verzeker ik u.'

'Blijft u aan de telefoon, alstublieft.'

Weird tierde inwendig tegen een bezeten barokconcert. Na voor zijn gevoel eindeloos te hebben gewacht, klonk er een stem in zijn oren die hij na al die jaren herkende. 'Het kan maar beter de moeite waard zijn, meneer Mackie. Ik ben uit een vergadering met de hoofdcomissaris gehaald om met u te praten.'

'Graham Macfadyen heeft de baby van Alex Gilbey ontvoerd. Ik vind het ongelooflijk dat u aan het vergaderen bent terwijl dit gaande is,' snauwde Weird.

'Wat zei u?' vroeg Lawson.

'Er is een kind ontvoerd. Ongeveer een kwartier geleden. Macfadyen heeft Davina Gilbey gekidnapt. Ze is nog maar een paar weken oud, verdomme.'

'Ik wist hier niets van, meneer Gilbey. Kunt u me vertellen wat u weet?'

'Lynn Gilbey stopte om te tanken bij het benzinestation van Halbeath. Toen ze ging betalen, heeft Macfadyen de baby uit Lynns auto gehaald. De politie is er al. Waarom bent u niet op de hoogte gebracht?'

'Heeft mevrouw Gilbey Macfadyen herkend? Heeft ze hem ontmoet?' vroeg Lawson.

'Nee, maar wie anders zou Alex op die manier willen treffen?'

'Kinderen worden om allerlei redenen ontvoerd, meneer Mackie. Het is wellicht niet persoonlijk bedoeld.' De stem klonk kalmerend, maar dat had geen effect.

'Natuurlijk is het persoonlijk,' schreeuwde Weird. 'Gisteravond heeft iemand geprobeerd me dood te knuppelen. Als het goed is, hebt u een rapport daarover op uw bureau liggen. En nu is Alex' dochter ontvoerd. Gaat u het weer op toeval gooien? Want wij geloven daar niet in. U moet godverdomme van uw luie reet komen en Macfadyen vinden voordat er iets met de baby gebeurt.'

'Benzinestation Halbeath, zei u?'

'Ja. En zorg dat u er meteen heen gaat. U hebt de bevoegdheid om te handelen.'

'Ik zal contact opnemen met mijn mensen ter plaatse. Probeer intussen kalm te blijven, meneer Mackie.'

'Ja, nou, fluitje van een cent.'

'Waar is meneer Gilbey?' vroeg Lawson.

'Dat weet ik niet. Hij zou naar kantoor gaan, maar daar is hij niet komen opdagen. En zijn mobieltje reageert niet.'

'Laat dit aan mij over. Wie de baby ook mag hebben, we zullen de ontvoerder vinden. En we zullen haar thuisbrengen.'

'Je klinkt als de ergste soort tv-diender, weet je dat, Lawson? Zet de zaak in beweging. Vind Macfadyen.' Weird gooide de hoorn op de haak. Hij probeerde zichzelf voor te houden dat hij iets bereikt had, maar zo voelde het niet.

Het lukte niet. Hij kon hier niet blijven zitten en niets doen. Hij pakte de telefoon weer en vroeg inlichtingen om het nummer van een taxibedrijf.

Lawson staarde naar de telefoon. Macfadyen was te ver gegaan. Hij had het moeten zien aankomen, maar had gefaald. Nu was het te laat om hem uit te schakelen. Dit kon helemaal uit de hand gaan lopen. En je wist niet wat er dan kon gebeuren. Terwijl hij zijn uiterste best deed om kalm te blijven, belde hij de meldkamer en vroeg om een rapport over de gebeurtenissen bij Halbeath.

Zodra hij de woorden 'zilverkleurige Volkswagen Golf' hoorde, herinnerde hij zich hoe hij naar het huis van Macfadyen was gelopen en de auto op de oprit had zien staan. Geen twijfel aan,

Macfadyen was doorgedraaid.

'Verbind me met de leidinggevende ter plaatse,' commandeerde hij. Hij trommelde met zijn vingers op het bureau terwijl er verbinding werd gemaakt. Dit was een doemscenario. Waar was Macfadyen in godsnaam mee bezig? Nam hij wraak op Gilbey omdat die zijn moeder zou hebben vermoord? Of speelde hij een ingewikkelder spel? Wat het ook mocht zijn, het kind liep gevaar. Normaal gesproken had een ontvoerder van een baby een simpel motief. Het was iemand die zelf een kind wilde. Iemand die voor het kind wilde zorgen en het wilde overladen met liefde en aandacht. Maar dit was anders. Dit kind was een pion in wat voor gestoord spel Macfadyen ook speelde, en als hij dacht dat hij een moord moest wreken, zou moord weleens zijn eindspel kunnen zijn. Aan de consequenties daarvan moest hij niet denken. Lawsons maag verkrampte bij de gedachte aan wat het kon betekenen. 'Kom op,' mompelde hij.

Ten slotte kwam er een stem over de lijn. 'Inspecteur McIntyre,' hoorde hij. Er was in elk geval een vrouwelijke inspecteur ter plaatse, dacht Lawson opgelucht. Hij herinnerde zich Cathy McIntyre. Ze was brigadier geweest bij de recherche toen hij hoofdinspecteur was in Dunfermline. Ze was goed, deed de dingen altijd volgens het boekje.

'Cathy, met adjunct-hoofdcommissaris Lawson.'

'Ja, meneer, ik wilde u net bellen. De moeder van de ontvoerde baby, ene mevrouw Lynn Gilbey, heeft naar u gevraagd. Ze lijkt te denken dat u weet wat er aan de hand is.'

'De ontvoerder is weggereden in een zilverkleurige VW Golf, klopt dat?'

'Ja. We proberen het kentekennummer via het materiaal van de bewakingscamera te krijgen, maar we hebben alleen beelden van de rijdende auto. Hij stond pal achter mevrouw Gilbey geparkeerd, waardoor de nummerborden niet te zien zijn toen de auto stilstond.'

'Laat iemand daar voorlopig nog mee doorgaan. Maar ik denk dat ik weet wie de ontvoerder is. Hij heet Graham Macfadyen. Hij woont op Carlton Way 12 in St Monans. En ik vermoed dat hij het kind daar mee naartoe heeft genomen. Ik denk dat hij uit is op een gijzelaarssituatie. Dus wil ik je daar ontmoeten, aan het eind van de straat. Kom niet met een hele troepenmacht, maar laat iemand mevrouw Gilbey in een afzonderlijke auto erheen rijden. Zorg voor radiostilte in die auto. Ik zal hier een gijzelingsteam organiseren en zal je volledig inlichten wanneer we daar zijn. Niet treuzelen, Cathy. Ik zie je in St Monans.'

Lawson beëindigde het gesprek en kneep toen zijn ogen stijf dicht in concentratie. Het bevrijden van gijzelaars was de moeilijkste taak waar politiemensen voor gesteld werden. Omgaan met de getroffenen was een makkie in vergelijking daarmee. Hij belde de meldkamer weer en gaf opdracht het gijzelingsteam en een gewapende versterkingseenheid te mobiliseren. 'O, en zorg ook dat er een Telecom-technicus heen gaat. Ik wil zijn contact met de buitenwereld afsluiten.' Ten slotte belde hij Karen Pirie. 'Zorg dat je over vijf minuten op het parkeerterrein bent,' brulde hij. 'Ik leg het je onderweg wel uit.'

Hij wilde net de deur uit lopen toen zijn telefoon ging. Hij vroeg zich af of hij moest opnemen, en liep toen terug. 'Lawson,' zei hij.

'Hallo, meneer Lawson. U spreekt met Andy, van de persvoorlichting hier. Ik heb net de *Scotsman* aan de telefoon gehad met een merkwaardig verhaal. Ze zeggen dat ze net een e-mailtje hebben gekregen van een vent die beweert dat hij een baby heeft ontvoerd omdat de politie van Fife de moordenaars van zijn moeder de hand boven het hoofd houdt. Hij geeft vooral u de schuld van de situatie. Het is blijkbaar een heel lang en gedetailleerd mailtje. Ze sturen het aan me door. Ze vragen in feite of het waar is. Is er een kind ontvoerd?'

'Jezus,' kreunde Lawson. 'Ik had het afschuwelijke gevoel dat er zoiets zou gaan gebeuren. Luister, dit is een bijzonder delicate zaak. Ja, er is een baby ontvoerd. Ik ken het hele verhaal zelf ook nog niet. Neem contact op met de meldkamer, die kunnen je alles vertellen. Ik denk dat je hierover meer telefoontjes gaat krijgen, Andy. Geef ze zoveel bijzonderheden als je kunt. Organiseer een persconferentie voor zo laat in de middag als mogelijk is. Maar hou het er vooral op dat die vent geestelijk gestoord is en dat niemand al te veel geloof moet hechten aan zijn geraaskal.'

'Dus het officiële standpunt is dat we met een gek te maken hebben,' zei Andy.

'Min of meer, ja. Maar we nemen het uiterst serieus. Het leven van een kind staat op het spel en ik wil geen onverantwoordelijk gedrag waardoor die vent nog gekkere dingen gaat doen. Is dat duidelijk?'

'Het is duidelijk. Ik spreek u later weer.'

Lawson vloekte binnensmonds en haastte zich naar de deur. Dit zou een vreselijke dag worden.

Weird vroeg de taxichauffeur om langs het winkelcentrum in Kirkcaldy te rijden. Toen ze er waren gaf hij hem een pak bankbiljetten. 'Doe me een lol, vriend. Je ziet hoe ik eraantoe ben. Koop een mobiele telefoon voor me, een van die prepaydingen. En een paar extra kaarten, ik heb contact met de wereld nodig.'

Een kwartier later waren ze weer onderweg. Hij viste het papiertje uit zijn zak waarop hij de mobiele nummers van Alex en Lynn had gekrabbeld. Hij probeerde Alex weer te bereiken. Nog steeds geen reactie. Waar zat hij in godsnaam?

Macfadyen staarde verbluft naar de baby. Het kind was vrijwel meteen nadat hij het mee naar binnen had genomen gaan huilen, maar hij had toen geen tijd gehad om er iets aan te doen. Hij moest e-mails versturen, de wereld laten weten wat er gaande was. Alles was al voorbereid. Hij hoefde alleen maar on line te gaan en dan zou zijn boodschap met een paar klikken van de muis naar elke nieuwsorganisatie in het land en bijna alle nieuwsgroepen op het internet gaan. Nu moesten ze er wel aandacht aan schenken.

Hij liet de computers voor wat ze waren en ging terug naar de woonkamer, waar hij de draagmand op de vloer had gezet. Hij wist dat hij bij het kind moest blijven voor het geval dat de politie hen bij een aanval op het huis zou willen scheiden, maar het gehuil had hem afgeleid en hij had de baby zo neergezet dat hij zich kon concentreren. Hij had de gordijnen daar dichtgetrokken, zoals hij in elke andere kamer van het huis had gedaan. Hij had zelfs een deken voor het badkamerraam gespijkerd, waar vanwege het matglas geen gordijnen hingen.

Hij wist hoe belegeringen werkten: hoe minder de politie wist van wat er in het huis gaande was, hoe beter voor hem.

De baby huilde nog. Het gejammer was afgenomen tot een zacht gedrein, maar zodra hij binnenkwam was het kind weer gaan brullen. Het geluid ging als een drilboor door zijn hoofd en maakte het hem onmogelijk om na te denken. Hij moest ervoor zorgen dat het kind stil werd. Hij pakte het voorzichtig op en legde het tegen zijn borst. Misschien had het een vieze luier, dacht hij. Hij legde het op de vloer en maakte de deken los waarin het was gewikkeld. Daaronder droeg het een wollen jasje. Hij deed het jasje uit, maakte de drukknopen los die langs de binnenkant van de beentjes liepen en maakte het vestje eronder los. Hoeveel lagen had het stomme ding nodig? Misschien had de baby het gewoon veel te warm.

Hij haalde een rol keukenpapier en knielde neer. Hij maakte het plakband los dat de luier stevig rond de buik van het kind bevestigde en deinsde achteruit. God, wat een stank. Het was groen, verdomme. Zijn neus opgetrokken van walging verwijderde hij de vieze luier en veegde de resten van de billetjes. Haastig, voordat er weer iets uit kon spuiten, legde hij de baby op een dikke laag keukenpapier.

Daarna huilde het kind nog steeds. Jezus Christus, wat moest hij doen om het kleine kreng haar mond te laten houden? Hij had het levend nodig, in elk geval nog een tijdje, maar hij werd gek van dat lawaai. Hij gaf het een klap in het rode gezichtje, wat hem een moment van stilte opleverde. Maar zodra het geschokte kind de longen weer had gevuld, zette ze het nog heviger op een brullen. Misschien moest het eten? Hij liep naar de keuken en schonk wat melk in een kopje. Hij ging zitten en legde de baby onhandig in zijn arm, zoals hij mensen op de televisie had zien doen. Hij stopte een vinger tussen de lippen en probeerde wat melk in het mondje te druppelen. De melk liep over de kin en op zijn mouw. Hij probeerde het nog eens, maar deze keer verzette het wicht zich, met tot vuistjes gebalde handjes en schoppende beentjes. Dat domme ding wist toch wel hoe het moest slikken? Waarom gedroeg het zich alsof hij het probeerde te vergiftigen? 'Doe niet zo stom. Wat heb je?' schreeuwde hij. Het kind verstijfde in zijn armen en brulde nog harder.

Hij probeerde het nog een tijdje, maar zonder succes. Toen hield het huilen ineens op. De baby viel op slag in slaap, alsof iemand een knop had omgedraaid. Het ene moment was ze aan het brullen, het volgende moment had ze haar ogen dicht en was van de wereld. Macfadyen stond voorzichtig op van de bank en legde haar terug in de draagmand, zichzelf dwingend om het zachtjes te doen. Een herhaling van dat verschrikkelijke geluid kon hij op dit moment niet hebben.

Hij ging terug naar zijn computers met de bedoeling op een paar websites in te loggen en te kijken of het verhaal er al op stond. Hij was niet helemaal verbaasd toen hij op zijn schermen het bericht 'Verbinding verloren' zag verschijnen. Hij had verwacht dat de telefoonlijnen zouden worden afgesneden. Alsof dat hem kon tegenhouden. Hij nam een mobiele telefoon van de lader, verbond hem met behulp van een korte kabel met zijn laptop en belde in. Oké, het was alsof je verder ging op een muilezel nadat je in een Ferrari had gereden. Maar hij was nog steeds on line, ook al kostte het krankzinnig veel tijd om iets te downloaden.

Als ze dachten dat ze hem zo gemakkelijk de mond konden snoeren, hadden ze het mooi mis. Hij zat hier voorlopig nog, en hij ging voor de overwinning.

43

Alex' enthousiasme nam af. Het enige dat hem gaande hield was de vaste overtuiging dat het antwoord waar hij zo wanhopig naar op zoek was daar ergens te vinden moest zijn. Dat moest. Hij had de hele zuidkant van het meer afgezocht en ging nu naar de noordelijke oever. Hij was de tel kwijt van het aantal velden waar hij gekeken had. Hij was aangestaard door ganzen, door paarden, door schapen en zelfs, één keer, door een lama. Hij herinnerde zich vaag ergens gelezen te hebben dat herders ze bij hun kudden zette als verdedigingsmiddel tegen vossen, maar hij kon zich met de beste wil van de wereld niet voorstellen dat zo'n groot lui beest met wimpers waar een fotomodel een moord voor zou doen zoiets onbevreesds als de gemiddelde vos kon afschrikken. Hij zou Davina een keer meenemen om haar de lama te laten zien. Dat zou ze leuk vinden als ze groter was.

Het pad waarover hij reed, liep langs een armoedige boerderij. De gebouwen waren haveloos, met verzakte goten en afbladderende raamkozijnen. Het erf leek een kerkhof voor machines die al generaties lang langzaam tot roest waren vergaan. Een magere collie, die er een beetje vals uitzag, trok aan zijn ketting en blafte woest en vruchteloos toen hij passeerde. Zo'n honderd meter voorbij het hek van de boerderij werden de voren dieper en schoot krachteloos gras op in het midden. Alex reed spetterend door de plassen en schrok even toen een steen tegen het chassis knarste.

In de hoge haag links van hem doemde een hek op en Alex stopte vermoeid. Hij liep om de voorkant van de auto heen en leunde op de metalen stangen. Hij keek naar links en zag een paar smerige bruine koeien droevig herkauwen. Hij wierp een vluchtige blik naar rechts en hield zijn adem in. Hij kon zijn ogen niet geloven. Was dat het echt?

Alex rommelde aan de roestige ketting die het hek dichthield. Hij opende het hek, liep het veld in en legde de ketting weer rond de paal. Hij liep dwars door het veld zonder acht te slaan op de modder of de mest die aan zijn dure Amerikaanse schoenen kleefden. Hoe dichter hij bij zijn doel kwam, hoe meer hij ervan overtuigd was dat hij gevonden had wat hij zocht.

Het was vijfentwintig jaar geleden dat hij de caravan had gezien, maar zijn geheugen vertelde hem dat dit hem was. In twee tinten, zoals hij zich herinnerde. Crème aan de bovenkant, saliegroen van onderen. De kleuren waren vervaagd, maar hij herkende ze wel. B-2-blokken die aan beide kanten waren opgestapeld, hielden de banden boven de grond en er zat geen mos op het dak of bij de vensterbanken. Het broze rubber rond de ramen was met een of ander dichtingsproduct behandeld om het waterbestendig te maken, zag hij toen hij behoedzaam om de caravan heen liep. Ongeveer twintig meter voorbij de caravan leidde een poortje in de omheining naar het meer. Alex zag een roeiboot die op de oever getrokken was.

Hij draaide zich om en keek. Hij kon zijn ogen nauwelijks geloven. Wat was de kans geweest, vroeg hij zich af. Misschien niet zo klein als op het eerste gezicht leek. Mensen deden meubels, tapijt, auto's weg. Maar caravans bleven en gingen een eigen leven leiden. Hij dacht aan het oudere echtpaar dat tegenover zijn ouders woonde. Ze hadden nog steeds de kleine, tweepersoonscaravan die ze al hadden gehad toen hij een tiener was. In de zomer haakten ze hem elke vrijdagavond achter hun auto en gingen op pad. Nooit ver, gewoon langs de kust naar Leven of Elie. Soms namen ze het er echt van en trokken de Forth over naar Dunbar of North Berwick. En op zondagavond kwamen ze terug, zo ingenomen met zichzelf alsof ze de noordpool hadden overgestoken. Dus was het in feite niet zo'n grote verrassing dat agent Jimmy Lawson de caravan had gehouden waarin hij had gewoond toen hij zijn huis bouwde. Vooral niet omdat elke hengelaar een eigen plekje nodig heeft. De meeste mensen zouden waarschijnlijk hetzelfde hebben gedaan.

Alleen zouden de meeste mensen waarschijnlijk geen caravan hebben gehouden waarin een misdaad was gepleegd.

'Geloof je Alex nu?' vroeg Weird aan Lawson. Het effect van zijn woorden werd gedempt door het feit dat hij in elkaar gedoken zat, met zijn arm tegen zijn ribben gedrukt om te voorkomen dat ze met vreselijke pijnscheuten tegen elkaar knarsten.

De politie was er niet veel eerder geweest dan Weird, en toen hij er kwam leek er chaos te heersen. Er liepen mannen met geweren rond die kogelvrije vesten en petten droegen, terwijl andere politiemensen bedrijvig hun eigen onduidelijke taken uitvoerden. Merkwaardig genoeg leek niemand veel aandacht aan hem te besteden. Hij hinkte de taxi uit en bekeek het tafereel. Het duurde niet lang voordat hij Lawson zag, die over een kaart gebogen stond die op de motorkap van een auto lag uitgespreid. De vrouwelijke rechercheur met wie Alex en hij op het politiebureau hadden gepraat, stond naast hem met een mobiele telefoon aan haar oor. Weird liep op hen af, en woede en ongerustheid werkten als pijnstillers. 'Hé, Lawson,' riep hij toen hij hem bijna bereikt had. 'Tevreden nu?'

Lawson draaide zich om, schuldig en verrast. Zijn mond zakte open toen herkenning langzaam door de schade aan Weirds gezicht filterde. 'Tom Mackie?' zei hij onzeker.

'Dezelfde. Geloof je Alex nu? Die maniak heeft zijn dochtertje daar. Hij heeft al twee mensen vermoord en jij laat het maar gebeuren in de hoop dat hij het je gemakkelijk maakt door er drie van te maken. '

Lawson schudde zijn hoofd. Weird zag de ongerustheid in zijn ogen. 'Dat is niet waar. We doen alles wat we kunnen om de baby van de Gilbeys veilig terug te krijgen. En jij weet niet of Macfadyen aan iets meer schuldig is dan dit.'

'Nee? Wie heeft volgens jou dan Ziggy en Mondo vermoord, verdomme? Wie heeft mij dan zo toegetakeld, verdomme?' Hij wees met zijn vinger naar zijn gezicht. 'Hij had me gisteravond kunnen vermoorden.'

'Heb je hem gezien?'

'Nee, ik had het te druk met in leven blijven.'

'In dat geval zijn we niet verder dan we waren. Geen bewijs, meneer Mackie. Geen bewijs.'

'Luister naar me, Lawson. Wij leven nu al vijfentwintig jaar met de dood van Rosie Duff. En dan duikt ineens haar zoon op. En ineens zijn twee van ons vermoord. In godsnaam, man, waarom ben je de enige die niet snapt wat oorzaak en gevolg is?' Weird schreeuwde nu zonder zich bewust te zijn van het feit dat verscheidene politiemensen met waakzame, uitdrukkingsloze ogen naar hem keken.

'Meneer Mackie, ik probeer hier een ingewikkelde operatie op te zetten. Uw aanwezigheid hier en de manier waarop u ongegronde beschuldigingen rondstrooit, helpen niet echt. Theorieën zijn mooi, maar we werken met bewijs.' Lawson was nu duidelijk kwaad. Karen Pirie, naast hem, had haar telefoongesprek beëindigd en bewoog zich onopvallend in Weirds richting.

'Je vindt geen bewijs als je er niet naar zoekt.'

'Het is mijn taak niet om moorden te onderzoeken die buiten mijn district vallen,' snauwde Lawson. 'U verspilt mijn tijd, meneer Mackie. En zoals u zelf aangeeft, is het leven van een kind wellicht in gevaar.'

'Je gaat hiervoor boeten,' zei Weird. 'Jullie allebei,' voegde hij eraan toe terwijl hij zich omdraaide om Karen Pirie in zijn beschuldiging op te nemen. 'Jullie waren gewaarschuwd en hebben niets gedaan. Als hij ook maar een haar op het hoofd van dat kind krenkt, Lawson, dan zweer ik dat je gaat wensen dat je nooit was geboren. Zo, waar is Lynn?'

Lawson huiverde inwendig bij de herinnering aan het moment waarop Lynn Gilbey daar was gearriveerd. Ze was de politiewagen uit gestormd en had zich op hem geworpen, had hem op zijn borst gestompt en onsamenhangend gegild. Karen Pirie had zich erin gemengd en haar armen om de uitzinnige vrouw geslagen.

'Ze is in die witte bus daar. Karen, breng meneer Mackie naar de wagen van het versterkingsteam. En blijf bij hem en mevrouw Gilbey. Ik wil ze hier niet als ongeleide projectielen hebben rondlopen terwijl wij overal schutters hebben zitten.'

'Als dit allemaal voorbij is,' zei Weird terwijl Karen hem wegleidde, 'hebben jij en ik een rekening te vereffenen.'

'Daar zou ik niet van uitgaan, meneer Mackie,' zei Lawson. 'Ik ben een hogere politiefunctionaris en mij bedreigen is een ernstige overtreding. Ga nu weg en ga voor in gebed. Doe uw werk en ik doe het mijne.'

Carlton Way zag eruit als een achterafstraat in een spookstad. Niets bewoog. Het was er overdag altijd rustig, maar vandaag was het onnatuurlijk stil. De man op nummer 7, die in de nachtploeg werkte, was door gebons op de achterdeur uit zijn bed gehaald. Verward had hij opdracht gekregen om zich aan te kleden en met de twee politieagenten die bij hem op de stoep stonden mee te gaan. Ze waren over het hek aan het eind van zijn tuin geklommen en via de speelvelden naar de hoofdstraat gelopen, waar hem verteld was over gebeurtenissen die zo onwaarschijnlijk waren dat hij het niet had geloofd als hij niet de overweldigende aanwezigheid van de politie had gezien en de wegversperring die Carlton Way afsloot van de rest van de wereld.

'Zijn alle huizen leeg nu?' vroeg Lawson aan rechercheur McIntyre.

'Ja, meneer. En de enige communicatie met Macfadyens huis is een telefoonlijn die alleen wij kunnen gebruiken. Het hele versterkingsteam staat rond het huis opgesteld.'

'Goed. Laten we beginnen.'

Twee politieauto's en een busje reden achter elkaar Carlton Way op. Ze parkeerden achter elkaar voor Macfadyens huis. Lawson stapte uit de voorste auto en voegde zich bij de onderhandelaar, John Duncan, achter het busje, waar ze vanuit het huis niet te zien waren. 'Weten we zeker dat hij binnen is?' vroeg Duncan.

'Dat zeggen de technische mensen. Op grond van warmtemetingen of zoiets. Hij is daarbinnen met de baby. Ze leven allebei nog.'

Duncan gaf Lawson een koptelefoon en pakte zelf de telefoon die hem verbinding zou geven met het huis. Nadat de telefoon drie keer was overgegaan, werd er opgenomen. Stilte. 'Graham? Ben jij dat?' zei Duncan op een resolute maar warme toon.

'Met wie spreek ik?' Macfadyen klonk verbazingwekkend ontspannen.

'Ik ben John Duncan. Ik ben hier om na te gaan wat we kunnen doen om deze situatie op te lossen zonder dat iemand gewond raakt.'

'Ik heb je niets te zeggen. Ik wil Lawson spreken.'

'Hij is hier op het moment niet. Maar ik zal alles wat je tegen me zegt aan hem doorgeven.'

'Het is Lawson of niemand.' Macfadyens toon was vriendelijk en nonchalant, alsof ze het over het weer of voetbal hadden.

'Zoals ik al zei, is meneer Lawson hier niet.'

'Ik geloof je niet, Duncan. Maar laten we doen alsof je de waarheid spreekt. Ik heb geen haast. Ik kan wachten tot je hem gevonden hebt.' De verbinding werd verbroken. Duncan keek Lawson aan. 'Dat was de eerste ronde,' zei hij. 'We geven hem vijf minuten en dan probeer ik het weer. Uiteindelijk gaat hij wel praten.'

'Denk je dat? Hij klonk nogal kalm. Vind je niet dat ik misschien maar met hem moet praten? Op die manier heeft hij misschien het gevoel dat hij krijgt wat hij wil.'

'Het is te vroeg voor concessies. Hij moet ons iets geven voordat we hem iets teruggeven.'

Lawson zuchtte diep en wendde zich af. Hij haatte het om buitenspel te staan. Dit zou een mediacircus gaan worden en de kans op een afschuwelijke uitkomst was vele malen groter dan het alternatief. Hij wist hoe het met belegeringen ging. Ze eindigden bijna altijd slecht voor iemand.

Alex dacht na over de mogelijkheden. Onder alle andere omstandigheden was het het verstandigst om weg te lopen en naar de politie te gaan. Ze zouden hun forensisch deskundigen erheen kunnen sturen en de caravan doorzoeken op die ene druppel bloed of de traan van verf die het onvermijdelijke verband zou leggen tussen de caravan en de dood van Rosie Duff.

Maar hoe moest hij dat doen als de betreffende caravan toebehoorde aan de adjunct-hoofdcommissaris? Lawson zou elk onderzoek onmiddellijk afblazen, al stopzetten voordat het begonnen was. De caravan zou ongetwijfeld in vlammen opgaan en de schuld zou bij vandalen worden gelegd. En wat was er dan nog over? Niets anders dan toeval. Lawsons aanwezigheid zo dicht bij de plek waar Alex over haar lichaam was gestruikeld. Destijds had niemand daar verder bij stilgestaan. Aan het eind van de jaren zeventig stond de politie in Fife nog boven elke verdenking; de goeie jongens die het opnamen tegen de slechteriken. Niemand had zich ook maar afgevraagd waarom Lawson de moordenaar niet had gezien toen hij Rosies lichaam naar Hallow Hill bracht, hoewel hij bij de meest voor de hand liggende route geparkeerd stond. Maar dit was een nieuwe wereld, een wereld waarin het mogelijk was om de integriteit van mannen als James Lawson in twijfel te trekken.

Als Lawson de mysterieuze man in Rosies leven was geweest, was het begrijpelijk dat ze zijn identiteit geheim had gehouden. Haar herrieschoppende broers zouden het vreselijk hebben gevonden dat ze met een politieagent omging. En dan was er de manier waarop Lawson altijd was komen opdagen wanneer zijn vrienden of hij werden bedreigd, alsof hij zichzelf benoemd had tot hun engelbewaarder. Schuldgevoel, dacht Alex nu. Dat deed iemand uit schuldgevoel. Lawson mocht Rosie dan vermoord hebben, hij was fatsoenlijk genoeg om niet te willen dat iemand anders voor zijn misdaad zou moeten opdraaien.

Maar geen van die omstandigheden vormde enig bewijs. De kans om na vijfentwintig jaar nog getuigen te vinden die Rosie met Jimmy Lawson hadden gezien, was nihil. Het enige harde bewijs bevond zich in die caravan, en als Alex niet onmiddellijk iets zou doen, zou het te laat zijn.

Maar wat kon hij doen? Hij was niet thuis in de technieken van inbraak. In auto's inbreken als tiener was lichtjaren verwijderd van een slot opensteken, en als hij de deur zou openbreken, zou Lawson gewaarschuwd zijn. Op elk ander moment zou hij het toeschrijven aan kinderen of een zwerver, maar nu niet. Niet met zoveel belangstelling voor de zaak Rosie Duff. Hij zou het zich niet kunnen veroorloven om het niet serieus te nemen. Hij zou de hele handel in brand kunnen steken.

Alex stapte achteruit en dacht na. Hij zag dat er een dakvenster was. Misschien kon hij zich erdoorheen persen. Maar hoe kwam hij op het dak? Er was maar één mogelijkheid. Alex liep terug naar het hek, wrikte het open en reed het moerassige veld op. Voor het eerst van zijn leven wenste hij dat hij zo'n idioot was die in zo'n belachelijke auto met vierwielaandrijving door de stad reed. Maar nee, hij moest zo nodig de snelle jongen zijn met zijn BMW 535. Wat moest hij doen als hij in de modder zou blijven steken?

Hij reed langzaam naar de caravan en stopte er vlak naast. Hij opende de kofferbak en maakte het standaard gereedschapskoffertje open. Een buigtang, een schroevendraaier, een moersleutel. Hij stopte alles in zijn zakken waarvan hij dacht dat hij het misschien zou kunnen gebruiken, trok zijn colbertje uit, deed zijn stropdas af en klapte de kofferdeksel dicht. Hij klom via de motorkap op het dak van de auto. Daarvandaan was het niet ver naar de bovenkant van de caravan. Graaiend naar houvast wist hij zich op de een of andere manier op het dak te hijsen.

Het was smerig daarboven. Het dak was glibberig en slijmig. Zijn kleren en zijn handen werden vies. Het dakvenster was een uitstekende plastic koepel van ongeveer vijfenzeventig bij dertig centimeter. Het zou krap zijn. Hij drukte de schroevendraaier onder de rand en probeerde deze omhoog te wrikken.

Aanvankelijk kwam er geen beweging in. Maar na herhaalde pogingen op verschillende punten kwam de koepel langzaam en krakend omhoog. Alex wiste met de rug van zijn hand het zweet van zijn gezicht en gluurde naar binnen. Er was een draaiende metalen arm met een schroefmechanisme dat de koepel op zijn plaats hield, zodat hij van binnenuit kon worden geopend en gesloten. Het voorkwam ook dat de koepel aan de ene kant meer dan een centimeter of tien open kon. Alex kreunde. Hij zou de arm los moeten schroeven en later weer moeten bevestigen.

Hij friemelde om de juiste hoek te krijgen. Het was moeilijk om beweging in de schroeven te krijgen, want ze zaten daar al sinds ze er meer dan een kwart eeuw geleden in waren gezet. Hij worstelde en spande zich in tot eindelijk eerst de ene schroef en toen de andere los begon te komen. Ten slotte zwaaide de koepel open.

Alex keek omlaag. Het was niet zo erg als het had kunnen zijn.

Als hij zich voorzichtig zou laten zakken, moest hij de zitting van de bank kunnen bereiken, die langs de ene wand van het zitgedeelte liep. Hij haalde diep adem, greep de rand vast en liet zich zakken.

Hij dacht dat zijn armen los zouden raken uit zijn schoudergewrichten toen zijn volle gewicht zich met een schok door zijn lichaam bewoog. Zijn voeten trapten als een gek op zoek naar houvast, maar na een paar seconden liet hij zich gewoon maar vallen.

In het schemerige licht leek er weinig veranderd te zijn sinds hij daar al die jaren geleden had gezeten. Hij had toen absoluut niet gevoeld dat hij op de plaats zat waar Rosie gewelddadig aan haar einde was gekomen. Hij had geen veelzeggende lucht geroken, geen onthullende bloedvlekken gezien, niets gemerkt wat hem gespannen had gemaakt.

Hij was nu zo dicht bij een antwoord. Hij durfde nauwelijks omhoog te kijken naar het plafond. Stel dat Lawson het inmiddels tien keer had overgeschilderd. Zou er dan nog bewijsmateriaal zijn? Hij wachtte tot zijn hartslag weer een beetje normaal was en toen, een gebed mompelend naar de God van Weird, wierp hij zijn hoofd achterover en keek omhoog.

Verdomme. Het plafond was niet blauw, het was crème. Het was allemaal voor niets geweest. Nou, hij zou niet met lege handen weggaan. Hij stapte op de zitting van de bank en koos een plek in de hoek waar het niet zou opvallen. Met het scherpe uiteinde van de schroevendraaier schraapte hij wat van de verf af en ving de schilfers op in een envelop die hij uit zijn aktetas had gehaald.

Toen hij een behoorlijke hoeveelheid had verzameld, stapte hij terug op de vloer en pakte een redelijk grote schilfer. Hij was crème aan de ene kant en blauw aan de andere. Alex' benen trilden en hij liet zich zwaar op de bank zakken, overspoeld door emoties. Hij trok de kleurenkaart die Jason had achtergelaten uit zijn zak en keek naar de blauwe veeg die zijn geheugen had geprikkeld. Hij tilde een hoek van het gordijn op om daglicht binnen te laten en legde de verfschilfer op de lichtblauwe veeg. Hij verdween bijna.

Tranen prikten in Alex' ogen. Was dit het uiteindelijke antwoord?

44

Duncan had nog drie pogingen gedaan om met Graham Macfadyen te spreken, maar die had consequent geweigerd om met iemand anders dan Lawson, en alleen Lawson, te praten. Hij had Duncan Davina's gehuil laten horen, maar dat was de enige concessie die hij had gedaan. Lawson had geërgerd besloten dat het mooi was geweest.

'Het duurt te lang. De baby is van streek. De media zitten ons op de nek. Geef me de telefoon. Ik ga met hem praten,' zei hij.

Duncan wierp één blik op het rood aangelopen gezicht van zijn baas en gaf hem de hoorn. 'Ik help u om op het goede spoor te blijven,' zei hij.

Lawson maakte verbinding. 'Graham? Ik ben het. James Lawson. Het spijt me dat het zo lang duurde voor ik hier was. Ik begrijp dat je met mij wilt praten?'

'Dat heb je goed begrepen, ja. Maar voordat we verder gaan, moet ik je vertellen dat ik dit opneem. Terwijl we praten, wordt het live uitgezonden. De media hebben allemaal mijn internetadres, dus die hangen waarschijnlijk aan onze lippen. Jullie hoeven trouwens niet te proberen de site plat te leggen. Ik heb het zo opgezet dat het van server naar server gaat. Voordat je gevonden hebt waar het vandaan komt, is het alweer ergens anders.'

'Dat is toch niet nodig, Graham.'

'En of dat nodig is. Je dacht dat je me het zwijgen kon opleggen door de telefoonlijnen af te snijden, maar jij denkt als een man van de vorige eeuw. Ik ben de toekomst, Lawson, en jij bent het verleden.'

'Hoe gaat het met de baby?'

'Een lastpak, nu je het vraagt. Dat kind blijft maar huilen. Ik word er gek van. Maar het maakt het goed. Tot nu toe. Ik heb het nog geen kwaad gedaan.'

'Je doet haar al kwaad door haar zo lang bij haar moeder weg te houden. '

'Dat is mijn schuld niet. Dat is de schuld van Alex Gilbey. Van hem en zijn vrienden. Ze hebben mij bij mijn moeder weggehouden. Ze hebben haar vermoord. Alex Gilbey, Tom Mackie, David Kerr en Sigmund Malkiewicz hebben mijn moeder, Rosie Duff, op 16 december 1978 vermoord. Ze hebben haar eerst verkracht en toen vermoord. En de politie van Fife heeft ze nooit aangeklaagd.'

'Graham,' onderbrak Lawson hem, 'dat is het verleden. Waar we ons nu mee bezighouden is de toekomst. Jouw toekomst. En hoe sneller dit afgelopen is, hoe beter jouw toekomst eruitziet.'

'Praat niet tegen me alsof ik een idioot ben, Lawson. Ik weet dat ik hiervoor naar de gevangenis ga. Het maakt niets uit of ik mijn gijzelingsactie beëindig of niet. Daar kan niets meer aan veranderd worden, dus beledig me niet door te doen alsof ik stom ben. Ik heb niets meer te verliezen, maar ik kan verdomme wel zorgen dat andere mensen ook een klap krijgen. Goed, waar was ik? O ja. De moordenaars van mijn moeder. Jullie hebben ze nooit in staat van beschuldiging gesteld. En toen jullie kortgeleden de zaak heropenden, met veel trompetgeschal over DNA en dat je daarmee oude misdaden kon oplossen, bleken jullie het bewijsmateriaal kwijt te zijn. Hoe konden jullie dat doen? Hoe konden jullie iets zoekmaken dat zo belangrijk is?'

'We raken hem kwijt,' fluisterde Duncan. 'Hij noemt de baby het kind. Dat is niet goed. Ga terug naar de baby.'

'Davina ontvoeren zal daar niets aan veranderen, Graham.'

'Het heeft ervoor gezorgd dat je de moord op mijn moeder niet meer onder het tapijt kunt vegen. De hele wereld zal nu weten wat je hebt gedaan.'

'Graham, ik doe alles om de moordenaar van je moeder te vinden.'

Een uitzinnige lach knetterde over de lijn. 'O, dat weet ik. Ik geloof alleen niet in jouw manier om ze te vinden. Ik wil dat ze in deze wereld lijden, niet in de volgende. Ze sterven als helden. Wat ze in werkelijkheid waren, wordt onder het tapijt geveegd. Dat krijg je als je het op jouw manier doet.'

'Graham, we moeten praten over je huidige situatie. Davina heeft haar moeder nodig. Waarom breng je haar niet naar buiten en dan praten we over je klachten. Ik beloof je dat we zullen luisteren.'

'Ben je gek? Dit is de enige manier om je aandacht te krijgen, Lawson. En ik ben van plan er alles uit te halen voordat het voorbij is.' Het gesprek eindigde abrupt toen de telefoon aan de andere kant op de haak werd geknald.

Duncan probeerde zijn frustratie te verbergen. 'Nou, we weten in elk geval wat hem dwarszit.'

'Hij is niet goed bij zijn verstand. We kunnen niet met hem onderhandelen als de hele wereld meeluistert. Wie weet met wat voor krankzinnige beschuldigingen hij straks komt. De man moet onschadelijk worden gemaakt en niet naar de mond worden gepraat.' Lawson sloeg met zijn hand op de zijkant van het busje.

'Voordat we dat kunnen doen, moeten we hem en de baby naar buiten zien te krijgen.'

'Vergeet het maar,' zei Lawson. 'Over een uur is het donker. We stormen gewoon naar binnen.'

Duncan zag er verbijsterd uit. 'Dat is tegen de regels, meneer.'

'Dat is het ontvoeren van een baby ook,' riep Lawson over zijn schouder terwijl hij met grote stappen terugliep naar zijn auto. 'Ik kan niet niets doen terwijl het leven van een kind in gevaar is.'

Alex reed met een overweldigend gevoel van opluchting het pad weer op. Er waren een paar momenten geweest waarop hij serieus betwijfelde dat hij ooit uit het veld weg zou komen zonder de hulp van een tractor. Maar het was gelukt. Hij pakte zijn telefoon met de bedoeling Jason te bellen en hem te vertellen dat hij naar hem onderweg was met iets heel interessants. Geen verbinding. Alex reageerde afkeurend en reed voorzichtig over het pad met de diepe voren naar de weg.

Toen hij Kinross naderde, piepte zijn telefoon. Hij pakte hem op. Vier berichten. Hij drukte op de knopjes om ze op te roepen. Het eerste was van Weird: een kort berichtje waarin hem gevraagd werd onmiddellijk naar huis te bellen als hij het las. Het tweede was ook van Weird en gaf zijn mobiele nummer door. Het derde en vierde waren van journalisten die hem vroegen terug te bellen.

Wat was er in godsnaam aan de hand? Alex stopte op het parkeerterrein van een café aan de rand van het stadje en belde Weirds nummer. 'Alex? Godzijdank,' hijgde Weird. 'Je bent niet aan het rijden, neem ik aan?'

'Nee, ik sta aan de kant van de weg. Wat is er aan de hand? Ik heb al die berichten...'

'Alex, je moet kalm blijven.'
'Wat is er? Davina? Lynn? Wat is er gebeurd?'
'Alex, er is iets ergs gebeurd. Maar iedereen maakt het goed.'
'Weird, vertel het me, verdomme,' brulde Alex terwijl zijn hart begon te bonzen van angst.
'Macfadyen heeft Davina ontvoerd,' zei hij op langzame en duidelijke toon. 'Hij heeft haar gegijzeld. Maar ze maakt het goed. Hij heeft haar geen kwaad gedaan.'
Alex voelde zich alsof iemand zijn hart uit zijn borst had gerukt. Alle liefde die hij in zichzelf had ontdekt, leek omgezet te worden in een mengeling van angst en woede. 'En Lynn? Waar is ze?' wist hij verstikt uit te brengen.
'Ze is hier bij ons, voor het huis van Macfadyen in St Monans. Wacht, ik geef je haar.' Er ging een ogenblik voorbij, toen hoorde hij de wanhopige schim van Lynns stem.
'Waar ben je geweest, Alex? Hij heeft Davina meegenomen. Hij heeft onze baby, Alex.' Hij hoorde de tranen onder haar schorre stem.
'Ik was buiten bereik, Lynn. Mijn telefoon deed het niet. Maar ik kom eraan. Hou vol. Zorg dat ze niets doen. Ik kom eraan, en ik weet iets dat alles zal veranderen. Laat ze niets doen, hoor je me? Het komt goed, hoor je? Het komt allemaal goed. Geef me Weird weer, wil je?' Terwijl hij nog praatte, startte hij de motor en reed weg van het parkeerterrein.
'Alex?' Hij hoorde de spanning in Weirds stem. 'Hoe snel kun je hier zijn?'
'Ik ben in Kinross. Veertig minuten? Weird, ik weet hoe het zit. Ik weet wat er met Rosie is gebeurd en ik kan het bewijzen. Als Macfadyen dit hoort, zal hij begrijpen dat hij geen wraak meer hoeft te nemen. Je moet zorgen dat ze niets doen dat Davina in gevaar brengt tot ik hem kan vertellen wat ik weet. Dit is dynamiet.'
'Ik zal mijn best doen, maar ze hebben ons afgezonderd.'
'Doe alles wat nodig is, Weird. En pas op Lynn voor me, alsjeblieft.'
'Natuurlijk. Zorg dat je hier zo snel mogelijk bent, oké? God zegene je.'
Alex gaf plankgas en reed zoals hij nog nooit had gereden. Hij wenste bijna dat hij aangehouden zou worden voor te snel rijden.

Op die manier zou hij politiebegeleiding krijgen. Zwaailichten en sirenes helemaal naar East Neuk. Dat was wat hij op dit moment nodig had.

Lawson keek de kerkzaal rond die ze hadden geconfisqueerd. 'De technische mensen kunnen vaststellen in welke kamers Macfadyen en de baby zich bevinden. Tot nu toe heeft hij voornamelijk in een achterkamer gezeten. De baby is soms bij hem en soms in de voorkamer. Dus dat is niet al te ingewikkeld. We wachten tot ze van elkaar gescheiden zijn. Dan gaat een team aan de voorkant naar binnen en haalt de baby, het andere team gaat aan de achterkant naar binnen en schakelt Macfadyen uit.'

'We wachten tot het donker is. De straatlantaarns zullen niet aangaan. Hij zal niets kunnen zien. Ik wil dat dit gesmeerd verloopt. Ik wil dat die baby er levend en wel uitkomt.

Macfadyen is een andere kwestie. Hij is geestelijk instabiel. We hebben geen idee of hij gewapend is. We hebben reden om aan te nemen dat hij al twee keer heeft gemoord. Waarschijnlijk heeft hij zich gisteravond nog schuldig gemaakt aan ernstige geweldpleging. Ik ben ervan overtuigd dat hij weer zou hebben gemoord als hij toen niet door iemand was gestoord. Hij zei zelf dat hij niets te verliezen heeft. Als het er ook maar even naar uitziet dat hij een wapen wil pakken, hebben jullie toestemming om het vuur op hem te openen. Heeft iemand nog vragen?'

Het bleef stil. De agenten van het versterkingsteam waren getraind voor een operatie als deze. De ruimte was een vat vol testosteron en adrenaline geworden. Dit was het moment waarop angst een andere naam kreeg.

Macfadyen tikte op de toetsen en klikte met de muis. De verbinding via de mobiele telefoon was afschuwelijk traag, maar het was hem gelukt om zijn gesprek met Lawson op de website te zetten. Hij stuurde een aanvullende e-mail naar de nieuwsagentschappen waarmee hij eerder contact had gezocht om ze te laten weten dat ze op de voorste rij konden zitten bij de belegering als ze inlogden op zijn site, waardoor ze zelf konden volgen wat er gebeurde.

Hij had absoluut niet de illusie dat hij enige invloed had op de uitkomst. Maar hij was vastbesloten om te ensceneren wat hij kon en alles te doen wat nodig was om de voorpagina's te halen. Als dat de baby het leven zou kosten, dan moest dat maar. Hij was er klaar voor. Hij kon het; hij wist dat hij het kon. Het maakte niet uit of zijn naam in de roddelpers synoniem zou komen te staan met het kwaad. Hij zou hier niet uitkomen als de enige slechterik. Ook al had Lawson gevraagd om het stopzetten van de berichtgeving, de informatie zwierf al rond, in het wild. Hij kon het internet niet knevelen, kon niet voorkomen dat de feiten bekend werden. En Lawson moest inmiddels weten dat Macfadyen een troefkaart in handen had.

De volgende keer dat ze zouden bellen, zou hij het allemaal vertellen. Hij zou de dubbelheid van de politie volledig onthullen. Hij zou de wereld laten weten hoe diep de gerechtigheid in Schotland was gezonken.

Het was de dag des oordeels.

Alex werd gestopt door een wegversperring van de politie. Hij kon de vele auto's van de verschillende hulpdiensten zien staan en de rood-witte afsluitingen van Carlton Way. Hij rolde zijn raampje omlaag en wist dat hij er vuil en onverzorgd uitzag. 'Ik ben de vader,' zei hij tegen de politieagent die zich vooroverboog om met hem te praten. 'Het is mijn dochter, waar het om gaat. Mijn vrouw is daar ergens. Ik moet naar haar toe.'

'Kunt u zich identificeren, meneer?' vroeg de agent.

Alex liet zijn rijbewijs zien. 'Ik ben Alex Gilbey. Laat me alstublieft door.'

De agent vergeleek zijn gezicht met de foto op het rijbewijs en wendde zich toen af om in zijn radio te spreken. Een ogenblik later kwam hij terug. 'Het spijt me, meneer Gilbey, we moeten voorzichtig zijn. Als u uw auto daar aan de kant wilt zetten, zal een van de agenten u naar uw vrouw brengen.'

Alex volgde een agent in een gele jas naar een wit busje. Hij opende de deur en Lynn sprong op van haar stoel en viel in zijn armen. Haar hele lichaam trilde en hij voelde haar hart tegen hem aan kloppen. Er waren geen woorden voor hun pijn. Ze klemden zich alleen maar aan elkaar vast, en hun ongerustheid en angst was voelbaar.

Lange tijd sprak niemand. Toen zei Alex: 'Het komt goed. Ik kan hier nu een eind aan maken.'

Lynn keek met roodomrande, gezwollen ogen naar hem op. 'Hoe, Alex? Hier kun je niets aan doen.'

'Dat kan ik wel, Lynn. Ik ken de waarheid nu.' Hij keek over haar schouder en zag Karen Pirie naast Weird bij de deur zitten. 'Waar is Lawson?'

'Hij is bij een instructie,' zei Lynn. 'Hij komt zo terug. Dan kun je met hem praten.'

Alex schudde zijn hoofd. 'Ik wil niet met hem praten. Ik wil met Macfadyen praten.'

'Dat zal niet gaan, meneer Gilbey. Dat wordt door getrainde onderhandelaars gedaan. Zij weten wat ze doen.'

'U begrijpt het niet. Er zijn dingen die hij moet weten die alleen ik hem kan vertellen. Ik zal hem niet bedreigen. Ik zal hem zelfs niet proberen over te halen. Ik moet hem alleen iets zeggen.'

Karen zuchtte. 'Ik weet dat u erg geschokt bent, meneer Gilbey. Maar u kunt heel veel schade aanrichten terwijl u denkt dat u iets goeds doet.'

Alex maakte zich zachtjes los uit Lynns armen. 'Dit heeft toch met Rosie Duff te maken? Dit gebeurt omdat hij denkt dat ik iets te maken heb gehad met de moord op Rosie Duff, nietwaar?'

'Dat lijkt het geval te zijn,' zei Karen voorzichtig.

'En als ik u zeg dat ik zijn vragen kan beantwoorden?'

'Als u informatie hebt over die zaak, ben ik degene met wie u moet praten.'

'Alles op zijn tijd, dat beloof ik. Maar Graham Macfadyen verdient het om als eerste de waarheid te horen. Alstublieft. Vertrouw me. Ik heb mijn redenen. Het gaat om het leven van mijn dochter. Als u me niet met Macfadyen laat praten, ga ik hier weg en vertel ik de pers wat ik weet. En geloof me, dat is niet de manier waarop u wilt dat ik het doe.'

Karen dacht na over de situatie. Gilbey leek kalm. Bijna te kalm. Ze was niet getraind voor dit soort situaties. Normaal gesproken zou ze zo'n beslissing door een hogere functionaris laten nemen. Maar Lawson was ergens anders bezig. Misschien moest ze het opnemen met de onderhandelaar. 'Laten we met inspecteur Duncan gaan praten. Hij heeft met Macfadyen gesproken.'

Ze stapte uit het busje en riep een van de agenten. 'Blijf bij mevrouw Gilbey en meneer Mackie.'

'Ik ga met Alex mee,' zei Lynn opstandig. 'Ik blijf bij hem.'

Alex pakte haar bij de hand. 'We gaan samen,' zei hij tegen Karen.

Ze wist wanneer ze moest opgeven. 'Oké, laten we gaan,' zei ze, en ze ging hen voor naar het kordon dat de straat van Macfadyen afsloot.

Alex had zich nog nooit zo levend gevoeld. Met elke stap die hij zette, was hij zich bewust van de bewegingen van zijn spieren. Zijn zintuigen leken gevoeliger; elk geluid en elke geur leken tot bijna onverdraaglijke hoogte te worden versterkt. Hij zou deze korte wandeling nooit vergeten. Dit was het belangrijkste moment van zijn leven en hij was vastbesloten om te doen wat hij moest doen, en op de goede manier. Hij had het gesprek tijdens zijn bijna onbesuisde rit naar St Monans gerepeteerd en was ervan overtuigd dat hij de juiste woorden had gevonden om zijn dochters leven te redden.

Karen bracht hen naar een wit busje dat voor het bekende huis geparkeerd stond. In de vallende schemering leek alles overgoten te zijn met somberheid en de stemming te weerspiegelen van allen die bij de belegering betrokken waren. Karen gaf een klap tegen de zijkant van het busje en de deur gleed open. In de opening verscheen het hoofd van John Duncan. 'Rechercheur Pirie, nietwaar? Wat kan ik voor u doen?'

'Dit zijn meneer en mevrouw Gilbey. Meneer Gilbey wil graag met Macfadyen praten.'

Duncans wenkbrauwen gingen omhoog van schrik. 'Dat is denk ik geen goed idee. De enige met wie Macfadyen wil praten is adjunct-hoofdcommissaris Lawson. En hij heeft opdracht gegeven om niet meer met hem te bellen voordat hij terug is.'

'Hij moet horen wat ik hem te zeggen heb,' zei Alex zwaar. 'Hij doet dit omdat hij wil dat iedereen weet wie zijn moeder heeft vermoord. Hij denkt dat mijn vrienden en ik het hebben gedaan. Maar hij vergist zich. Ik heb vandaag ontdekt wie het echt heeft gedaan en hij heeft er recht op het als eerste te horen.'

Duncan wist zijn verbazing niet te verbergen. 'U zegt dat u weet wie Rosie Duff heeft vermoord?'

'Ja.'

'Dan hoort u een verklaring af te leggen bij een van onze mensen,' zei hij resoluut.

Een trilling van emotie trok over Alex' gezicht en verraadde hoeveel moeite het hem kostte om zich te beheersen. 'Het is mijn dochter die hij daarbinnen heeft. Ik kan er nu een eind aan maken. Elke minuut dat het langer duurt voordat u me met hem laat praten, is een minuut waarin ze gevaar loopt. Ik praat met niemand anders dan Macfadyen. En als u me niet met hem laat praten, ga ik naar de pers. Ik ga ze vertellen dat ik een eind aan deze gijzeling kan maken en dat u me niet toestaat dat te doen. Wilt u echt dat dat uw beroepsmatige grafschrift wordt?'

'U weet niet wat u doet. U bent geen getrainde onderhandelaar.' Alex wist dat het Duncans laatste poging was.

'Al uw training lijkt u niet veel geholpen te hebben,' kwam Lynn ertussen. 'Alex doet in zijn werk niet anders dan met mensen onderhandelen. Hij is er heel goed in. Geef hem een kans. Wij nemen de volledige verantwoordelijkheid voor wat er gebeurt.'

Duncan keek Karen aan. Ze haalde haar schouders op. Hij haalde diep adem en zuchtte. 'Ik luister mee,' zei hij. 'Als ik denk dat de situatie uit de hand loopt, beëindig ik het gesprek.'

Alex was bijna duizelig van opluchting. 'Goed. Laten we het doen,' zei hij.

Duncan pakte de telefoon en zette een koptelefoon over zijn oren. Hij gaf er ook een aan Karen en overhandigde Alex de hoorn. 'Ga je gang.'

De telefoon ging over. Eén keer. Twee keer. Drie keer. Halverwege de vierde keer werd er opgenomen. 'Terug voor meer, Lawson?' zei de stem aan de andere kant.

Hij klonk zo gewoon, dacht Alex. Niet als een man die een kind zou ontvoeren en het leven ervan in gevaar zou brengen. 'Je spreekt niet met Lawson. Ik ben Alex Gilbey.'

'Ik heb je niets te zeggen, moordzuchtige rotzak.'

'Luister even naar me. Ik heb je iets te vertellen.'

'Als je gaat ontkennen dat je mijn moeder hebt vermoord, kun je je de moeite besparen. Ik geloof je toch niet.'

'Ik weet wie je moeder vermoord heeft, Graham. En ik heb het bewijs. Ik heb het hier in mijn zak. Ik heb verfschilfers die overeenkomen met de verf op de kleren van je moeder. Ik heb ze vanmiddag uit een caravan bij Loch Leven gehaald.' Geen reactie behalve een scherpe inzuigen van adem. Alex ging dapper door. 'Er was iemand anders die avond. Iemand aan wie niemand dacht omdat hij een reden had om daar te zijn. Iemand met wie je moeder na haar werk had afgesproken en die haar meenam naar zijn caravan. Ik weet niet wat er gebeurd is, maar het is mogelijk dat ze weigerde met hem naar bed te gaan en dat hij haar verkrachtte. Toen het tot hem doordrong wat hij gedaan had, besefte hij dat hij haar niet kon laten gaan om haar verhaal te vertellen. Dat zou het einde betekenen voor hem. Dus stak hij haar neer. En hij bracht haar naar Hallow Hill om daar te sterven. En niemand heeft hem ooit verdacht omdat hij aan de kant van de wet stond.' Karen Pirie staarde hem met open mond en verstijfd aan terwijl de betekenis van zijn woorden tot haar doordrong.

'Zeg me zijn naam,' fluisterde Macfadyen.

'Jimmy Lawson. Jimmy Lawson heeft je moeder vermoord, Graham, niet ik.'

'Lawson?' Het was bijna een snik. 'Dit is een list, Gilbey.'

'Geen list, Graham. Zoals ik al zei, heb ik bewijs. Wat heb je te verliezen als je mij gelooft? Maak hier nu een eind aan, dan krijg je de kans om eindelijk gerechtigheid te zien geschieden.'

Er viel een lange stilte. Duncan kwam langzaam naar voren, klaar om de telefoon van Alex af te pakken. Alex wendde zich bewust af en greep de hoorn steviger vast. Toen sprak Macfadyen.

'Ik dacht dat hij het deed omdat het de enige manier was om een soort gerechtigheid te krijgen. En ik wilde het niet op zijn manier omdat ik jullie wilde zien lijden. Maar hij deed het om zijn sporen uit te wissen,' zei Macfadyen. Zijn woorden betekenden niets voor de verbijsterde Alex.

'Wat deed?' vroeg Alex.

'Jullie vermoorden.'

45

Een mantel van duisternis hing over Carlton Way. In dat donker bewogen zich donkerder gedaanten, halfautomatische wapens stevig tegen kogelvrije vesten geklemd. Ze bestreken het terrein met de stille soepelheid van een leeuw die een antilope besluipt. Toen ze het huis naderden, verspreidden ze zich, gebukt om onder de vensterbanken te blijven en zich hergroeperend aan weerszijden van de voor- en achterdeur. Elke man vocht om zijn ademhaling zacht en gelijkmatig te houden, met een hart dat klopte als een trommel die opriep tot de strijd. Vingers controleerden of oortelefoons op hun plaats zaten. Niemand wilde het klaroengeschal missen wanneer het zou komen. Als het zou komen. Dit was geen moment voor twijfel. Als de oproep kwam, zouden ze hun toewijding tonen.

Boven hun hoofden hing de helikopter, de technici gekluisterd aan hun schermen die warmtebeelden opvingen. Zij hadden de verantwoordelijkheid om het juiste moment te kiezen. Zweet prikte in hun ogen en maakte hun handen vochtig terwijl ze zich concentreerden op de twee heldere vormen. Zolang ze van elkaar gescheiden bleven, konden ze het groene licht geven. Maar als ze met elkaar versmolten, moest iedereen wachten. Er was geen ruimte voor fouten. Er stond een leven op het spel.

Nu lag het allemaal in handen van één man. Adjunct-hoofdcommissaris James Lawson liep Carlton Way af en wist dat het de laatste kans was.

Alex worstelde om Macfadyens woorden te begrijpen. 'Wat bedoel je?' vroeg hij.

'Ik heb hem gisteravond gezien. Met de honkbalknuppel. Ik dacht dat hij gerechtigheid wilde. Ik dacht dat hij het daarom deed. Maar als Lawson mijn moeder heeft vermoord...'

Alex hield zich vast aan het enige waar hij zeker van was. 'Hij heeft haar vermoord, Graham. Ik heb het bewijs.' Ineens werd de verbinding verbroken. Verbijsterd keek Alex naar Duncan. 'Wat nou, verdomme?' zei hij.

'Genoeg,' zei Duncan, en hij wrikte de koptelefoon van zijn hoofd. 'Ik laat je dit niet aan de hele wereld vertellen. Wat is dit, Gilbey? Een of andere afspraak met Macfadyen om Lawson erin te luizen?'

'Waar heb je het over?' vroeg Lynn.

'Het was Lawson,' zei Alex.

'Ik hoorde je, Lawson heeft Rosie vermoord,' zei Lynn terwijl ze hem bij de arm greep.

'Niet alleen Rosie. Hij heeft Ziggy en Mondo ook vermoord. En hij probeerde Weird te vermoorden. Macfadyen heeft hem gezien,' zei Alex verbaasd.

'Ik weet niet waar je mee bezig bent...' begon Duncan. Hij werd abrupt gestopt door de komst van Lawson. Bleek en zwetend keek de adjunct-hoofdcommissaris de groep rond, verbaasd en duidelijk kwaad.

'Wat doen jullie hier, verdomme?' vroeg hij, wijzend naar Alex en Lynn. Hij keerde zich tegen Karen. 'Ik heb je gezegd haar in die bus te houden. Jezus, het lijkt wel een circus. Haal ze hier weg.'

Het bleef een ogenblik stil. Toen zei Karen Pirie: 'Meneer, er zijn een paar ernstige beschuldigingen geuit waar we over moeten praten...'

'Karen, dit is verdomme geen debatingclub. We zitten midden in een operatie die om leven of dood gaat,' schreeuwde Lawson. Hij bracht zijn radio naar zijn lippen. 'Is iedereen in positie?'

Alex rukte de radio uit Lawsons hand. 'Luister naar me, klootzak.' Voordat hij nog meer kon zeggen, werkte Duncan hem tegen de grond. Alex vocht met de politieman en wist zijn hoofd vrij te krijgen om te schreeuwen: 'We weten de waarheid, Lawson. Je hebt Rosie vermoord. En je hebt mijn vrienden vermoord. Het is afgelopen. Je kunt je niet meer verbergen.'

Lawsons ogen vonkten van woede. 'Je bent net zo gek als hij.' Hij bukte zich om zijn radio op te pakken terwijl een paar agenten in uniform boven op Alex doken.

'Meneer,' zei Karen op dringende toon.

'Niet nu, Karen,' barstte Lawson uit. Hij wendde zich af, zijn radio weer bij zijn gezicht. 'Is iedereen in positie?'

De antwoorden kraakten door zijn oortelefoon. Voordat Law-

son kon reageren hoorde hij de stem van de technische commandant in de helikopter. 'Niet vuren. Doelwit bij gijzelaar.'
Hij aarzelde een seconde. 'Ga,' zei hij. 'Ga. Ga. Ga.'

Macfadyen was klaar om de wereld tegemoet te treden. De woorden van Alex Gilbey hadden zijn vertrouwen in gerechtigheid hersteld. Hij zou de man zijn dochter teruggeven. Om een veilige passage te waarborgen, zou hij een mes met zich meenemen. Een laatste verzekering om hem veilig uit de deur en in de armen van de wachtende politie te brengen.

Hij was halverwege de voordeur, Davina als een pakketje onder zijn arm en een keukenmes in zijn vrije hand, toen de wereld ontplofte. De deuren aan de voor- en achterkant werden naar binnen geblazen. Mannen schreeuwden; een oorverdovende kakofonie. Witte lichtflitsen ontploften en verblindden hem. Instinctief trok hij het kind tegen zijn borst. De hand waarin het mes zich bevond, kwam naar haar omhoog. Door de chaos meende hij iemand te horen schreeuwen: 'Laat haar vallen.'

Hij voelde zich verlamd. Hij kon haar niet loslaten.

De hoofdschutter zag een kinderleven in gevaar. Hij spreidde zijn voeten, ondersteunde zijn wapen en richtte op het hoofd.

46

April 2004, Blue Mountains, Georgia
Het voorjaarszonlicht glinsterde boven de bomen toen Alex en Weird op de richel kwamen. Weird liep naar een rots die uitstak over de helling en klauterde omhoog. Hij ging zitten en liet zijn lange benen over de rand bungelen. Hij stak zijn hand in zijn rugzak en haalde er een kleine verrekijker uit. Hij richtte hem over de helling omlaag en gaf hem toen aan Alex.

'Recht omlaag en dan ietsje naar links.'

Alex paste de scherpstelling aan en bekeek het terrein beneden. Plotseling drong het tot hem door dat hij het dak van hun huisje zag. De figuurtjes die buiten rondrenden, waren Weirds kinderen.

De volwassenen die aan de picknicktafel zaten, waren Lynn en Paul. En de baby die op het kleed aan haar voeten in de lucht lag te schoppen, was Davina. Hij zag hoe zijn dochter haar armpjes spreidde en naar de bomen lachte. Zijn liefde voor haar doorboorde hem als stigmata.

Het had weinig gescheeld of hij was haar kwijt geweest. Toen hij het geweerschot hoorde, dacht hij dat zijn hart uit elkaar zou barsten. Lynns gil had in zijn hoofd weergalmd als het eind van de wereld. Het had een eeuwigheid geduurd voordat een van de gewapende politiemannen naar buiten was gekomen met Davina in zijn armen, en ook dat was geen opluchting geweest. Terwijl ze naderden, zag hij alleen maar bloed.

Maar het bloed was allemaal van Macfadyen geweest. De schutter had zijn doelwit vastberaden geraakt. Wat de emoties erop betrof, had Lawsons gezicht uit graniet gehouwen kunnen zijn.

In de wanorde die volgde, had Alex zich lang genoeg losgerukt van zijn vrouw en dochter om Karen Pirie bij de arm te grijpen. 'U moet die caravan veilig stellen.'

'Welke caravan?'

'Lawsons viscaravan. Aan Loch Leven. Daar heeft hij Rosie Duff vermoord. De verf op het plafond komt overeen met de verf op Rosies vest. Je weet maar nooit, er zouden zelfs nog bloedsporen kunnen zijn.'

Ze keek hem met afkeer aan. 'U verwacht toch niet dat ik die onzin serieus neem?'

'Het is waar.' Hij haalde de envelop uit zijn zak. 'Ik heb de verf die zal bewijzen dat ik gelijk heb. Als u Lawson terug laat gaan naar de caravan, zal hij hem vernietigen. Het bewijs zal in rook opgaan. U moet voorkomen dat hij dat doet. Ik verzin dit echt niet,' zei hij, wanhopig om haar te overtuigen.

'Duncan heeft Macfadyen ook gehoord. Hij heeft gisteren gezien dat Lawson Tom Mackie aanviel. Uw baas zal nergens voor terugdeinzen om zijn sporen uit te wissen. Neem hem in hechtenis en zorg dat die caravan veilig wordt gesteld.'

Karens gezicht bleef uitdrukkingsloos. 'U wilt dat ik mijn adjunct-hoofdcommissaris arresteer?'

'De politie van Strathclyde heeft Hélène Kerr en Jackie Donaldson op basis van heel wat minder bewijs in hechtenis genomen dan u hier vanmiddag hebt gehoord.' Alex deed zijn uiterste best om kalm te blijven. Hij kon niet geloven dat het hem nu allemaal uit de handen glipte. 'Als Lawson niet was wie hij is, zou u geen moment aarzelen.'

'Maar hij is wie hij is. Hij is een zeer gerespecteerde hogere politiefunctionaris.'

'Hij zou boven verdenking moeten staan, mevrouw Pirie. En juist daarom hoort u dit serieus te nemen. U denkt toch niet echt dat de kranten hier morgen niet vol van zullen staan? Als Lawson volgens u onschuldig is, bewijs dat dan.'

'Uw vrouw roept u, meneer Gilbey,' zei Karen ijzig. Ze was weggelopen en hij kon niets meer doen.

Maar ze had zijn woorden wel in zich opgenomen. Ze had Lawson niet gearresteerd, maar ze had een paar agenten bij elkaar gehaald en was onopvallend weggegaan. De volgende ochtend kreeg Alex een telefoontje van Jason, die hem opgewonden vertelde dat hij via de tamtam had gehoord dat zijn collega's in Dundee de vorige avond laat een caravan in beslag hadden genomen. Het spel was begonnen.

Alex liet de verrekijker zakken. 'Weten ze dat je ze bespioneert?'

Weird grinnikte. 'Ik zeg altijd dat God alles ziet en dat ik een direct lijntje met hem heb.'

'Dat wil ik wel geloven.' Alex ging achterover liggen en liet het zweet op zijn gezicht door de zon drogen. Het was een steile en zware klim geweest naar boven. Geen tijd om te praten. Het was de eerste keer dat hij alleen was met Weird sinds ze de vorige dag waren aangekomen. 'Karen Pirie is vorige week bij ons langs geweest,' zei hij.

'Hoe was het met haar?'

Het was, zoals Alex was gaan begrijpen, een typische vraag van Weird. Niet: 'Wat had ze te zeggen?' maar: 'Hoe was het met haar?' Hij had zijn vriend in het verleden te vaak onderschat. Nu had hij misschien de kans om dat goed te maken. 'Ik denk dat ze nog steeds behoorlijk geschokt is. Zoals de meeste politiemensen in Fife. Het is nogal verbijsterend om erachter te komen dat je adjunct-hoofdcommissaris een verkrachter en meervoudig moordenaar is. De gevolgen zijn behoorlijk ernstig. Volgens mij gelooft de helft van het korps nog steeds dat Graham Macfadyen en ik de hele zaak samen hebben bekokstoofd.'

'Dus Karen kwam vertellen hoe het verder was gegaan?'

'Min of meer. Het is haar zaak natuurlijk niet meer. Ze moest het hele onderzoek naar de moord op Rosie overgeven aan collega's van een ander korps, maar ze is bevriend geraakt met een van de teamleden. Dat betekent dat ze nog steeds op de hoogte blijft. Ik moet tot haar eer zeggen dat ze uit eigen beweging naar ons toe is gekomen om ons op de hoogte te stellen van de ontwikkelingen.'

'En die zijn?'

'Al het forensisch onderzoek van de caravan is voltooid. Behalve de overeenkomsten tussen de verf hebben ze ook minieme bloedsporen gevonden op de plaats waar de bank de vloer raakt. Ze hebben bloedmonsters genomen van Rosies broers en van Macfadyens lichaam, want ze hebben natuurlijk geen DNA-materiaal van Rosie. En er is een grote kans dat het bloed in Lawsons caravan van Rosie Duff afkomstig is.'

'Niet te geloven,' zei Weird. 'Na al die tijd wordt hij gepakt op een schilfertje verf en een druppeltje bloed.'

'Een van zijn voormalige collega's heeft in een verklaring verteld dat Lawson vaak opschepte dat hij de tijd tijdens zijn nachtdienst doodde door meisjes mee te nemen naar zijn caravan en seks met ze te hebben. En uit ons bewijs blijkt dat hij die nacht heel dicht bij de plaats was waar het lichaam is gevonden. Karen zei dat de officier van justitie eerst een beetje huiverig was, maar nu besloten heeft hem aan te klagen. Toen hij dat hoorde, stortte Lawson in. Het leek wel, zei ze, alsof hij de last niet meer kon dragen. Dat is kennelijk geen ongewoon verschijnsel. Volgens Karen komt het regelmatig voor dat moordenaars, als ze eenmaal in het nauw zijn gedreven, de behoefte hebben om al hun slechte daden op te biechten.'

'En waarom heeft hij het gedaan?'

Alex zuchtte. 'Hij ging al een paar weken met haar. En ze wilde niet alles met hem doen. Lawson zei dat ze tot een bepaald punt wilde gaan, en niet verder. En ze had hem zover gebracht dat hij zich niet meer kon beheersen. En hij verkrachtte haar. Volgens hem zei ze dat ze rechtstreeks naar de politie zou gaan. En hij kon dat niet aan, dus pakte hij zijn fileermes en stak haar. Het sneeuwde al en hij dacht niet dat er iemand in de buurt zou zijn, dus heeft hij haar naar Hallow Hill gebracht en daar achtergelaten. Hij wilde het laten lijken op een rituele moord. Hij zei dat hij het vreselijk vond toen hij besefte dat wij werden verdacht. Hij wilde natuurlijk niet zelf worden gepakt, maar hij beweerde dat hij ook niet wilde dat iemand anders de moord in de schoenen zou worden geschoven.'

'Bijzonder hoogstaand van hem,' zei Weird cynisch.

'Ik denk dat het waar is. Ik bedoel, met één klein leugentje had hij ons echt in moeilijkheden kunnen brengen. Toen Maclennan eenmaal wist van de Land Rover, had Lawson alleen maar hoeven te zeggen dat het hem ontschoten was dat hij hem eerder had gezien. Ofwel op de weg naar Hallow Hill of voor de Lammas Bar rond sluitingstijd.'

'Alleen de Heer kent de waarheid, maar wij kunnen hem het voordeel van de twijfel gunnen, neem ik aan. Hij moet gedacht hebben dat hem niets meer kon overkomen na al die tijd. Zelfs geen greintje verdenking.'

'Nee. Die last droegen wij. Lawson heeft vijfentwintig jaar lang een ogenschijnlijk onberispelijk leven geleid. En dan kondigt de hoofdcommissaris een herziening van de oude onopgeloste zaken aan. Volgens Karen heeft Lawson het bewijsmateriaal al verdonkeremaand nadat DNA voor het eerst met succes voor de rechtbank was gebruikt. Het werd toen nog bewaard in St Andrews, dus kon hij er gemakkelijk bij. Het vest was echt op een verkeerde plaats terechtgekomen toen het bewijsmateriaal naar een andere lokatie werd overgebracht, maar het andere materiaal, de kleren met het biologische bewijsmateriaal, heeft hij zelf weggegooid.'

Weird fronste zijn wenkbrauwen. 'Hoe komt het dat het vest heel ergens anders werd gevonden dan het lichaam?'

'Toen hij terugliep naar zijn Panda vond Lawson het vest in de sneeuw. Hij had het laten vallen toen hij Rosie de heuvel op droeg. Hij heeft het gewoon in de dichtstbijzijnde heg gepropt. Hij wilde het natuurlijk niet in de politieauto laten liggen. En toen al het belangrijke bewijsmateriaal verdwenen was, moet hij gedacht hebben dat hij het heronderzoek wel zou overleven.'

'En dan komt Graham ineens uit het niets te voorschijn. De enige factor waar hij nooit rekening mee had kunnen houden door de behoefte van haar familie om haar goede naam te bewaren. En dat was iemand die echt belang had bij de waarheid rond Rosies dood en die antwoorden wilde. Maar wat ik nog steeds niet begrijp, is waarom hij besloot ons te gaan vermoorden,' zei Weird.

'Volgens Karen zat Macfadyen Lawson voortdurend op zijn nek. Hij eiste dat de getuigen opnieuw werden verhoord. Met name wij. Hij was ervan overtuigd dat wij de daders waren. Op zijn computer stond onder andere een verslag van zijn gesprekken met Lawson. Op een gegeven moment merkt hij daarin op dat het hem verbaasd heeft dat Lawson niets verdachts had gezien vanuit zijn patrouillewagen. Toen hij dat aan Lawson voorlegde, leek die er heel nerveus van te worden, maar Macfadyen nam aan dat Lawson het beschouwde als kritiek op hem. Wat er echt achter zat, was natuurlijk dat Lawson niet wilde dat iemand zich zou gaan richten op wat hij die avond had gedaan. Iedereen had zijn aanwezigheid bij de plaats van de moord als vanzelfsprekend gezien, maar als je ons even niet meetelde, was de enige van wie we zeker wisten dat hij die nacht in de buurt was Lawson zelf. Als hij niet bij de politie was geweest, was hij de hoofdverdachte geweest.'

'Maar toch. Waarom na al die tijd nog achter ons aan gaan?'

Alex verschoof ongemakkelijk op de rots. 'Dit is wat pijnlijk. Volgens Lawson werd hij gechanteerd.'

'Gechanteerd? Door wie?'

'Mondo.'

Weird leek als door de bliksem getroffen. 'Mondo? Dat meen je niet. Wat voor een ziek spelletje speelt Lawson nu weer?'

'Ik denk niet dat het een spelletje is. Herinner je je de dag dat Barney Maclennan stierf?'

Weird huiverde. 'Hoe zou ik het kunnen vergeten?'

'Lawson was de voorste man aan het touw. Hij heeft gezien wat er gebeurde. Volgens hem hield Maclennan zich aan Mondo vast, maar raakte Mondo in paniek en heeft hem van zich af geschopt.'

Weird sloot een ogenblik zijn ogen. 'Ik wou dat ik kon zeggen dat ik het niet geloof, maar het is precies de manier waarop Mondo zou reageren. Toch begrijp ik nog niet wat dat met chantage van Lawson te maken heeft.'

'Nadat ze Mondo omhoog hadden gehesen, was het een chaos. Lawson ontfermde zich over Mondo. Hij ging met hem mee in de ambulance. Hij zei tegen Mondo dat hij gezien had wat er gebeurd was en verzekerde hem dat hij zou zorgen dat Mondo de volle wettige prijs zou betalen voor wat hij had gedaan. En toen kwam Mondo met zijn kleine mededeling. Mondo beweerde dat hij Rosie op een avond voor de Lammas Bar in Lawsons patrouilleauto had zien stappen. Nou, Lawson wist dat hij diep in de stront zat als dat bekend zou worden. Dus maakte hij een deal. Als Mondo zijn mond hield over wat hij had gezien, zou Lawson hetzelfde doen.'

'Dat is niet zozeer chantage als wel verzekerde wederzijdse vernietiging,' zei Weird scherp. 'Wat ging er mis?'

'Toen het heronderzoek naar de onopgeloste zaken werd aangekondigd, ging Mondo naar Lawson en zei tegen hem dat hij zijn mond alleen zou blijven houden als hij met rust werd gelaten. Hij wilde zijn leven niet voor de tweede keer kapotgemaakt zien worden. En hij vertelde Lawson dat hij een verzekering had. Dat nog iemand anders wist wat hij had gezien. Alleen zei hij natuurlijk niet aan wie van ons hij het zogenaamd had verteld. Daarom stond Lawson erop dat Karen zich concentreerde op het bewijsmateriaal in plaats van dat ze ons opnieuw zou ondervragen. Het gaf hem tijd om iedereen te vermoorden die wellicht de waarheid kende. Maar toen werd hij een beetje slimmer dan goed voor hem was. Hij wilde een verdachte creëren voor de moord op Mondo. Dus gaf hij Robin Maclennan een motief door hem de echte oorzaak te vertellen van Barneys dood. Maar voordat Lawson Mondo kon vermoorden, zocht Robin Maclennan contact met Mondo, die in paniek raakte en Lawson weer opzocht.' Alex glimlachte grimmig. 'Dat waren de zaken die hij in Fife had op de dag waarop hij mij kwam opzoeken. Maar goed, Mondo beschuldigde Lawson ervan dat hij zich niet aan de afspraak had gehouden. Ouder en wijzer, dat dacht hij tenminste. Hij zei dat hij zijn verhaal zou gaan vertellen, zodat Lawsons bewering dat hij schuldig was aan de dood van Barney Maclennan zou overkomen als het wanhopige gooien met modder van een man die geen kant meer op kon.' Alex wreef met zijn hand over zijn gezicht.

Weird kreunde. 'Arme, domme Mondo.'

'De ironie is dat het Lawson misschien was gelukt om ons alle vier te vermoorden als Graham Macfadyen er niet was geweest met zijn obsessie voor de zaak.'

'Hoe bedoel je dat?'

'Als Graham ons niet allemaal had opgespoord via internet, was hij nooit achter Ziggy's dood gekomen en zou hij die krans niet hebben gestuurd. Dan hadden wij nooit een verband gelegd tussen de twee moorden en had Lawson de kans gekregen om ons op zijn dooie gemak uit te schakelen. En hij vertroebelde het water zo goed als hij kon. Hij zorgde ervoor dat ik alles wist van Graham, hoewel hij deed alsof hij het zich per ongeluk had laten ontvallen. En hij vertelde Robin Maclennan natuurlijk dat Mondo verantwoordelijk was voor de dood van diens broer. Op die manier had hij zich een beetje ingedekt. Nadat Mondo was vermoord, ging de sluwe vuilak naar Robin en bood hem een alibi aan. Waar Robin natuurlijk gebruik van maakte zonder er ook maar even bij stil te staan dat het ook andersom werkte, namelijk dat hij de echte moordenaar een alibi gaf.'

Weird huiverde. Hij trok zijn benen op en klemde zijn knieën tegen zijn borst. Hij voelde een steekje in zijn ribben, de schim van vroegere pijn. 'Maar waarom had hij het op mij gemunt? Hij moet toch beseft hebben dat wij geen van tweeën wisten wat Mondo had gezien, anders hadden we hem er na Mondo's dood wel mee geconfronteerd.'

Alex zuchtte weer. 'Tegen die tijd zat hij er veel te diep in. Door de kransen van Macfadyen hadden wij verband gelegd tussen de twee moorden, die eruit hadden moeten zien alsof ze niets met elkaar te maken hadden. Zijn enige hoop was Macfadyen de moorden in de schoenen te schuiven. En Macfadyen zou het niet bij twee gelaten hebben, nietwaar? Hij zou doorgegaan zijn tot hij ons allemaal uit de weg had geruimd.'

Weird schudde droevig zijn hoofd. 'Wat een vreselijke puinhoop. Maar waarom Ziggy als eerste?'

Alex kreunde. 'Het is zo banaal dat je ervan zou gaan huilen. Hij had blijkbaar zijn reis naar de vs al geboekt toen het nieuwe onderzoek naar de oude moordzaken werd aangekondigd.'

Weird likte zijn lippen. 'Dus ik had het net zo goed kunnen zijn?'

'Als hij besloten had aan jouw kant van het land te gaan vissen, ja.'

Weird sloot zijn ogen en zette zijn vingers tegen elkaar. 'En Ziggy en Mondo? Wat gebeurt daarmee?'

'Dat ziet er niet zo goed uit, ben ik bang. Hoewel Lawson zingt als de spreekwoordelijke vogel, kunnen ze niet bewijzen dat Lawson Mondo heeft vermoord. Hij was bijzonder voorzichtig. Hij heeft geen alibi, maar hij beweert dat hij die avond in zijn caravan was, dus zelfs als ze een buurman vinden die bevestigt dat zijn auto die avond niet bij zijn huis stond, is hij nog gedekt.'

'Dus hij komt er misschien nog ongestraft vanaf?'

'Daar ziet het naar uit. Volgens de Schotse wet moet een bekentenis ondersteund worden door bewijsmateriaal om een veroordeling te kunnen krijgen. Maar de politie van Glasgow laat Hélène en Jackie gaan, wat in elk geval een klein succesje is.'

Weird sloeg van frustratie met zijn hand op de rots. 'En Ziggy? Heeft de politie van Seattle het wat beter gedaan?'

'Een beetje. Maar niet veel. We weten dat Lawson de week voor Ziggy's dood in de VS was. Hij maakte zogenaamd een vistrip door het zuiden van Californië. Maar nu komt het. Toen hij zijn huurauto terugbracht, stond er zo'n vierduizend kilometer meer op de teller dan je zou krijgen als je alleen in de buurt rondrijdt.'

Weird schopte een steen onder zijn voeten weg. 'En dat is zeker een retourtje Californië – Seattle?'

'Precies. Maar verder is er ook hier geen direct bewijs. Lawson is zo slim dat hij zijn creditcard alleen heeft gebruikt in de omgeving waarin hij verondersteld werd te zijn. Karen zei dat de politie van Seattle zijn foto heeft laten zien in ijzerwarenwinkels en motels, maar tot nu toe zonder resultaat.'

'Het is toch niet te geloven, dat hij weer ongestraft heeft kunnen moorden,' zei Weird.

'Ik dacht dat jij in een hogere oordelende macht geloofde dan wij stervelingen kunnen uitoefenen?'

'Gods oordeel verlost ons niet van de plicht om in een morele wereld te werken,' zei Weird ernstig. 'Een van de manieren waarop we naastenliefde tonen is door onze naasten te beschermen tegen hun eigen boze neigingen. Misdadigers naar de gevangenis sturen is slechts een extreem voorbeeld daarvan.'

'Ik ben ervan overtuigd dat ze zich bemind voelen,' zei Alex sardonisch. 'Karen had nog een nieuwtje. Ze hebben eindelijk besloten Lawson niet aan te klagen voor poging tot moord op jou.'

'Waarom niet, verdorie? Ik heb gezegd dat ik bereid was terug te komen en te getuigen.'

Alex ging overeind zitten. 'Zonder Macfadyen is er geen direct bewijs dat het Lawson was die je in elkaar sloeg.'

Weird zuchtte. 'Nou ja. In elk geval zal hij zich niet onder de moord op Rosie uit kunnen wurmen. Het maakt denk ik niet zoveel uit of hij aangeklaagd wordt voor wat hij mij heeft aangedaan. Weet je, ik was er altijd trots op dat ik wist wat er op de wereld te koop was,' mijmerde hij. 'Maar ik liep die avond bij jullie de deur uit met zo'n gevoel van "mij krijgen ze niet". Ik vraag me af of ik net zo dapper, of dom, was geweest als ik geweten had dat niet één maar twee mensen het op me gemunt hadden.'

'Wees er dankbaar voor. Zonder Macfadyen, die ons bespioneerde, hadden we nooit geweten dat Lawson daar was.'

'Ik begrijp nog steeds niet dat hij niet tussenbeide is gekomen toen Lawson me tot moes begon te slaan,' zei Weird bitter.

'Misschien was Eric Hamilton hem vóór,' zuchtte Alex. 'We zullen dat denk ik nooit weten.'

'Het belangrijkste is dat we eindelijk weten wie Rosie vermoord heeft,' zei Weird. 'Dat is vijfentwintig jaar lang een doorn in ons vlees geweest en nu kunnen we het achter ons laten. Dankzij jou hebben we het gif dat ons vieren geïnfecteerd heeft, kunnen neutraliseren.'

Alex keek hem nieuwsgierig aan. 'Heb jij je ooit afgevraagd...?'

'Of het echt een van ons was?'

Alex knikte.

Weird dacht even na. 'Ik wist dat Ziggy het niet kon zijn geweest. Hij was niet geïnteresseerd in vrouwen en wilde zelfs in die tijd niet genezen worden. Mondo had zijn mond niet kunnen houden als hij het was geweest. En jij, Alex... Nou, laat ik alleen zeggen dat ik niet dacht dat jij haar Hallow Hill op had kunnen krijgen. Je had de sleutels van de Land Rover niet.'

Alex was geschokt. 'Is dat de enige reden waarom je dacht dat ik het niet kon zijn geweest?'

Weird glimlachte. 'Jij was sterk genoeg om het voor je te hebben gehouden. Je kunt ongelooflijk kalm blijven onder druk, maar als je uitbarst, barst je uit als een vulkaan. Je vond het meisje leuk... ik zal eerlijk zijn. Het is bij me opgekomen. Maar zodra ze ons vertelden dat ze ergens anders was vermoord en op de heuvel was achtergelaten, wist ik dat jij het niet geweest kon zijn. Je werd gered door de logistiek.'

'Bedankt voor je vertrouwen,' zei Alex gekwetst.

'Je vroeg ernaar. En jij? Wie verdacht jij?'

Alex had het fatsoen om er beschaamd uit te zien. 'Ik heb aan jou gedacht. Vooral toen je God kreeg. Het leek iets wat iemand met een schuldig geweten kon hebben gedaan.' Hij keek over de kruinen van de bomen naar de verre horizon, waar bergen in een blauw waas in elkaar overgingen. 'Ik vraag me regelmatig af hoe mijn leven zou zijn geweest als Rosie mijn uitnodiging had aangenomen en die avond mee was gegaan naar het feestje. Dan zou ze nog in leven zijn. En Mondo en Ziggy ook. Onze vriendschap zou op een veel betere manier in stand zijn gebleven. En we hadden zonder schuldgevoel kunnen leven.'

'Dan was je misschien met Rosie getrouwd in plaats van met Lynn,' merkte Weird spottend op.

'Nee.' Alex fronste zijn voorhoofd. 'Dat was nooit gebeurd.'

'Hoezo niet? Onderschat niet hoe broos de draden zijn die ons met het leven verbinden dat we hebben. Je viel op haar.'

'Het zou overgegaan zijn. En ze had nooit echt gekozen voor een jongen als ik. Ze was veel te volwassen. Bovendien denk ik dat ik toen al wist dat Lynn degene was die me zou redden.'

'Redden waarvan?'

Alex glimlachte, een klein, persoonlijk glimlachje. 'Van alles.' Hij staarde omlaag naar het huisje en de open plek waar zijn hart in gijzeling werd gehouden. Voor het eerst in vijfentwintig jaar had hij een toekomst en niet alleen een verleden als een molensteen. En het voelde als een geschenk dat hij eindelijk had verdiend.

Woord van dank

Het is een verademing om een boek te schrijven waar niet veel research voor nodig is. Desondanks ben ik de volgende personen erkentelijk voor hun hulp: Sharon van That Café, Wendy van de *St Andrews Citizen*, dr. Julia Bray van de Universiteit van St Andrews en de forensisch antropologe dr. Sue Black.

Zoals altijd is mijn werk verbeterd door suggesties van mijn redacteuren, Julia Wisdom en Anne O'Brien, mijn adviserend redacteur Lisanne Radice, mijn literair agent Jane Gregory en mijn juridisch adviseur en eerste lezer Brigid Baillie.